CUBA BUSCA UNA SALIDA

Dagoberto Valdés Hernández (ed.)
Consejo Directivo
del Centro de Estudios Convivencia

CUBA BUSCA UNA SALIDA

Informes de Estudios del Itinerario
de Pensamiento y Propuestas para Cuba

ॐ

Compilación de artículos sobre
Reforma Constitucional en Cuba

De la presente edición, 2019:

© Dagoberto Valdés Hernández (ed.)
© Consejo Directivo del Centro de Estudios Convivencia
© Editorial Hypermedia

Editorial Hypermedia
www.editorialhypermedia.com
www.hypermediamagazine.com
hypermedia@editorialhypermedia.com

Edición: Dagoberto Valdés Hernández
Ilustraciones de portada e interior: Wendy Ramos Cáceres
Ilustración de portada: «Ícaro». Acuarela sobre papel. 2018. 15 x 14,5 cm
Corrección y maquetación: Yoandy Izquierdo Toledo
Diseño de colección: Editorial Hypermedia

ISBN: 978-1-948517-40-9

—Minino de Cheshire —empezó Alicia tímidamente, pues no estaba del todo segura de si le gustaría este tratamiento: pero el Gato no hizo más que ensanchar su sonrisa, por lo que Alicia decidió que sí le gustaba.
—Minino de Cheshire, ¿podrías decirme, por favor, qué camino debo seguir para salir de aquí?
—Esto depende en gran parte del sitio al que quieras llegar —dijo el Gato.
—No me importa mucho el sitio... —dijo Alicia.
—Entonces tampoco importa mucho el camino que tomes —dijo el Gato.

Lewis Carroll. *Alicia en el País de las maravillas*

Cuba, en su actual laberinto de incertidumbres, se asemeja a aquella incierta situación de Alicia en el entramado del bosque: Quiere salir pero no le importa mucho hacia dónde.

La sabiduría, que siempre sonríe al que no le teme, le advierte previsoramente, en voz del gato, que el camino depende del sitio al que quieras llegar.

Martí dijo: «Pensar es prever». «En prever está todo el arte de salvar». «Guiar es prever». «Prever es la cualidad esencial en la constitución y gobierno de los pueblos».[1]

Por ello el Centro de Estudios Convivencia (CEC), *think tank* independiente radicado en Pinar del Río, Cuba, que efectúa sus estudios en los dos pulmones de la única nación cubana: Isla y Diáspora, ha querido realizar un «Itinerario de Pensamiento y Propuestas para el futuro de Cuba» con el fin de prever, y proponer a debate público, una visión del futuro a dónde quisiéramos llegar entre todos, para así no volver a caer en las improvisaciones y experimentos del pasado, y poder encontrar los mejores caminos plurales y pacíficos para llegar a ese porvenir democrático, próspero y feliz.

Este libro presenta una recopilación de los seis Informes de Estudios del CEC hasta el momento de su publicación y que se han publicado en www.centroconvivencia.org.

Dagoberto Valdés Hernández
Director del Centro de Estudios Convivencia
20 octubre de 2018

---

[1] (O.C. Tomo 6, p. 325) («La lección de un viaje». *Patria*. O.C. Tomo 2. p. 397) (O.C. Tomo 3, p. 425) (O.C. Tomo 6. p. 159).

PRÓLOGO

Pensando Cuba: «con todos y para el bien de todos»

Futuro y destino —decía Gustavo Pittaluga— *son conceptos diferentes.*[1] El primero es porvenir inmediato, el segundo está preñado de prescripciones de orden histórico y filosófico. Y añadía: *ningún ideal se realiza por completo, pero sin la visión de ese ideal no hay obra fecunda para el porvenir.* Es decir, cuando se carece de la conciencia de destino se impone conformarla, pues el destino, depende de la conducta humana.

Los cambios sociales requieren de cambios en las personas. La historia de Cuba en general y el totalitarismo de las últimas décadas lo confirman. El retroceso sufrido demuestra la necesidad de pensamiento y de virtudes capaces de desentrañar las causas del retroceso, perfilar las vías de solución y adaptarse a las incesantes transformaciones que se producen en la época de las nuevas tecnologías de la información y las comunicaciones.

La carencia de conciencia de destino y la débil formación cívica de los cubanos, que fueron asumidas hace dos siglos por el Padre Félix Varela, hoy animan al Centro de Estudios Convivencia (CEC), cuyos integrantes —sin otro ánimo que coadyuvar a sanar el daño antropológico y contribuir a la solución de la crisis— han asumido la tesis de José de la Luz y Caballero: *los procesos para fundar pueblos tienen como premisa la preparación de los sujetos históricos y de los cimientos morales básicos para su realización y en consecuencia concibió la educación como premisa de los cambios sociales.* Tesis que Enrique José Varona, ese otro grande de la pedagogía cubana, resumió así: *Tenemos que vivir de otro modo, si queremos vivir; y para ello necesitamos aprender de otro modo.*

---

[1] G. Pittaluga. *Diálogos sobre el destino,* p. 3.

9

Han transcurrido tres años desde que el CEC convocara al inicio de un itinerario de pensamiento que reunió a representantes de la sociedad civil independiente de Cuba y de su Diáspora en el empeño de estudiar y debatir ideas sobre la realidad de la Isla, generar propuestas para superar la crisis actual de nuestra Nación y formular rutas y estrategias alternativas para hacer posible el futuro de democracia, libertad y prosperidad al que aspiramos millones de cubanos.

Concebido en ese espíritu, el proyecto académico del CEC «Pensando Cuba» ha logrado reunir durante este tiempo relativamente breve a un numeroso grupo de ciudadanos cubanos, mayormente profesionales de diversas especialidades y perfiles, así como de variadas tendencias de pensamiento político, filosófico y religioso, que desde entonces trabajan en el objetivo común de contribuir al alumbramiento de una Cuba plural, democrática, inclusiva, independiente, justa y fraterna, así como a la formación y consolidación de los principios éticos y cívicos que garanticen la permanencia de estos pilares.

Sin embargo, «Pensando Cuba» es más que un proyecto académico. Es un reflejo de la necesidad de expresión y participación de los cubanos en la vida económica, política y social de su país y de la voluntad de hacerlo a pesar de todas las adversidades. Y es también, en las actuales circunstancias en que es más cercana la posibilidad de vislumbrar cambios en Cuba, una respuesta responsable, constante y comprometida a la urgencia de crear laboratorios de ideas que aporten tanto a los ciudadanos, como a los políticos, empresarios, economistas y a todos los actores sociales interesados en trabajar por el futuro de la Isla, una variedad de propuestas útiles para elaborar, entre todos, una visión estratégica y unas acciones que promuevan un impacto social positivo.

Los estudios que desarrolla el CEC en este Proyecto tienen un carácter propositivo, no confrontacional, de ahí que no se trate de una búsqueda de acuerdos ni de una plataforma de perfil político o ideológico, sino que estamos ante un depósito de propuestas que confluyen en el interés de una transición pacífica hacia los cambios necesarios en todos los órdenes de la vida nacional cubana. Por demás, tampoco se pretende que cada informe o debate tengan una intención conclusiva, sino que se persigue mantener de forma permanente la posibilidad de ampliar y enriquecer cada uno de los temas así como de incorporar nuevos puntos y nuevos actores a la agenda y a los debates.

Vale aclarar que la participación de cubanos de la Isla y de la Diáspora de forma independiente y sistemática en este Proyecto ha sido una estrategia necesaria, no solo por cuestiones elementales de logística, sino (muy particularmente) por las limitaciones que imponen la persecución y el acoso del Gobierno cubano contra todo el CEC como manifestación de independencia ciudadana, que se ha hecho sentir con tanta mayor fuerza cuanto más avanzan las propuestas que se publican puntualmente en el sitio web www.centroconvivencia.org; y así también por la férrea prohibición por parte de ese mismo Gobierno a entrar a su país natal, que pesa sobre muchos cubanos emigrados que participan en este Proyecto.

No obstante estas adversidades, ambos segmentos –de la Isla y de la Diáspora– comparten la misma metodología enfocada en la misión expuesta en el inicio: pensar y proponer posibles soluciones a partir de un diagnóstico conjunto de los principales problemas de Cuba en el corto, mediano y largo plazos (3, 5 y 10 años, respectivamente); la visión de establecer y mantener el vínculo entre ciudanos cubanos de todas las orillas, con capacidad para generar propuestas plurales y disímiles y para aceptar que eventualmente en la práctica estas pueden ser adoptadas y/o rechazadas total o parcialmente; y considerar, como impacto esencial permanente, fomentar en la sociedad la conciencia de que la construcción de una sociedad moderna, competitiva, con equidad de oportunidades, próspera y democrática es responsabilidad de todos los cubanos –y no de elites, cualesquiera que estas sean–. De manera que las propuestas del Proyecto «Pensando Cuba» deben funcionar, no como un programa o un *dictum*, sino como incentivos para los cambios que demanda la realidad cubana.

Así, la tenacidad que caracteriza al Centro de Estudios hizo posible, entre septiembre de 2015 y febrero de 2018, concluir los primeros seis estudios que se presentan en este libro: Economía, Tránsito Constitucional y Marco Jurídico, Cultura, Educación, Agricultura y los Medios de Comunicación Social y las Nuevas Tecnologías de la Información y las Comunicaciones (MCS-TICs) en el futuro de Cuba: Visión y Propuestas, son los temas de los informes que aquí se publican. Estos, a su vez, se estructuran en subtemas relacionados que permiten profundizar y diversificar las propuestas. Textos que separados de la inmediatez apuntan al futuro. Aunque urgen los cambios políticos, las condiciones impiden comenzar por ellos. De ahí la estrategia asumida *de lo posible a lo necesario, del corto al largo plazo.*

El título que hoy ve la luz pone a consideración pública los seis informes resultantes, de igual número de temas analizados hasta ahora, que se han debatido periódicamente de manera conjunta por los participantes de la Isla y de la Diáspora, tanto en Comisiones de Trabajo como en Sesiones Plenarias, previas reuniones que han tenido lugar en la sede del CEC, en la ciudad de Pinar del Río, Cuba (mientras esta no estuvo confiscada por el gobierno) y en la ciudad de Miami, EE.UU. Dichos informes a su vez contienen las ponencias presentadas por varios autores, relacionadas con los temas y subtemas correspondientes a cada encuentro.

El orden en que se presentan los temas no se relaciona con la importancia específica de cada uno de ellos –puesto que todos constituyen factores prioritarios para los objetivos que se propone el CEC con este Proyecto sobre el presente y futuro de Cuba– sino que tiene carácter cronológico, según las fechas en que se han desarrollado cada uno de los encuentros de debates.

La elección del tema consecutivo a debatir se realiza al cierre de cada cónclave en Sesión Plenaria a través del voto directo de todos los participantes, donde prima el criterio de la mayoría, aunque generalmente en esta elección suelen influir los acontecimientos que estén teniendo lugar en la Isla y que, circunstancialmente, afectan de manera más significativa el devenir nacional.

El volumen contiene, además, una compilación de los artículos publicados por el Centro de Estudios y Revista Convivencia sobre el proceso de Reforma Constitucional, que actualmente se está llevando a cabo en la Isla bajo el absoluto control del Gobierno cubano y su partido comunista (único y supraconstitucional), con la intención de legitimar la continuidad de ese mismo gobierno. Esta publicación, pues, no podía haber llegado en un momento y un escenario más oportunos.

Pensando Cuba: del análisis a la propuesta en cada estudio

En la economía, aunque el Gobierno no desee cambios, los necesita. Esa contradicción explica tanto el carácter, lento, limitado y contradictorio de las medidas implementadas, como la imposibilidad de detenerlas. En ese contexto zigzagueante los estudios del CEC consideran posible que la economía se desplazará gradualmente en el corto plazo de la planificación central hacia el mercado. Un proceso en el cual se irán liberando las fuerzas productivas y legitimándose los diferentes tipos de propiedad. El sector agropecuario, vinculado con la agroindustria, se encaminará hacia una economía intensiva, tecnificada, sostenible, sustentable y ecológica, hasta devenir motor del desarrollo. Algunas propuestas del Primer Informe de Estudios (Economía) y del Quinto (Agricultura) son: la creación de un Banco de Fomento Agropecuario, la conversión del usufructuario en propietario pleno, la formación de verdaderas cooperativas, la eliminación del acopio monopolizado por el Estado y la creación de un sistema de impuestos que estimule su crecimiento y desarrollo.

Esas transformaciones en el mediano plazo conformarán una nueva relación entre Estado, Mercado y sociedad civil hasta desembocar en una asamblea constituyente encargada de legitimarlas en una nueva Carta Magna que, pasando de la ley a la ley, responda a las exigencias de ese momento, conservando lo aprovechable de la actual legislación y teniendo en cuenta las enseñanzas contenidas en la rica tradición constitucional de Cuba.

Dado el momento histórico que vive Cuba hoy, adquiere gran relevancia el II Encuentro de Pensamiento y Propuestas para Cuba, organizado por el CEC, que estuvo dedicado al tema «Tránsito Constitucional y Marco Jurídico: de la ley a la ley». Este tuvo su primera sesión en Pinar del Río los días 23 y 24 de abril de 2016 y su segunda etapa en la Universidad Internacional de la Florida entre el 23 y el 24 de julio del propio año.

Para motivar a los participantes, el Consejo Académico y Directivo del CEC lanzó previamente la siguiente pregunta; ¿Cuáles serían las diez leyes que usted considera más importantes para crear un nuevo Marco Jurídico que permita las reformas estructurales y sustanciales que Cuba necesita?

Los resultados, reflejados en el informe final, fueron: unas propuestas generales para la Reforma Constitucional acompañadas de un paquete de 45 propuestas de leyes complementarias que implementarían un nuevo marco jurídico en Cuba, concreción legal que no fue completada después de la Constitución de 1940. Las leyes complementarias que harían coherente y eficaz la aplicación de una nueva Carta Magna son agrupadas en la propuesta del CEC en cuatro bloques: Leyes Orgánicas y Estructurales, Leyes Económicas, Leyes para el Desarrollo de la Sociedad Civil y Leyes para el Desarrollo Humano Integral.

Lo que puede considerarse una novedad en el enfoque dado a las propuestas legales es, sin dudas, el hecho de que se consideró en todo momento que «la persona humana es y debe ser el sujeto, el principio, el centro y el fin de todas las estructuras políticas, económicas y sociales». Esta es la filosofía de fondo y el eje central que inspira todas las propuestas del CEC.

Los lectores podrán consultar también una antología de artículos publicados sobre el tema de la Reforma Constitucional en Cuba. Esta selección incluye cuatro editoriales de la revista Convivencia y una treintena de artículos bajo las firmas de Dagoberto Valdés, Karina Gálvez, Jorge Ignacio Guillén y Yoandy Izquierdo, entre otros.

El esfuerzo realizado para elaborar estas propuestas podría parecerle estéril a aquellos que piensan que todo esto resulta inviable debido a que el actual Gobierno cubano acaba de someter a Referendo una Reforma Constitucional y también tiene preparado su propio paquete de leyes. En nuestra opinión, nada más lejos de la realidad y la necesidad: de todos modos Cuba necesitará de este sembradío de visiones estratégicas y propuestas concretas una vez que atraviese el umbral del cambio real. El tiempo lo dirá.

Para fundamentar estas propuestas se realizó un riguroso proceso de análisis y discusión propio del más exigente taller de ideas que culminó con un trabajo de compilación para la redacción final. Métodos avalados por las más modernas tendencias de las Ciencias Sociales, honestidad intelectual, diálogo sereno y respetuoso, así como un compromiso con el futuro de Cuba, fueron los rasgos más característicos de estos encuentros.

Los que han comprometido su tiempo, su talento y sus recursos en la realización de estas propuestas han optado por no callar, justamente para no otorgar legitimidad a un sistema que el Gobierno impone bajo condición de irrevocabilidad.

Probablemente tendrá que pasar demasiado tiempo para que las leyes aquí enunciadas tengan la posibilidad de ser promulgadas. Pero cuando llegue el momento de salir de la actual situación estas ideas serán como un buen acicate del debate público inicial para emprender los nuevos caminos, o como una brújula para mejores destinos.

En el Tercer Informe de Estudios (Cultura) se propone una dimensión histórica de la cultura cubana como inspiración, referente y visión para el presente y el futuro de la nación. En esa dimensión la enseñanza de la Historia se alza como herramienta vital para la conformación de la diversidad de pensamiento y las libertades de conciencia y de expresión; pero particularmente, para erradicar o al menos disminuir, los rasgos negativos de nuestra cultura, entre otros, la primacía de la violencia, el caudillismo, la inmediatez y ligereza en el actuar, la falta de visión y de tenacidad en la lucha por alcanzar los objetivos individuales y nacionales, la vida fácil, la doblez y la indiferencia; males estrechamente vinculados en nuestra historia con las exclusiones y las injusticias sociales que sirven de combustible a los intentos de cambiar por la vía de las revoluciones y regresar al punto de partida en peores condiciones.

La misión más compleja, sin embargo, consiste en el rescate de los valores y la formación ciudadana. Ello implica la transformación de la escuela en comunidades educativas, independientes de cualquier modelo socio-político o partidista, como se plantea en el Cuarto Informe de Estudios (Educación). Para ese fin el Centro propone incluir en el nuevo texto constitucional todo lo referente a la educación tal y como está recogido en el Pacto Internacional de Derechos Económicos, Sociales y

Culturales. Entre otros aspectos, el respeto a la libertad de los padres a escoger el tipo de educación para sus hijos y escuelas distintas de las creadas por las autoridades públicas. En el caso de educación superior se propone restablecer la autonomía universitaria para el cumplimiento de su misión social: un logro de las luchas cívicas en la República desaparecido con el proceso revolucionario de 1959.

Finalmente, en el Sexto Informe de Estudios (MCS-TICs) se plantea el avance de Cuba hacia el desarrollo de los Medios de Comunicación Social y las Tecnologías de la Información y las Comunicaciones, como necesidad insoslayable para todas las actividades de la sociedad, basado en los principios de libertad y responsabilidad personal, el libre acceso a todos los medios, el respeto por la dignidad de toda persona humana, su integridad espiritual y moral, sus derechos y deberes cívicos y políticos, con la única prohibición de su empleo para difundir cualquier forma de terrorismo, violencia, fanatismo, discriminación, fobia, difamación o descalificaciones sin distinción, y cualquier ataque contra personas, grupos, el orden, la convivencia ciudadana y la moral pública.

La difusión y aceptación libre y consciente de los criterios éticos sobre la información y las comunicaciones debe concretarse en estrategias familiares, educativas, jurídicas, administrativas y laborales, que mantengan un dinamismo dialógico entre los siguientes cuatro pares dialécticos: libertad-responsabilidad; transparencia-seguridad; veracidad-respeto a la dignidad de las personas; y denuncia-propuesta. Todo bajo el principio de que: «Una sociedad funciona mejor si todos los ciudadanos están bien informados» para poder ejercer tanto la ciudadanía como la soberanía popular desde abajo.

En la relación entre Medios y política, generalizable al resto de las relaciones sociales, se plantea que debe regir el principio de: *tanta participación ciudadana y protagonismo de la sociedad civil como sea posible y tanto Estado y legislación como sea necesario.*

Pensando Cuba: labor y visión para hacer obra fecunda

La profundidad de la crisis y el daño antropológico causado por el totalita-rismo requieren de grandes y prolongados esfuerzos que sobrepasan la ca-pacidad de la actual generación de cubanos. Por eso estos seis Informes de Estudios del CEC constituyen un paso, un aporte, que debe ser enriquecido con los próximos estudios, tanto del Centro como del resto de los cubanos y asociaciones que, imbuidos en la herencia de los padres fundadores de la nación, coadyuven a la realización de aquel ideal pendiente de realización, en condiciones y épocas diferentes, pero similar en el método empleado, sin cuya labor y visión no habrá obra fecunda.

Como beneficio adicional, la publicación de estos informes, artículos y ponencias en un solo volumen ayuda a superar una limitación significativa de este Proyecto: las dificultades para llegar a un mayor número de cubanos. Esperamos que futuros volúmenes nos ofrezcan los venideros estudios del CEC. Resulta esencial promover en todo lo posible la difusión de estas propuestas a fin de lograr ampliar sus efectos y potenciar la participación de un mayor número de cubanos, especialmente en este momento, cuando a la vez que se multiplican las carencias y crecen la frustración, la inconformidad y el descontento, se está registrando una marcada tendencia al crecimiento de nuevos sectores críticos de la sociedad civil cubana –especialmente entre profesionales, artistas y emprendedores jóvenes– que reclaman cambios al interior de la Isla, cuyas propias propuestas y aspiraciones en no pocos casos apuestan por cambios pacíficos que son afines con las del CEC y con las bases de «Pensando Cuba».

El escenario, pues, resulta propicio también para tender puentes y fortalecer los vínculos entre todos los cubanos de buena voluntad dispuestos a comprometerse con esos cambios y con el futuro de Cuba. Siendo así, podría afirmarse que la publicación de un resumen de la labor realizada en estos tres años por el Centro de Estudios Convivencia, que hoy nos presenta la editorial Hypermedia, bien podría resultar doblemente venturosa. Así sea.

Miriam Celaya González
Dimas C. Castellanos Martí
Reinaldo M. Escobar Casas
Armando Chaguaceda Noriega

I INFORME

«LA ECONOMÍA CUBANA A CORTO, MEDIANO Y LARGO PLAZO»

S/T. Técnica mixta sobre cartulina. 15 x 15,5 cm. Obra de Wendy Ramos Cáceres. 2018.

El Centro de Estudios Convivencia realizó la primera etapa del Itinerario de Pensamiento y Propuestas para Cuba entre septiembre de 2015 y octubre de 2015. Culminando con dos encuentros de estudio, uno en la Isla, Pinar del Río, Cuba, en septiembre de 2015, y otro en la Diáspora, Universidades St. Thomas y *Florida International University* (FIU) en Florida, EE.UU., en febrero de 2016. El tema escogido para esta primera etapa del Itinerario de Pensamiento y Propuestas para Cuba fue: «La economía cubana a corto, mediano y largo plazo». Para su mejor estudio y sistematización esta temática general se dividió en cuatro subtemas: modelos de economía, propiedad, trabajo y seguridad social. Este informe fue revisado y actualizado por el Consejo Académico del CEC el 27 de enero de 2017.

Estos resultados del tema estudiado son fruto de la compilación realizada por el equipo del Centro teniendo en cuenta:

—Las ponencias de los expertos presentadas o enviadas a las sesiones de estudio realizadas en ambas orillas de la nación cubana los días 12 y 13 de septiembre de 2015, en la sede del Centro de Estudios Convivencia en Pinar del Río, Cuba y los días 10 y 11 de octubre en las universidades St. Thomas y FIU en la ciudad de Miami, Estados Unidos.

—Las propuestas de los participantes en ambos encuentros, en la Isla y en la Diáspora, que aparecen textual e íntegramente (incluso con reiteraciones y otras imprecisiones debidas a su carácter de inmediatez y fuente para el estudio) publicadas en nuestro portal www.centroconvivencia.org en la ventana Propuestas.

—Los aportes personales de expertos y otros interesados que fueron recibidos y aceptados por el equipo del Centro considerando su pertinencia y valor.

Metodología

—Teniendo en cuenta que ya existen numerosos análisis de la realidad sobre la economía cubana, así como suficientes evaluaciones de sus resultados durante más de cinco décadas, el Centro ha optado por encaminar sus estudios hacia propuestas futuras. Claro está, ha sido indispensable tener como referencia esos múltiples análisis de la realidad, sin los cuales no sería objetivo hablar de visión, estrategias y acciones de futuro.

—El tema de economía se dividió, solo para su estudio, en cuatro subtemas que debemos considerar interrelacionados en una concepción holística: modelos de economía, propiedad, trabajo y seguridad social.

—En cada subtema se propuso: visión, objetivos, estrategias, acciones de impacto social, espacios y protagonistas.

—En cada subtema se trató de proponer una gradualidad posible de las reformas dividiéndolas en: corto, mediano y largo plazo. No alcanzando en todos los casos al largo plazo. Teniendo en cuenta que estos plazos son muy cambiantes en correspondencia de la velocidad que los actores deseen imprimirle al proceso global.

Participantes

—El tema ha permanecido abierto a la discusión y aportes en nuestra web durante cuatro meses a partir de septiembre. Y permanecerá abierto al debate, corrección y enriquecimiento en dicho sitio.

—Participaron, de forma presencial, por limitaciones de espacio físico o de financiamiento, en ambas jornadas de estudio:

- En Pinar del Río, Cuba, 22 personas de cinco provincias: Pinar, Artemisa, Habana, Villa Clara y Santiago de Cuba. De ellos 4 miembros de nuestro Consejo Académico.
- En Miami, Estados Unidos, 40 personas. Once de la Isla y 29 de la Diáspora cuyos nombres aparecen al final del Informe de Resultados. De ellos 8 miembros de nuestro Consejo Académico.

Importancia del estudio

Consideramos que lo más importante de esta primera etapa de nuestro Itinerario de Pensamiento y Propuestas para Cuba es:

—La misma producción de pensamiento y propuestas en una circunstancia en que se pueden vislumbrar cambios en Cuba y por eso se necesita, con mayor responsabilidad y constancia, laboratorios de ideas que aporten tanto a ciudadanos, como a políticos, empresarios y economistas, propuestas para elaborar entre todos una visión estratégica y unas acciones que tengan un impacto social positivo.

—La participación de cubanos de la Isla y de la Diáspora de forma independiente y sistemática.

—La inclusión de todo el que lo desee en estos estudios y en la etapa de los aportes personales, sin distinción de credo, opción política, ideología o lugar de residencia. Solo limitada la participación presencial por las razones logísticas enunciadas.

—El carácter propositivo, no confrontacional, de estos estudios que miran sobre todo al futuro de Cuba.

1. Modelos de economía

A corto plazo (hasta 3 años)

1.1. Visión

1. Se produce una reforma integral del modelo de planificación central, dando paso a las leyes del mercado.

2. Se desmonta gradualmente el monopolio estatal sobre la economía.

Otra alternativa propuesta es: Se avanza hacia una variedad de formas de producción y propiedad, donde todavía el estatalismo jugaría un papel predominante, que iría cediendo ante las empresas de capital privado, individual y social.

3. Se resuelve el problema de las propiedades que fueron nacionalizadas o intervenidas por el gobierno cubano a partir de 1959.

4. Se aplica el Pacto de Derechos Económicos, Sociales y Culturales de la ONU en las leyes económicas cubanas.

5. Se elimina la dualidad monetaria.

6. Se establecen los sistemas financiero y tributario transparentes, que estimulen la inversión y el empleo.

7. Cuba se integra a los organismos económicos internacionales, financieros y de comercio.

1.2. Objetivos

Proponemos prioritariamente los siguientes objetivos para esta etapa:

1. Sentar las bases para una economía de mercado, con fuerte dimensión social, liberando las fuerzas productivas y legalizando la existencia y el respeto de los derechos de los diferentes tipos de propiedad, y buscar la estabilización de la economía.

2. Mantener la infraestructura que sea productiva existente, renovando lo necesario, y mejorar los niveles generales de producción de las empresas mientras se comienza la transición hacia una economía de mercado.

3. Resolver el viejo conflicto de las propiedades intervenidas, confiscadas o nacionalizadas durante los años de gobierno «revolucionario», teniendo en cuenta los derechos de los propietarios anteriores y de los nuevos usufructuarios.

4. Lograr la estabilidad monetaria con tendencia al fortalecimiento de la moneda nacional.

5. Mantener la inflación en límites económicamente tolerables.

6. Potenciar el desarrollo rural en todos los órdenes.

1.3. Estrategias

Proponemos prioritariamente las siguientes estrategias para esta etapa:

1. Movilizar comisiones que diseñen y lleven adelante un plan de reformas, realizar diagnósticos integrales, transparentes y periódicos de la economía cubana.

2. Aprovechar las oportunidades que se abren en el nuevo contexto para impulsar y profundizar las reformas hacia una economía de mercado.

3. Redefinir la relación Estado-Mercado-Sociedad civil. El Estado debe tener un carácter subsidiario y regulador.

4. Creación prioritaria de nuevas leyes: Ley de Propiedad, Ley de Inversión, Ley de Empresas, Ley Antimonopolios, Ley Antilatifundios, Ley de Derecho Mercantil, Ley de Comercio Exterior, Ley de Protección a las PYMES y otras.

5. Estimular la inversión privada y la creación de empleos.

6. Buscar apoyo y asesoramiento internacional e impulsar el desarrollo de las fuerzas productivas.

7. Descentralización de toda la gestión económica.

8. Estimular el sector empresarial, fundamentalmente el agropecuario, el turístico y el de las comunicaciones.

9. Aumentar la productividad y la eficiencia, estableciendo mecanismos de remuneración en correspondencia con los resultados.

10. Favorecer las inversiones intensivas tanto en capital como en fuerza de trabajo para evitar impactos negativos sobre el empleo.

11. Evitar que los monopolios estatales actuales se conviertan en monopolios privados. Ley antimonopolio.

12. Reforma de los sistemas fiscal, financiero y de comercio exterior.

13. Democratización del sistema político que posibilite el desarrollo económico y la democratización de la economía.

14. Empoderamiento de la sociedad civil como actor emprendedor, y de control del Estado y del Mercado.

15. Impulsar la integración de Cuba a los mecanismos financieros internacionales y honrar sus compromisos.

16. Promover la apertura económica y social de los cubanos contra todo aislamiento.

17. Promover el debate público crítico, transparente, abierto y horizontal.

18. Seguir promoviendo plataformas de creación de consensos.

19. Fomento de los centros de pensamiento plural que enriquezcan el debate público y la gobernanza.

20. Estudiar los modelos económicos de los llamados estados de bienestar como Suecia, Noruega, etc., así como la experiencia de los cubanos en el exterior.

21. Velar por el establecimiento y la aplicación de reglas parejas e iguales para todos.

22. Promover leyes pro-competencia.

23. Creación de un «entorno emprendedor».

1.4. Acciones de impacto social

Proponemos prioritariamente las siguientes acciones de significativo impacto social para esta etapa:

1. Creación de un marco legal en la esfera económica (promulgación de un paquete de leyes) que garantice la libertad de la actividad económica privada, la libertad de comercio, importación y exportación, así como de las diferentes formas de propiedad y reconocimiento de la personalidad jurídica de los empresarios.

2. Creación de los mecanismos y procesos necesarios para que los obreros estatales puedan convertirse en accionistas y/o propietarios de sus propias empresas, mediante un amplio sistema de propiedad pública para una mayor participación social de los bienes.

3. Respeto y promoción del poder institucional de0 las empresas (autonomía en las decisiones aunque la propiedad sea estatal).

4. Establecer una sola moneda.

5. Liberación de la tasa de cambio.

6. Descentralización de toda la gestión económica para dar autonomía y favorecer a municipios y provincias.

7. Estimulación del desarrollo de cooperativas y del sector privado (agricultura, comercio, transporte, etc.) aprovechando las propuestas de ayuda de la Unión Europea, América Latina, EE.UU. y otras en ese sentido.

8. Privatización y socialización, manteniendo en manos del Estado algunos bienes y servicios que pudieran ser declarados de interés estratégico.

9. Flexibilización del mercado laboral, eliminación de restricciones para ejercer cualquier tipo de ocupación que no afecte a otros ni al bien común. Eliminación de la lista de trabajos por cuenta propia.

10. Liberación de la formación de precios evitando los precios de monopolio.

11. Liberación de las fuerzas productivas rurales (entrega de tierras en propiedad a los productores, acceso a créditos blandos, libre acceso a un mercado mayorista de insumos y a la venta de sus producciones).

12. Estimulación de la inversión en infraestructuras (viales, comunicación, transporte, servicios de salud, de educación, etc.), con énfasis en ámbitos rurales.

13. Establecimiento de instituciones de créditos accesibles a los sectores más desfavorecidos y ofrecerles asesoría empresarial para ayudarles a tener éxito.

14. Creación de mecanismos efectivos para la fiscalización de la administración del Estado. Tribunal de Cuentas. Fiscalía General de la República. Defensor del Pueblo, etc.

15. Autonomía de los gobiernos locales, municipalización del poder y el desarrollo de los presupuestos participativos que garanticen el control democrático y transparente de los ingresos fiscales y los presupuestos.

16. Establecimiento de un sistema tributario eficiente y eficaz, escalonado según los ingresos.

17. Replanteamiento de una Ley de Inversión que sea capaz de estimular la inversión en vez de frenarla: liberar el porcentaje de inversión privada, establecer la libre contratación, etc.

18. Gestión de la participación de Cuba en los organismos financieros y reguladores del comercio internacional (FMI, OMC, etc.) para viabilizar las inversiones.

19. Integración, y solicitud de ayuda, a la comunidad internacional en el más breve plazo posible.

20. Renegociación de la deuda externa de modo que Cuba alcance un crédito internacional favorable, sin comprometer el resto de las estrategias encaminadas al bienestar del pueblo cubano.

21. Promover la derogación de la Ley Helms Burton, una vez que haya comenzado un nuevo a implementarse un nuevo modelo de economía.

22. Implementación de leyes de protección medioambiental en previsión del impacto de los planes de desarrollo de la economía sobre los recursos naturales.

23. Empoderamiento de la sociedad civil mediante acciones educativas, entrenamientos, asesoramientos, etc.

24. Divulgación y creación de estados de opinión sobre los contenidos, las ideas y propuestas realizadas por diferentes espacios de la sociedad civil.

1.5. Espacios

Los anteriores objetivos, estrategias y acciones deberían desarrollarse, entre otros, en los siguientes espacios:

- Sociedad civil en la Isla y en la Diáspora
- Mercado nacional
- Parlamento
- Medios de Comunicación Social
- Comunidad internacional

1.6. Protagonistas

Se propone diversificar e incluir, favoreciendo la plena participación, entre otros, a los siguientes protagonistas:
- Ciudadanos
- Instituciones financieras nacionales e internacionales
- Inversionistas
- Estado
- Expertos
- Intelectuales
- Especialistas encargados del plan de reformas

A mediano plazo (hasta 5 años)

1.1. Visión

1. Se mejora la calidad de la infraestructura económica y social.

2. Los niveles de producción permiten la disminución de precios y el mejoramiento del nivel de vida de los cubanos.

3. Se logra la estabilidad monetaria y fiscal combinada con una liberalización de la microeconomía.

4. Los colectivos laborales, los sindicatos, las asociaciones de productores, los empresarios y los sistemas de financiamiento cumplirán un papel importante en la sociedad, en combinación con los nuevos poderes descentralizados.

5. Cuba participa en el comercio de la región aprovechando sus ventajas comparativas.

1.2. Objetivos

Proponemos prioritariamente los siguientes objetivos para esta etapa:

2. Aumentar los niveles de productividad, eficiencia y diversificación de la producción.

3. Aumentar la eficacia y la transparencia de la utilización de los fondos públicos en bien de la nación.

4. Transformar el Estado totalitario en un Estado de Derecho.

5. Redefinir la relación entre Estado, Mercado y sociedad civil.

6. Lograr niveles de apertura económica y estabilidad que le permitan a Cuba integrarse en los organismos internacionales.

7. Lograr una amplia participación popular en el proceso de democratización de la economía.

8. Sedimentar y ampliar los logros democráticos y la libertad de formas de producción.

9. Disminuir la dependencia del mercado externo. La agricultura y la industria alimenticia deberán volver a planos fundamentales.

10. Desarrollar la agroindustria.

11. Armonizar lo político con lo jurídico y lo institucional.

1.3. Estrategias

Proponemos prioritariamente las siguientes estrategias para esta etapa:

1. Convocatoria a una Asamblea Constituyente previo proceso de democratización y paso al pluripartidismo.

2. Establecimiento de mercados competitivos orientados tanto a la utilidad social como a la utilidad individual.

3. Intervención estatal subsidiaria y solidaria proporcional a las necesidades reales de la sociedad.

4. Democratización de la economía con protagonismo de la sociedad civil (empoderamiento de emprendedores y ciudadanos en general).

5. Diversificación productiva, comercial y financiera.

6. Diversificación del mercado y de las fuentes financiamiento externo, en evitación del estrangulamiento de la balanza de pago y la capacidad de importación, privilegiando los préstamos obtenidos a largo plazo con bajos intereses.

7. Fomentar una economía de exportación con un aceptable nivel de integración en el mercado internacional, tratando de evitar la dependencia de un solo país y diversificar los socios comerciales.

8. Limitar la autosuficiencia solo a áreas estratégicas.

9. Inversiones intensivas tanto en capital como en fuerza de trabajo para evitar impactos negativos sobre el empleo.

10. Utilización de la renta nacional prioritariamente para fines de Desarrollo Humano Integral (DHI) del país.

11. Creación de un modelo de economía basado en el conocimiento y en el capital humano.

12. Promoción de la cultura jurídica y económica del ciudadano para que pueda defender sus derechos, hacer cumplir las leyes y ganar espacios de libertad.

1.4. Acciones de impacto social

Proponemos prioritariamente las siguientes acciones de significativo impacto social para esta etapa:
1. Desarrollo de un programa alimentario y de abastecimiento.
2. Aceleración de la pequeña y mediana producción agrícola y ganadera.
3. Fomento gradual de una economía de exportación con un aceptable nivel de integración en el mercado internacional.

1.5. Espacios

Los anteriores objetivos, estrategias y acciones deberían desarrollarse, entre otros, en los siguientes espacios:
- Sociedad civil en la Isla y en la Diáspora
- Mercado nacional
- Parlamento
- Medios de Comunicación Social
- Comunidad internacional

1.6. Protagonistas

Se propone diversificar e incluir, favoreciendo la plena participación, entre otros, a los siguientes protagonistas:
- Estado
- Empresarios
- Centros de investigación
- Asociaciones y otros actores de la sociedad civil
- Instituciones financieras nacionales e internacionales

A largo plazo (hasta 10 años)

1.1. Visión

1. Se implanta un sistema de economía social y ecológica de mercado: todo el mercado que sea posible y todo el Estado que sea necesario.

2. Se establece un orden jurídico claro y transparente donde se garanticen los protagonismos de todos los actores: Estado, empresarios, sindicatos, consumidores, instituciones intermedias y ahorrantes.

3. Se aplican los principios de solidaridad y subsidiariedad: la solidaridad que mira al bien común y la subsidiariedad que dice que desde una instancia superior solo se haga lo que no se puede desde una instancia inferior.

4. Se crean los mecanismos necesarios para garantizar la igualdad y el desarrollo económico con equidad.

1.2. Objetivos

Proponemos prioritariamente los siguientes objetivos para esta etapa:

1. Organizar la propiedad con justicia y eficiencia.

2. Equilibrar la aplicación de los principios de subsidiariedad y solidaridad.

3. Avanzar hacia un país en vías de desarrollo disminuyendo los límites de pobreza.

4. Establecer y hacer cumplir las leyes complementarias de la nueva Constitución.

5. Participar con mayores niveles de integración en la comunidad internacional.

1.3. Estrategias

Proponemos prioritariamente las siguientes estrategias para esta etapa:

1. Nuevas legislaciones y perfeccionamiento de los mecanismos democráticos y socializantes establecidos en las etapas anteriores.

2. Toma de decisiones económicas por consenso priorizando los grupos más vulnerables de la sociedad.

3. Equilibrio entre libertad de mercado y equidad social (libertad y justicia social).

4. Flexibilidad en el modelo que permita la actualización ante cada nuevo contexto.

5. Inversiones intensivas tanto en capital como en fuerza de trabajo para evitar impactos negativos sobre el empleo.

6. Estimular un pacto generacional basado en la solidaridad, que sea capaz de comprometer a aquellos que producen mediante su trabajo a solidarizarse con los que no lo hacen, ya que sabemos que en toda sociedad hay desigualdades: sanos y enfermos, débiles y fuertes, ancianos, niños y personas con capacidades especiales que no son capaces de producir y que necesitarían

que las generaciones laboralmente activas los ayuden. Sin solidaridad no es posible alcanzar la justicia social en una sociedad industrializada.

1.4. Acciones de impacto social

Proponemos prioritariamente las siguiente acción de significativo impacto social para esta etapa:

- Fomentar una economía de exportación con alto nivel de integración en el mercado internacional.

1.5. Espacios

- Ampliación de todos los espacios existentes, con acento en el papel de las universidades, academias, institutos científicos y Parlamento.

1.6. Protagonistas

- Los cubanos todos.

2. PROPIEDAD

A corto plazo (hasta 3 años)

2.1. Visión

1. Cada vez más cubanos acceden a las distintas formas de propiedad, incluso los antiguos propietarios, en la forma que sea posible judicialmente.

2. Los propietarios, protegidos por una Ley de Propiedad, se sienten seguros y estimulados para trabajar e invertir por el desarrollo nacional.

3. La economía cubana se hace más atractiva para los inversionistas, gracias a una nueva Ley de Inversión, que redundaría en mayores grados de confianza para el inversor, mayor creación de empleo y mayor prosperidad social.

4. Los emprendedores y el empresariado, protegidos por una Ley de Empresas, se sienten seguros y estimulados para emprender e invertir en el desarrollo nacional.

5. Las empresas de igual objeto productivo, de servicio o social, protegidas por una Ley Antimonopolio, se sienten seguras y estimuladas a la competencia.

6. Los propietarios, empresarios y trabajadores, gracias a una nueva Ley de Asociaciones, se sienten protegidos y estimulados a cooperar y asociarse en su trabajo.

2.2. Objetivos

Proponemos prioritariamente los siguientes objetivos para esta etapa:

1. Reformar la Constitución respecto a la convivencia de las diferentes formas de propiedad que la realidad impone.

2. Establecer el marco jurídico que garantice los diferentes tipos de propiedad y las proteja: Ley de Propiedad.

3. Establecer leyes que permitan la constitución y protección de las PYMES y otras empresas: Ley de Empresas.

4. Dar opción a los usufructuarios agrícolas de convertirse en propietarios.

5. Favorecer la opción de compra, en primera instancia, a favor de los trabajadores de aquellas empresas que son improductivas y después abrirlas a licitación general.

6. Crear un registro nacional de las expropiaciones posteriores a 1959, con el fin de dilucidar ante tribunales competentes los conflictos entorno a las propiedades confiscadas o intervenidas.

7. Crear tribunales provinciales integrados por funcionarios electos encargados de la solución de los casos de reclamaciones de propiedad.

2.3. Estrategias

Proponemos prioritariamente las siguientes estrategias para esta etapa:

1. Empoderar a la ciudadanía de forma que esté en condiciones de opinar documentadamente sobre el tema.

2. Someter a consulta popular las leyes sobre la propiedad debido a su impacto social.

3. Restructuración administrativa para la propiedad y las expropiaciones mediante dictamen de tribunales de justicia competentes e independientes, creados a tales efectos.

4. Establecer los mecanismos legales para hacer justicia respecto a los derechos de propiedad, indemnización, compensación, etc.

5. Reglamentar el concepto de expropiación o confiscación en futuras legislaciones para evitar abusos en ese sentido.

6. Apoyar y consolidar el papel de propietarios de los emprendedores nacionales, considerando su importante papel en el proceso transicional.

7. Estimular el crecimiento del número de cubanos de la Isla y de la Diáspora con acceso a la inversión y participación en las distintas formas de propiedad, en todos los aspectos de la economía nacional (agricultura, servicios, medios de producción, salud, educación, propiedad intelectual, etc.).

8. Las diferentes formas de propiedad deben contribuir a la sustentabilidad económica.

2.4. Acciones de impacto social

Proponemos prioritariamente las siguientes acciones de significativo impacto social para esta etapa:

1. Promover la aprobación de una Ley de Propiedad que proteja la convivencia de los diferentes tipos de propiedades.

2. Promover la aprobación de una Ley de Inversión que aumente la confianza para el inversor, mayor creación de empleo y conduzca a una mayor prosperidad social.

3. Promover la aprobación de una Ley de Empresas que proteja la inversión para el desarrollo nacional.

4. Promover la aprobación de una Ley Antimonopolio que proteja la competencia y el mercado.

5. Promover la aprobación de una Ley de Asociaciones que proteja y estimule la cooperación en el trabajo.

Dentro de esas leyes se recomiendan estas especificaciones:

6. Incremento de las iniciativas de formación y asesoramiento en PYMES, cooperativismo, economía solidaria y ética, y otras formas de propiedad para que los ciudadanos sean capaces de asumir el rol de propietarios. Cf. Curso 10: «Somos trabajadores», Curso 11: «Somos pequeños empresarios» y Curso 12: «Aprendemos economía», del Libro de texto «Ética y Cívica» del Centro de Estudios Convivencia. Disponible gratuitamente en www.centroconvivencia.org.

7. Defender el derecho de los actuales inquilinos privados a no ser desalojados de los lugares en que viven mediante la acción de tribunales competentes e independientes, creados a tales efectos.

8. Garantizar legalmente que todas las partes puedan participar, en igualdad de condiciones, de modo libre e informado, en un debate público y transparente sobre propiedades, expropiaciones, indemnizaciones y compensaciones.

9. Priorizar, en el proceso de desestatización, la privatización de las empresas a favor de sus trabajadores y ex-propietarios interesados en invertir en ellas.

10. Fomentar la co-gestión y el cooperativismo como tipos de propiedad que favorecen a ciudadanos de menores recursos.

2.5. Espacios

Los anteriores objetivos, estrategias y acciones deberían desarrollarse, entre otros, en los siguientes espacios:

- Tribunales de justicia competentes e independientes
- Parlamento para generar nuevas leyes y/o reformas constitucionales
- Medios de Comunicación Social
- Centros de formación ciudadana

2.6. Protagonistas

Se propone diversificar e incluir, favoreciendo la plena participación, entre otros, a los siguientes protagonistas:
- Propietarios y expropietarios
- Empresarios, Asociaciones empresariales
- Legisladores y tribunales
- Abogados y notarios
- Expertos
- Intelectuales
- Sociedad civil y ciudadanos en general

A mediano plazo (hasta 5 años)

2.1. Visión

1. Conviven las diferentes formas de propiedad como base para el desarrollo, la justicia, la eficiencia y la equidad.

2. La propiedad estatal se limita solamente a sectores estratégicos nacionales que no sean de interés del empresariado, según el principio de subsidiaridad.

3. Se concluye el proceso del registro de las expropiaciones y compensaciones en el marco de los tribunales competentes e independientes.

4. Se fortalece la clase media como resultado de su acceso a las diferentes formas de propiedad.

5. Las garantías para la protección de la propiedad incentivan las inversiones en un país atemperado y actualizado al ritmo del desarrollo internacional.

2.2. Objetivos

Proponemos prioritariamente los siguientes objetivos para esta etapa:

1. Redactar, aprobar y aplicar una nueva Ley de Asociaciones y una Ley Antimonopolio.

2. Crear instituciones financieras y legales para el fomento y la protección de las PYMES, sean privadas o asociadas.

3. Crear organizaciones para la defensa de intereses comunes relativos a las diferentes formas de propiedad como asociaciones de empresarios, sindicatos, uniones, etc.

4. Insertar al país en el concierto de las naciones modernas y democráticas mediante su integración en los Organismos Económicos Internacionales y la Organización Internacional del Trabajo, así como en otros mecanismos de defensa de las diferentes formas de defensa de propiedad.

2.3. Estrategias

Proponemos prioritariamente las siguientes estrategias para esta etapa:

1. Ampliación del alcance y apoyo de instituciones legales y financieras, nacionales e internacionales, que sustenten a la pequeña y mediana empresa privada y asociada.

2. Inserción de propietarios cubanos en eventos y organismos nacionales e internacionales sobre la propiedad.

3. La nueva Ley Antimonopolio incentiva la competencia entre actores reconocidos por la nueva Ley de Asociaciones.

2.4. Acciones de impacto social

Proponemos prioritariamente las siguientes acciones de significativo impacto social para esta etapa:

- Difundir ampliamente la nueva legislación para que los ciudadanos se sientan protegidos en sus propiedades y con derecho a acceder a nuevas.

2.5. Espacios

Los anteriores objetivos, estrategias y acciones deberían desarrollarse, entre otros, en los siguientes espacios:

- Tribunales de justicia competentes e independientes
- Parlamento para generar nuevas leyes y/o reformas constitucionales
- Medios de Comunicación Social
- Centros de formación ciudadana

2.6. Protagonistas

Se propone diversificar e incluir, favoreciendo la plena participación, entre otros, a los siguientes protagonistas:

- Propietarios y expropietarios
- Empresarios
- Asociaciones empresariales
- Legisladores y tribunales
- Abogados y notarios
- Intelectuales
- Sociedad civil y ciudadanos en general

3. Trabajo

A corto plazo (hasta 3 años)

3.1. Visión

Acometer el reordenamiento general de la vida laboral del País con gradualidad y agilidad:

1. Se ratifican y comienzan a implementar jurídicamente los Pactos de Derechos Humanos, especialmente, el Pacto Internacional de Derechos Económicos, Sociales y Culturales de la ONU.

2. Se ratifican y aplican los Convenios de la Organización Internacional del Trabajo (OIT).

3. Se elimina la actual lista restrictiva de trabajos por cuenta propia; este será permitido a todos los trabajadores, así como a profesionales con títulos universitarios.

4. Se establece la libre contratación de trabajo, el pluriempleo, la sindicalización y el derecho a huelga y se elimina la actual Bolsa de Empleo Estatal.

5. Se facilita la creación de empleos en el sector privado (reconocimiento de todos los trabajos para el sector privado).

6. Se aumenta gradualmente la productividad y los salarios en la sinergia mutua de estimulación. El aumento gradual de los salarios será en aquellos sectores cuya productividad lo respaldan y en ellos se irán equiparando los salarios y otras prestaciones con el costo real de la vida.

7. Se disminuye el desempleo pasando al sector privado y a la libre creación de empleos en el sector mixto y en empresas de inversión extranjera.

8. Se disminuyen gradualmente las plantillas infladas y el subempleo con la migración de la fuerza de trabajo hacia los nuevos sectores productivos y de servicios.

9. Primará la transparencia y la legalidad en cuanto a la información, salvaguarda y reclamación de los derechos y deberes de los trabajadores especialmente mediante

la creación legal de sindicatos y asociaciones según los Convenios de la OIT y el Pacto Internacional de Derechos económicos, sociales y culturales.

10. Se rescata y mantiene la jornada laboral máxima de ocho horas, aunque se reconozca el derecho a prolongar la jornada en busca de mayores ingresos.

11. Se implanta una política de salario y pensiones que, equilibradamente, proteja a los ciudadanos y a la economía.

3.2. Objetivos

Proponemos prioritariamente los siguientes objetivos para esta etapa:

1. Modificar la Constitución (los artículos relacionados con el trabajo) o tener en cuenta para una nueva redacción constitucional, que permita legislar sobre el mundo del trabajo aplicando el Pacto Internacional de los Derechos económicos, sociales y culturales de la ONU.

2. Redactar, aprobar y comenzar a aplicar un nuevo Código del Trabajo de acuerdo con el Pacto Internacional de los Derechos económicos, sociales y culturales de la ONU y los Convenios de la OIT.

3. Redactar, aprobar y comenzar a aplicar una Ley de asociación sindical y empresarial que garantice la libertad sindical, empresarial y sus mutuas relaciones según los Convenios de la OIT.

4. Reconocer, respetar y promover todos los derechos de los trabajadores de acuerdo con lo establecido por los Convenios de la OIT.

5. Reconocer y respetar los derechos de importadores y exportadores.

6. Crear una nueva Ley Tributaria que favorezca a la inversión, a los emprendedores, a la creación de empleos y el ingreso al presupuesto nacional (impuestos sobre las ganancias y no sobre el ingreso bruto).

7. Revalorizar el sentido del trabajo (formación/preparación/reconocimiento como forma de realización humana). De esta manera se disminuye la politización del trabajo.

8. Estimular la vocación para el trabajo privado y estatal, por los talentos personales y no solo en dependencia de un índice académico (pruebas y medición de las actitudes para cada empleo).

9. Estimular la relación entre vocación, realización personal, productividad y competitividad en el mundo del trabajo.

10. Promover la creación de empleo y los emprendedores, especialmente en sectores de mayor impacto social como agricultura/alimentación, construcción/vivienda, servicios/transporte, mar y pesca, etc.

11. Potenciar las diferentes formas de trabajo en el sector del turismo como una de las fuentes principales para la creación de empleos, sector favorable para emprendedores y de mayores ingresos para la economía cubana.

3.3. Estrategias

Proponemos prioritariamente las siguientes estrategias para esta etapa:

1. Creación de una red de mercado mayorista para el sector privado y cooperativo.

2. Eliminación de trabas para la importación de materias primas, equipos y herramientas, medios de seguridad y protección del trabajo.

3. Promover desde la sociedad civil la creación de centros de estudios laborales, empresariales y económicos.

4. Establecer un subsidio temporal para los desempleados de acuerdo a los años trabajados, en un periodo que les permita un ingreso mientras buscan un nuevo empleo.

5. Establecer las formas de rescate para las empresas que se declaren y sean reconocidas en quiebra.

6. Creación de espacios mediáticos privados y ferias de trabajo para la promoción de nuevos empleos.

7. No forzar la vocación profesional para llenar cupos.

8. Elevar el nivel de la enseñanza tecnológica.

9. Se cultiva una verdadera y contemporánea cultura empresarial, sindical y de asociaciones.

Fomentar el emprendimiento y el empresariado:

10. El emprendimiento y los emprendedores deben contar con todas las garantías legales para llevar a cabo sus proyectos y empresas.

11. Incentivos fiscales y crediticios para favorecer a los emprendedores y para las empresas que creen nuevos empleos.

12. Fomento de las bolsas de empleo independientes, los sitios de clasificados para encontrar trabajo y contratar empleados en los Medios de Comunicación e internet.

13. Fomentar el ejercicio privado de todos los profesionales, como médicos, estomatólogos, abogados, arquitectos, ingenieros, pedagogos, periodistas y otras profesiones diplomadas.

14. Fomentar, también, el voluntariado personal y la responsabilidad social de los profesionales privados.

3.4. Acciones de impacto social

Proponemos prioritariamente las siguientes acciones de significativo impacto social para esta etapa:

1. Eliminar las estructuras estatales, partidistas y gubernamentales como intermediarias en la contratación de empleados.

2. Implementar un método de gratificación salarial por horas extras.

3. Adecuar los mecanismos salariales para la maternidad, y para las madres o padres que tienen que asumir solos el cuidado de sus hijos o familias numerosas.

4. Agregar un porciento al salario mínimo, o a la pensión, proporcional con el costo de la vida.

5. Garantizar que la información sobre el salario bruto y el salario neto sea transparente.

6. Regular y optimizar el trabajo realizado por reclusos para ayudar a sustentar sus propios gastos en prisión y favorecer su responsabilidad e inserción social, protegiendo sus derechos humanos.

7. Establecer un salario mínimo en dependencia de la productividad y el costo de la vida en Cuba.

8. Eliminar el servicio social obligatorio tal como se realiza ahora, de manera que, de acuerdo a los intereses y requisitos necesarios, el ciudadano pueda acceder a la fuente de empleo que acepte su solicitud. De esta manera se lograría que:

• Los puestos de trabajo se otorguen por oposición.
• El servicio social se rediseñe, de modo que tenga un nuevo sentido (como el de adiestramiento, inserción en el mundo laboral, etc. o si no debe ser suprimido.

9. Establecer los contratos colectivos de trabajo según la nueva legislación laboral.

Implementar un sistema de formación laboral:

10. Desde los 16 años las personas pueden experimentar la vida laboral a partir de empleos de medio tiempo.

11. Acceso a cursos y formación para la reorientación laboral del trabajador desempleado.

12. Inclusión en todas las enseñanzas del conocimiento teórico y práctico de los valores del trabajo.

13. Establecer el trabajo comunitario para delitos menores.

Fomentar el sindicalismo y la asociación empresarial:

14. Se deroga cualquier reglamentación y se pena cualquier conducta que limite, coaccione y prohíba la sindicalización libre.

15. Se educa en el respeto al sindicalismo, la asociación empresarial y su autonomía y los mecanismos de interrelación.

16. Se promueve la existencia de asociaciones profesionales, el orgullo profesional, la pertenencia a un sector.

3.5. Espacios

Los anteriores objetivos, estrategias y acciones deberían desarrollarse, entre otros, en los siguientes espacios:
- Mundo del trabajo
- Sindicatos y asociaciones empresariales
- Parlamento

3.6. Protagonistas

Se propone diversificar e incluir, favoreciendo la plena participación, entre otros, a los siguientes protagonistas:
- Trabajadores
- Empresarios
- Emprendedores
- Sindicalistas
- Legisladores y abogados
- Estado y sociedad civil

A mediano plazo (hasta 5 años)

3.1. Visión

Se ha creado ya la legislación que garantice:

1. La total implementación de un nuevo Código del Trabajo de acuerdo con el Pacto Internacional de los Derechos Económicos, sociales y culturales de la ONU.

2. Se erradica la discriminación laboral por razones políticas, de género y de cualquier otro tipo.

3. El trabajo es considerado como cimiento para la realización personal y el progreso nacional y como medio para avanzar hacia una verdadera justicia social y el bien común.

4. La ley garantiza los derechos y deberes laborales como:
- El derecho a un trabajo digno y a recibir un salario digno y suficiente, según el trabajo y la productividad que permita tener una vida honrada sin tener que delinquir o robar recursos en el centro laboral.
- Contratación en igualdad de condiciones de fuerza laboral inmigrante.
- Derecho a la huelga.
- Respeto a la jornada laboral de ocho horas.
- Derecho a la libre contratación.

5. Eliminación del trabajo en el campo para estudiantes.

6. Homologación de títulos de profesionales cubanos en el extranjero y de extranjeros en la Isla.

7. Protección y garantía de los fondos de pensiones.

8. Es penada cualquier conducta que limite, coaccione y prohíba la sindicalización libre o la asociación empresarial.

9. Se elimina el concepto de «idoneidad política» que se ha utilizado para discriminar al trabajador.

10. Se establece la custodia y el derecho por parte del trabajador de su expediente laboral y su no utilización como prontuario de «castigo».

11. Las empresas garantizan, por ley, la seguridad laboral y las indemnizaciones ante accidentes laborales.

12. Existe la posibilidad legal de cada trabajador de establecer demandas y acciones legales contra el empleador, la empresa y el Estado.

3.2. Objetivos

Proponemos prioritariamente los siguientes objetivos para esta etapa:

1. Continuar fomentando la educación laboral y sindical

2. Administrar la justicia laboral de acuerdo con el nuevo Código de Trabajo y las nuevas leyes y reglamentos.

3. Fomentar el diálogo y la interrelación legal, dialogal y negociada entre sindicatos y empresarios.

3.3. Estrategias

Proponemos prioritariamente las siguientes estrategias para esta etapa:

1. La relación inversión-productividad-creación de empleos-salarios dignos llega a un sano equilibrio, en relación con las leyes del mercado, el crecimiento económico y el desarrollo social.

2. Creación de empleos mayoritariamente en el sector privado.

3. Disminución significativa del desempleo.

4. Se terminan de privatizar y se recuperan por parte de los trabajadores, o son vendidas por licitación pública y privada, las empresas estatales que todavía eran ineficientes.

3.4. Acciones de impacto social

Proponemos prioritariamente las siguientes acciones de significativo impacto social para esta etapa:

1. Perfeccionamiento en la confección de los contratos colectivos de trabajo.

2. Funcionamiento de los mecanismos idóneos para las negociaciones entre sindicatos y empresarios.

3. Ampliación de los créditos accesibles y suficientes a los emprendedores

4. Financiar una mejor educación empresarial y expandir las actividades económicas.

5. Cumplimiento de los Convenios de la OIT firmados por Cuba y del Pacto Internacional de los Derechos Económicos, Sociales y Culturales.

3.5. Espacios

Los anteriores objetivos, estrategias y acciones deberían desarrollarse, entre otros, en los siguientes espacios:
- Mundo del trabajo
- Sindicatos y asociaciones empresariales
- Parlamento
- Tribunales de Justicia

3.6. Protagonistas

Se propone diversificar e incluir, favoreciendo la plena participación, entre otros, a los siguientes protagonistas:
- Trabajadores
- Empresarios
- Emprendedores
- Sindicalistas
- Legisladores y abogados
- Estado y sociedad civil

4. Seguridad social

A corto plazo (hasta 3 años)

4.1. Visión

1. Se aspira a un sistema de seguridad social público, integrado y financiable, que pueda ser complementado por diversas entidades e instituciones.

2. Se restituyen las instituciones para la seguridad social e incorporan las nuevas formas organizativas de seguridad social.

3. Se amplían el concepto y las estructuras de seguridad social a los distintos medios de propiedad (privada, cooperativa, mixta, estatal) y al mercado.

4. Se incluyen en la nueva noción de seguridad social: pensiones, salud, accidentes del trabajo y desempleo.

5. Se alcanza mayor plenitud de los servicios y garantías sociales gracias a la diversidad de fuentes de financiamiento.

6. Se promueve un modelo de seguridad social donde predomine la vía de ahorro personal sobre la vía de reparto. Se incluye también la capitalización como vía de ahorro.

7. Se logra que la seguridad social sea una responsabilidad de la sociedad civil, el mercado y el Estado. Este último facilitará el mayor protagonismo de los actores a través de sus políticas públicas.

8. La seguridad social garantiza los derechos sociales, económicos y culturales, según el Pacto de la ONU.

9. La sociedad civil coopera junto con el Estado en la creación de la infraestructura y los recursos que contribuyen a garantizar el disfrute de todos los derechos.

10. Se promueve un sistema mixto con un pilar público solidario de reparto (con una reserva) y un pilar de capitalización con cuentas individuales con administración privada, pero también una estatal en competencia.

4.2. Objetivos

Proponemos prioritariamente los siguientes objetivos para esta etapa:

1. Desarrollar un nuevo marco legal y sistema de auditoría para fiscalizar y controlar los fondos de pensión.

2. Diversificar las fuentes de financiamiento, de modo que la mayor responsabilidad recaiga en la sociedad civil.

3. Establecer los niveles mínimos de seguridad social para toda la población, ajustables al costo de vida.

4.3. Estrategias

Proponemos prioritariamente las siguientes estrategias para esta etapa:

Para obtener fuentes de financiamiento para la seguridad social:

1. Descentralización de la seguridad social fuera de sistema básico. El Estado deja de ser el único actor de la seguridad social.

2. Promover y desarrollar el movimiento de las empresas de responsabilidad social.

3. Promover los bancos éticos.

4. Tener en cuenta la importancia de las iglesias y asociaciones fraternales y contar con su colaboración.

5. Estudiar modelos exitosos de seguridad social.

6. Alcanzar niveles cada vez más altos de empoderamiento ciudadano para supervisar o evaluar la intervención del Estado en el sistema de seguridad social.

7. Lograr que cada vez más la sociedad civil se encargue de aquellas funciones que han estado a cargo del Estado y para ello tener en cuenta:

- La importancia de que la seguridad social esté siempre presente en la estructura del modelo económico.
- La importancia de la labor que las Iglesias ya han estado haciendo y pudieran realizar en el futuro.

8. Promover el voluntariado como responsabilidad y contribución ciudadana a la seguridad social.

9. Promover la seguridad social para que sea universal en dos sentidos: que todos contribuyan a él y que llegue a todos.

10. Promover formas creativas de gestión para la seguridad social, que sean una mezcla de lo estatal, lo privado y lo cooperativo.

11. Se fomentarán convenios internacionales de seguridad social para reconocimiento de pensiones y de seguros médicos.

12. Mejorar el sistema de seguridad social para aquellas personas de la tercera edad que no reciben ningún tipo de protección.

4.4. Acciones de impacto social

Proponemos prioritariamente las siguientes acciones de significativo impacto social para esta etapa:

1. Promulgar una Ley de Seguridad Social que asista y proteja a los más débiles.

2. Que la ley garantice como una opción la capitalización individual.

3. Creación de programas sociales para familias numerosas.

4. Mantener el acceso de los sectores menos favorecidos a los servicios públicos, a la educación y la salud.

5. Garantizar un sistema de pensiones a quienes queden desempleados producto de recortes de plantillas por parte de las entidades empleadoras, donde el monto de dicha pensión esté basado en el aporte del empleado a la empresa o contratador. Impulsar y acelerar el crecimiento del sector no estatal que daría empleo con mejor ingreso a los cesanteados. En el largo plazo, después de la recuperación, sería factible dicho seguro (seguro de desempleo), previo estudio actuarial.

6. Mejorar el sistema de pensiones para quienes sufran limitaciones de algunas capacidades en caso de accidentes o enfermedad, al igual que los que han quedado incapacitados de forma permanente.

7. Indemnizar en caso de accidentes laborales donde el empleador no garantiza las normas de protección y seguridad del trabajo requeridas.

8. Creación de un sistema de casas de amparo filial para menores sin protección familiar.

9. Creación de un sistema de hogares de ancianos en correspondencia con el envejecimiento poblacional.

10. Indexar las pensiones de acuerdo a la inflación.

11. Mantenimiento de un sistema de salud público integrado, aunque mucho más eficiente, que pueda complementarse con sistemas privados bajo estricta supervisión estatal, para evitar abusos.

12. Posibilitar legalmente la libre participación de las organizaciones religiosas, fraternales, caritativas y privadas en la atención a los más necesitados.

13. Garantizar la posibilidad de ejercer la maternidad y paternidad responsables.

14. Se logra una mayor cantidad de ciudadanos educados en la responsabilidad y el voluntariado con respecto a los servicios sociales

15. Colaboración entre los actores de la sociedad civil (asociaciones, Iglesias, sindicatos, bancos y el Estado) y la colaboración de cubanos emigrados: remesas, empresarios, colaboraciones académicas, artísticas y sociales.

4.5. Espacios

Los anteriores objetivos, estrategias y acciones deberían desarrollarse, entre otros, en los siguientes espacios:

- Parlamento
- Iglesias
- Ministerio de Trabajo y Seguridad Social
- Bancos
- Empresas
- Sociedad civil

4.6. Protagonistas

Se propone diversificar e incluir, favoreciendo la plena participación, entre otros, a los siguientes protagonistas:

- Voluntarios
- Contribuyentes
- Empleadores y empresarios
- Legisladores
- Abogados y notarios
- Estado

PONENCIAS PRESENTADAS EN EL I ENCUENTRO
DE PENSAMIENTO Y PROPUESTAS PARA CUBA,
EN LA ISLA Y EN LA DIÁSPORA

PRESENTACIÓN DE LOS RESULTADOS DEL ITINERARIO DE REFLEXIÓN ECONÓMICA ANIMADO POR EL GRUPO DE ECONOMISTAS DEL ANTIGUO CENTRO DE FORMACIÓN CÍVICA Y RELIGIOSA DE LA DIÓCESIS DE PINAR DEL RÍO

Por Karina Gálvez Chiú[1]

Lo que presentaré no se trata de una visión y opinión propia, aunque coincido con la misma, sino que se trata de un trabajo común, realizado por un grupo de personas interesadas en el futuro económico de Cuba, en el período comprendido entre julio de 2005 y octubre de 2006. Es el documento emanado de 7 encuentros, organizados y animados por el Grupo de Economistas del Centro de Formación Cívica y Religiosa de Pinar del Río, antes de desaparecer en marzo de 2007.

El objetivo general de aquel itinerario de reflexión fue muy parecido al de este ejercicio que comenzamos hoy aquí: ofrecer al pensamiento económico cubano una reflexión sobre valores determinantes, criterios de juicio, objetivos y estrategias generales para que toda la nación cubana pueda llegar a ser protagonista de políticas y programas económicos eficientes —basados en la solidaridad, la subsidiariedad, la justicia social, la apertura al mundo y el bien común— que tiendan a la consecución de un desarrollo integral sostenible, teniendo a la persona como sujeto, centro y fin de toda acción económica. Lo que pretendíamos era lo que hemos anunciado hoy aquí que queremos con este Centro de Estudios: sistematizar el pensamiento que pueda servir a Cuba en el futuro y también en el presente, y proponer

---

[1] Karina Gálvez Chiú (Pinar del Río, 1968). Licenciada en Economía. Fue responsable del Grupo de Economistas del Centro Cívico. Es miembro fundador del Consejo de Redacción de *Convivencia*. Reside en Pinar del Río.

alternativas de solución a los problemas. La realización de este trabajo fue un proceso gradual. Se trató de un itinerario, con diferentes etapas de reflexión. Duró un año y medio, en encuentros de fines de semana cada dos meses.

Podemos decir también que fue un proceso participativo. Se hizo una convocatoria abierta. Participaron 36 personas como promedio en cada encuentro, de las cuales 33 eran universitarios y solo 12 eran economistas. Participaron también 13 técnicos en economía, de 19 técnicos en total. Puede apreciarse una participación diversa en profesiones que también se evidenció en la procedencia de los participantes de 5 provincias de Cuba: Pinar del Río, La Habana, Camagüey, Holguín y Santiago de Cuba. Además, al final, fue sometido al criterio de economistas en la Diáspora, cuyas opiniones forman parte del documento publicado. Se trató de un proceso propositivo, que no se quedó en la reflexión estéril ni en el análisis de la realidad, sino que quiso hacer una propuesta de pensamiento económico para el mejoramiento de la sociedad cubana.

Lo más rico de este itinerario fue, y es, su contenido en sí mismo. Del trabajo realizado en estos encuentros se obtuvo como fruto, un análisis de la realidad de los diversos aspectos económicos de Cuba tal y como la aprecian los ciudadanos y tal como la valoran los especialistas. A pesar de que esta realidad económica es cambiante y puede ser interpretada desde diferentes puntos de vista, lo más importante es contar con esa realidad para comenzar cualquier intento de proyección económica para Cuba.

En la segunda etapa del itinerario se intentó presentar modelos económicos aplicados o propuestos en Cuba y en el mundo, así como los preceptos de la Doctrina Social de la Iglesia, para que sirvieran de referencia a la reflexión. De esta etapa, se obtuvo una enumeración de valores determinantes y criterios de juicio, que pueden ser aplicados a cualquier proyecto económico que se proponga, para evaluar su eticidad y búsqueda del desarrollo humano integral y no solo del crecimiento material: Solidaridad, Subsidiariedad, Apertura, Eficiencia, Consideración de la cultura del país, Cuidado del medio ambiente, Promoción de la pequeña empresa.

Después de una sustanciosa discusión se presentaron las características que darían un perfil a nuestra propuesta de economía para Cuba. La economía cubana debe ser: abierta, eficiente, subsidiaria y solidaria. Estas cuatro palabras se aprobaron como el objetivo general que debe manifestar cualquier proyecto económico para servir a la prosperidad y el desarrollo de Cuba.

Durante la reflexión pudimos llegar también a formular los objetivos específicos por categorías y sectores económicos que deben orientar cualquier proyecto económico viable y justo, con el fin de que fueran herramientas de evaluación para empoderar la capacidad de discernimiento de los ciudadanos y ciudadanas. Y, mediante el trabajo en equipos, conseguimos llegar a la elaboración de estrategias generales para categorías económicas.

La reflexión sobre los actores que deben protagonizar los procesos económicos para que estos sean de verdad participativos y democráticos efectivamente, constituyó otro momento del itinerario. Con la idea de que el futuro de Cuba sea lo más incluyente y participativo posible, los protagonistas debemos formarnos y comprometernos desde ahora: ciudadanos, sociedad civil, empresas, Estado y organismos internacionales.

Si algo debemos valorar además como fruto de este proceso de reflexión es el aporte de economistas de la diáspora cubana, que estudiaron lo que hicimos e hicieron comentarios y críticas muy profesionales y comprometidas con la realidad cubana del presente y el futuro. Su participación además se extendió a la publicación de un libro con todas las reflexiones de los encuentros y los comentarios y críticas al documento, con el que hoy podemos contar como una referencia. Una verdadera muestra de comunión en el afán por servir a Cuba desde cualquier lugar en que nos encontramos los cubanos.

Los que participamos en aquel encuentro tenemos la esperanza de que tanto el trabajo de aquellos días como el resultado del que comenzamos hoy le permita a todo ciudadano responsable:

1. Servirse de esta visión ética, de sus valores determinantes, sus criterios de juicio, de los objetivos generales y específicos y las estrategias generales por categorías y sectores para inspirarse y fundamentar sus propios programas político-económicos.

2. Utilizar esta visión y criterios para evaluar los programas político-económicos que diseñen otros, ya sean partidos políticos o grupos académicos, y que requerirán siempre y en todo lugar de una conciencia formada para evaluar y unos criterios fundamentados para criticarlos, mejorarlos o rechazarlos, según la conciencia de cada ciudadano.

Este es nuestro sencillo aporte, desde nuestra propia identidad y posición en la sociedad civil.

Esquema final del Itinerario realizado. Pinar del Río, Cuba. 8 de octubre de 2006.

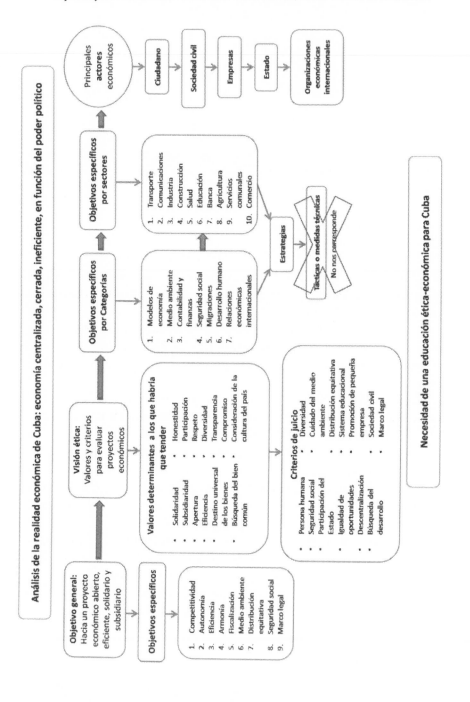

MODELOS DE ECONOMÍA. CARACTERÍSTICAS Y POSIBILIDADES

Por José Antonio Quintana de la Cruz[1]

Quiero comenzar estos comentarios declarando que no hablaré de lo que deseo o prefiero sino de lo que creo inevitable, posible o probable. De modo que mantendré, con respecto a mi objeto, el mismo distanciamiento objetivo que dicen los periodistas tener con respecto a los suyos.

También deseo declarar que haré abstracción de los vínculos necesarios que los modelos de economía tienen con la democracia, el Estado de Derecho, la seguridad ecológica y la soberanía nacional, en provecho del análisis económico.

Esencialmente, solo hay dos modelos de economía: la economía de mercado con propiedad privada sobre los medios y recursos económicos, y la economía centralmente planificada con propiedad social, sobre esos medios administrados por el Estado, lo que muchas veces termina en posesión.

Todos los demás modelos son combinaciones o variantes de los anteriores. Combinaciones son las economías mixtas en que tratan de convivir el mercado y la planificación y a veces conviven. Variaciones son los cambios formales en uno de los dos modelos esenciales.

En Japón, el Estado construyó deliberadamente el capitalismo, consensuó estrategias con los capitalistas y desarrolló la economía a partir de la reforma agraria más radical de la historia. No permitió indiscriminadas inversiones extranjeras y por algún tiempo copió, más que creó técnicas y tecnologías. Es una variante dentro del modelo de economía de mercado.

[1] José Antonio Quintana de la Cruz (Pinar del Río, 1949). Economista jubilado. Médico Veterinario. Reside en Pinar del Río.

Modelos ha habido muchos. Pero la mayor parte de los mismos son irreplicables. Sirvieron a uno o varios países en una época. No se debe tratar de copiarlos. Alemania, Inglaterra, Suecia y otros Estados europeos tuvieron modelos de desarrollo que se basaron primero en la exportación de alimentos y materias primas. Enseguida sustituyeron estos por productos intermedios y luego por bienes de capital y producciones químicas. En 1900, todos exportaban básicamente alimentos y materias primas. En 1959, más del 50% de sus exportaciones eran bienes de capital, plantas, equipos. ¿Puede hacer eso Cuba hoy?

Es otra época y otra latitud. Ahora la informática y la biotecnología, las nanociencias y la microelectrónica son bienes de capital. Cuba debe encontrar su modelo.

Un modelo bueno es aquel que sirve para explotar exitosamente las potencialidades de crecimiento de la economía para beneficio de la persona humana. El buen modelo tiene que adecuarse a:

- la estructura económica del país,
- los recursos naturales,
- la posición del País en la división internacional del trabajo,
- una estrategia que mueva todo lo anterior con eficacia y
- una tasa de crecimiento ambiciosa, objetiva y sostenible.

He caracterizado a grandes rasgos cuatro escenarios:

El primero escenario existe en el espacio y el tiempo de la nación reminiscentemente. Se trata del modelo de economía centralmente planificada y propiedad social poseída por el Estado que acaba de fracasar. Modelo en el que el Estado tiene el monopolio del comercio exterior y de la Banca y en el que las inversiones extranjeras son muy limitadas y compartidas con el Estado. Es el modelo sobre cuyos fundamentos o sobre cuyos escombros o sobre ambos, se erige el siguiente escenario.

El segundo escenario se trata de una situación a la que otorgo probabilidad 1, sencillamente porque ya existe. Es un hecho consumado en movimiento. Es el llamado proceso de actualización. Se caracteriza por:

- planificación centralizada más flexible (algunos islotes económicos fuera de las directivas),
- monopolio del comercio exterior,
- propiedad estatal que producirá el 50% del PIB,
- propiedad privada (nanoempresas, microPYMES) producirá el 50% del PIB,
- inversión extranjera acotada por la ley y limitada por la estrategia de crecimiento,

- presencia limitada de la banca extranjera y
- flexibilización de la banca nacional.

Creo que este modelo aún impreciso y no conceptualizado, se definirá en 3 años y consolidará en 5 años.

La tercera situación o escenario, a la que otorgo una probabilidad de 0,8, realizable dentro de 10 años, será una consecuencia obligada de la evolución del escenario actual y de las circunstancias que creará con su desarrollo. Parece ser algo inevitable. Sus características serían las siguientes:

- planificación indicativa. Consensos de los sujetos económicos concurrentes (incluye empresas estatales),
- empresas de propiedad diversa en todas las escalas,
- preponderancia de las empresas privadas en la creación del PIB,
- comercio exterior no monopólico pero regulado indirectamente a través de: tasas de cambio especiales, aranceles, medidas fiscales, permisos especiales, etc.,
- empresas públicas. Existencia de Bolsa de Valores y
- presencia de la banca internacional desplegada.

El cuarto escenario al que le otorgo una probabilidad de 0,5 cumplible en 15 o 20 años, es el que se caracteriza por:

- propiedad privada generalizada y preponderante,
- las leyes del mercado sustituyen a cualquier tipo de planificación y
- desregulación total de: comercio exterior, inversiones, movimientos de capitales, dinámicas de la fuerza de trabajo, presencia de las transnacionales, fuertes y con tendencia a la hegemonía.

Cualquiera de los anteriores modelos u otros que se puedan constituir o diseñar, tendrán que hacerse cargo del desarrollo del país para el bien de todos y para situarlo dignamente en el concierto de las naciones libres.

Para ello tendrán que valorar el papel primordial del comercio exterior. Sobre todo en los años del despegue. Asumir conscientemente que Cuba es una economía sensible a las importaciones y sin una base exportadora fuerte y consolidada. Que se precisan fuertes inversiones y no de cualquier tipo. Se necesita acumular inversiones en diez años del orden de los 40 mil millones de pesos (dólares) repartidos como promedio a 4 mil millones por año. Quizás estas inversiones, si creemos en el multiplicador de Keynes y dada la alta propensión marginal a consumir, sobre todo en los cinco primeros años del despegue, posibilite establecer una tasa de crecimiento de 6 o 7% anual. Con una tasa de 6% no se duplica el PIB en 10 años, aunque se incrementara el producto interno por habitante, no mucho. La tasa del 7% casi dobla el PIB en 10 años. Sería lo mínimo que se pudiera esperar de un modelo exitoso. Habrá que decir, de cara al desempleo que surja como consecuencia de medidas de eficiencia, si las inversiones son intensivas en capital o en fuerza de trabajo o ambas. Habrá que diseñar la estructura del financiamiento para el crecimiento, es decir, préstamos a largo o corto plazo, ayudas, donaciones, inversiones directas, etc.

Todo esto tiene ventajas y peligros a evaluar con responsabilidad y conocimiento

Es obvio que en dos días no se puede hacer todo esto, pero debemos saberlo y ponernos en marcha, con la ayuda de todo el que, con conocimientos profundos de estos temas, nos tienda una mano de amistad respetuosa a los intereses legítimos de la nación cubana.

LOS CAMBIOS POLÍTICOS SON NECESARIOS PARA LOS CAMBIOS ECONÓMICOS

Por Pedro Campos Santos[1]

BREVE INTRODUCCIÓN

Toda posibilidad de cambio en el modelo económico dependerá de los eventuales cambios políticos democráticos que puedan alcanzarse. Siempre se ha dicho que los cambios económicos determinan cambios políticos.

Hoy la situación cubana demanda cambios políticos que permitan cambios económicos, lo que demuestra la relación dialéctica entre unos y otros. Si no se producen cambios democráticos importantes, de calado, la sociedad cubana seguirá transversalizada por el estatalismo asalariado y la centralización de las decisiones. Tendríamos más de lo mismo, con la acentuación de las crecientes diferencias sociales actuales. Parto del hecho de que los cambios democráticos son necesarios e inevitables. Su ritmo dependerá de una serie de factores que no me parece posible predecir cómo incidirían. Como todo lo porvenir, este diseño estará sujeto a esos cambios y ritmos.

Trataré de ceñirme al esquema propuesto, pero no he podido evitar que en ocasiones se rocen y confundan las estrategias, con los objetivos, los impactos sociales y los espacios. Quede claro que, más que lo que deseo para Cuba, esto es lo que más me parece posible. Será sobre esas nuevas estructuras que se crearán las condiciones para el pleno desarrollo de un

---

[1] Pedro Segundo Campos Santos (Holguín, 1949). Licenciado en Historia en la Universidad de La Habana. Exdiplomático. Investigador en el CESEU, Centro de Estudios sobre EE.UU. de la Universidad de La Habana. Premio de Ensayo 2012 de la revista *Espacio Laical*. Edita el boletín digital *SPD, Socialismo Participativo y Democrático*.

socialismo participativo y democrático en una Cuba a más largo plazo, en la plena conciencia de que el socialismo verdadero no se impone, sino que se viene formando desde abajo con el amplio desarrollo de las fuerzas productivas y las relaciones de producción sustentadas, no en el trabajo asalariado que tipifica al capitalismo, sino en el trabajo libre, asociado o no.

Espero que no sea la crítica de los roedores, sino la de los presentes, la que dé frescura y vida probable a este montón de ideas acomodadas en un esquema que intenta ser didáctico.

Modelo de economía	Corto plazo 3 años	Mediano plazo 5 años	Largo plazo 10 años
Visión	Asumiendo que logremos cambios políticos democráticos, en esta etapa deberán iniciarse cambios en el modelo económico que permitan una diversificación paulatina de las formas de producción.	Si se lograra avanzar en los cambios políticos y económicos democráticos antes señalados, podrían producirse importantes transformaciones en el modelo actual predominantemente estatalista hacia la pluralidad en las formas de producción, donde todavía el estatalismo jugaría un papel predominante que iría cediendo esa posición a las empresas de capital privado individual o asociado. En esta etapa muchas empresas podrían privatizarse, cooperativizarse, o trabajar en forma de cogestión entre los trabajadores y el estado, según la línea que predomine en el gobierno y la sociedad. Cambio en las leyes laborales actuales a favor de los trabajadores. Nuevas leyes de seguridad social.	Reitero, todo dependerá de un proceso de democratización política que posibilite el desarrollo una democratización y socialización de la economía. Si un sistema político autoritario se sostiene a largo plazo, a 10 años, será porque también la economía no habría avanzado del predominio estatal. Si hay cambios democráticos, en dependencia de su intensidad y calado, para entonces el modelo cubano podría presentar un panorama muy distinto al actual.
Objetivos	Alcanzar un proceso democratización que incluya libertades fundamentales, nueva constitución democrática y nueva Ley electoral democrática, que permitan defender otras políticas económicas. Lograr que la ley de inversiones extranjeras, sea simplemente transformada en ley de inversiones que permita a todos invertir.	Lograr una amplia participación popular en los procesos democráticos en la economía, que se logren alcanzar en la etapa anterior. En esta etapa habría que sedimentar y ampliar los logros democráticos y la libertad de formas de producción. Disminuir la dependencia del mercado externo. La agricultura y la industria alimenticia y ligera, deberán a volver a planos principales.	Cuba debería ya, para entonces, dejar de ser considerado un país subdesarrollado del III Mundo, aunque todavía sin llegar a los niveles de países desarrollados. Haber eliminado los índices actuales de pobreza y haber empezado a disminuir las diferencias entre el campo y la ciudad, hacia una sociedad de desarrollo regional más parejo.

Modelo de economía	Corto plazo 3 años	Mediano plazo 5 años	Largo plazo 10 años
Estrategias	Democratización del sistema político. Presionar por todas las vías posibles a favor de cambios democráticos, que posibiliten otros desarrollos económicos (libertad al cuentapropismo, al cooperativismo, al capital cubano de fuera y mayor participación de los trabajadores en la dirección, gestión y parte de las ganancias). Eliminación de la doble moneda.	La estrategia de la democratización deberá mantenerse y acentuarse, para garantizar lo que se vaya logrando en esa dirección. Deberán promoverse estrategias crediticias y fiscales que favorezcan el trabajo libre, asociado o individual y el desarrollo de las PYMES, para garantizar que la economía se democratice y no pase, simplemente, del control del estado a los grandes capitales transnacionales con todas sus consecuencias. Fundamental será la municipalización del poder y el desarrollo de los presupuestos participativos que garantice el control democrático y trasparente de los ingresos fiscales y los presupuestos. El mercado deberá quedar libre de toda tutela estatal y sus monopolios.	Consolidación de todo lo logrado, mediante nuevas legislaciones y perfeccionamiento de todos los mecanismos democráticos y socializantes. Para esta fecha el mercado interno debe haber alcanzado un alto nivel y paulatinamente el intercambio con el mercado externo deberá pasar al centro de la estrategia de desarrollo, pues sería previsible un desarrollo ya significativo capaz de hacer aportes al mercado mundial y regional.
Acciones de impacto social	Trabajar en la creación de un Amplio Frente Democrático que permita presionar a favor de esos objetivos. Trabajar en la educación popular sobre la democracia, su funcionamiento y el empoderamiento popular de sus condiciones de reproducción económica y social. Trabajar por la valoración del trabajo.	Trabajar porque todos se apropien de internet y las nuevas tecnologías para poder concretar la democracia política y económica. Es lo que va a permitir que el mercado se democratice. La inversión cubana de afuera de baja y mediana escala será más beneficiosa para la economía que la gran inversión externa. Debemos promoverla.	Fomento de una economía de exportación con un alto nivel de integración al mercado internacional.
Espacios	Todos los existentes y otros que puedan crearse. Especial papel Internet, buscar su abaratamiento. Usar los limitados espacios de debate del gobierno en la prensa digital.	Los mismos, especialmente Internet y darle un papel especial a las escuelas de educación pública en cuestiones de nuevas relaciones económicas.	Ampliación de los espacios existentes. Universidades y Academias, Parlamento. Asociaciones no gubernamentales.
Protagonistas	Sociedad civil, organizaciones opositoras y de pensamiento diferente, algunas fuerzas del propio gobierno.	Los colectivos laborales, los sindicatos y las asociaciones de productores, así como el resto de las empresas, empezarían a ser protagonistas importantes en la solución de los problemas económicos y sociales, en combinación con los nuevos poderes locales con control sobre impuestos y presupuestos.	El pueblo todo, es decir, los cubanos todos, organizados en las nuevas formas de poder popular y en las nuevas asociaciones productivas de diverso tipo.

LA ECONOMÍA CUBANA A CORTO, MEDIANO Y LARGO PLAZO

Por Dimas Cecilio Castellanos Martí[1]

El gobierno cubano se enfrenta a una contradicción insoluble: la incompatibilidad de los cambios con la conservación del modelo.

INTRODUCCIÓN

La sociedad es un organismo vivo integrado por múltiples elementos interrelacionados. Cuando la misma padece de una crisis estructural todos sus componentes son afectados. El saneamiento, para ser efectivo, tiene que abarcar de forma integral a todos sus componentes.

El totalitarismo cubano, caracterizado por el voluntarismo y el desconocimiento de las leyes que rigen los procesos económicos, al alterar elementos vitales del organismo social como la estructura de la propiedad, la autonomía de la sociedad civil y las funciones del salario, convirtió la economía en factor de pobreza y condujo al país a una profunda crisis estructural.

---

[1] Dimas Cecilio Castellanos Martí (Jiguaní, 1943). Reside en La Habana desde 1967. Licenciado en Ciencias Políticas en la Universidad de La Habana (1975).Diplomado en Ciencias de la Información (1983-1985). Licenciado en Estudios Bíblicos y Teológicos (2006). Trabajó como profesor de cursos regulares y de postgrados de filosofía marxista en la Facultad de Agronomía de la Universidad de La Habana (1976-1977) y como especialista en Información Científica en el Instituto Superior de Ciencias Agropecuarias de La Habana (1977-1992). Primer premio del concurso convocado por Solidaridad de Trabajadores Cubanos, en el año 2003. Es miembro de la Junta Directiva del Instituto de Estudios Cubanos con sede en la Florida.

Medio siglo después de poder revolucionario, cuando el deterioro se había extendido a todas las esferas de la sociedad, las reformas emprendidas por los mismos agentes responsables de la crisis, carentes de la voluntad política necesaria y en ausencia de fuerzas alternativas con capacidad para influir en las decisiones, resultaron insuficientes para revertir el daño estructural.

En medio de ese peculiar escenario, la confrontación con la mayor potencia económica y militar del orbe, aunque sus intenciones declaradas fueran la democratización de Cuba, en lugar de contribuir al fortalecimiento de los espacios cívicos, los enrareció; en vez de protegernos frente a la arbitrariedad del Estado, colaboró con ella; en vez de promover climas de confianza para el avance de los derechos humanos, los hizo retroceder; a la vez que brindó un valioso argumento al gobierno cubano para justificar la ausencia de derechos y libertades cívicas y solapar las causas internas del desastre.

La coincidencia del fracaso económico del modelo totalitario cubano y de la política norteamericana en su intento de cambiar al régimen cubano condicionaron el regreso a la política. El proceso de negociaciones entre los dos gobiernos, primero secretas y luego públicas, desembocó en el restablecimiento de las relaciones diplomáticas, generando un escenario mucho más favorable para enfrentar la gravedad de la crisis. En ese nuevo contexto los problemas internos irán desplazando gradualmente al conflicto externo y generando posibilidades de cambio antes ausentes.

El hecho de que un gobierno que arribó al poder mediante las armas, que condujo al país al fracaso y que 55 años después aún conserve determinada capacidad para influir en los destinos de la nación, es una peculiaridad que no puede soslayarse. Esa realidad obliga a la gradualidad para evitar cualquier salida violenta y a emplear la política como instrumento de lo posible en cada momento, lo que indica, a pesar de su necesidad, la imposibilidad de enfrentar la solución de forma raigal e inmediata en cada uno de los componentes dañados del cuerpo social.

Aunque la visión a largo plazo no puede ser otra cosa que la de un país dotado de un Estado de Derecho, plural, democrático y participativo, la realidad aconseja comenzar lo posible en las condiciones actuales.

El factor común y determinante del fracaso en materia económica ha sido la falta de la autonomía que requieren su naturaleza y funciones. Por tanto, cualquier solución implica la democratización de las relaciones económicas, para que de forma paralela al Estado, los cubanos participen como sujetos con derechos institucionalizados.

Desde esa óptica se requiere como punto de partida un marco institucional y de competencias en que se desarrolle el proceso. Para ello el aparato legislativo y el judicial, aunque subordinados al poder político, podrían favorecer el proceso, pues de cierta manera los cambios también son necesarios para el propio Gobierno, que necesita de un despegue económico para sostenerse algún tiempo más en el poder, lo que explica el proceso de reformar las reformas que ha caracterizado las medidas hasta ahora implementadas.

ENTRANDO EN MATERIA

Los seres humanos se mueven hacia determinados fines en dependencia de sus intereses y entre los factores que influyen en el interés de trabajadores y empresarios están las relaciones de propiedad y los salarios.

Como las diversas formas de propiedad se complementan, la disyuntiva no radica en elegir entre una u otra, sino en determinar cuál resulta más eficaz para el desarrollo personal y colectivo; pues ambas formas, la privada y la social, se justifican en la medida en que son útiles para el bien de los hombres. Las mismas no constituyen un fin, sino un medio de coadyuvar al verdadero fin: la persona humana, lo que hace de la institución de la propiedad un fundamento del orden personal y social.

El salario mínimo tiene que ser suficiente para satisfacer lo que Diego Vicente Tejera[2] llamó necesidades naturales: costos de habitación, vestuario higiénico y decente, alimentación sana y suficiente, más un tercio para cubrir gastos de enfermedad e imprevistos. De acuerdo a ese esquema, no con el salario mínimo —del cual nunca se habla en Cuba— sino con el salario medio actual, (equivalente a unos 20 CUC), resulta imposible. El propio presidente del Consejo de Estado ha reconocido que el sistema salarial cubano: no satisface todas las necesidades del trabajador y su familia, genera desmotivación y apatía hacia el trabajo, influye negativamente en la disciplina e incentiva el éxodo de personal calificado hacia actividades mejor remuneradas, desestimula la promoción de los más capaces y abnegados hacia cargos superiores.[3]

Como cada medida guarda una estrecha relación con las restantes, la separación en el corto, mediano y largo plazo, no es esquemática. Cada medida implica y tiene efectos sobre las restantes. A partir de esos presupuestos, moviéndose de lo inmediato a lo mediato, el orden pudiera ser el siguiente:

---

[2]   Diego Vicente Tejera, fundador del socialismo democrático en Cuba en «Un sistema social fáctico».

[3]   Discurso de Raúl Castro en la clausura del XX Congreso de la Central de Trabajadores de Cuba en febrero de 2014.

- Liberar a los cuentapropistas de todas las trabas actuales y motivarlos con imposiciones fiscales bajas y flexibles. Generalizar el trabajo por cuenta propia a todas las actividades de servicio, construcción, producción agrícola e industrial. Y abarcar a todas las categorías de trabajadores, incluyendo a los profesionales.
- Promulgar el derecho de los cubanos a crear pequeñas y medianas empresas de producción agrícola, industrial y de servicios, y a su vez el derecho de comprar pequeñas y medianas empresas que están en manos del Estado. Los trabajadores y empresarios, convertidos en dueños, podrían crear cooperativas u otras formas asociadas de propiedad que consideren competitivas sin ser inducidos por el Estado, como ha ocurrido hasta ahora. Además, esas pequeñas y medianas empresas vendidas a los trabajadores coadyuvarán a despertar confianza en los nuevos empresarios nacionales o foráneos.
- Dictar una nueva ley de inversiones que permita a los cubanos invertir en su propio país. Esta ley movilizaría un considerable volumen de inversiones resultado de la acumulación en manos de la clase media en gestación, de la inversión legal de parte de las remesas recibidas y de la participación directa de cubanos residentes en el exterior. Esa medida aumentaría la tasa de inversión que actualmente es de apenas un 10% del producto interno bruto y en consecuencia estimularía el crecimiento.
- Suspender todas las trabas encaminadas a impedir la formación de una clase media. En ese sentido, al privatizar o cooperativizar empresas estatales se debe priorizar a los cubanos, vivan dentro o fuera de Cuba, con el objetivo de fomentar y fortalecer una clase económica nacional como existió hasta 1959 y sin la cual no se pueden explicar los avances que experimentó Cuba en materia de economía.

Estas cuatro primeras medidas, de ser dictadas en el corto plazo, movilizarían la capacidad emprendedora de los cubanos, generarían de forma rápida una mayor oferta, variedad y calidad de productos en el mercado, canalizarían una parte del dinero libremente convertible que entra al país por vía de las remesas familiares hacia las inversiones, crearían nuevas fuentes de empleo, coadyuvarían al crecimiento del PIB, facilitarían la creación de condiciones para la unificación monetaria y aumentarían la presencia de la producción manufacturera en el PIB en relación a los servicios; generarían esperanzas e influirían en la disminución del éxodo al exterior.

La viabilidad de esas medidas es factible ya que las mismas pueden ser iniciadas desde el actual gobierno, incluso sin tener que cambiar inicialmente su concepción de partido único.

A MEDIANO PLAZO

- Institucionalizar una concepción de la propiedad en la que cohabiten sus variadas formas, de tal manera que sea la propia naturaleza de la economía y la capacidad de sus dueños a través de la competencia, la que determine cuáles son las más eficientes y capaces. En el caso de las cooperativas, si no surgen de la unión voluntaria de los socios; si se crean dónde y cuándo decide el Estado; si carecen de autonomía; si los asociados no son dueños; y si su Reglamento lo emite el Consejo de Ministros, tales asociaciones no califican como cooperativas, sino como asociaciones de usufructuarios dependientes del Estado.
- Incrementar gradualmente los salarios hasta ponerlos en concordancia con el costo de la vida. Esta medida es factible a partir del crecimiento de la riqueza material resultado de las primeras cuatro medidas. Hasta ahora los bajos salarios han tenido un impacto negativo en la economía y en el resto de los elementos que integran el cuerpo social, agudizados por la ausencia de un movimiento sindical autónomo que defienda los intereses de los trabajadores. Su aumento constituye una medida efectiva para motivar una mayor productividad del trabajo y comenzar a disminuir las vías ilegales y el robo.
- Aumentar las pensiones y jubilaciones. Una necesidad que viene dictada por la insuficiencia actual de las mismas en una sociedad con un alto porcentaje de personas en la tercera edad. Lo que constituye un acto necesario y legítimo de justicia social.
- Crear un aparato de asistencia social y promover las normas preventivas que protejan al ciudadano de los desequilibrios estructurales, pues al desaparecer los subsidios estatales a la producción y establecerse la economía de mercado, las tendencias inflacionarias son casi imposibles de evitar.
- Definir cuáles empresas, por su carácter estratégico, deben ser conservadas como propiedad pública, como pudieran ser el caso del níquel, el petróleo u otras, en las cuales se aplique la autogestión y/o los consejos de trabajadores.
- Liberar el comercio interior del monopolio estatal, de manera que los precios se determinen por la oferta y la demanda, para que

puedan brindar información acerca de la escasez o abundancia de los productos, acerca de quién es más eficaz, así como de quién produce con mayor calidad y con menores precios. De tal manera que los consumidores puedan influir en la determinación de la cantidad y calidad de lo que se debe producir. El mercado, como forma de relación social donde se intercambian necesidades, dinero, productos y servicios, es un efecto de la producción y a la vez causa, porque propicia que la producción y los servicios se conviertan en consumo y se originen nuevas demandas de productos.

- Eliminar la dualidad monetaria y proceder a su libre convertibilidad. Esta medida, aunque urge, la ausencia de un PIB que lo respalde y de los efectos inmediatos que acarrearía en esas condiciones, parecen imposibilitar su inmediata ejecución. De todas formas, por su impacto en la economía, cuanto antes se implante será mejor, pues las consecuencias negativas de su ausencia pueden ser peores. La Resolución 19 de 2014 del Ministerio de Finanzas y Precios, describe las medidas financieras y contables que entrarán en vigor el día antes de la unificación monetaria y describe los procedimientos y normas de la revaluación del peso cubano en las entidades estatales. Sin embargo no hay evidencias de que se proceda inmediatamente a la unificación. La devaluación que obligatoriamente ocurrirá tendrá efectos inflacionarios sobre los salarios y sobre los precios minoristas.

- Cambiar el paradigma de los precios, hoy dependientes de los costos y de decisiones administrativas de espaldas a la oferta, la demanda y la eficiencia productiva.

- Implementar una reforma deflacionaria de orden macroeconómico debido al efecto que tendrán la unificación monetaria y las nuevas estrategias de precio. Esta reforma debe comprender de forma integral el orden fiscal, el monetario, la política cambiaria y la política salarial.

- La planificación socialista, que nunca ha cumplido sus objetivos, debe ser sustituida por la oferta y la demanda nacional e internacional. Los incumplimientos en la planificación en la producción de azúcar durante décadas, en el crecimiento anual del PIB, en la sustitución de importaciones y en cuantos planes se ha trazado el Gobierno, así lo demuestran.

- Proceder a una reforma de la banca nacional que incluya bancos privados y otras instituciones crediticias y crear un marco institucional y legal que incluya los bancos, las compañías de seguros, los fondos de pensión y las bolsas de valores. La reforma bancaria debe eliminar el efecto negativo de las regulaciones que limitan la competencia y que actúan como freno para el desarrollo.

- Eliminar el encargo estatal a las empresas privadas y cooperativas, así como reducirlo a las empresas que se conserven como propiedad pública, de tal manera que la misma pueda destinar una mayor parte de su capacidad productiva a las ventas en función de la oferta y la demanda.
- Impedir que la reforma empresarial en marcha genere una nueva centralización de decisiones fundamentales, pues las decisiones verticales, una de las causas de la ineficiencia económica, se está moviendo de las unidades de producción y servicios hacia las OSDEs (Organización Superior de Dirección Empresarial), que tienen una función administrativa y de control. Las funciones otorgadas a esta nueva instancia, subordinada a los ministerios con potestad para decidir acerca del plan de las entidades públicas, deben recaer en los directivos y en el colectivo de trabajadores.
- Apertura de mercados mayoristas para todos los sectores productivos, lo que redundará en eficiencia y productividad y en los cuales debe haber una fuerte participación de la emergente clase media nacional.
- Estas 14 medidas a mediano plazo van dirigidas al fortalecimiento de las medidas a corto plazo, a la descentralización administrativa, al perfeccionamiento del sistema económico nacional, al crecimiento del producto interno bruto, al fortalecimiento institucional de la clase económica nacional, al incremento de oportunidades de los grupos más pobres de la población para mejorar la equidad y a reducir la vulnerabilidad externa de la economía.

A LARGO PLAZO

- Promulgar un nuevo Código de Trabajo que refrende la libre sindicalización y la autonomía del sindicalismo, de tal forma que libere a los trabajadores cubanos del estado de indefensión a que están sometidos. Ese nuevo Código tiene que estar en concordancia con lo estipulado por la OIT, de la cual Cuba además de fundadora es firmante de 76 de sus convenios, incluyendo el Convenio 87 sobre la libertad sindical. Ese cambio pondría la legislación laboral en correspondencia con los avances que había obtenido el movimiento obrero en sus luchas desde la colonia hasta la primera mitad del siglo pasado.

- Promulgar la libre contratación de fuerza de trabajo, lo que implica su inclusión en el nuevo Código de Trabajo en correspondencia con lo estipulado por la OIT y con la historia del movimiento obrero cubano.
- Legalizar el derecho a la información como factor clave de desarrollo. Desplazar la lucha por la igualdad de oportunidades hasta la redistribución de educación, tecnología y desarrollo de las capacidades para la iniciativa personal; para que las diferencias sociales no se extiendan a la tecnología y al conocimiento.
- Promulgar una nueva ley de asociaciones.
- Sustituir el artículo 5 de la actual Constitución por el reconocimiento del pluripartidismo. Como las ideas políticas constituyen un importante instrumento para los cambios, la democratización asume en esta etapa una importancia determinante, para que cada persona o grupo tenga el derecho de asociarse libremente sujeto únicamente a la ley que se promulgue con ese fin. Como expresara Hannah Arendt: *«una revolución* (o cualquier proyecto diría yo) *que se proponga liberar a los hombres sin plantear, paralelamente, la necesidad de generar un espacio público que permita el ejercicio de la libertad, solo puede llevar a la liberación de los individuos de una dependencia para conducirlos a otra, quizás más férrea que la anterior».*[4]

José Martí, quien se proponía fundar una nación con todos y para el bien de todos, partía de la convicción de que: una nación libre es el resultado de sus pobladores libres.[5]

Estas últimas cinco medidas van dirigidas esencialmente al tema de la democracia como base de la participación ciudadana, mediante la institucionalización de los derechos, especialmente los derechos económicos, como paso previo a la instauración de un Estado de derecho, plural, democrático y participativo. Su concreción permitirá al Estado concentrarse esencialmente en la función de control, en vez de tratar de gestionarlo todo mediante la anulación de las personas.

UNA OBSERVACIÓN A MANERA DE CIERRE

Para esas reformas los cubanos, aunque carezcan en este momento de la condición de ciudadanos, están potencialmente preparados. Lo ha demos-

---

[4] Schmitt, Carl y Hannah Arendt. *Consenso y conflicto; la definición de lo político.* Colombia, Editorial de la Universidad de Antioquia, 2002, p. 147.

[5] J. Martí. *Obras Completas.* La Habana, Editorial de Ciencias Sociales, 1991. T. 8, p. 284.

trado su nivel de profesionalidad e inventivas, la eficiencia que exhiben restaurantes, servicios de transporte, alquiler de viviendas, talleres de producción de bienes materiales y culturales o los diferentes servicios gastronómicos, de reparaciones y ventas que existen y coexisten dentro, paralelos o al margen de las leyes vigentes.

EL TRABAJO EN CUBA

Por Elías Amor Bravo[1]

La existencia de un mercado laboral competitivo, flexible, en el que oferta y demanda se regulen de forma adecuada, es una condición necesaria para el funcionamiento de una economía. Los trabajadores deben estar en condiciones de ofrecer sus cualificaciones a las empresas que las necesitan para ser productivas, y estas, por su parte, demandar las competencias que precisan para poder ejecutar sus procesos de producción en condiciones de eficiencia y competitividad.

La participación de los agentes económicos y sociales contribuye al desarrollo de la negociación colectiva, que es uno de los ejes de la concertación social, factor clave para un crecimiento sostenible y ordenado, en el que se contemplen los derechos y deberes de los trabajadores y las políticas de contratación. Las normas que regulan el funcionamiento del mercado de trabajo deben ajustarse a esos requerimientos para ser efectivas. El sistema educativo y formativo se encuentra estrechamente relacionado con el mercado laboral, en el que rigen principios microeconómicos bien estudiados por la ciencia económica.

Por desgracia, en Cuba no existe un mercado laboral de estas características. Ni tan siquiera es una mínima aproximación. A modo de resumen general, se podría afirmar que la revolución cubana no ha supuesto beneficios para los trabajadores cubanos. Es cierto que desde un

---

[1] Elías M. Amor Bravo. Analista cubano y especialista en formación profesional y empresarial. Licenciado en Ciencias Económicas y Empresariales. Máster en gestión pública directiva. Director de la Fundación Servicio Valenciano de Empleo. Director general de formación y cualificación profesional. Reside en Valencia. España.

primer momento, las autoridades utilizaron la propaganda para denunciar las injusticias del pasado, reivindicando el interés de los trabajadores para dirigir sus promesas de bienestar, pero ello no resultó en una mejora de las condiciones del mercado laboral.

Los primeros años del proceso revolucionario estuvieron plagados de ofertas demagógicas, a veces extravagantes, sobre el destino que esperaba a obreros y campesinos. El «hombre nuevo» inspirado en el Che, sería el paradigma de la revolución y de los objetivos a alcanzar. Para dar contenido a las propuestas de índole laboral a partir de 1960 se fueron adoptando determinadas medidas pero al año siguiente, conforme se agotaban los efectos expansivos de la economía, empezaron a producirse dificultades de todo tipo.

Castro era consciente de los efectos del cambio geopolítico que había impuesto en la Isla, del coste económico y social de las expropiaciones sin compensación, y del impacto que de los distintos objetivos de la revolución, y aprovechaba aquellos discursos ante las masas para advertir al pueblo trabajador que había que aceptar sacrificios inevitables para anunciar, a continuación, un futuro mejor y de prosperidad.

De ese modo, en noviembre de 1961, en el XI Congreso de la CTC los trabajadores cubanos, que desde los años 40 habían conseguido derechos inexistentes en otros países de desarrollo superior, se vieron privados de los mismos. Tan solo unos meses más tarde se instauraba el sistema de racionamiento con sus efectos devastadores sobre las condiciones de vida. El trabajador cubano sufrió así de un duro ajuste, tanto como consumidor, como productor.

Eran años de euforia y Fidel Castro tuvo una gran habilidad para sacar provecho del estado de ánimo para conducir la revolución un proceso de colectivización no observado en otros países. Los trabajadores se prepararon a aceptar, con cierta resignación, desvíos, racionamientos, guardias, retrocesos en los derechos y rigores. A modo de resumen, se puede afirmar que los primeros tres lustros de la llamada revolución fueron de sacrificios continuos para los trabajadores. Tampoco se puede ignorar que algunos grupos de trabajadores, sobre todo los que pertenecían a los estratos más bajos de la sociedad, mejoraron su situación con respecto a la anterior.

Para gran número de ellos desapareció por algún tiempo el fantasma del paro, sustituido a partir de entonces por un «casi pleno desempleo artificial», basado en la existencia de plantillas infladas. Otros trabajadores se vieron beneficiados por el alivio en el suministro gratuito de la atención médica y las facilidades de la educación. Y no faltaron aquellos que con sentimientos de odio o envidia calificaron como correcta la política cada vez más clara de «igualar por lo bajo».

Cuando en 1976 se produjo la institucionalización del sistema con la aprobación de la Constitución socialista se declaró el principio de que el Estado existe para realizar la voluntad de los trabajadores (artículo 9). De ese modo, los trabajadores no advertían el hecho objetivo que el nuevo texto había incluido muy pocos derechos a su favor y que su bienestar, en términos de ingresos y disponibilidad de bienes y servicios, no había experimentado cambios apreciables. Al mismo tiempo, el sistema continuaba exigiendo sacrificios a corto plazo a cambio de nuevos sacrificios y esfuerzos.

Los observadores y analistas concluyeron que en la república socialista, apenas seis artículos consagraban la constitución al trabajador y uno de ellos se dedicaba a imprimir la máxima fuerza al trabajo voluntario no remunerado en beneficio de la sociedad, y otro a reforzar la disciplina en el trabajo.

Más tarde, el Código del trabajo, tardíamente adoptado en 1984, iba a dar más fuerza a la disciplina laboral (a la que se referían 65 de los 308 artículos del código) y a ratificar el escaso interés de Fidel Castro en reconocer derechos a los trabajadores cubanos. En aquel momento, las campañas militares del régimen en África y sobre todo, el fomento de la subversión en América Latina llevaron a la conclusión que el internacionalismo proletario y el propósito de enaltecer la imagen del Presidente, eran los objetivos prioritarios de la revolución. Estos objetivos se estaban consiguiendo a expensas de los intereses de los trabajadores. Esto es fácil de comprobar examinando el contenido y dirección de las condiciones en que desarrollaba el trabajo en Cuba.

Hechas estas precisiones iniciales, conviene señalar que, al menos sobre el papel, el ordenamiento jurídico laboral del régimen castrista se puede considerar, hasta cierto punto, homologable al que existe en otros países, salvando, eso sí, las distancias que aparecen en determinadas figuras.

Por ejemplo, según fuentes oficiales, La Habana ha ratificado los ocho Convenios Fundamentales de la OIT, a la cual pertenece desde su fundación en 1919. Sin embargo, con frecuencia, sindicalistas independientes denuncian la violación de esos compromisos. Señalan, entre otras irregularidades, que los trabajadores cubanos no tienen derecho a huelga y que la única organización sindical legal es la Central de Trabajadores de Cuba (CTC), controlada por el Gobierno.

Todavía, de forma muy reciente, se ha producido un nuevo paso en la adaptación de la legislación a las normas de la OIT. El pasado mes de septiembre, el régimen, por ejemplo, ratificó el Convenio 182 de la OIT sobre la eliminación del trabajo infantil.

La realidad es que durante décadas, el Gobierno cubano separó a niños a partir de los 12 años de sus familias y los envió a trabajar temporadas en campamentos agrícolas, como parte de una política descrita como educativa, la llamada «escuela al campo», y que, según la explicación oficial, buscaba vincular el trabajo con el estudio. Por medio de este mecanismo, decenas de miles de menores fueron obligados asimismo a estudiar becados en escuelas de secundaria básica y preuniversitario en el campo, donde no eran inusuales abusos de diversos tipos.

Con la llegada del período especial, y sobre todo, tras los cambios introducidos por Raúl Castro a partir de 2008 para reducir los gastos corrientes del Estado, la «escuela al campo» pasó a mejor vida. Después, el régimen ha ido desarrollando normas para regular el trabajo de los menores, de acuerdo con las disposiciones internacionales.

En una ceremonia oficial celebrada en la sede de la organización en Ginebra, la ministra cubana de Justicia, María Esther Reus González, depositó el Instrumento de Ratificación del Convenio No. 182 sobre la Prohibición de las Peores Formas de Trabajo Infantil y la Acción Inmediata para su eliminación. El acto contó con la participación del director general de la OIT, Guy Ryder.

El régimen presentó a la OIT los informes iniciales de La Habana a los Protocolos Facultativos de la Convención de los Derechos del Niño relativos a la venta de menores, prostitución infantil y el empleo de niños en la pornografía y en conflictos armados. Este paso dado por La Habana, está en línea con los esfuerzos de la OIT por lograr la eliminación del trabajo infantil en el mundo.

En materia de trabajo, la Ley No. 116 por la que se dicta el Código del Trabajo, de 20 de diciembre de 2013, publicada el 17 de junio de 2014 en la Gaceta Oficial, regula las relaciones de trabajo que se establecen entre empleadores radicados en el territorio nacional y las personas nacionales o extranjeras con residencia permanente en el país, para el cumplimiento de los derechos y deberes recíprocos de las partes.

Asimismo, regula las relaciones de trabajo en Cuba, de las personas que previa autorización, lo hacen fuera del territorio nacional, salvo que en la legislación especial, o convenios bilaterales se establezca otro régimen para ellos.

La nueva Ley aprobada el 20 de diciembre del 2013 por la Asamblea Nacional del Poder Popular, tras un proceso de consultas que, según fuentes oficiales, incluyó a más de 2 millones 800 mil trabajadores, entró en vigor el 18 de junio de 2014, junto a su Reglamento acordado por el

Consejo de Ministros por Decreto 326, del 12 de junio último, así como 21 disposiciones complementarias dictadas por varios ministerios, en asuntos de su competencia relacionados con la seguridad y salud en el trabajo. La aplicación de la Ley lleva poco más de un año.

La Ley derogó buena parte de la normativa anterior en esta materia:

- Decreto-Ley número 268 modificativo del régimen laboral, de 26 de junio de 2009.
- Decreto-Ley número 246 de las infracciones de la legislación laboral, de protección e higiene del trabajo, y de seguridad social, de 29 de mayo de 2007.
- Decreto-Ley número 229 sobre los Convenios Colectivos de Trabajo de 1 de abril de 2002.
- Decreto Ley número 176 por el que se regula el Nuevo Sistema de Justicia Laboral de 15 de agosto de 1997.
- Ley número 49 por la que se promulga el Código de Trabajo, de 28 de diciembre de 1984.
- Ley número 13 de protección e higiene del trabajo de 28 de diciembre de 1977.

Igualmente, ha supuesto modificaciones en los siguientes:

- Ley número 105 de Seguridad Social de 28 de diciembre de 2008.
- Ley número 7 de procedimiento civil, administrativo y laboral, de 19 de agosto de 1977.

La Ley está organizada en torno a quince capítulos que abordan los distintos aspectos relativos a las relaciones laborales:

- Capítulo I: Disposiciones generales
- Capítulo II: Organizaciones sindicales
- Capítulo III: Contrato de Trabajo
- Capítulo IV: Protección a la trabajadora
- Capítulo V: Protección especial en el trabajo a los jóvenes de quince a dieciocho años.
- Capítulo VI: Servicio Social
- Capítulo VII: Relaciones de trabajo especiales
- Capítulo VIII: Organización y normación del trabajo
- Capítulo IX: Régimen de trabajo y descanso

- Capítulo X: Salarios
- Capítulo XI: Seguridad y salud en el trabajo
- Capítulo XII: Disciplina de trabajo
- Capítulo XIII: Solución de conflictos de trabajo
- Capítulo XIV: Convenios colectivos de trabajo
- Capítulo XV: Autoridades de trabajo
- Disposiciones especiales
- Disposiciones transitorias
- Disposiciones finales

Los redactores de la Ley han querido que la misma se encuentre estrechamente relacionada con los Lineamientos de la Política Económica y Social del Partido y la Revolución, aprobados en el VI Congreso del Partido para actualizar el modelo económico. En los Lineamientos, en esencia, se reconocen y promueven, además de la empresa estatal socialista, como forma principal en la economía nacional, otras formas de gestión no estatal, sin precisar cuáles. La Ley está especialmente pensada para atender a las relaciones laborales de estas nuevas formas de gestión.

En total, son dieciocho Lineamientos los que atienden la política de relaciones laborales, su organización y retribución. Como ya se ha señalado, la normativa anterior no permitía atender los cambios esperados en la economía. Además, el Código de Trabajo anterior era de 1985 y había sufrido varias modificaciones por normas de rango similar dictadas posteriormente, así como los Convenios y Recomendaciones de la Organización Internacional del Trabajo.

De ese modo, el nuevo Código de Trabajo intenta consolidar las regulaciones que garanticen la protección de los derechos y el cumplimiento de los deberes derivados de la relación jurídico-laboral establecida entre los trabajadores y los empleadores, promoviendo mecanismos para exigir una mayor disciplina, a la vez que reafirma la autoridad y responsabilidad de la administración.

DISPOSICIONES GENERALES

El Capítulo I presta atención a las Disposiciones generales de la Ley. Un análisis de las mismas permite obtener conclusiones.

En las Disposiciones generales de la Ley se establece que el trabajo es un «derecho y un deber social y los ingresos que por él se obtienen son la vía fundamental para contribuir al desarrollo de la sociedad y a la satisfacción de las necesidades de los trabajadores y su familia». Dos cuestiones surgen de forma inmediata de la lectura de este apartado. Primero, el trabajo no tiene el carácter de derecho fundamental. Se concibe como derecho y a la vez deber. Y en segundo lugar, llama la atención la superposición de lo «social» a lo privado, incluso en un derecho fundamental como el trabajo, nota característica del sistema, y que solo se encuentra en su ordenamiento jurídico.

Más dudas aún se derivan del enunciado del Artículo 1, que afirma que el derecho de trabajo en Cuba, se sustenta en las relaciones de producción propias de un Estado socialista de trabajadores, que tiene como elemento esencial el trabajo y se aplica de conformidad con los fundamentos políticos, sociales y económicos dispuestos en la Constitución de la República». Las dos referencias al «socialismo» y la «constitución» son un elemento que separa, de forma drástica, la regulación laboral de la de otros países, en los que no se hace referencia a estas cuestiones.

De los 11 principios fundamentales que rigen el derecho de trabajo, reseñados en el Artículo 2, se remarcan dos en concreto por el interés que tuvieron en las consultas a los trabajadores, lo que supuso modificaciones en el anteproyecto de la norma, y que son básicamente la igualdad en el trabajo y el derecho de los trabajadores a asociarse voluntariamente y constituir organizaciones sindicales.

Una igualdad hasta cierto punto controvertida, porque es cierto que se reconoce a todo ciudadano en condiciones de trabajar el «derecho a obtener un empleo atendiendo a las exigencias de la economía y a su elección, tanto en el sector estatal como no estatal; sin discriminación por el color de la piel, género, creencias religiosas, orientación sexual, origen territorial, discapacidad y cualquier otra distinción lesiva a la dignidad humana» también es verdad que ese derecho se somete a las «exigencias de la economía» por delante de la «elección» personal, lo que implica unas prioridades que coartan en el propio Código el ejercicio libre de este derecho.

De igual modo, se garantiza la igualdad en el salario. Y en ese sentido, se establece que «el trabajo se remunera sin discriminación de ningún tipo en correspondencia con los productos y servicios que genera, su calidad y el tiempo real trabajado, donde debe regir el principio de distribución socialista «de cada cual según su capacidad, a cada cual según su trabajo». El Estado, atendiendo al desarrollo económico-social alcanzado, establece el salario mínimo en el país. Dos consideraciones. La referencia al «principio de distribución socialista» que ha mostrado su ineficiencia para arbitrar una política salarial responsable y la potestad reconocida al Estado para fijar el nivel del salario mínimo, en «función del nivel de desarrollo económico-social alcanzado», cuestiones de política general difíciles de trasladar al marco de la negociación colectiva.

Por lo que respecta al derecho de asociación y crear organizaciones sindicales, sería muy conveniente que se reconociera el carácter independiente de las mismas, para evitar la existencia de una sola organización dependiente del partido único. Es evidente que la pluralidad sindical es otro aspecto sin un desarrollo claro.

En cuanto a su objeto y ámbito de aplicación, el Código regula, con criterios universales, las relaciones de trabajo que se establecen entre empleadores radicados en el territorio nacional y los cubanos o los extranjeros con residencia permanente en el país. También las relaciones laborales en Cuba de los trabajadores que, previa autorización, trabajan fuera del territorio nacional, como pueden ser los colaboradores, los cónyuges acompañantes, contratados para prestar servicios de asistencia técnica en el exterior y mediante convenios de colaboración. Finalmente, la Ley regula las relaciones de trabajo con subordinación a un empleador, sea persona jurídica o natural.

Sin embargo, la norma no presta atención a la regulación de las relaciones de trabajo de los cargos de dirección (Decreto Ley No. 196/97), de funcionarios (Decreto Ley No. 197/99), de contralores y auditores (Ley No. 107/09 de la Contraloría), de trabajadores de los tribunales (Ley No. 82/97), de la Fiscalía (Ley No. 83/97), y de la Aduana (Decreto Ley No. 131/91).

También conviene tener en cuenta que en las modalidades de la inversión extranjera, sucursales y agentes de sociedades mercantiles extranjeras radicadas en Cuba, en materia de trabajo, deben cumplir lo establecido en la Ley, y su legislación complementaria, con las adecuaciones que establezca la Ley de la Inversión Extranjera y las disposiciones legales a tales efectos.

Otro tanto sucede con los trabajadores que lo hacen sin subordinación a un empleador, no cumplen horario de trabajo o una jornada de trabajo, no tienen salario pues sus ingresos son los que obtienen con su trabajo (pueden ser usufructuarios, creadores y artistas independientes, asociados a cooperativas agropecuarias (CPA) y cooperativas no agropecuarias y algunas modalidades del trabajo por cuenta propia), a los que se reconocen los derechos de la seguridad social según el régimen especial al que estén afiliados.

La Ley define que los sujetos de la relación de trabajo son: el trabajador, persona natural cubana o extranjera residente permanente con capacidad jurídica, que presta servicios con subordinación a una persona jurídica o natural, percibiendo por ello una remuneración; y el empleador, la entidad o la persona natural (cambio importante respecto de la legislación anterior) dotada de capacidad legal para concertar relaciones de trabajo, que emplea uno o más trabajadores; ejerce las atribuciones y cumple las obligaciones y deberes establecidos en la legislación.

Se considera entidad a los órganos, organismos, entidades nacionales, organizaciones superiores de dirección, empresas, unidades presupuestadas, dependencias de las organizaciones políticas y de masas; las cooperativas (agropecuarias y no agropecuarias) y las formas asociativas autorizadas por la ley. Se consideran entidades con respecto a sus trabajadores asalariados, por lo que como empleadores están obligados a cumplir con lo establecido en el Código, el Reglamento y sus disposiciones complementarias.

Organizaciones sindicales

El capítulo II de la Ley regula las nuevas organizaciones sindicales. Reconocido por las autoridades como uno de los aspectos más controvertidos y que generó mayor debate durante la gestación del proyecto, la cuestión de las garantías con que cuentan sus dirigentes para el ejercicio de su gestión es, con diferencia, uno de los temas más recurrentes. Si se atiende al texto de la normativa, los sindicatos pueden funcionar con márgenes relativamente amplios de actuación. Otra cosa es la aplicación práctica. Por otra parte, en ningún momento se reconoce la pluralidad de las organizaciones, ni mucho menos su carácter independiente del poder político, lo que deja escaso espacio para la actuación de las organizaciones no oficialistas.

No obstante, dentro de la ortodoxia socialista, se autoriza a las organizaciones sindicales, entre otras funciones, a ejercer la toma de decisiones de los asuntos que conciernen a los trabajadores y defender y representar sus intereses y derechos. No existe sin embargo, mención a la negociación colectiva. Igualmente, se reconoce su papel en la defensa de la mejora de las condiciones de trabajo y de vida de los trabajadores; a concertar con el empleador el convenio colectivo de trabajo; a exigir y controlar el cumplimiento de la legislación de trabajo, de seguridad social y los convenios colectivos; a organizar e impulsar las tareas sindicales, y participar en la investigación y análisis de las causas de los accidentes de trabajo y enfermedades profesionales, informándoles sus resultados a los trabajadores.

Es evidente que se trata de un amplio conjunto de funciones cuya prestación conlleva una elevada responsabilidad y que sitúa el marco de actuación de los sindicatos en el ámbito de la negociación intraempresas, con escasa capacidad para influir en la política general del gobierno.

Muchos cubanos reconocen abiertamente nunca haber visto, físicamente, sus contratos de trabajo. Sobre todo, los que desempeñaban sus funciones en el sector presupuestado. Una anomalía que ahora la norma quiere corregir estableciendo que la relación de trabajo se formaliza mediante contrato escrito, con ejemplares para las partes, acordándose sus obligaciones y derechos.

La nueva regulación de los contratos es muy exhaustiva, superando así los vacíos del pasado. Asuntos como las formalidades y capacidad para concertarlos, tipos de contratos, periodo de prueba, expediente laboral del trabajador, idoneidad, capacitación y superación, modificaciones, suspensión y término, trabajadores disponibles e interruptos, supusieron un número elevado de intervenciones, propuestas e inquietudes por parte de los participantes en el proceso de consulta.

La capacidad para concertar los contratos laborales se adquiere a los 17 años de edad, y estos, por escrito, deberán acordar las obligaciones y derechos para las dos partes. Se reconoce, de forma excepcional, que determinadas actividades emergentes o eventuales, cosechas o servicios a la población y otros casos que se autoricen, el contrato puede tener carácter verbal, y en todo caso para un periodo que no supere los 90 días. En el caso de trabajadores designados a los que se les exigen requisitos de confiabilidad y discreción, se establece mediante una resolución o escrito fundamentado, firmado por la autoridad facultada que se notifica al interesado.

Igualmente ratifica que el empleador contrata directamente a los trabajadores en correspondencia con las necesidades de la producción y los servicios, estableciéndose en la normativa reglamentaria que, cuando resulte necesario cubrir una plaza, el jefe de la entidad realice la convocatoria, cuya duración se determina por este y la organización sindical, inscribiéndose en el Convenio Colectivo de Trabajo, sin que el período exceda de 30 días.

En el Reglamento también se establece que el Ministerio del Trabajo y Seguridad Social (MTSS) y cuando corresponda las direcciones de Trabajo, pueden asignar para su contratación a licenciados del Servicio Militar Activo, personas que cumplen sanción o medida de seguridad en libertad, con discapacidad y egresados de la educación especial y otras que lo requieran, disponiéndose los procedimientos correspondientes.

Los tipos de contratos de trabajo definidos por la Ley son los siguientes:
- por tiempo indeterminado, para labores de carácter permanente;
- por tiempo determinado o para la ejecución de un trabajo u obra: para labores eventuales o emergentes, el cumplimiento del

servicio social, para el periodo de prueba, sustituir temporalmente a trabajadores ausentes por causas justificadas amparadas en la legislación, y cursos de capacitación a trabajadores de nueva incorporación.

La norma suprime los contratos a domicilio, teniendo en cuenta que el lugar de trabajo se acuerda entre las partes; y el contrato de aprendizaje, debido a que para los cursos de capacitación con trabajadores de nueva incorporación, se utiliza el contrato de modalidad por tiempo determinado o para la ejecución de un trabajo u obra. Al suprimirse estas modalidades el Reglamento establece en una disposición transitoria que los contratos de trabajo vigentes al momento de la entrada en vigor del Código de Trabajo y su Reglamento, se adecuan a lo dispuesto, en lo que corresponda, en un plazo de hasta 180 días.

La Ley autoriza el uso del contrato indeterminado para labores discontinuas o cíclicas en actividades en que la demanda de trabajadores aumenta en determinados periodos o temporadas, retribuyendo el trabajo durante el tiempo de servicios efectivamente prestados, sin perjuicio del derecho del trabajador a prestar sus servicios en cualquier sector o actividad en el otro periodo. En el periodo intermedio se suspende la relación de trabajo y no se paga salario, según lo establecido en el artículo 26 de la Ley.

Del mismo modo, conviene destacar que en los contratos las partes pueden acordar la celebración de contratos de una duración inferior a la jornada diaria y semanal, en cuyo caso el salario es proporcional al tiempo de trabajo, reiterándose la posibilidad de concertar más de un contrato de trabajo, en la propia entidad o en otra, para realizar labores distintas a las habituales en diferentes horarios de trabajo, mediante contrato por tiempo determinado o para la ejecución de un trabajo u obra.

El periodo de prueba se establece entre 30 y hasta 180 días, determinándose su duración en correspondencia con la complejidad del cargo y se acuerda en el Convenio Colectivo de Trabajo, entre otras definiciones más específicas, como la de que para los trabajadores del mar puede extenderse a la duración de la primera campaña o travesía.

Las cláusulas del contrato de trabajo pueden ser modificadas por voluntad coincidente de las partes, por cambio de plaza o de la naturaleza de la actividad, por cláusulas del Convenio Colectivo de Trabajo o por disposición legal, precisando que para que produzcan efectos legales se suscribe un suplemento al contrato.

Se plantea asimismo que el trabajador pueda cambiar de cargo o de lugar de trabajo de forma provisional o definitiva, por interés propio o del empleador;

que el traslado provisional a otro cargo de igual o diferente calificación se pueda efectuar únicamente ante situaciones de desastres, de emergencia para evitar la paralización de las labores o eliminar sus efectos o un grave perjuicio para la economía o si se encuentra en peligro inminente para la vida; y que este traslado no puede exceder, sin el consentimiento del trabajador, de hasta 180 días al año ininterrumpidamente, periodo durante el cual cobra el salario del cargo que pasa a desempeñar, y si este es inferior, el Reglamento establece que pueden recibir el salario escala del cargo de procedencia.

En cuanto a la finalización del contrato de trabajo, se modificaron los términos para concluir la relación de trabajo por iniciativa del trabajador: hasta 30 días hábiles para los contratos por tiempo indeterminado y hasta 15 días hábiles para los contratos determinados o para la ejecución de un trabajo u obra. En el caso de los cargos técnicos que requieran poseer nivel superior, el término de aviso previo es de hasta 4 meses para el contrato indeterminado.

Respecto al expediente laboral, se mantiene que la entidad lo confecciona o actualiza al trabajador con una relación de trabajo superior a 6 meses, y cuenta para ello con un término que no exceda de 15 días. Además la entidad y los trabajadores están obligados a protegerlos cuando están bajo su custodia, y en caso de deterioro o pérdida parcial o total, a realizar las gestiones para reconstruir el tiempo de servicio y salarios devengados. En la nueva Ley se suprime el traslado institucional del expediente laboral, y se le entrega al trabajador o sus familiares en el momento de la finalización de la relación de trabajo.

El Reglamento de la Ley establece el contenido del expediente laboral, suprimiendo como documentos a incluir los certificados médicos así como los informes de investigaciones relativos a accidentes de trabajo y la hoja resumen. El jefe de la entidad o en quien este delegue, expide las certificaciones requeridas en el proceso de reconstrucción de los expedientes, a solicitud de otras entidades o del trabajador, en un término de hasta 90 días a partir de la solicitud; y en caso de incendios se remite a la legislación de seguridad social.

Con los cambios introducidos en esta cuestión, se aplica una disposición transitoria del Reglamento que determina que los trabajadores que causaron baja con anterioridad a la vigencia del Código de Trabajo, y su expediente laboral está bajo la custodia de las entidades, solicitan su entrega dentro de un plazo que no exceda los 2 años. Transcurrido este período de tiempo, se incinera el expediente y se archivan los documentos que acrediten tiempo de trabajo y salarios devengados, dejando constancia en acta.

En sentido general respecto a la idoneidad demostrada, existen características específicas para determinadas profesiones, se ratifica como el principio para determinar la incorporación a un puesto de trabajo, su permanencia en el mismo, la promoción en el empleo y la capacitación por parte de la entidad, integrando los siguientes requisitos: realización del trabajo con la eficiencia, calidad y productividad requeridas, demostrada en los resultados de su labor; cumplimiento de las normas de conducta de carácter general o específicas y las características personales que se exigen en el desempeño de determinados cargos, acordados entre el empleador y la organización sindical, lo cual se inscribe en el Convenio Colectivo de Trabajo; calificación formal exigida, debido a la naturaleza del cargo, mediante la certificación o título emitido por el centro de enseñanza correspondiente.

De igual modo, se mantiene que es atribución del empleador o de la autoridad facultada reconocer la idoneidad demostrada a los trabajadores o confirmar su pérdida, la cual puede ser delegada a los jefes de unidades organizativas que se le subordinan directamente. El empleador, para adoptar decisiones, se auxilia del Comité de Expertos, compuesto por 5 o 7 miembros, de los cuales uno se designa por el jefe de la entidad o por quien este delegue, otro por la organización sindical, y los restantes son trabajadores elegidos en asamblea.

La evaluación del trabajador, al menos una vez al año, se realiza por el empleador o autoridad facultada, conforme a los requisitos de la idoneidad demostrada, reglamentándose que el jefe de la entidad de conjunto con la organización sindical, acuerda sus términos y condiciones, los cuales son inscritos en el Convenio Colectivo de Trabajo.

El trabajador puede discutir el resultado con quien lo evaluó; de estar inconforme, puede reclamar por la vía administrativa ante el jefe inmediato superior al que realiza la evaluación en un término de 7 días hábiles, y contra esta decisión no procede recurso alguno en la vía administrativa o judicial. La reclamación ante el Órgano de Justicia Laboral (OJL) es solamente cuando se aprecien violaciones del procedimiento acordado en el Convenio Colectivo de Trabajo.

La capacitación y superación de los trabajadores es organizada por el empleador en correspondencia con las necesidades de la producción y los servicios y los resultados de la evaluación del trabajo, pudiendo, excepcionalmente, organizar cursos con trabajadores de nueva incorporación, siempre que no existan jóvenes próximos a graduarse, entre otras precisiones.

El Código reconoce que los trabajadores tienen derecho a estudiar bajo el principio de utilizar su tiempo libre y esfuerzo personal, excepto los casos de especial interés estatal, estableciéndose que aquellos que estudian en la Educación Superior tienen derecho a que el empleador les conceda en el momento que las necesiten, hasta 15 días de sus vacaciones anuales acumuladas, en función de las actividades docentes.

En consonancia, en disposición transitoria se precisa que los trabajadores que actualmente estudian en la Educación Superior y reciben los beneficios y facilidades que se establecieron por el Decreto No. 91, por el que fueron relevados de sus labores para dedicarse a estudiar en los cursos diurnos, y que perciben durante sus estudios un estipendio no reintegrable, mantienen dichas facilidades hasta el término de sus estudios.

El empleador, señala, posibilita al recién graduado la preparación para desarrollar los conocimientos adquiridos y habilidades prácticas que le permitan desempeñar el cargo que ocupa o el que pasará a ocupar, por lo que se deroga la Resolución No. 9/07 sobre el adiestramiento laboral.

Trabajadores interruptos

Es una de las novedades de la Ley, que posiblemente ha creado más preocupación y que ha exigido una precisa regulación. En efecto, se establece que el empleador, a partir de la autorización correspondiente, está obligado a informar previamente a la organización sindical a su nivel, y a los trabajadores, sobre la aplicación del proceso de disponibilidad, su organización y control, manteniéndose el procedimiento para la declaración de trabajadores disponibles.

Algunos estudios, señalan que el 10% del desempleo estructural en Cuba esconde, tras la terminología antes expuesta, disponibles (no reciben subsidio) e interruptos (sí reciben subsidio). Además, existe otro 10% de subempleo y no existen estadísticas reales de los que se encuentran prestando sus servicios en la economía informal y el mercado paralelo. Además, existe un empleo ficticio improductivo sin motivación ni perspectiva para el trabajador.

El propio Carlos Lage, en reunión con la oficialista CTC, hizo énfasis en que era en las cuatro provincias orientales donde el problema es más agudo. Construcción, transporte, industria ligera, puertos, son los renglones más afectados de la economía. La introducción de nuevas tecnologías, explicó, daría empleo a parte de los trabajadores en la plantas que de no ser modernizadas terminarían por ser cerradas y producir más desempleos. «Las tecnologías de más productividad ayudan a generar más ingresos al país, pero al mismo tiempo reducen la cantidad de empleos agravando aun más la ya crítica situación laboral.»

En tal sentido, el principio de idoneidad demostrada, antes descrito, sirve como base en este proceso en que el jefe de la entidad determine los trabajadores que permanecen en la misma y los que resulten disponibles. Se trata, según los legisladores, que cada cargo sea ocupado por el trabajador más idóneo, previa consulta con la organización sindical correspondiente y teniendo en cuenta la recomendación del Comité de Expertos (para la creación de una nueva entidad por fusión de dos o más que genera estos procesos, se constituyen con carácter temporal uno o varios de estos equipos, integrados por representantes del jefe, organizaciones sindicales y trabajadores de las entidades involucradas).

El Reglamento regula con mayor precisión el tratamiento laboral y salarial de los trabajadores disponibles, incluidos los casos del que se enferma o accidenta durante el periodo en que está cobrando la garantía salarial que le corresponde, y el que es declarado inválido parcial mientras la entidad no puede notificarle la disponibilidad, por estar incapacitado para el trabajo.

Sobre los interruptos se mantiene el procedimiento para su declaración, mientras que el tratamiento laboral y salarial se encuentra regulado por el Reglamento, que dispone también que si se enferma o accidenta durante el periodo en que está cobrando la garantía salarial correspondiente, tiene derecho a la protección de seguridad social en las condiciones y términos fijados en la Ley sobre esta materia.

Se conservan las disposiciones transitorias que establecen que mientras no se hayan aplicado procesos de disponibilidad en las entidades, de no ser posible reubicar al trabajador interrupto, este recibe una garantía salarial equivalente al ciento por ciento de su salario básico durante los primeros 30 días hábiles, computados estos de forma consecutiva o no dentro del año calendario de que se trate, decursados los cuales, la garantía salarial es equivalente al 60% del salario básico diario.

PROTECCIÓN A LA MUJER TRABAJADORA Y MENORES DE 15 AÑOS

La nueva legislación laboral regula lo relativo a la protección especial en el trabajo a los jóvenes entre 15 y 18 años y también lo relativo al servicio social.

El cuerpo legislativo ratifica que la trabajadora gestante o la mujer con hijos menores de un año está exenta de realizar trabajo extraordinario o prestar sus servicios en una localidad distante de su centro, manteniéndose en las disposiciones específicas las protecciones de la maternidad de la trabajadora, en la forma y cuantía establecidas para el régimen general o los especiales de seguridad social, según corresponda. Además, se detalla lo tocante a los requisitos para tener derecho al cobro de dicha licencia.

Sobre la protección especial en el trabajo a los jóvenes de 15 a 18 años, el empleador está obligado a disponer la práctica de un examen médico y obtener certificación de su estado de salud, para determinar, antes de incorporarlo, si está apto física y psíquicamente para el trabajo de que se trate; y de facilitar su capacitación y preparación para el desempeño de su labor, bajo la tutoría de trabajadores con experiencia reconocida, precisando las actividades en las que no pueden ser ocupados.

Se ratifica la protección especial en el trabajo a los de 15 a 16 años que excepcionalmente son autorizados a trabajar, por haber finalizado sus estudios en la enseñanza profesional o de oficios u otras razones que así lo justifiquen, precisándose que su jornada no puede exceder de siete horas diarias, ni de 40 semanales y no se les permite laborar en días de descanso.

Como cuestión novedosa en el Código está que estos jóvenes también pueden incorporarse a trabajar en el sector no estatal y el empleador es responsable de cumplir con lo establecido en la legislación.

Servicio social

Con la derogación de la Ley No. 1254/73 del Servicio Social y su Reglamento, la Ley actualiza los principios, derechos y obligaciones de los recién graduados, ratificando el cumplimiento del servicio social para los graduados de la educación superior, que tiene una duración de tres años y se puede combinar con el servicio militar activo, de modo que la suma de ambos complete los tres años.

El servicio social se cumple en el lugar y en la entidad a que se destine el graduado, aunque cuando resulta imprescindible, pueden ubicarse en cargos distintos a los de su especialidad aunque no se correspondan con los específicos de su profesión.

El graduado cumple el servicio social de una sola vez, con independencia del número de carreras u otro tipo de estudios concluidos, y es útil precisar que se efectúa siempre en el sector estatal. Es un deber del recién graduado y no un derecho, por lo que debe cumplirlo en el lugar donde fue asignado, y los que no tienen ubicación al momento de graduarse, pueden hacerlo por su gestión personal.

Respecto a los técnicos de nivel medio solo lo cumplen cuando son asignados a una entidad en el momento de su graduación, en correspondencia con la demanda de fuerza de trabajo calificada.

En el Reglamento se ratifica que en caso de incumplimiento injustificado del servicio social, se solicita la inhabilitación para el ejercicio profesional ante el Director Jurídico del Ministerio de Trabajo y Seguridad Social (MTSS), por el funcionario autorizado del órgano, organismo, entidad u órgano superior de dirección donde fue asignado.

No obstante, aquellos que no se incorporen o interrumpan su cumplimiento por causas justificadas, pueden fundamentarlo ante el jefe correspondiente, el que decide si procede su aplazamiento. Si esto es autorizado, al cesar las razones, el graduado se incorpora a cumplirlo.

Relaciones de trabajo especiales

Las relaciones de trabajo especiales tienen su origen en los cambios producidos en la economía.

Al respecto, regula lo concerniente al contrato de trabajo entre personas naturales, que se formaliza por escrito, mediante un contrato de trabajo o documento equivalente, donde se acuerdan las cláusulas y condiciones en que se desarrolla la labor, con copia para las partes, rigiéndose por las disposiciones establecidas para el contrato de trabajo por tiempo determinado o para la ejecución de un trabajo u obra.

Los derechos mínimos a garantizar por el empleador son: jornada de ocho horas, aunque puede llegar a nueve en determinados días, sin exceder el límite de 44 horas semanales; remuneración que no puede ser inferior al salario mínimo en proporción al tiempo real de trabajo; un día de descanso semanal y siete días de vacaciones como mínimo; y condiciones de seguridad y salud en el trabajo.

También son establecidas por los jefes de los organismos a los que compete, en consulta con el MTSS y la organización sindical correspondiente, otras relaciones laborales especiales con sus trabajadores referidas a los profesionales y técnicos de la medicina, al personal docente, a los de la rama artística, a los atletas, y a quienes ocuparán los cargos que se cubren por designación.

En esta materia, asimismo, se regula lo concerniente a los conductores profesionales, dispuesto en el Código de Seguridad Vial, tomando en cuenta las adecuaciones del Código de Trabajo en cuanto a la aprobación de los regímenes de trabajo y descanso.

Igualmente, lo referido a los permisos de trabajo a extranjeros residentes temporales, cuya duración es de hasta cinco años a partir de la fecha de su emisión o por el término de la estancia si esta fuera inferior, entre otras especificidades.

Sobre el régimen de trabajo y descanso la Ley señala que comprende la jornada y descanso semanal, que se determinan por los jefes de las Organizaciones Superiores de Dirección (OSDE) y las empresas, en el sistema empresarial, y por los jefes de los órganos, organismos y entidades nacionales en las unidades presupuestadas, en ambos casos de acuerdo con la organización sindical correspondiente.

La nueva legislación modificó el concepto de jornada de trabajo irregular que se aprobaba de forma centralizada por el MTSS y establece la facultad de los jefes de órganos, organismos, entidades nacionales y OSDE para aprobar regímenes de trabajo excepcionales.

En cuanto a la jornada, horario y pausas en el trabajo, se precisa lo siguiente:

- La jornada de trabajo es de 8 horas diarias y puede llegar en determinados días de la semana hasta una hora adicional, siempre que no exceda el límite de la jornada semanal que puede establecerse entre 40 y 44 horas semanales.
- Se descentraliza la aprobación del horario de trabajo, al jefe de la entidad, de acuerdo con la organización sindical y se inscribe en el Convenio Colectivo de Trabajo.
- Se elimina la retribución del sábado al 70%, anteriormente dispuesta. Si la entidad se acoge a la jornada de 40 horas semanales, se retribuye al trabajador en correspondencia. Pueden trabajar 44 horas semanales de lunes a viernes con una distribución diferente y el trabajador no se afecta.
- Cuando el jefe de un órgano, organismo, entidad nacional y OSDE, valora que determinado grupo de trabajadores ocupan cargos o realizan actividades en que están expuestos de modo prolongado a condiciones que pueden afectar su salud, presentan por escrito, de conjunto con la organización sindical correspondiente, la solicitud de aprobación de una jornada reducida al Ministro de Trabajo y Seguridad Social, lo cual se regula en el Reglamento.

Es útil recordar el tratamiento en los días de conmemoración nacional 1ro. de enero, 1ro. de mayo, 26 de julio y 10 de octubre, oficial y feriados: 2 de enero, 25 y 27 de julio, 25 y 31 de diciembre.

En los de conmemoración nacional y feriados recesan las actividades laborales, con excepción de aquellas que dispone la ley, pero pueden ser habilitados como laborables, en los casos de interés social o de fuerza mayor, previo acuerdo del empleador y el sindicato correspondiente. Cuando el 1ro. de mayo y el 10 de octubre coinciden con un domingo, se traslada el descanso dominical para el lunes siguiente. Cuando el 1ro. de enero y el 26 de julio coinciden con un domingo, no se efectúa dicho traslado por estar precedidos y seguidos de días feriados.

Se aclara que en los días de conmemoración oficial no recesan las actividades laborales y, además, que los espectáculos públicos festivos y humorísticos se suspenden el 30 de julio y el 7 de diciembre, conceptuados como de conmemoración oficial. Se declara como día de receso laboral el viernes santo de cada año.

Acerca de las vacaciones anuales pagadas se ratifica que los periodos de vacaciones programadas se disfrutan dentro del año. No obstante, en la nueva legislación se incluyó que si transcurrido el tiempo acumulado para disfrutar dichos periodos, surgen circunstancias excepcionales que demandan la permanencia del trabajador en su actividad, el empleador —oído el criterio de la organización sindical—, puede posponer su disfrute o acordar con el trabajador simultanear el cobro de las vacaciones acumuladas y el salario, garantizando el descanso efectivo de 7 días al año como mínimo, sobre lo cual se deja constancia escrita.

Las licencias no retribuidas a trabajadores con responsabilidades familiares, puede concederlas el jefe de la entidad estatal, a solicitud del trabajador, para su atención y cuidado, determinándose por escrito la fecha de inicio y terminación de la licencia concedida.

Salarios

La fijación de los salarios es una de las cuestiones más controvertidas en la economía cubana y uno de los grandes fracasos de la misma. Porque si bien es cierto que el nivel salarial es de los más bajos del mundo, incluso para profesionales cualificados, a nadie se le ocurre calificar esta situación como una ventaja competitiva dados los bajos niveles de productividad de los factores. No es extraño que este fuera el asunto que atrajo, de forma mayoritaria, el interés de los trabajadores en las asambleas sindicales realizadas en el contexto del XX Congreso de la CTC. En el Código de Trabajo se abordan los aspectos conceptuales, y no los relacionados con las demandas de incrementos en unos y otros sectores, asunto que continúa siendo tabú para la dirección política del país.

La Ley ratifica que el salario comprende: lo devengado de acuerdo con los sistemas de pago por rendimiento o a tiempo (lo que no se corresponde con la realidad), pagos adicionales, trabajo extraordinario, pago en días de conmemoración nacional y feriados, receso laboral retribuido, vacaciones anuales pagadas, y otros que disponga la legislación, estableciéndose en estos casos las formas en que es abonado en todas sus especificidades (sencillo, doble, etc.). La mayor parte de la población trabajadora no recibe este tipo de compensaciones adicionales y los salarios se establecen fijos por las autoridades.

Además, el salario se paga en pesos cubanos, al menos una vez al mes, por periodos vencidos, excepto aquellos componentes de la remuneración condicionados al incremento de la eficiencia, en los términos y condiciones que se acuerden por las partes en el contrato de trabajo o Convenio Colectivo.

La realidad no admite cuestión en este punto. En Cuba se ha producido una congelación indefinida de los salarios desde hace más de 19 años, condicionando su aumento a la productividad y a la disminución del exceso de liquidez, objetivos imposibles de resolver debido a la crisis estructural de la economía. Los salarios en Cuba se mueven actualmente en una escala que oscila entre los 240 pesos (US$10) a 600 pesos (US$25) mensual. En los últimos años, el régimen ha ido incrementando los salarios sin que estas diferencias se hayan corregido, más bien todo lo contrario. El salario real de los cubanos, lo que se percibe en especie, además, ha experimentado un claro retroceso, sobre todo a partir del llamado periodo especial.

Disciplina en el trabajo

Las normas de disciplina de trabajo reciben un tratamiento especial en la nueva Ley y se corresponden con la normativa política represiva del Estado.

Para ello, a modo de advertencia, el texto de la norma define las violaciones y medidas disciplinarias (muchas de ellas son ratificadas), adicionándose la modificación del expediente laboral o la aportación de documentos carentes de autenticidad para obtener beneficios laborales o de seguridad social mediante engaño, debido al cambio introducido según el cual se entrega el trabajador a la terminación de la relación de trabajo el expediente referido.

También se ratifica que además de las violaciones de la disciplina de trabajo contenidas en la nueva ley, se aplican las específicas incorporadas en los reglamentos disciplinarios, que pueden ser internos, por sectores y actividades, precisándose que desde la puesta en vigor del Código y su Reglamento, deben revisarse y actualizarse todos los reglamentos disciplinarios.

Se mantiene la medida de separación del sector o actividad ante violaciones de suma gravedad que afecten sensiblemente el prestigio de la actividad, en los sectores de educación, la investigación científica, el turismo, la aeronáutica civil, los centros asistenciales de la salud, la rama del transporte ferroviario, y en cualquier otro que se disponga por la autoridad competente, incorporándose el procedimiento para aplicarla, así como la solución de las inconformidades.

Se ratifican asimismo los términos y condiciones para la rehabilitación de los trabajadores sancionados laboralmente y el derecho del trabajador a recibir del empleador, la reparación de los daños y la indemnización de los perjuicios sufridos por imposición indebida de medidas disciplinarias, incorporándose los casos de violación de sus derechos de trabajo.

Solución a los conflictos de trabajo

La solución de conflictos de trabajo es tratada en la Ley, ratificándose el Sistema de Justicia Laboral de los organismos y entidades en que se aplicaba y definiendo el Órgano de Justicia Laboral (OJL) como primera instancia para reclamar las medidas disciplinarias y los derechos de trabajo, y el Tribunal Municipal, en segunda instancia.

Desde una perspectiva objetiva, este sistema de Justicia laboral se puede considerar como un instrumento al servicio del poder político del régimen para producir resultados en los conflictos acordes con las prioridades. No existe independencia de los tribunales en el sistema, y mucho menos van a permitir que se produzca en el ámbito laboral.

El ejemplo, son los requisitos que se establecen en la norma para constituir un OJL. Allí se indica que se requiere que la entidad tenga 50 o más trabajadores; la cantidad de miembros de este órgano será de 5 o 7 y como mínimo 2 suplentes elegidos en asamblea; y la elección o designación de sus integrantes será en lo adelante por un periodo de 2 años y medio. Incluso, los procedimientos para la constitución de los OJL, integración o sustitución de los miembros, periodo de designación o elección y la solución de los conflictos, se regulan en el Reglamento de desarrollo de la Ley.

En cuanto a la solución de las inconformidades en la vía judicial, se ratifica el procedimiento de presentación de la demanda ante el Tribunal Municipal, e igualmente se regula lo relativo al procedimiento de revisión ante el Tribunal Supremo Popular.

Una cuestión interesante es la introducción de la reclamación al Sistema Judicial en el sector no estatal, de acuerdo con un siguiente procedimiento igualmente tasado en la norma. Por otra parte, los trabajadores contratados por personas naturales autorizadas para ello presentan sus reclamaciones en materia laboral directamente ante los tribunales municipales populares. Por último, en las cooperativas y las formas asociativas, las reclamaciones en materia laboral de los trabajadores asalariados, se resuelven por el procedimiento específico y, una vez agotado este, pueden acudir a la vía judicial.

Las reclamaciones de trabajo iniciadas con anterioridad a la vigencia del nuevo Código, sobre las cuales no haya recaído sentencia o decisión firme o no hayan vencido los términos para reclamar, se ajustan a las disposiciones por las que se iniciaron.

Figura también en las disposiciones transitorias del Reglamento que los OJL de entidades con menos de 50 trabajadores, continúan funcionando hasta que concluyan los procesos pendientes y cesan una vez que la Dirección de Trabajo decide el órgano que en lo adelante, dirime los conflictos; que en un término que no exceda de 180 días, los OJL se constituyen con la integración establecida y se capacitan sus miembros, para lo cual se establecen indicaciones del MTSS y de la CTC para llevar a cabo este proceso.

Convenios colectivos de trabajo

Estrechamente vinculado a la implementación del cuerpo legislativo laboral ya en vigor, está lo referido a los convenios colectivos de trabajo, pues constituyen el documento que regirá la relación empleador-trabajador, que se aprueban en asamblea de trabajadores.

Al respecto, se ratifican los principios para su concertación; sus cláusulas contienen las especificidades de la entidad sobre los deberes y derechos que asumen las partes y cuando resulta procedente, se basan en los lineamientos generales acordados entre el órgano, organismo, entidad nacional y el sindicato nacional correspondiente; deben actualizarse teniendo en cuenta lo que la legislación dispone que se incluya en ellos. Aspectos que se podrían calificar como de una auténtica injerencia del poder político en el ámbito de las relaciones laborales, lo que es difícil de encontrar en otras legislaciones.

EL TRABAJO[1]

Por Siro del Castillo[2]

Por Siro del Castillo[2]

INTRODUCCIÓN

En 1944, la Conferencia anual de la OIT adoptó una declaración fundamental relativa a los fines y objetivos de la organización, conocida como la «Declaración de Filadelfia». En su Preámbulo la declaración afirma:

> *Considerando que la paz universal y permanente solo puede basarse en la justicia social;*
> *Considerando que existen condiciones de trabajo que entrañan tal grado de injusticia, miseria y privaciones para gran número de seres humanos, que el descontento causado constituye una amenaza para la paz y armonía universales; y considerando que es urgente mejorar dichas condiciones, por ejemplo, en lo concerniente a reglamentación de las horas de trabajo, fijación de la duración máxima de la jornada y de la semana de trabajo, contratación de la mano de obra, lucha contra el desempleo, garantía de un salario vital adecuado, protección del trabajador contra las enfermedades, sean o no profesionales, y contra los accidentes del trabajo, protección de los niños, de los adolescentes y de las mujeres, pensiones de vejez y de invalidez, protección de los intereses de los trabajadores ocupados en el extranjero,*

---

[1] Nota: Esta presentación tiene como base fundamental los conceptos y textos que sobre el Trabajo aparecen en el *Compendio de la Doctrina Social de la Iglesia del Pontificio Consejo «Justicia y Paz»*.

[2] Siro del Castillo. Sindicalista cubano. Reside en Miami.

reconocimiento del principio de salario igual por un trabajo de igual valor y del principio de libertad sindical, organización de la enseñanza profesional y técnica y otras medidas análogas;

Considerando que si cualquier nación no adoptare un régimen de trabajo realmente humano, esta omisión constituiría un obstáculo a los esfuerzos de otras naciones que deseen mejorar la suerte de los trabajadores en sus propios países:

Las Altas Partes Contratantes, movidas por sentimientos de justicia y de humanidad y por el deseo de asegurar la paz permanente en el mundo, y a los efectos de alcanzar los objetivos expuestos en este preámbulo, convienen en la siguiente Constitución de la Organización Internacional del Trabajo".

Algunos conceptos a considerar

Desde el punto de vista de la Doctrina Social de la Iglesia, el trabajo humano tiene una doble dimensión: objetiva y subjetiva. En sentido objetivo, es el conjunto de actividades, recursos, instrumentos y técnicas que el ser humano utiliza para producir, para dominar la tierra, para la realización de su creatividad intelectual, científica y cultural, y que se corresponden a su vocación personal. El trabajo en sentido objetivo «constituye el aspecto contingente de la actividad humana», que varía constantemente en sus formas con los cambios de las condiciones políticas, sociales, culturales y técnicas.

El trabajo en sentido subjetivo se configura, en cambio, como su dimensión estable, porque no depende de lo que el ser humano realiza concretamente, ni del tipo de actividad que ejercita, sino solo y exclusivamente de su dignidad de ser individual. Para nosotros esta distinción es decisiva, pues nos ayuda a comprender cuál es el fundamento último del valor y de la dignidad del trabajo, como también para implementar una posible organización de los sistemas económicos y sociales, que sean respetuosos de los derechos de la persona.

La subjetividad confiere al trabajo una peculiar dignidad, «que impide considerarlo como una simple mercancía o un elemento impersonal de la organización productiva». Independientemente de su mayor o menor valor objetivo, el trabajo es la expresión esencial de la persona. Cualquier forma de materialismo y de economicismo que intentase reducir el trabajador a un mero instrumento de producción, a simple fuerza-trabajo, a valor exclusivamente material, acabaría por desnaturalizar irremediablemente la esencia del trabajo, privándolo de su finalidad más noble y profundamente humana. «La persona es la medida de la dignidad del trabajo».

Si falta la conciencia o no se quiere reconocer la verdad, de que la dimensión subjetiva del trabajo tiene prioridad sobre la objetiva, porque es la de la persona que realiza el trabajo, el trabajo pierde su significado más verdadero y profundo: en este caso, por desgracia frecuente y difundida, la actividad laboral y las mismas técnicas utilizadas se consideran más importantes que la persona y, de aliadas, se convierten en enemigas de su dignidad.

El trabajo humano posee también una intrínseca dimensión social. El trabajo de una persona, en efecto, se vincula naturalmente con el de otras personas: Según San Juan Pablo II «Hoy, principalmente, el trabajar es trabajar con otros y trabajar para otros: es un hacer algo para alguien». También los frutos del trabajo son ocasión de intercambio, de relaciones y de encuentro. El trabajo, por tanto, no se puede valorar justamente si no se tiene en cuenta su naturaleza social, «ya que, si no existe un verdadero cuerpo social y orgánico, si no hay un orden social y jurídico que garantice el ejercicio del trabajo, si los diferentes oficios, dependientes unos de otros, no colaboran y se completan entre sí y, lo que es más todavía, no se asocian y se funden como en una unidad la inteligencia, el capital y el trabajo, la eficiencia humana no será capaz de producir sus frutos. Luego el trabajo no puede ser valorado justamente ni remunerado con equidad si no se tiene en cuenta su carácter social y personal».

El trabajo es también «una obligación, es decir, un deber». El ser humano debe trabajar, para responder a las exigencias de mantenimiento y desarrollo de su misma humanidad. El trabajo se perfila como obligación moral con respecto al prójimo, que es en primer lugar la propia familia, pero también la sociedad a la que pertenece; la Nación de la cual se es hijo o hija; y toda la familia humana de la que se es miembro: «somos herederos del trabajo de generaciones y, a la vez, artífices del futuro de todos los hombres que vivirán después de nosotros».

El trabajo, por su carácter subjetivo o personal, es superior a cualquier otro factor de producción. Este principio es importante, en particular, con respeto al capital. En la actualidad, el término «capital» tiene diversas acepciones: en ciertas ocasiones indica los medios materiales de producción de una empresa privada o del Estado; en otras, los recursos financieros invertidos en una iniciativa productiva o también en operaciones de mercados bursátiles. Se habla también, de modo no totalmente apropiado, de «capital humano», para significar los recursos humanos, es decir las personas mismas, en cuanto son capaces de esfuerzo laboral, de conocimiento, de creatividad, de intuición de las exigencias de sus semejantes, de acuerdo recíproco en cuanto miembros de una organización. Se hace referencia al «capital social» cuando se quiere indicar la capacidad de colaboración de una colectividad, fruto de la inversión en vínculos de confianza recíproca. Esta multiplicidad de significados ofrece motivos ulteriores para reflexionar acerca de qué pueda significar, en la actualidad, la relación entre trabajo y capital.

El trabajo tiene una prioridad intrínseca con respecto al capital. Este principio se refiere directamente al proceso mismo de producción, respecto al cual el trabajo es siempre una causa eficiente primaria, mientras el capital, siendo el conjunto de los medios de producción en manos privadas o del Estado, es solo un instrumento o la causa instrumental. Este principio es una verdad evidente, que se deduce de toda la experiencia histórica del ser humano.

Entre trabajo y capital debe existir complementariedad. La misma lógica intrínseca al proceso productivo demuestra la necesidad de su recíproca compenetración y la urgencia de dar vida a sistemas económicos en los que la antinomia entre trabajo y capital sea superada. En tiempos en los que, dentro de un sistema económico menos complejo, el «capital» y el «trabajo asalariado» identificaban con una cierta precisión no solo dos factores productivos, sino también y sobre todo, dos clases sociales concretas. «Ni el capital puede subsistir sin el trabajo, ni el trabajo sin el capital». Se trata de una verdad que vale también para el presente, pues no le podemos atribuir únicamente al capital o únicamente al trabajo lo que es resultado de la efectividad unida de los dos, y totalmente injusto que uno de ellos, negada la eficacia del otro, trate de arrogarse para sí todo lo que hay en el efecto.

Si reflexionamos acerca de las relaciones entre trabajo y capital, sobre todo ante las imponentes transformaciones de nuestro tiempo, se debe considerar que «el recurso principal» y el «factor decisivo» de que dispone el ser humano es el ser mismo y que el desarrollo integral de la persona humana en el trabajo no contradice, sino que favorece más bien la mayor productividad y eficacia del trabajo mismo. En el mundo del trabajo, se está descubriendo cada vez más que el valor del «capital humano» reside en los conocimientos de los trabajadores, en su disponibilidad a establecer relaciones, en la creatividad, en el carácter emprendedor de sí mismos, en la capacidad de afrontar conscientemente lo nuevo, de trabajar juntos y de saber perseguir objetivos comunes. Se trata de cualidades genuinamente personales, que pertenecen al sujeto del trabajo más que a los aspectos objetivos, técnicos u operativos del trabajo mismo. Todo esto conlleva un cambio de perspectiva en las relaciones entre trabajo y capital: se puede afirmar que, a diferencia de cuanto sucedía en la antigua organización del trabajo, donde el sujeto acababa por equipararse al objeto, a la máquina, hoy, en cambio, la dimensión subjetiva del trabajo tiende a ser más decisiva e importante que la objetiva.

La relación entre trabajo y capital presenta, a menudo, los rasgos del conflicto, que adquiere caracteres nuevos con los cambios en el contexto social y económico. Ayer, el conflicto entre capital y trabajo se originaba, sobre todo, según San Juan Pablo II, «por el hecho de que los trabajadores, ofreciendo sus fuerzas para el trabajo, las ponían a disposición el grupo de los empresarios, y que este, guiado por el principio del máximo rendimiento, trataba de establecer el salario más bajo posible para el trabajo realizado por los obreros». Actualmente, el conflicto presenta aspectos nuevos y, tal vez, más preocupantes: los progresos científicos y tecnológicos y la mundialización de los mercados, de por sí fuente de desarrollo y de progreso, exponen a los trabajadores al riesgo de ser explotados por los engranajes de la economía y por la búsqueda desenfrenada de productividad. De igual forma ocurre en las economías de planificación centralizada o estatistas, donde a esta injusta situación se le añade el control casi absoluto del Estado sobre el trabajador.

Desde nuestro punto de vista personal, la relación entre trabajo y capital se debería realizar también mediante la participación de los trabajadores en la propiedad, en su gestión y en sus frutos. Esta es una exigencia ha sido y es frecuentemente olvidada, por tanto, es necesario valorarla mejor: debe procurarse que «toda persona, basándose en su propio trabajo, tenga pleno título a considerarse, al mismo tiempo, "copropietario" de esa especie de gran taller de trabajo en el que se compromete con todos.

Una posibilidad para conseguir esa meta podría ser la de asociar, en cuanto sea posible, el trabajo a la propiedad del capital y dar vida a una rica gama de cuerpos intermedios con finalidades económicas, sociales, culturales: cuerpos que gocen de una autonomía efectiva respecto a los poderes públicos, que persigan sus objetivos específicos manteniendo relaciones de colaboración leal y mutua, con subordinación a las exigencias del bien común, es decir, que los miembros respectivos sean considerados y tratados como personas y sean estimulados a tomar parte activa en la vida de dichas comunidades. Hoy en día y en muchos rincones del mundo, las formas de cooperativismo, la autogestión y de cogestión han abierto las puertas a la posibilidad de asociar el trabajo a la propiedad del capital, desde nuestro punto de vista.

Para nosotros la nueva organización del trabajo, en la que el saber cuenta más que la sola propiedad de los medios de producción, confirma de forma concreta que el trabajo, por su carácter subjetivo, es título de participación: es indispensable aceptar firmemente esta realidad para valorar la justa posición del trabajo en el proceso productivo y para encontrar modalidades de participación conformes a la subjetividad del trabajo en la peculiaridad de las diversas situaciones concretas.

Creemos que es importante también señalar la relación entre el trabajo y el capital respecto a la institución de la propiedad privada, al derecho y al uso de esta. La propiedad privada y pública, así como los diversos mecanismos del sistema económico, deben estar predispuestos para garantizar una economía al servicio de la persona humana, de manera que contribuyan a poner en práctica el principio cristiano «del destino universal de los bienes». En esta perspectiva adquiere gran importancia la cuestión relativa a la propiedad y al uso de las nuevas tecnologías y conocimientos que constituyen, en nuestro tiempo, una forma particular de propiedad, no menos importante que la propiedad de la tierra y del capital. Estos recursos, como todos los demás bienes, tienen un destino universal; por lo tanto deben también insertarse en un contexto de normas jurídicas y de reglas sociales que garanticen su uso inspirado en criterios de justicia, equidad y respeto de los derechos del ser humano. Los nuevos conocimientos y tecnologías, gracias a sus enormes potencialidades, pueden contribuir en modo decisivo a la promoción del progreso social, pero pueden convertirse en factor de desempleo y ensanchamiento de la distancia entre zonas desarrolladas y subdesarrolladas, si permanecen concentrados en los países más ricos o en manos de grupos reducidos de poder.

El derecho al trabajo

El trabajo es un derecho fundamental y un bien para la persona humana, un bien útil, digno de ella, porque es idóneo para expresar y acrecentar su dignidad. Cada vez más se ve el valor del trabajo no solo porque es siempre personal, sino también por el carácter de necesidad. El trabajo es necesario para formar y mantener una familia, adquirir el derecho a la propiedad y contribuir al bien común de la familia humana. La consideración de las implicaciones morales que la cuestión del trabajo comporta en la vida social, nos lleva a indicar el desempleo como una «verdadera calamidad social», sobre todo en relación con las jóvenes generaciones.

El trabajo es un bien de todos, que debe estar disponible para todos aquellos capaces de él. La «plena ocupación» es, por tanto, un objetivo obligado para todo ordenamiento económico orientado a la justicia y al bien común. Una sociedad donde el derecho al trabajo sea anulado o sistemáticamente negado y donde las medidas de política económica no permitan a los trabajadores alcanzar niveles satisfactorios de ocupación, «no puede conseguir su legitimación ética ni la justa paz social».

Una función importante y, por ello, una responsabilidad específica y grave, tienen en este ámbito los «empresarios indirectos», es decir aquellos sujetos —personas o instituciones de diverso tipo— que son capaces de orientar, a nivel nacional o internacional, la política del trabajo y de la economía.

Los problemas del desempleo reclaman las responsabilidades del Estado, al cual compete el deber de promover políticas que activen el empleo, es decir, que favorezcan la creación de oportunidades de trabajo en el territorio nacional, incentivando para ello el mundo productivo. El deber del Estado no consiste tanto en asegurar directamente el derecho al trabajo de todos los ciudadanos, constriñendo toda la vida económica y sofocando la libre iniciativa de las personas, cuanto sobre todo en secundar la actividad de las empresas, creando condiciones que aseguren oportunidades de trabajo, estimulándola donde sea insuficiente o sosteniéndola en momentos de crisis.

También para la promoción del derecho al trabajo es importante, hoy como en otros tiempos, que exista realmente un «libre proceso de auto-organización de la sociedad». Se pueden encontrar significativos testimonios y ejemplos de auto-organización en las numerosas iniciativas, privadas y sociales, caracterizadas por formas de participación, de cooperación y de autogestión, que revelan la fusión de energías solidarias, estas iniciativas se ofrecen al mercado como un variado sector de actividades laborales que se distinguen por una atención particular al aspecto relacional de los bienes producidos y de los servicios prestados en diversos ámbitos: educación, cuidado de la salud, servicios sociales básicos, cultura. Las iniciativas del así llamado «tercer sector» constituyen una oportunidad cada vez más relevante de desarrollo del trabajo y de la economía.

Cuba

Hoy en día seguimos encontrándonos ante un país en crisis y donde las riquezas siguen pésimamente distribuidas y estamos ante un momento crucial de nuestra historia, que nos presenta grandes desafíos. Una Cuba donde muchos jóvenes a menudo no logran encontrar un trabajo digno y se convierten en víctimas de cierta «cubanización de la indiferencia».

Un país donde los bienes espirituales, como la libertad y el pleno respeto a la persona humana, de mucho mayor valor, son ignorados o conculcados, una situación que debería ser inaceptable para todos y cada uno de nosotros.

Ante este panorama tenemos como deber de conciencia, contribuir a que en Cuba haya más justicia, más libertad, más paz, y que la dignidad plena de todas y cada una de las mujeres, y de todos y cada uno de los hombres, sea más respetada.

Sin embargo, algunos vemos con esperanza aproximarse, la aurora postergada, que por tantos años hemos soñado la mayoría de los cubanos. Una aurora donde la libertad y la paz, obra de la justicia, tenga por base el reconocimiento de la dignidad intrínseca y de los derechos iguales e inalienables de todos los miembros de la familia cubana.

Una aurora donde todo ser humano tenga el derecho a perseguir su bienestar personal y su desarrollo espiritual en condiciones de libertad y dignidad, de seguridad económica y en igualdad de oportunidades.

Hoy nos toca a todos los cubanos, forjar esa aurora con caminos nuevos, en un verdadero diálogo social. Hoy más que nunca tenemos que reivindicar el valor del trabajo, hacer relampaguear la justicia social y la primacía del bien común y seguir soñando y luchando para que todos los derechos humanos sean para todos. Hoy en forma solidaria, tenemos que encontrar las vías para un desarrollo económico, sostenible, solidario y con justicia social, que promueva *"la dignidad de la persona humana y la nobleza del trabajo"*, por el bien común de nuestro pueblo.

APUNTES SOBRE LA SEGURIDAD SOCIAL EN UN AMBIENTE EVOLUTIVO CUBANO

Por Horacio Espino Bárzaga[1]

Estos apuntes son el resultado de un trabajo de recopilación y síntesis realizado en un breve plazo de tiempo, y con su presentación pretendo aportar ideas a este esfuerzo colectivo, de recrear escenarios futuros e inciertos en el complejo proceso de transformación social de nuestro país, adelantando posibles análisis generales de aproximación teórica. Considero que aportar a este tipo de actividad profesional que hoy nos convoca forma parte de la responsabilidad intelectual que le asiste a todo cubano por garantizar un futuro digno, de paz, progreso y libertades para nuestros hijos y los hijos de nuestros hijos... Abordar la cuestión particular de las prestaciones de la Seguridad Social es un elemento sumamente importante en términos de cohesión social, equidad, y efectos distributivos de la riqueza social para las personas más necesitadas que se encuentren en estado de vejez, abandono, gravidez o enfermedad.

I-Datos estadísticos más significativos de la población residente en Cuba, 2015[2]

El actual Sistema de Seguridad Social cubano se basa en una cobertura universal soportado por el sistema público de pensiones, siendo el Estado el máximo responsable y garante de su aplicación —Artículo 1, Ley No. 105 De Seguridad Social, de 28 de diciembre de 2008—. Desde el año 1994 con

---

[1]   Horacio Espino Bárzaga. Abogado cubano. Reside en Miami.

[2]   http://www.one.cu/aec2010/esp/07_tabla_cuadro.html

la aprobación de la Ley No. 73, Del Sistema Tributario, se establece como principio general irrenunciable que todos los ingresos, incluido el salario, son susceptibles de impuesto (Ver artículo 18 de la Ley 73/1994, cuestión esta última que nunca ha sido implementada); y las empresas mixtas y corporaciones extranjeras, desde el año 1994, aportan a la Seguridad Social un 14% en divisas sobre la base de la totalidad de salarios, gratificaciones y demás remuneraciones de los trabajadores contratados —Ver Artículo 54 de la Ley 73/1994—. El artículo 56 de la propia norma reza que «*Se establece en principio una contribución especial de los trabajadores beneficiarios de la Seguridad Social*», y acto seguido, la Disposición Final Primera, letra (d) exceptúa de su cumplimiento.

Según los datos proporcionados por la Oficina Nacional de Estadísticas e Información de la República de Cuba en su página Web[3], la población residente en Cuba, en el año 2015 ha alcanzado la cifra de 11 220 354 personas, con una distribución de 50% para cada sexo. La población cubana —según fuentes de esta propia Oficina— alcanzó la cifra de 11,2 millones de habitantes en el año 2000, y para el año 2025 según previsiones que no contemplen escenarios de transición y evolución política, la cifra se mantendrá prácticamente inalterable. Desde hace 10 años la tasa de crecimiento de la población es negativa, y se mantendrá en ese entorno hasta el año 2025, salvo la ocurrencia de incidentes extraordinarios en ese período.

La cifra de cubanos residentes que supera los 50 años de edad, en este año 2015 es de 3 365 000, lo cual representa un 30% de la población total. Un 20% de la población total supera los 60 años de edad, y un 17% de la población tiene más de 65 años. Internacionalmente se acepta el término «un país envejecido» cuando el estándar de un 8% —o más de la población— supera los 65 años de edad (tercera edad).

La cifra de residentes menores que no se encuentran en edad laboral es de 2 647 000 (23,5%), lo cual sumado a las 1 780 000 personas con 65 años o más, nos da una cifra de 4 450 000 de personas que representan el 40% del total de la población (…) De modo que técnicamente, la población cubana laboralmente activa está en el orden de los 6,8 millones, que representan el 60% del total de la población residente en la Isla. (Este supuesto «técnicamente» se correspondería con dos supuestos: (1) si todas las personas estuvieren sanas, sin verse afectadas por discapacidades parciales/permanentes, accidentes de trabajo, enfermedades, etc., y (2) si todas las personas de más de 65 años estuviesen jubilados).

---

[3] Es inexplicable, aunque comprensible por la historia de censura, la opacidad con la cual el gobierno de Cuba gestiona las cifras más importantes del desarrollo social del país.

La Oficina Nacional de Estadísticas e Información establece que para el año 2015, la cifra de relación de dependencia efectiva es de 548, y sus previsiones para el año 2020 y el 2025 es de 578 y de 677 respectivamente. (La cifra de relación de dependencia expresa la cantidad de personas inactivas por cada 1000 personas en edad de trabajar). Esto se debe —entre otros factores— a un envejecimiento continuado de la población lo cual significa que para el año 2025, los residentes mayores de 60 años, van a representar el 26% del total de la población.

La población en edad laboral se distribuye muy homogéneamente en todo el país (áreas rurales y urbanas), y es cercana en todas las provincias al 60% como sucede a nivel nacional, con una dispersión que no supera los +/- 2,5 puntos porcentuales —Villa Clara, 58%, y la Isla de la Juventud, 63% de la población en edad laboral—. Debe observarse que a nivel nacional la población en edad laboral en las áreas rurales (25% del total de la población residente en el país) también se distribuye homogéneamente, con un 60% de disponibilidad de fuerza de trabajo.

El 75% de la población cubana residente vive en zona urbana, quedando 2,8 millones de residentes en la zona rural (25%). Ciudad de La Habana es una provincia calificada solo como zona urbana, que con 2,1 millones de habitantes alberga cerca del 20% de la población total de residentes en el país. Otras dos provincias —Santiago de Cuba y Holguín— superan el (1) millón de habitantes. La densidad de población en Ciudad de La Habana es casi de 3000 habitantes/km^2, sin embargo, la densidad promedio en el país apenas supera la cifra de 102 habitantes/km^2. Las provincias menos densamente pobladas son la Isla de la Juventud, Camagüey y Matanzas, por ese orden (…) Las 16 principales ciudades del país —capitales de provincias— albergan el 41% de la población total residente en el país. El resto, hasta llegar a la cifra del 75%, se encuentra ubicada en otros núcleos urbanos.

Nota: Por paradójico que pueda parecer, en el año 1943 las 16 principales ciudades albergaban el 30% de la población total del país. Pero el resto, cerca del 60% de la población, se encontraba viviendo en zonas rurales.

En otros indicadores de interés[4], puede apreciarse que según la información ofrecida por la propia ONE, en el año 2010 aproximadamente el 16% de la fuerza laboral había cursado estudios superiores, siendo el sector femenino superior en este indicador (22%) en relación con el sector masculino de la fuerza laboral activa (12%).

Un indicador muy elocuente en cuanto a la estructura productiva de la población cubana residente, es la distribución por edades de los trabajadores

---

[4] Cantidad de beneficiarios de la seguridad social vigentes, pensión media y altas concedidas. http://www.one.cu/aec2010/esp/07_tabla_cuadro.html

por categoría ocupacional, en el año 2010. Llama la atención que el segmento comprendido entre edades de 40-59 años, representa el 50% de toda la fuerza laboral en todas las categorías laborales (…) No obstante, un análisis meticuloso demuestra que la reposición de la población cubana a partir de la tasa bruta de reproducción[4], se encuentra por debajo de la unidad.

Distribución por edades de los trabajadores por categoría ocupacional y sexo, año 2010/ *Workers classified by age, working category and sex, year 2010.*

Grupos de edades	Total	Categoría ocupacional				Miles de trabajadores Ambos sexos
		Operarios	Técnicos	Administ.	Serv.	Dirigentes
Total	4,984.5	1,761.9	1,534.7	268.7	1,082.6	336.6
15-16	0.5				0.5	
17-19	105.6	40.7	34.4	3.0	26.2	1.3
20-29	995.9	290.2	434.4	46.0	191.6	33.7
30-39	1,243.7	437.0	378.7	69.7	282.6	75.7
40-59	2,326.0	877.7	606.8	133.5	505.8	202.2
60 y más	312.8	116.3	80.4	16.5	75.9	23.7

CONCLUSIONES PARCIALES

1. La estructura demográfica de un país y su evolución tiene muchas implicaciones de orden económico, político y social, en particular en temas de recaudación fiscal, en disponibilidad de fuerza de trabajo, en la definición de las inversiones, y en la aprobación de los presupuestos anuales en tópicos como la seguridad social, la salud y la educación, entre otros; sin olvidar la cuestión de la deuda externa. (*¿Habrá necesidad de efectuar el pago de las prestaciones de la seguridad social con financiamiento externo -Fondo Monetario Internacional/Banco Mundial-, o la cuestión se resolverá nominalmente imprimiendo billetes nacionales a costa de la inflación de la economía y la capacidad adquisitiva de la población? -Tema Economía-.) (Tema Propiedad: impuestos sobre la propiedad; Impuestos de trasmisión sucesoria; impuestos sobre la compraventa, la donación, y demás negocios jurídicos asociados a formas societarias de propiedad).*

2. Se puede acreditar que si las predicciones de la ONE se materializan, al no existir un reemplazo generacional Cuba va a afrontar en los próximos 10 años una situación realmente crítica en cuanto a disponibilidad de fuerza de trabajo por la tendencia creciente de la cifra de relación de dependencia. De ese modo, la relación potencial contribuyente/beneficiario tendrá eventualmente una tendencia regresiva en los próximos decenios.

Ejemplo de Interpretación de la Tabla: 1.82 personas contribuyentes por cada persona beneficiaria de la Seguridad Social.

Relación de dependencia: Cantidad de personas inactivas por cada 1000 personas en edad de trabajar.

Año	Relación de dependencia	«Potencial» razón contribuyente/beneficiario
2015	548	1,82
2020	578	1,73
2025	677	1,48

3. La cuestión crítica de la estructura poblacional cubana se traduce en una limitada capacidad de contribuyentes «potenciales» a la Seguridad Social, y en un elevado número de beneficiarios. El carácter de «potenciales» contribuyentes viene asociado a la calidad del Trabajo —relación de empleos formales, informales, semi-informales, interrumpidos, y las tasas de desempleo de la economía cubana (Comisión Trabajo). En cualquier caso debe asumirse que el incremento de la carga de solidaridad de las generaciones más jóvenes con las generaciones mayores, es insostenible. (Téngase en cuenta que la generación del *babe-boom* de los años 60 llegará a edad de jubilación en el año 2025.)

4. Es muy complejo el análisis a futuro de cómo se va a comportar la estructura poblacional cubana y el flujo migratorio en un ambiente de reformas económicas y de evolución de las libertades políticas y los derechos civiles en Cuba. No obstante, es previsorio que un clima de estabilidad económica, de seguridad jurídica y de consenso institucional va a favorecer los principales indicadores que colaboran con la buena gestión de la Seguridad Social —tasa de natalidad/inmigración/tasa de empleo/edad de jubilación, etc.

5. La cuestión demográfica también es importante en el tema de cómo democratizar la gestión del poder, a través de las atribuciones administrativas conferidas a los municipios. En la asignación de los presupuestos municipales, y en los conceptos de subsidiariedad y

solidaridad territoriales como principios rectores en la organización y gestión del Estado y los recursos públicos.

II-Indicadores actuales sobre la gestión de la Seguridad Social y la Asistencia Social en Cuba

La Oficina Nacional de Estadísticas e Información de La Habana, en su página web[1], informa una serie de (5) cinco prestaciones cubiertas por el régimen de Seguridad Social en el sector civil de la sociedad, según fuentes del Ministerio del trabajo y la Seguridad Social, y el Ministerio de Finanzas y Precios, en el período 2005-2010 —(1) Pensiones por edad, invalidez total y muerte; (2) Subsidios por enfermedad y accidente; (3) Pensiones por invalidez parcial; (4) Pensiones por maternidad y (5) Otras— (…) De este modo, en ausencia de la información actualizada[2], hube de realizar una sencilla operación matemática considerando el patrón de comportamiento del coeficiente de incremento/decremento interanual de las distintas prestaciones en el período 2005-2010, y extrapolarlo con el mismo patrón al período 2011-2015, y estos son los resultados alcanzados en [millones de pesos] que pretenden —con el permiso de los presentes— ser una aproximación válida para el análisis en cuestión:

Gastos del régimen de seguridad social[a] / *Social security expenditures*[a]

Concepto	2011	2012	2013	2014	2015
Prestaciones por régimen de seguridad social	5,832.2	6,110.1	6,666.5	7,185.7	7,341.6
Pensiones por edad, invalidez total y muerte	5,250.7	5,528.0	6,014.7	6,513.2	6,648.2
Subsidios por enfermedad y accidente	330.8	367.0	409.4	382.4	377.3
Pensiones por invalidez parcial	3.6	2.1	1.6	1.8	1.6
Pensiones por maternidad	196.6	248.7	286.1	351.4	401.0
Otras	23.5	5.9	6.6	6.6	4.6

[a] Sector civil
Fuentes: Ministerio de Trabajo y Seguridad Social y Ministerio de Finanzas y Precios.

De este modo, en primer lugar puede apreciarse que el monto de las prestaciones por el régimen de la Seguridad Social, para el año 2015 y según la modelación realizada, supera la cifra de los 7 mil millones de pesos considerando solamente el sector civil de la sociedad cubana. (Téngase en cuenta

103

que históricamente las pensiones por edad del sector militar han sido significativamente superiores en su cuantía al sector de trabajadores civiles.)

En segundo lugar, considérese que las prestaciones monetarias de largo plazo por concepto de edad, invalidez y muerte del trabajador representan más del 90% del total de las prestaciones de los (5) indicadores. El 60% corresponde al concepto de prestación de larga duración por edad de jubilación. De modo que si consideramos un incremento sostenido de la tasa de envejecimiento de la sociedad cubana —ver el aumento de la cifra de relación de dependencia efectiva— es pertinente concluir en este aspecto que una de las posibles medidas paliativas sería el aumento de la edad para acceder a las prestaciones de jubilación, actualmente definidas en 60 y 65 años respectivamente para mujeres y hombres (derecho a la pensión ordinaria, con no menos de 30 años de servicio, según el artículo 22 de la Ley 105/2008 S.S.).

Según los datos proporcionados por la ONE en su página Web, que toma como fuente el Instituto Nacional de la Seguridad Social adscrito al MTSS[3], en el año 2010 la cifra de beneficiarios de la Seguridad Social era superior al 1,6 millones. Según el patrón del quinquenio anterior, en este año 2015 el número de beneficiarios de la Seguridad Social debe ser superior a 1,8 millones de personas que perciben prestaciones sociales, lo cual representa más del 15% de la población total del país. En el año 2010, la media de prestación social por beneficiario era de 240 pesos, y no he logrado obtener información actualizada sobre este punto. (Nota aritmética: 240 pesos x 12 meses = 2880 pesos. Entones, 2880 pesos x 1,8 millones de beneficiarios = 5200 millones de pesos anuales).

Sobre la Asistencia Social y su evolución durante el quinquenio 2005-2010 solamente voy a reflejar una idea central: Su contracción (…) Paradójicamente, mientras las prestaciones a la Seguridad Social se ampliaron en el mismo período y aumentó el número de beneficiarios, sucedió completamente lo contrario con el régimen de la Asistencia Social. De este modo, hubo indicadores que al finalizar el quinquenio se había reducido a menos del 50%, y en todos los casos habían decrecido (…) No conozco las causas exactas de esta tendencia, pero, téngase en cuenta la relación directa que puede existir entre una buena calidad de la asistencia social como un incentivo para el abandono de las responsabilidades laborales (Esto es temática de Análisis Económico del Derecho), de modo que restringiendo las prestaciones de la Asistencia Social se compulsa a un segmento de la población a buscar la retribución suficiente a través de un empleo remunerado. Téngase en cuenta que desde el año 1999 por la falta de incentivos laborales se había incrementado significativamente el número de incorporaciones al régimen de la Seguridad Social (…) No obstante lo anterior, téngase en cuenta que, según la información disponible, el régimen de Asistencia Social representa apenas el 5% del gasto general por concepto de la Seguridad Social.[5]

Principales indicadores del sistema de la asistencia social/ *Main indicators of the social welfare system*

Concepto	2005	2006	2007	2008	2009	2010
Gastos por asistencia social	451.6	572.4	590.7	656.2	652.3	402.9
Beneficiarios asistencia social	535,134	599,505	595,181	582,060	426,390	235,482
Núcleos protegidos por la asistencia social	301,045	328,462	334,692	328,128	251,102	147,184
Adultos mayores beneficiarios de la asistencia social	116,958	143,483	145,275	145,150	118,732	71,050
Personas con discapacidad beneficiarias de la asistencia social	85,152	97,347	98,727	109,687	71,137	46,884
Madres de hijos con discapacidad severa beneficiarias de la asistencia social	6,670	6,741	7,789	7,621	7,599	6,301
Beneficiarios del servicio de asistente social a domicilio	9,817	13,537	16,182	17,318	13,119	5,664

CONCLUSIONES PARCIALES

1. La información necesaria para realizar un análisis actualizado no está disponible públicamente, no obstante, se pueden concretar varias ideas esenciales: La cifra por concepto de prestaciones sociales de ambos regímenes, supera los 7500 millones de pesos en el año 2015. Considerando que el Gasto total presupuestado para el año 2015 debe estar en el orden de los 54000 millones de pesos en el Presupuesto Central del Estado, es posible concluir entonces que las prestaciones por concepto de Seguridad Social representan en Cuba cerca del 13% del Presupuesto general. (Téngase en cuenta que el Presupuesto 2015 prevé un déficit de 5500 millones de pesos).

2. En un ambiente de evolución de reformas económicas y de ampliación de los derechos civiles y las libertades políticas, es posible que sea más

[5] Principales indicadores del sistema de la asistencia social. http://www.one.cu/aec2010/esp/07_tabla_cuadro.html

beneficioso realizar los cálculos económicos del presupuesto nacional cubano en divisas —directamente en dólares estadounidenses—. En el año 2015 se prevé que Cuba ingrese aproximadamente 10.000 millones de dólares, perteneciendo el 70% al turismo, las remesas familiares y los servicios médicos en el extranjero. La deuda externa cubana con los acreedores del Club de París supera los 15000 millones de USD.[6] — Comisión de Economía. ¿Es más barato y menos doloroso dolarizar la economía cubana que superar la dualidad monetaria CUC/Pesos?

3. Es indispensable en el proceso de transformación social de nuestro país elevar la edad legal de jubilación, y lograr incentivos económicos suficientes para estimular que las personas mayores se mantengan en un estado de sanidad y de productividad —no precisamente como resultado de la coacción que ejerce el estado de necesidad.

III-Esbozo del cuadro normativo vigente. Breves comentarios

Se toman solamente tres normas como referencia para realizar unos breves comentarios:

El 27 de diciembre del año 2008 la Asamblea Nacional del Poder Popular aprobó la Ley No. 105, De la Seguridad Social, que entre otras normas derogaba la anterior ley que databa del año 1979.

El 8 de enero del año 2010, fue aprobado el Decreto Ley No. 270, De la Seguridad Social de los Creadores de Artes Plásticas y Aplicadas, Musicales, Literarios, De Audiovisuales, y de la Protección Especial a los Trabajadores Asalariados del Sector Artístico, —esta debe ser una de las normativas jurídicas con el título más extenso en la Historia de Cuba.

El 17 de diciembre del año 2012 se aprobó el Decreto Ley No. 306, Del Régimen Especial de Seguridad Social de los Socios de las Cooperativas No Agropecuarias.

(…) Breves comentarios:

La Ley No. 105/2008 establece en su artículo 1 la responsabilidad del Estado como garante de la adecuada protección del trabajador, de la familia y de la población en general mediante el Sistema de Seguridad Social, implementando los tres regímenes típicos del Sistema Seguridad Social, Asistencia Social y regímenes Especiales, en este último caso entran los casos de

---

6 Aznares, Juan Jesús, «Cuba explora su ingreso en el FMI». 28 de agosto, 2015. Disponible en http://internacional.elpais.com/internacional/2015/08/27/actualidad/1440677904_418941.html.

los trabajadores por cuenta propia, los artistas y los cooperativistas.

a) Una primera cuestión interesante que merece resaltarse en la redacción de las normas jurídicas citadas, es la correlación existente entre la masa de aportación del Estado al financiamiento del Sistema de Seguridad Social y las diferentes formas de propiedad existentes. De modo que para los trabajadores que operan en el sector estatal de la economía el Estado «aporta» (Artículo 6 Ley No. 107); en el caso del régimen especial de los artistas el Estado *proporciona recursos financieros para garantizar el equilibrio entre ingresos y egresos*" y en el caso de los cooperativistas y de los trabajadores por cuenta propia el Estado «no aporta» y sus regímenes especiales son autofinanciados. Entonces, la importancia de los trabajadores viene dada por su vinculación a su actividad/propiedad en relación a su cercanía/lejanía con el Estado: (1) trabajadores estatales, (2) artistas, (3) cooperativistas, y (4) cuentapropistas.

b) En línea con lo anterior, la Ley 105/2008 se refiere al aporte del trabajador estatal remitiéndolo a la Ley tributaria, sobre la que inicialmente se expuso que exceptuaba explícitamente de efectuar contribución alguna del trabajador estatal a la Seguridad Social; en el caso del régimen especial de los artistas el Decreto Ley No. 270 establece en su artículo 8 que la contribución del creador es del 8% del ingreso mensual convencional seleccionado (el creador tiene 25 pasos de escala hasta un tope de ingresos de 1500 pesos mensuales). Por su parte el Decreto Ley No. 306, Del Régimen Especial de Seguridad Social de los Socios de las Cooperativas No Agropecuarias, establece en su artículo 17 que la contribución del socio cooperativista es del 20% del ingreso mensual convencional seleccionado (el cooperativista tiene solamente 9 pasos de escala, hasta un tope de 2000 pesos mensuales).

c) Una tercera cuestión de interés —en línea con el tema de la carencia de fuerza laboral en Cuba— viene expuesta en el artículo 30; 31 y 32 de la Ley 105/2008, que establece la oportunidad de reincorporación del pensionado al trabajo remunerado, con la posibilidad de devengar el 100% de la pensión y el salario.

IV-Propuesta personal sobre escenarios futuros, según metodología del Encuentro

Premisa: Abordar visiones sobre la Seguridad Social en intervalos de tiempos es un ejercicio de imaginación que sólo es posible hacerlo recreando contextos más amplios y complejos, interrelacionados y a veces invertebrados dentro del caos y la espontaneidad con la que a veces se presentan caprichosamente los fenómenos sociales (...) Este ejercicio de responsabilidad intelectual e imaginación responsable solo se justifica por la oportunidad de compartirlo con otros, a modo de drama o de poesía, y fabricar consensos y espacios comunes que favorezcan alcanzar los mejores escenarios posibles para el Cambio.

a) Corto plazo: 0-5 años

Visión: Ineficacia parcial/absoluta de los regímenes establecidos de la Seguridad y la Asistencia Social.

Objetivo: Atenuar el *shock* económico por las carencias y las penurias al cual se van a ver sometidos, al menos, el 50% de la población del país.

Estrategias:

En el plano social

1. Reforzar el trabajo de la sociedad civil.
2. Hacer un llamado a la solidaridad, a la caridad, compasión y a la cooperación entre hermanos.
3. Fortalecer el funcionamiento de la familia y el pensamiento humanista de la comunidad.
4. Promover en los centros de educación y desarrollar el concepto de ayuda a la autoayuda.
5. Garantizar la disciplina social, y
6. Reconocer el trabajo como principal mecanismo de superación individual y social.

En el plano diplomático

1. Solicitar la cooperación internacional y la ayuda humanitaria.
2. Desarrollar planes de contención de la pobreza contando con el apoyo de Organismos especializados y organizaciones no gubernamentales.
3. Acceder a los mecanismos de ayuda y financiamiento de los organismos internacionales para acceder a los estándares mejor valorados de los modelos de la Seguridad Social.

En el plano técnico-gubernamental

1. Preparar personal especializado en el diseño, evaluación e implementación de un nuevo esquema sostenible de la Seguridad Social.

2.   Garantizar la aprobación de Presupuestos Generales que contengan la suficiente solvencia financiera para evitar una crisis humanitaria,

3.   E implementar los mecanismos administrativos necesarios para que sean las comunidades sociales inmediatas —principio de subsidiariedad— las que implementen y pongan en práctica las soluciones más eficaces.

4.   Comenzar a capacitar al personal que profesionalmente habrá de brindar servicios de atención a la población, cumpliendo con los estándares internacionales.

En el plano político

1.   Conformar consensos partidistas responsables y estables en aras de garantizar la paz social.

2.   Evitar que las dificultades propias de toda transición sean empleadas para obtener rédito político electoral.

3.   Hacer un llamado a la mesura de los más desprotegidos, cooperando con los órganos de poder —ejecutivo/judicial y legislativo— en el marco de sus atribuciones y funciones.

4.   Crear Comisiones técnicas de trabajo, que desde sede parlamentaria, vayan desbrozando el camino legislativo y promoviendo la necesaria voluntad política.

b)   Mediano plazo: 5-10 años
Visión: Aprobación del nuevo régimen de la Seguridad Social coherente con las más avanzadas recomendaciones internacionales de la OIT.

Objetivo: Implementar las estructuras institucionales y técnicas-administrativas que garanticen poner en funcionamiento y la sostenibilidad del nuevo régimen de la Seguridad Social, con elevado grado de satisfacción y confiabilidad.

ESTRATEGIAS:

1.   Garantizar el soporte técnico financiero y de seguridad informática que pruebe una buena prestación de servicios. Protección de los datos personales.

2.   Establecer los mecanismos jurídicos y administrativos para la solución de controversias, definiendo el mapa de responsabilidades, y las jerarquías de atribuciones y competencias a los diferentes órganos

responsables de la coordinación entre todos los factores que conforman el Sistema de la Seguridad Social.

3. Imponer fuertes sanciones penales y económicas a todo aquel que fraudulentamente pretenda beneficiarse de las prestaciones de los regímenes de la Seguridad Social.

4. Monitorear constantemente y activamente cualquier indicador que afecte significativamente la estabilidad del sistema de la Seguridad Social. Ser proactivo en el establecimiento de nuevas políticas sociales.

5. Incorporarse a Foros, Acuerdo regionales y Tratados internacionales que garanticen la continua actualización sobre el estado del arte de la Seguridad Social.

6. Evitar que la evolución de la cuantía de las prestaciones y los demás servicios sociales sea un arma arrojadiza en la campaña política. Para ello debe técnicamente blindarse en la Constitución Política el régimen de la Seguridad Social, y hacer observar la jurisprudencia de los tribunales.

c) Largo plazo: + 10 años
Visión: Seguimiento y consolidación del nuevo régimen de la Seguridad Social.
Objetivo: Introducir mejoras «artesanales» en el sistema de la Seguridad Social, como resultado de la experiencia empírica acumulada.

ESTRATEGIAS:

1. Continuar generalizando las mejores experiencias y los mejores resultados, incorporando los progresos y las tendencias internacionales aplicables al modelo cubano.

2. Establecer un mecanismo de incentivos económicos y de reconocimiento social que garantice la estabilidad y afiance la fiabilidad de los funcionarios encargados de dar soporte al sistema de la Seguridad Social.

CONCLUSIONES

Las dificultades enunciadas en estos Apuntes son conocidas desde hace, al menos, 20 años. Y algunas son comunes, particularmente en países europeos con bajas tasas de natalidad. Representantes de sectores académicos, profesionales e incluso gubernamentales cubanos han alertado sistemáticamente sobre los temas abordados, pero, lamentablemente la solución de muchas de estas cuestiones requieren de profundos cambios estructurales sistémicos de la sociedad cubana, y para hacerlo no ha sido suficiente la voluntad política del *status quo*, más interesado en conservar sus posiciones de privilegio que en generar beneficios de interés general (…) La gestión de soluciones para lograr que la Seguridad Social cumpla eficazmente su rol, requiere de un fuerte marco jurídico que evite los excesos que puedan provenir de los grupos de intereses más fuertes y mejor organizados, más interesados en sus propios beneficios que en la protección de la comunidad.

A MODO DE DESPEDIDA

Las transformaciones profundas que han de sucederse en Cuba —sin prisas pero sin pausas— estarán marcadas por el Choque —a veces violento— protagonizado entre la inercia de un Pasado profundo y hosco, con un lento e indeciso pero inexorable Presente. Un choque «de tiempos» sometido a las expectativas justas de un pueblo redimido y a la atención constante de la comunidad internacional. Expectativas justas y demasiado postergadas que muchas veces superarán con creces las posibilidades reales de su implementación práctica (…).

Acompasar los ritmos del cambio social en Cuba con las exigencias personales de millones de compatriotas, es una cuestión alcanzable solamente desde el «realismo mágico». El Cambio social que se propone en Cuba es un cambio en el cual todos los cubanos somos protagonistas por igual, y no habrá caminos cortos ni fáciles, pero habrá que andarlos juntos, todos. Cuanto antes, mejor. Cuando tengamos la fe, veremos lo imposible.

Pinar del Río, Cuba.
11-12 septiembre de 2015

DE LA ISLA:

Dagoberto Valdés Hernández
Karina Gálvez Chiú
Pedro Campos Santos
Dimas C. Castellanos Martí
Miriam Celaya González
Yoandy Izquierdo Toledo
Maikel Iglesias Rodríguez
Rosalia Viñas Lazo
Javier Valdés Delgado
Regina Coyula Puelle
José A. Quintana de la Cruz
Juan C. Fernández Hernández
Carlos Amel Oliva Torres
Leonardo Rodríguez Alonso
Jorge L. Guillén García
Jorge I. Guillén Martínez
Williams I. Rodríguez Torres
Juan P. Pérez González
Néstor Pérez González
Margarita Gálvez Martínez
Elena Rosito Yaluk
Ángel Mesa Rodríguez

Miami, EE.UU.
10-11 octubre de 2018

DE LA ISLA:

Dagoberto Valdés Hernández
Pedro Campos Santos
Dimas C. Castellanos Martí
Miriam Celaya González
René Gómez Manzano

Karina Gálvez Chiú
Carlos Amel Oliva Torres
Henry Constantín Ferreiro
Reinaldo Escobar Casas
Pbro. Mario Lleonart Barroso
Yoani Sánchez Cordero

DE LA DIÁSPORA:

Gerardo Martínez-Solanas
Juan Antonio Blanco
Silvia Pedraza
Johannis Abreu Asín
Amaya Altuna de Sánchez
Pedro Pablo Álvarez
Sebastián Arcos
Héctor Caraballo
Siro del Castillo
María Dolores Espino
Humberto Estévez
Hermes Estévez
Helio González
Andrés Hernández
René Hernández Bequet
Aldo D. León
Emilio Marbot
Raquel Martínez-Solanas
Arnoldo Müller
Pedro Pérez Castro
Francisco Porto
Roberto Ruiz Casas
Carlos Saladrigas
Juan Manuel Salvat
Rafael Sánchez
Horacio Spino Bárzaga
Virgilio Toledo
Ady Viera
Oscar Visiedo

II INFORME

«TRÁNSITO CONSTITUCIONAL Y MARCO JURÍDICO EN CUBA: DE LA LEY A LA LEY»

S/T. Técnica mixta sobre cartulina. 13 x 14,5 cm. Obra de Wendy Ramos Cáceres. 2018.

El Centro de Estudios Convivencia realizó la segunda etapa del Itinerario de Pensamiento y Propuestas para Cuba entre abril de 2016 y julio de 2016. Culminando con dos encuentros de estudio, uno en la Isla y otro en la Diáspora. Pinar del Río, Cuba, en abril de 2016 y Universidad Internacional de la Florida, EE.UU., en julio de 2016. El tema escogido para esta segunda etapa del Itinerario de Pensamiento y Propuestas para Cuba fue: «Un nuevo marco jurídico y tránsito constitucional para Cuba, de la ley a la ley». Los resultados, reflejados en el informe final, fueron: unas propuestas generales para la Reforma Constitucional acompañadas de un paquete de 45 propuestas de leyes complementarias que implementarían un nuevo marco jurídico en Cuba, concreción legal que no fue completada después de la Constitución de 1940. Las leyes complementarias que harían coherente y eficaz la aplicación de una nueva Carta Magna son agrupadas en la propuesta del CEC en cuatro bloques: Leyes Orgánicas y Estructurales, Leyes Económicas, Leyes para el Desarrollo de la Sociedad Civil y Leyes para el Desarrollo Humano Integral.

1. Propuestas para un tránsito constitucional en Cuba, de la ley a la ley

El Centro de Estudios Convivencia recibió la opinión de los consultados y de los participantes en el II Encuentro de Pensamiento en la Isla y en la Diáspora, sobre cómo verían el necesario tránsito constitucional para dotar a la Nación de un Marco Jurídico que, además, sea integrado y consagrado en una nueva Ley de Leyes, o Constitución, que responda a los requerimientos de los nuevos tiempos. Los contenidos propuestos en las comisiones de estudio para cada una de las cuatro partes de una nueva Constitución de la República de Cuba han sido recogidos y ordenados en este informe, por supuesto que tienen una complementación en el paquete de leyes contenidas al principio de este mismo Informe y a las que se refiere el *confer* (Cf.) señalado en cada caso. En cuanto a un nuevo texto constitucional los participantes y los consultados expresaron diferentes variantes. Como en un laboratorio de pensamiento, como es el CEC, no es estrictamente necesario el consenso, recogemos a continuación todas las propuestas, organizándolas según el orden de apoyo que recibieron:

1. Nueva Constitución de la República de Cuba emanada de una Convención Constituyente que tenga en cuenta lo mejor, y lo aplicable hoy, de nuestra rica historia constitucional, especialmente la de 1940 y los nuevos aportes del Derecho Constitucional Internacional (86%).
2. Reforma de la Constitución de 1940 para adecuarla a nuestros tiempos y evitar el exceso de detalles que pueden ser reflejados en la necesaria legislación complementaria que le daría aplicación (13,5%).
3. Reforma de la Constitución de 1976 y sus modificaciones de 1992 y 2002 (0,5%).

Los participantes consultaron un estudio comparado de los 6 textos fundamentales de nuestra historia constitucional: Guáimaro, La Yaya, Jimaguayú, 1901, 1940 y 1976 con sus modificaciones en 2002 y 2012.

Además, los asistentes escucharon y comentaron la ponencia presentada por el Dr. René Gómez Manzano a partir de su libro «Constitucionalismo y cambio democrático en Cuba». Editorial Hispano Cubana, Madrid, 2007 en la sesión de la Isla y la ponencia del Dr. Rafael Rojas «La tradición constitucional hispanoamericana y el excepcionalismo cubano». Ambas ponencias son publicadas en este Informe Final, junto a la pronunciada en ambas sesiones, por la Lic. Laritza Diversent.

El estudio de «Tránsito Constitucional en Cuba» se realizó en cuatro comisiones. Cada una de ellas abordó e hizo propuestas para uno de estos temas:

a. Preámbulo
b. Parte dogmática (DD.HH. Pactos de la ONU y Convenios de la OIT).
c. Parte orgánica (Estructuras del Estado, tres poderes, sistema semiparlamentario, etc.)
d. Parte modificación de la Constitución. Parte transitoria

Estas son las propuestas emanadas de las comisiones de trabajo en el tema «Tránsito Constitucional en Cuba».

3.1. Preámbulo

Se propone, por mayoría, incluir en el Preámbulo la invocación de Dios y el propósito de la Convención constituyente de proponer al referéndum del pueblo cubano una nueva Constitución de la República. Algunos sugieren copiar en la nueva Carta Magna el texto íntegro del preámbulo de la Constitución de 1940, por su contenido y como un homenaje a aquel excelente texto constitucional.

La mayoría propone que la palabra Dios debe estar incluida en la invocación, considerando que la invocación del favor de Dios es un referente de la cultura cubana y no estrictamente religioso. Esto no implica que no se proponga un Estado laico y que esto se plasme en el texto.

Otros proponen agregar al preámbulo la frase paradigmática de José Martí «Yo quiero que la ley primera de nuestra República sea el culto de los cubanos a la dignidad plena del hombre».

Otros proponen esta nueva redacción para el Preámbulo, con un voto en contra, sobre la mención de Dios:

«Nosotros, el pueblo cubano, invocando el favor de Dios, y teniendo como prioridades fundacionales: la dignidad suprema de la persona humana, el Estado de Derecho, el sistema democrático y el protagonismo de la sociedad civil, adoptamos la presente Constitución de la República de Cuba fundada sobre las aspiraciones humanistas del Apóstol de nuestra Independencia José Martí: «Yo quiero que la ley primera de nuestra República sea el culto de los cubanos a la dignidad plena del hombre».

3.2. Parte dogmática (Implementar DD.HH., Pactos ONU y Convenios de la OIT)

Propuestas para incluir en la Parte Dogmática

3.2.1. Dignidad y supremacía de la persona humana

1. Conservar de la actual constitución el pensamiento martiano: «Yo quiero que la ley primera de nuestra República sea el culto de los cubanos a la dignidad plena del hombre».
2. Esta Constitución declara y consagra que la persona humana vale y tiene dignidad por el simple hecho de existir, independientemente de cualquier otro cuestionamiento. El Estado cubano y la sociedad civil reconocen esta dignidad suprema y valora a la persona como fin en sí misma y no como un medio, colocándola en el centro

de la vida social en su sentido más amplio y condenando toda manipulación estatal, pública, privada, personal, comunitaria o a través de los Medios de Comunicación Social.

3. Esta Constitución declara que la economía, la política, todas las instituciones nacionales, todas las organizaciones de la sociedad civil, las relaciones internacionales y los organismos y alianzas internacionales a los que se adhiera Cuba, deben estar al servicio de la persona humana, de su dignidad plena y de todos sus derechos inalienables, indivisibles y universales.

4. Esta Constitución consagra que la salvaguarda de los Derechos Humanos está por encima de toda otra soberanía, autodeterminación o independencia. Ninguna ley o mecanismo público nacional o internacional puede limitar, ni proscribir, ninguno de los Derechos Humanos, ni pueden interpretarlos contra el espíritu y la letra con que son entendidos por la comunidad internacional.

5. Definir conceptualmente a la República de Cuba: Cuba es una Nación independiente y soberana, organizada como República unitaria y democrática, con todos y para el bien de todos, para el disfrute de la libertad y la responsabilidad política, la justicia social, la búsqueda del bien común y la convivencia pacífica.

6. Definir los símbolos, atributos y lema de la República: la bandera de la estrella solitaria, el escudo de la palma real y el Himno de Bayamo. Así como los atributos nacionales: el árbol nacional: La palma real que simboliza la dignidad del pueblo cubano. La flor nacional: la mariposa blanca, que simboliza la pureza de nuestros ideales y valores humanistas. El ave nacional: el tocororo, que simboliza nuestro amor a la libertad porque muere cuando es hecho cautivo.

7. Consagrar constitucionalmente el deseo de José Martí de inscribir en uno de los símbolos patrios como Lema Nacional: «Con todos y para el bien de todos». Martí lo proponía, simbólicamente, alrededor de la estrella solitaria de la bandera. Según las actuales leyes de la heráldica no es recomendable inscripciones en las banderas y recomiendan que el Lema de la República debe inscribirse en su escudo. Por tanto, proponemos agregar una cinta ondeante con extremos terminados en dos puntas, que rodee al haz de varas en la base del escudo nacional que diga en el segmento de cinta de la izquierda: «Con todos; en el segmento del centro: y para el bien; y en el segmento de cinta de la derecha: de todos». El Lema de la República se podrá inscribir, además, en edificios oficiales,

documentos solemnes, escuelas, monumentos y sellos oficiales.

8. Definir el Estado cubano: La República de Cuba adopta como modelo el Estado de Derecho, que es definido como:

Aquella organización política del Estado en que su elección, organización, funcionamiento y control del poder se realizan conforme al derecho y sometidos todos a él. Se basa en la división, autonomía y mutuo control de los poderes del Estado: legislativo, ejecutivo y judicial. Se basa en el respeto irrestricto a los Derechos Humanos y en el acatamiento de todos los ciudadanos a los deberes y obligaciones que establecen las leyes. Nadie está por encima de la Ley. Nadie queda impune. Ninguna violación de la ley, sea cual fuere el poder, puesto público o responsabilidad oficial del que delinque queda sin corrección. (Cf. Libro de texto Ética y Cívica. Ediciones Convivencia, 2014. p. 129).

3.2.2. Derechos civiles y políticos

Consagrar en el nuevo texto constitucional todos los Derechos Humanos que reconoce el Pacto Internacional de Derechos Civiles y Políticos de la ONU, vigente desde 1976, firmado por Cuba en 2008 y que debe ser ratificado por el parlamento cubano. Todos los derechos civiles y políticos de la primera generación de derechos que constituyen cimientos del respeto y observancia de las garantías jurídicas, la soberanía popular y la dignidad de la persona humana. Estos son:

- Derecho a la vida desde su inicio hasta su fin natural. La pena de muerte queda totalmente abolida sin excepción.
- Derecho a la libertad y a la seguridad de la persona, su integridad física y moral. Sus bienes intelectuales y hacienda.
- Derecho a no ser sometido a esclavitud, servidumbre ni torturas.
- Derecho a la igualdad ante la ley.
- Derecho a la protección frente a la detención, el encarcelamiento o el exilio arbitrario.
- Derecho al *habeas corpus*.
- Derecho a un proceso justo.
- Derecho a todos los tipos de propiedad: privada, cooperativa, mixta y otras.
- Derecho a la participación política.
- Derecho a contraer matrimonio y derecho prioritario a mantener, preservar y educar a la familia.
- Derecho a ejercer las libertades fundamentales de conciencia y religión.

- Derecho a la libertad de reunión y de asociación pacífica, huelga y movimiento.
- Derecho a participar en el gobierno del país directamente o por medio de representantes libremente escogidos.
- Derecho a la libertad de pensamiento, opinión y expresión.
- Derecho de la iniciativa ciudadana (derecho de presentar al gobierno propuestas de leyes, etc.).
- Derecho de resistencia frente al gobierno cuando este incumple la preservación de todos los derechos y las funciones que le delegó la ciudadanía.

3.2.3. Derechos económicos, sociales y culturales

1. Consagrar en el nuevo texto constitucional todos los Derechos Humanos reconocidos en el Pacto Internacional de Derechos Económicos, Sociales y Culturales de las Naciones Unidas, en vigor desde 1976. Firmados por Cuba en 2008, y que debe ser ratificado por el parlamento cubano.

2. Incorporar íntegramente los 25 artículos de la Constitución de 1940, del título sexto, extraídos de la legislación laboral de 1938 y del Código del Trabajo propuesto por la Academia de Estudios Sociales, que están contenidos en el título sexto de dicha Constitución.

3. Incorporar íntegramente en el texto constitucional los derechos de los trabajadores consagrados por los Convenios de la OIT. Estos derechos son:

- Derecho a un nivel de vida digno.
- Derecho a alimentación.
- Derecho al trabajo, a un salario justo, a condiciones de trabajo dignas
- Igual salario por igual trabajo, sin discriminaciones de raza, sexo, credo u opción política.
- Derecho a fundar sindicatos y sindicarse.
- Derecho a la protesta pacífica.
- Derecho de acceso libre a la información.
- Derecho universal de acceso a internet y a las TICs.
- Derecho universal a la seguridad social.
- Derecho a que el Estado garantice la sostenibilidad de los servicios sociales y el equilibrio fiscal con vistas a mantener la asistencia y seguridad social.
- Derecho a recibir una educación primaria y secundaria, básica y gratuita, que eduque para la libertad y la responsabilidad.
- Promover las enseñanzas secundaria y superior de manera general, y hacerlas accesibles para todas las personas.

- Derecho a la protección y promoción de las familias (derecho a contraer matrimonio, cuidado de los ancianos, promoción humana de los niños y adolescentes, acción proactiva y no solo asistencial, etc.).
- Derecho a tomar parte libremente en la creación literaria, artística y en la vida cultural.

3.2.4. Derechos de tercera generación

Consagrar en la Constitución todos los derechos de tercera generación. Estos son:

- Derecho de todos los pueblos a preservar sus Derechos Humanos y a la libre determinación.
- Derecho a la paz.
- Derecho al desarrollo.
- Deber prioritario de los Estados de preservar y cuidar todos los Derechos Humanos de todos los ciudadanos y el deber de la Comunidad Internacional de preservar esos Derechos Humanos Universales, mediante una intervención humanitaria, debidamente autorizada por el Consejo de Seguridad de la ONU, cuando los Estados no los quieran, o no los puedan, preservar y respetar.
- Derecho soberano de los Estados de preservar el Patrimonio Común de la Humanidad y las riquezas y recursos naturales de la Nación, unido a la responsabilidad de los Estados de no causar daños al medio ambiente.
- Garantizar la responsabilidad del Estado de usar los recursos sin que esto afecte a otros Estados vecinos, además los Estados deben tener la obligación de cooperar para investigar, identificar y eliminar daños ambientales.
- Deber de los Estados de detener la generación de sustancias tóxicas más allá del nivel de degradación del medio ambiente.
- Los Estados tienen derecho a ser indemnizados cuando son afectados por otros Estados que han provocado daños al medio ambiente.
- Derecho de diferenciar la cooperación para superar los daños medio-ambientales de acuerdo a la magnitud del daño ocasionado por cada país.
- Derecho a un desarrollo humano integral y sostenible, (satisfacer las necesidades de las generaciones presentes sin comprometer las de las generaciones futuras).
- Derecho a garantizar el uso prudente de los recursos naturales.

- Derecho a considerar los avances o retrocesos en materia medio-ambiental como un factor de peso para evaluar el desarrollo de un país.

3.3. Parte orgánica (Estructuras del Estado, tres poderes, funcionamiento)

Tener en cuenta, como inspiración, la Constitución de 1940 y el Tratado de Lisboa.

Se propone que el Estado cubano adopte un sistema semiparlamentario para evitar los excesos caudillistas del sistema presidencialista y ejerza sus funciones por medio de los Poderes Legislativo, Ejecutivo y Judicial, que funcionarán de manera independiente y autónoma, como garantía del resguardo de la democracia, y los organismos reconocidos en la Constitución, o que conforme a la misma, se establezcan por la Ley.

Los municipios, que gozan de cierta autonomía, además de ejercer sus funciones administrativas, fiscales y normativas propias, coadyuvan a la realización de los fines del Estado.

Se propone tener muy en cuenta las estructuras del Estado consagradas en las Constitución de 1940. Agregando la institución del Defensor del Pueblo y el mecanismo de revocatorio de todos los cargos públicos electos, la independencia de los tres poderes del Estado y la máxima descentralización posible. (La interrelación entre los poderes centrales y locales, salvaguardando la autonomía de los poderes municipales).

3.3.1. Poder Legislativo
Cf. Ley No. 1, Ley del Poder Legislativo.

El Poder Legislativo se ejerce por dos Cuerpos denominados respectivamente Cámara de Representantes y Senado, que juntos reciben el nombre de Congreso. Su sede es el Capitolio Nacional donde reside esta institución que representa la voluntad soberana de la Nación y ante la cual juran la Constitución todos los presidentes de la República democráticamente electos.

Se propone que el Poder legislativo sea bicameral y todos los miembros del Congreso (senadores y representantes sean elegidos por el pueblo con voto directo y secreto, renovable por mitades, revocables y con reelección para poder contar con su experiencia y por no tener el poder unipersonal del presidente. (Otros opinaron que la reelección para parlamentario debería ser solo por dos o tres períodos).

Requisitos mínimos para ser elegido: ser cubano, tener como mínimo 25 años y hallarse en el pleno goce de los derechos civiles y políticos.

Se debe:

1. Valorar el antecedente que existe en Cuba con la Ley Orgánica del Poder Legislativo (vigente hasta 1958). *Cf. Ley No. 1.*
2. Determinar los aspectos concretos del modo de elección de los parlamentarios.
3. Regular detalladamente la función del Poder Legislativo.
4. Consignar las atribuciones y facultades de los parlamentarios. Libertad de expresión dentro del Parlamento.
5. Establecer las garantías de las que deben gozar los legisladores para ejercer su actividad adecuadamente: inviolabilidad parlamentaria e inmunidad parlamentaria.
6. Salarios y gastos de parlamentarios.
7. Comisiones parlamentarias únicas en el caso de que sea bicameral para simplificar el proceso legislativo. Forma y modos en que el Parlamento controla al Gobierno (rendición de cuentas de los ministros, interpelaciones a Ministros, mociones de confianza, Informe anual a la Nación del Presidente, entre otros).
8. Desarrollo de la iniciativa legislativa (quiénes y cómo se proponen y acuerdan las leyes).
9. Presupuesto (pudiera figurar en una ley orgánica del presupuesto, ya que en ella interviene también el Poder Ejecutivo).
10. Potestad de hacer juicio político al Presidente de la República.
11. Potestad de retirar la confianza al Primer Ministro.
12. Elección o ratificación del Tribunal Supremo, el Defensor del Pueblo, el Tribunal de Cuentas y el Tribunal Constitucional.
13. El Congreso o Parlamento se reúne generalmente de forma ordinaria durante una o dos sesiones al año que deben durar, cada una de ellas, varios meses para poder debatir y aprobar con seriedad las leyes y otros trabajos. A este tiempo en que sesiona el Parlamento se le llama Legislatura.
14. Puede convocarse el Parlamento para ocasiones extraordinarias. Ejemplo: Fallecimiento del presidente, Fiesta Nacional, visita de un presidente extranjero, etc. Estas reuniones extraordinarias no son legislaturas.
15. El Parlamento se elegirá cada cuatro años, y parcialmente cada dos años.
16. Algunos miembros de esta Comisión entienden que un órgano unicameral es más indicado para un país pequeño como Cuba, ya que no se trata de una federación o de un estado plurinacional. Se trata de crear un sistema funcional, con independencia de la representatividad que se establezca. Sin embargo, esta comisión recomienda que se profundice

en una investigación de más largo plazo que estudie la posibilidad de establecer qué órgano legislativo (bicameral o unicameral) garantizaría mejor la participación ciudadana (representación por habitantes y por territorio), teniendo en cuenta la falta de experiencia cubana en las prácticas democráticas.

17. Se propone que la sociedad civil cuente también con un mecanismo legal que le permita participar directamente, en forma vinculada y paralela, con la formulación de políticas públicas según sus propias iniciativas. Esto permite la existencia de un mecanismo de presión sobre el poder para que los intereses de la sociedad civil sean tenidos en cuenta, lo cual no implica un doble sistema legislativo.

18. Se recomienda la modificación de la división político-administrativa, teniendo en cuenta el desarrollo económico, el sentido de pertenencia e idiosincrasia de cada territorio, la representación política, y otras consideraciones.

19. Requisitos a tener en cuenta para el legislativo:

• Los representantes deben residir en el territorio que representan.

• Las audiencias del órgano legislativo deben ser públicas, tanto en sus sesiones como en el acceso a los acuerdos (rendición de cuentas).

20. Parlamentarios: Son los que representan la voluntad soberana de todo el pueblo porque son elegidos y revocados por sus electores de forma directa y secreta para un tiempo determinado y deben rendir cuenta a los mismos de su gestión parlamentaria: presentar leyes, oponerse a proyectos no beneficiosos, etc. Los parlamentarios se pueden llamar de forma diferente: diputados, congresistas, representantes, senadores, etc.

Derechos de los Parlamentarios:

• Inviolabilidad: Es el derecho a no poder ser detenido son la previa autorización de la Cámara a la que pertenece.

• Inmunidad: Es el derecho a una plena libertad de opinión y de expresión sin perjuicio personal por oponerse, criticar o condenar programas, propuestas políticas, decisiones del Ejecutivo o de otros parlamentarios o políticos. Todo dentro del respeto a la ley y la moral.

• Incompatibilidad: El cargo de parlamentario es incompatible con otro cargo público estatal, esto significa que no puede recibir salario estatal por otros cargos oficiales pues quedaría la posibilidad de quedar bajo presión o influencia extraña a su conciencia y la de sus electores. Se exceptúan los Catedráticos de Universidades Autónomas que alcanzan su magisterio por oposición.

Deberes de los Parlamentarios:

- Representación: Es decir, representar y ser la voz de sus electores y de toda la voluntad soberana de la nación. Si así no fuera, debe ser revocado. Debe rendir cuentas de su gestión parlamentaria.
- Probidad: Defender la dignidad plena de toda persona humana y todos sus Derechos Humanos. Honradez en el obrar y en el hablar. Integridad personal. Rectitud de conciencia. Madurez personal y política. Respeto a las opiniones diversas. Descartar el uso de la ofensa personal, la vida privada o los defectos personales para el ataque o descrédito de sus opositores políticos. Recto uso de los medios políticos para alcanzar fines nobles.
- Solicitud: Es decir, agilidad en sus gestiones. Activa participación en los trabajos y debates parlamentarios. Efectiva gestión entre una elección y otra para garantizar una democracia más efectiva y real. Frecuentes contactos con sus electores para garantizar el conocimiento de sus postulados y rendirle cuenta de sus gestiones. Debe ser solícito en su preparación personal, competencia y conocimiento, tanto de la realidad de la Nación como de sus leyes, para poder formarse una adecuada opinión y pueda informarse para tomar decisiones coherentes con la realidad y la justicia.

(Aportes del doctor René Gómez Manzano ampliados en su libro *Constitucionalismo y cambio democrático en Cuba*).

Poderes legislativo y ejecutivo y su elección

«En la parte orgánica, lo primero que debe tenerse presente es que los estudiosos del Derecho Constitucional Comparado coinciden en señalar, como uno de los aspectos más negativos para la democracia latinoamericana, la existencia de gobiernos que cuentan con una clara minoría congresional, lo cual es fuente de inestabilidad política y de dificultades de todo género en la gestión estatal. Por consiguiente, uno de los objetivos fundamentales que deben trazarse los redactores de la futura carta magna de Cuba es lograr que el Ejecutivo cuente con un respaldo adecuado en el Legislativo, de modo que esos dos poderes políticos, al tiempo que conservan la debida independencia en el ejercicio de las funciones propias de cada uno, puedan trabajar de manera armónica, garantizando el buen funcionamiento del Estado.

Es evidente que tal objetivo solo se puede lograr si uno de esos poderes nombra al otro, o si ambos son designados simultáneamente por un tercer elemento.

Si fuese el Ejecutivo quien designara al Legislativo, se trataría —obviamente— de un régimen autoritario y antidemocrático.

Si, por el contrario, correspondiese al Legislativo nombrar al Ejecutivo, estaríamos en presencia de un sistema parlamentario típico, como los que existen en la generalidad de los países europeos. Se trata de un régimen con muy escasa tradición en la América Latina en general y en Cuba en particular, lo que demuestran las superleyes de 1901 y 1940. La «Constitución Socialista» en vigor, por el contrario, establece justamente un sistema que, desde el punto de vista puramente formal, es de carácter parlamentario, lo que supongo que constituya un factor que incline a los ciudadanos a optar por otro distinto cuando llegue el momento de dotar al país de una nueva carta magna.

El ejemplo más clamoroso de inestabilidad del sistema puramente parlamentario: la IV República francesa, con gobiernos cuya duración a menudo debía ser medida en días o incluso en horas, lo cual condujo en definitiva a la abrogación de la Constitución entonces vigente y al advenimiento de la V República. Por todas estas razones, el establecimiento de un sistema parlamentario típico no parece ser la solución mejor ni la más probable en la Cuba democrática de mañana.

Desechadas esas dos variantes, quedaría solo la tercera opción: la designación simultánea de los integrantes del Legislativo y el Ejecutivo por un tercer elemento, que —desde luego— en un sistema democrático no puede ser otro que la ciudadanía constituida en cuerpo electoral. Ese es justamente el sistema que me parece más recomendable para garantizar que exista la debida coordinación en la actividad de esos dos poderes en nuestro país, evitando los estériles enfrentamientos entre uno y otro y sus casi inevitables secuelas de impotencia gubernamental, postración estatal, inestabilidad y corrupción.

En un sistema como ese, cada una de las fuerzas políticas elaboraría su candidatura para cubrir los cargos de Presidente de la República y de parlamentarios. Como es lógico, cada elector escogería libremente entre las distintas propuestas, pero al mostrar su preferencia por un partido dado, estaría votando simultáneamente por los candidatos presentados por éste para cubrir los cargos del Ejecutivo y el Legislativo. Como quiera que sea probable que después del monopartidismo totalitario de hoy las preferencias de los ciudadanos se repartan entre múltiples candidaturas, se haría necesario prever que las elecciones generales, como regla, se celebren en dos vueltas, a la segunda de las cuales solo acudirían las dos más votadas en la primera.

Cabe hacer una observación: nada impide que en la primera vuelta se elija a una parte (digamos, la mitad) de los miembros del Congreso, lo cual garantizaría una representación parlamentaria a los partidos que ocupen los puestos del tercero en adelante, siempre que obtengan un determinado porcentaje de los votos. Como quiera que solamente las dos fuerzas políticas que hubieren recibido mayor respaldo electoral llegarían a la segunda etapa, las curules restantes se repartirían proporcionalmente entre ambas, con una salvedad esencial: en esa fase decisiva de los comicios, la candidatura que en definitiva resulte ganadora obtendrá no solo la presidencia de la República, sino también un número de bancas parlamentarias que, sumado a las obtenidas por ella misma en la primera vuelta, represente no menos de la mitad más uno del total.

No resulta superfluo aclarar que la anterior propuesta resulta aplicable tanto si se establece un congreso bicameral como si se opta por el unicameralismo. Personalmente, me inclino por la primera de estas dos opciones, pero sin considerar esta cuestión como vital. Lo esencial —insisto— es que se garantice que el Ejecutivo cuente con una clara mayoría en el Legislativo, ya sea en la única cámara, ya sea en al menos una de las dos existentes.

Otro aspecto importante de esta cuestión es la separación de las jefaturas del Estado y del Gobierno. También a este respecto Cuba tiene un valioso antecedente en la Constitución de 1940, que establecía un régimen en el que, junto al Presidente de la República, existía un Primer Ministro que podía ser objeto de mociones de no confianza por parte del Congreso. Esa división de funciones no solo tiende a evitar las tentaciones autoritaristas, sino que coadyuva a la estabilidad de las instituciones, al permitir que las posibles crisis políticas coyunturales sean resueltas mediante la remoción del Primer Ministro.

El sistema que propongo para la elección del Legislativo y el Ejecutivo puede tener la ventaja adicional de resultar aceptable para la generalidad de los cubanos que luchan por la democracia en Cuba y en el extranjero.

Acerca del tema en cuestión: unos postulando el presidencialismo, y otros apostando por un régimen parlamentario. Pues bien: dadas las características del sistema que estoy proponiendo, (semiparlamentario) es posible que tanto unos como otros consideren que él se ajusta en este punto a sus aspiraciones para la Cuba de mañana, y que pudiera por tanto convertirse en un punto de consenso entre todos.

En cuanto al ejecutivo, los futuros constituyentistas de nuestro país debieran plasmar, en el documento que elaboren, el principio recogido en el párrafo tercero del artículo 140 de la Constitución de 1940. Aunque son posibles los matices, algo similar pudiera establecerse en relación con el Primer Ministro, los gobernadores provinciales y los alcaldes municipales.

Es más: incluso, con el fin de asegurar el adecuado renuevo de los cargos públicos, no estaría de más que dichos asambleístas estudiasen la posibilidad de establecer algún tipo de límites a la reelección de los parlamentarios.

Otra cuestión de interés primordial es la creación de la carrera administrativa. En este sentido, los cubanos debemos recordar lo que dispone también a este respecto la histórica carta magna de 1940. Es menester que nos esforcemos por desterrar definitivamente de nuestro país las prácticas viciosas, tanto de antaño como de hogaño: Los funcionarios públicos no deben ser servidores de un partido; ni del que esté de turno en el poder, ni del que siempre lo está por ser el único existente. Todo lo contrario: es menester que sean servidores de los intereses generales de la República, escogidos por méritos comprobados y, por tanto, inamovibles.»

3.3.2. Poder Ejecutivo
Cf. Ley No. 2, Ley del Poder Ejecutivo.

- Se propone un presidente elegido directamente por el pueblo por un período de 4 años, con derecho a una sola reelección y revocable.
- Que se designe un jefe de gobierno o Primer Ministro para un sistema semiparlamentario.
- Cumplir y hacer cumplir la constitución y las leyes. Toma posesión en el Capitolio Nacional, sede del Parlamento, jura sobre la Constitución y ante el Presidente del Tribunal Supremo o el presidente del Senado.
- Determinar su régimen de inmunidad, jubilación y salarios, prerrogativas, revocabilidad, método de nombramiento del gabinete, prerrogativas excepcionales en tiempos de guerra y desastres.
- El Presidente y el Vicepresidente se elegirán cada cuatro años, y no son reelegibles hasta pasados otros cuatro años. Otra propuesta es: elegibles por cuatro años, con una reelección y nunca más. El presidente de la República, al abandonar su cargo por extinción de su mandato, será nombrado senador vitalicio si nada en contra estableciera una condena o proceso judicial de impeachment o referéndum revocatorio.
- Gabinete (Consejo de Ministros que abarque todas las áreas correspondientes del desarrollo económico y social del país). Los ministros deben estar ratificados por mayoría simple en la Asamblea Parlamentaria.

- Los ministros no pueden tener la doble función de ministro y diputado. En caso de elegirse un diputado para un cargo de ministro, debe renunciar a su asiento en el Parlamento, y se convocaría a una elección extraordinaria para sustituirlo en el Legislativo.

3.3.3. Poder Judicial
Cf. Ley No. 3, Ley del Poder Judicial.

- Se propone garantizar, por la Constitución y las leyes complementarias, la máxima independencia del poder judicial a todos sus niveles. Estableciendo duras penas y nulidad de proceso ante corrupción, chantaje, tráfico de influencias y cualquier tipo de coacción o manipulación demostradas, que limite o dañe la independencia del poder judicial bajo el principios de «Todos bajo la ley», sin excepción alguna.
- Se establece un Tribunal constitucional o Sala de lo Constitucional del Tribunal Supremo de Justicia, que velará que ninguna norma legal que se dicte vaya en contra de lo que está constitucionalmente establecido. Puede juzgar al Presidente, a los diputados y a los representantes de cualquier cargo público por violaciones a la Constitución. Certifica los casos de violación de la Constitución.
- Para garantizar la independencia e imparcialidad de los jueces del Poder Judicial, deben ser propuestos por el Ejecutivo y ratificados por el Legislativo por mayoría simple, previo ejercicio de oposición. Este ejercicio se realizará en las Facultades de Derecho de las Universidades.
- Los jueces deben ser profesionales y mayores de 30 años y menores de 75 años.
- La cantidad de miembros del Tribunal debe ser impar y el tiempo de su ejercicio deberá ser establecido tras un estudio más profundo del tema.
- Los jueces no pueden ocupar cargos en ninguna estructura partidista.

El poder judicial y todo el sistema de administración de justicia de la Nación tienen como objetivos supremos:

1. Proteger prioritariamente a todos los ciudadanos por igual, su dignidad y sus derechos.
2. Proteger a todas las instituciones democráticas para garantizar estructuras sistémicas transparentes, fuertes, eficientes y ágiles, de modo que siempre estén al servicio de la persona humana y sus derechos.
3. Garantizar que todos los servidores públicos, sea cual fuere su rango o atribuciones, actúen conforme a la Ley y el mandato establecido por la Constitución.

4.   Que los servidores públicos, sea cual fuere su rango o atribuciones sea elegido o escogido teniendo en cuenta su probidad, competencia, diligencia.

El poder judicial debe garantizar para todos los siguientes derechos:
- Derecho a la igualdad de todos ante la ley
- Derecho a la presunción de la inocencia
- Derecho a la representación legal
- Derecho a un juicio justo o debido proceso.

Tribunal de Cuentas
Cf. Ley No. 4, Ley del Tribunal de Cuentas.

- Será una institución elegida por el Congreso, pero tendrá absoluta independencia funcional y administrativa en el desempeño de sus labores respecto a cualquier organismo público.
- Controlará las cuentas del Estado y de los funcionarios antes y después de entrar al servicio, con el fin de combatir la corrupción.
- Denunciará y pondrá a consideración de los tribunales de justicia las violaciones detectadas.
- Sus decisiones solamente se encuentran sometidas a la Constitución Política, a tratados o convenios internacionales y a la ley.
- Rendirá cuentas al plenario del Congreso una vez al año.

Defensor del Pueblo
Cf. Ley No. 5, Ley del Defensor del Pueblo y los DD.HH.

- Será constituido por elección parlamentaria, por consenso o con mayoría cualificada y tras debate público sobre la figura del candidato, este rendirá cuentas al parlamento y será independiente de los demás poderes.
- Sus recomendaciones serán atendidas por los poderes públicos.
- Tendrán acceso a presentar acciones a la Tribunal Supremo.

3.4. Parte de modificación de la Constitución. Parte transitoria

Parte Dogmática

La Constitución de la República de Cuba no podrá ser reformada en su parte dogmática para restringir o coartar ninguno de los derechos constitucionales. Solo podría estar sujeta a reformas parciales para consagrar nuevos Derechos Humanos y en lo que concierne a Derechos Internacionales, económicos y medio ambientales.

Parte Orgánica

La Constitución de la República de Cuba podría estar sujeta a reformas parciales en lo que concierne al Poder Judicial, para que este gane en independencia del Poder Ejecutivo, siendo el Legislativo el que más fuerza legal tenga sobre él. No será permitida ninguna reforma concerniente al Poder Ejecutivo que permitiera, ni favoreciera, ni en el presente, ni en el futuro, la perpetuación en el poder ni el autoritarismo del ejecutivo.

Pasos para un tránsito constitucional

- La Constitución debe contener leyes que promuevan y faciliten los referéndums o consultas populares para la modificación parcial o total de las leyes.
- La nueva Constitución debe contener preceptos que legitimen y consagren estas acciones.
- Convocar a una nueva Asamblea Constituyente, teniendo en cuenta la tradición cubana. Seleccionar a los delegados constituyentes por elección general ciudadana.
- Se propone que una reforma parcial de cada parte de la Constitución:

—*Reforma parcial de la parte dogmática:* una mayoría calificada: pueden ser las 2/3 partes o las 3/4 partes del Congreso Nacional.

—*Reforma parcial de la parte orgánica:* cualquier propuesta debe ser sometida a referéndum.

—*Reforma parcial de la reforma constitucional:* cualquier propuesta debe ser sometida a referéndum.

—*Reforma total:* cualquier propuesta debe ser sometida a referéndum.

(Aporte del Dr. René Gómez Manzano tomado de su libro Constitucionalismo y cambio democrático en Cuba*).*

Cláusula de Reforma

«Por último, debe prestarse especial atención a la cláusula de reforma. La inestabilidad institucional que ha padecido históricamente la América Latina ha sido el caldo de cultivo que en los últimos tiempos han aprovechado los demagogos populistas de toda laya para cambiar a su gusto las reglas del juego democrático y confeccionar una nueva carta magna «a la orden», en la que indefectiblemente se recogen la reelección inmediata del presidente de turno y la «renovación» de los poderes del Estado.

Parece evidente que un objetivo de los redactores de la Constitución de la Cuba de mañana debe ser el de evitar que algún dirigente futuro, para aumentar su poder y perpetuarse en él.

Claro que es necesario que una generación cualquiera tenga la posibilidad de modificar la carta magna elaborada por otra anterior, pero esto debe hacerse con mesura y por razones de peso; no para satisfacer las apetencias de un dirigente o un partido. Sobre todo, deben eliminarse los incentivos para que un aventurero cualquiera, so pretexto de «dejar hablar al pueblo soberano» o «refundar la Nación», y amparándose en una mayoría más o menos pasajera, pretenda hacer tabula rasa con todo lo anterior y confeccionarse una superley a la medida. Para ello debe hacerse una distinción entre las reformas parciales, que son el instrumento adecuado para el paulatino perfeccionamiento de la institucionalidad vigente, y la reforma total.

En el caso de esta última, un aspecto a valorar sería el establecimiento de una regla poco compleja: para iniciar un proceso de esa clase sería necesario que dos congresos consecutivos (antes y después de su renovación en elecciones generales), por mayoría cualificada en ambos casos y con la aprobación de los respectivos presidentes de la República, expresen su conformidad con la realización de la reforma total. Como quiera que los procesos vitandos de este tipo suelen iniciarse para satisfacer los apetitos del mandón de turno, es de presumir que la perspectiva de que en definitiva la reelección que se autorice sea no la del presidente que esté en funciones al comenzar ese proceso, sino la de su sucesor, debe desalentar el infundado lanzamiento de iniciativas de ese tipo.

También debe determinarse que las decisiones que adopte la Convención Constituyente tengan efecto únicamente para lo futuro, una vez que entre plenamente en vigor la nueva ley fundamental. Por consiguiente, no debe darse margen a que ese cuerpo deliberativo pretenda destituir a los integrantes de los poderes constituidos o reducir sus períodos de mandato. Un método válido para alcanzar esos fines sería que en la propia Constitución vigente aparezca redactada la pregunta que deberá ser sometida al electorado cuando se pretenda iniciar el proceso para hacer una reforma total de la misma. Lógicamente, de los términos de esa pregunta debe quedar claro que las facultades de dicha convención se reducirían a modificar integralmente la carta magna vigente o redactar una sustancialmente nueva, pero sin interferir con la actividad de los poderes constituidos.

En el caso de las reformas parciales, la posibilidad de manipulaciones injustificadas pudiera quedar cerrada estableciendo la regla de que cualquier enmienda del texto constitucional encaminada a autorizar una reelección prohibida, a cambiar la duración de un mandato —ya sea para prorrogarla, ya sea para reducirla— o a modificar las facultades de un determinado órgano del Estado, la Provincia o el Municipio, solo surtirá efectos a partir de la toma de posesión de los sucesores de quienes ocupen los cargos correspondientes al momento de ser aprobada la reforma.

Desde luego, que un elemento determinante en una reforma supralegal cualquiera debe ser su aprobación por el pueblo, depositario original del poder constituyente; y esa aprobación no debe ser por mayoría simple.

Parece razonable que una decisión de tanta envergadura como la modificación general de un texto supralegal no solo deba ser objeto de al menos una consulta a la ciudadanía, sino que la aprobación de esta última sea no por mayoría simple de los que acudan a votar, sino por mayoría absoluta —o incluso cualificada— de los electores inscritos».

2. PROPUESTAS DE 45 LEYES COMPLEMENTARIAS PARA UN NUEVO MARCO JURÍDICO EN CUBA

2.1. Leyes orgánicas y estructurales

1.   Ley del Poder Legislativo

Esta ley tiene como objetivo implementar y normar lo establecido en la nueva Constitución de la República, con respecto al Poder Legislativo y su composición en dos cámaras. Tiene su antecedente en la Ley Orgánica. Valorar el antecedente que existe en Cuba con la Ley Orgánica del Poder legislativo (vigente hasta 1958). Esta ley garantizará, a su vez, en lo que respecta el parlamento, la debida independencia y mutuo control de los poderes del Estado cubano en un sistema semiparlamentario o parlamentario, no presidencialista.

Otros objetivos son:

1.   Que los que ejercen el Poder Legislativo de la Nación lo hagan bajo el principio del respeto irrestricto de la dignidad plena de toda persona humana y la defensa y promoción de todos sus Derechos Humanos.

2.   Determinar los aspectos concretos del modo de elección de los parlamentarios.

3.   Regular detalladamente la función del Poder Legislativo en un sistema semiparlamentario o parlamentario.

4. Consignar las atribuciones y facultades de los parlamentarios. Libertad de expresión dentro del Parlamento.

5. Establecer las garantías de las que deben gozar los legisladores para ejercer su actividad adecuadamente.

Disposiciones generales:

1. Regulación detallada sobre la elección de los parlamentarios.
2. Atribuciones de los parlamentarios.
3. Garantías de los parlamentarios en el ejercicio de sus funciones (libertad de opinión, inviolabilidad parlamentaria e inmunidad parlamentaria).
4. Salarios y gastos de parlamentarios.
5. Comisiones parlamentarias únicas en el caso de que sea bicameral para simplificar el proceso legislativo.
6. Forma y modos en que el Parlamento controla al Gobierno (rendición de cuentas, interpelaciones a ministros, mociones de confianza, Informe Anual a la Nación, entre otros).
7. Desarrollo de la iniciativa legislativa (cómo se proponen y acuerdan las leyes).
8. Ley del Presupuesto Nacional.
9. Potestad de hacer juicio político al Presidente de la República.
10. Elección o ratificación del Tribunal Supremo.
11. Elección del Defensor del Pueblo.
12. Elección del Tribunal de Cuentas.
13. Esta Ley creará o modificará las estructuras y modo de financiamiento necesarios para implementar lo establecido en esta Ley.

2. Ley del Poder Ejecutivo

Esta ley tiene como objetivo implementar y normar lo que establece la nueva Constitución de la República sobre el funcionamiento eficiente, transparente y democrático del poder ejecutivo de la Nación en un sistema semiparlamentario con la figura del Primer Ministro y garantizará la independencia y mutuo control de los tres poderes del Estado cubano.

Otros objetivos son:

1. Que los que ejercen el Poder Ejecutivo de la Nación lo hagan bajo el principio del respeto irrestricto de la dignidad plena de toda persona humana y la defensa y promoción de todos sus Derechos Humanos.

2. Garantizar la dirección y administración legal y eficientemente por parte del presidente, el primer ministro, asistido por el consejo de ministros.

3. Cumplir y hacer cumplir la constitución y las leyes.

4. Establecer las formas de cumplir lo que establece la nueva Constitución sobre:

- nacionalidad
- edad para ser elegido
- duración del mandato
- número de períodos del mandato
- inmunidad
- jubilación y salarios
- prerrogativas
- revocabilidad
- método de nombramiento del primer ministro y del gabinete
- prerrogativas excepcionales en tiempos de guerra y desastres
- reglamento de protocolos
- funcionamiento de la Casa Presidencial
- funciones de la Primera Dama o Caballero
- funciones del Vocero de la Casa Presidencial y el uso presidencial de las TICs y los MCS

5. Crear o modificar las estructuras y modo de financiamiento necesarios para implementar lo establecido en esta Ley.

3. Ley del Poder Judicial

Objetivos:

1. Implementar y normar lo que establece la nueva Constitución de la República sobre el funcionamiento eficiente, transparente y democrático del poder judicial.

2. Que los que ejercen el Poder Judicial de la Nación lo hagan bajo el principio del respeto irrestricto de la dignidad plena de toda persona humana y la defensa y promoción de todos sus Derecho Humanos.

3. Esta ley garantizará, en lo que respecta al poder judicial y los tribunales de justicia, la debida independencia y mutuo control de los poderes del Estado cubano.

4. La ley regulará la estructura, funcionamiento y financiamiento de los Tribunales de Justicia Municipales, Provinciales y las del Tribunal Supremo.

5. La ley establecerá la obligación de jueces, fiscales, abogados de la defensa, testigos, personal administrativo de los Tribunales, peritos y otros implicados en el sistema de administración de justicia, de actuar con honradez, transparencia, agilidad, imparcialidad, independencia de los demás poderes y de intereses ajenos a la verdad y a la justicia.

6. La ley establecerá las sanciones administrativas y penales que correspondan para cada uno de los casos de violación del Código de Ética de los miembros del Poder Judicial, de la incurrencia en parcialidad, corrupción, morosidad, tráfico de influencias, ocultación de la verdad y otros delitos.

7. La ley garantizará el deber del Poder Judicial y de los demás Poderes del Estado, de las instituciones, empresas y particulares, de proteger a los ciudadanos y a las instituciones democráticas de la Nación.

8. La ley garantizará que todos los poderes actúen conforme a la Ley y el mandato establecido por la Constitución. Entre ellos los siguientes derechos:

- derecho a la igualdad de todos ante la ley.
- derecho a la presunción de la inocencia.
- derecho a un procedimiento penal imparcial, justo y transparente.
- derecho a la representación legal.
- derecho a un juicio justo.

9. La ley garantizará la autonomía y el ejercicio de la jurisprudencia sin obstrucción de la justicia ni influencia de ajenos.

10. Esta ley creará o modificará las estructuras y modo de financiamiento necesarios para implementar lo establecido en esta Ley.

4. Ley del Tribunal de Cuentas

Objetivos:

1. Fiscalizar los ingresos y gastos del Estado, la Provincia y el Municipio, y de las organizaciones autónomas nacidas al amparo de la Ley que reciban sus ingresos, directa o indirectamente, a través del Estado.

2. Garantizar la total transparencia de las cuentas del Estado, así como las de sus servidores públicos durante el período en que desempeñan sus funciones; para ello exigirá de cada funcionario público una declaración de cuentas e ingresos al comenzar y al terminar su servicio y en cualquier momento que lo crea necesario.

Algunos contenidos:

1. El Tribunal de Cuentas exigirá la publicación en internet de los presupuestos, ingresos y gastos de todos los organismos del Estado

fiscalizando su veracidad y honestidad. Fiscalizará privadamente aquellos datos que constituyan secreto estatal declarados y aprobados como tales por la autoridad competente.

2. Adecuada aplicación de los presupuestos del Estado, la Provincia y el Municipio y de los organismos autónomos que reciban sus ingresos directa o indirectamente a través del Estado, examinando y fiscalizando la contabilidad de todos ellos. Ninguna autoridad pública podrá modificar la Ley de Presupuesto y sus partidas sin una aprobación explícita del Parlamento.

3. Conocimiento de la situación de los fondos del presupuesto, de manera que se cumplan las disposiciones de la Ley de Bases y que se tramiten sin preferencias ni pretericiones.

4. Inspección de los gastos y desembolsos del Estado, la Provincia y el Municipio.

5. Petición de informes a todos los organismos y dependencias sujetos a su fiscalización y nombrar delegado especial para practicar las correspondientes investigaciones cuando los datos no sean suministrados, o cuando estos se estimen deficientes.

6. Trabaja para evitar la corrupción estatal, la desviación o malversación del erario público, la evasión fiscal, y para ello establece y requiere de organismos del Estado u ONGs de la sociedad civil que reciban fondos del Estado, una rendición de cuentas cuando sea necesario.

7. El Tribunal del Cuentas es elegido y aprobado por el Parlamento. Sus gastos institucionales salen en la Ley de Presupuesto. Solo rinde cuentas al Parlamento, al Tribunal Supremo de Justicia y al Presidente de la República.

8. Para redactar esta Ley se debe tener en cuenta lo que la Constitución de 1940 estableció al efecto.

5. Ley del Defensor del Pueblo y los DD.HH.
   (Aporte de Dagoberto Valdés al II Encuentro del CEC, en honor a Don Joaquín Ruiz-Giménez, primer Defensor del Pueblo de España).

Objetivos:

1. Crear la institución llamada Defensor del Pueblo, inspirada en el *Ombudsman* de origen sueco, que tiene como misión la salvaguarda de la inviolable dignidad de toda persona humana y de todos los Derechos Humanos Universales, Inalienables e Indivisibles, contenidos en la Declaración Universal de DD.HH. de la ONU, el 10 de diciembre de 1948, de la que Cuba fue redactora, promotora y firmante, siendo el embajador de Cuba, Sr. Guy

Pérez Cisneros, quien tuviera a su cargo la lectura de la Declaración en la Asamblea Plenaria para someterla a la consideración y votación de la ONU.

2. Promover la defensa de todos los Derechos Humanos para todos los cubanos sin excepción, y trabajar para que el Pacto Internacional de Derechos Civiles y Políticos y el Pacto Internacional de Derechos Económicos, Sociales y Culturales, firmados y ratificados por Cuba, sean consagrados por la Constitución de la República de Cuba, aplicados en las leyes ordinarias y respetados en la vida cotidiana de cada ciudadano cubano.

3. Promover una educación y divulgación de todos los Derechos Humanos, incluida la Declaración de los Derechos del Niño, de la Familia y de la Naturaleza o Medio Ambiente, en todos los niveles de enseñanza, pública y privada; en los Medios de Comunicación Social, públicos y privados; y en las instituciones cívicas, culturales y religiosas.

Estructuras de la institución Defensor del Pueblo

1. El Defensor del Pueblo, es una institución unipersonal e independiente, con una estructura auxiliar adecuada al volumen y proyección de su misión. En esa estructura debe haber: un director(a) de asuntos jurídicos, un director(a) de educación y divulgación de los DD.HH. y un director(a) de relaciones con las instituciones del Estado. Puede tener otros responsables necesarios para el buen funcionamiento, la adecuada atención al ciudadano y la agilidad de su gestión. Todos los directivos y funcionarios de la institución Defensor del Pueblo están sujetos al cumplimiento de la ley y de los deberes inherentes a su responsabilidad. En caso de cometer algún delito, ceder a presiones, tráfico de influencias, corrupción, será juzgado por tribunal competente, con agravante, por razones de su cargo en el Defensor del Pueblo.

2. El Director(a) de Asuntos Jurídicos, tiene como misión recibir, gestionar y responder a todas las demandas de violaciones de DD.HH. que fueren presentadas por los ciudadanos individuales o por organizaciones no gubernamentales de la sociedad civil. Tendrá a su cargo juristas y otros especialistas (psicólogos, psiquiatras, forenses, sociólogos, etc.) con la debida probidad, independencia, agilidad y competencia para cumplir con su triple misión sin dilaciones, sin corrupción, ni tráfico de influencias.

3. El Director(a) de Educación y Divulgación de los DD.HH., tiene como misión promover por vías independientes y con medios propios, una educación integral, universal y sistemática sobre todos los DD.HH., los Pactos Internacionales, las Instituciones de Defensa de Derechos Humanos locales, regionales y universales. Promoverá y apoyará otras iniciativas de educación

ética y cívica que organice la sociedad civil. Será responsable de producir, apoyar o financiar medios audiovisuales que contribuyan a la divulgación y educación comunitaria de DD.HH. en Televisión, Radio, Prensa escrita, así como en las Tecnologías de la Informática y las comunicaciones (TICs), Redes Sociales y cuantos medios estén a su alcance. Promoverá un Concurso Anual para fomentar, premiar, financiar y divulgar obras de cubanos y cubanas sobre DD.HH. en cualquiera de estos formatos u otros. Introducirá en el país bibliografía, obras audiovisuales, cursos, y otros medios que contribuyan a la educación y divulgación de todos los DD.HH. Puede otorgar un Premio Anual del Defensor del Pueblo a personas u organizaciones que hayan desarrollado un trabajo eminente y sistemático en el campo de los DD.HH.

4. El Director(a) de Relaciones Públicas con Instituciones y con el Estado, tiene como misión las relaciones de la institución Defensor del Pueblo con todas las instituciones del Estado cubano y con otras instituciones similares al Defensor del Pueblo en otros países, en organizaciones regionales e internacionales y en el sistema de Naciones Unidas. Apoyará a las otras dos Direcciones en sus gestiones con los órganos del Estado y con instituciones y organismos regionales e internacionales de DD.HH. Auxiliará al Defensor del Pueblo en sus relaciones permanentes con los órganos del Estado y con instituciones y organismos regionales e internacionales de DD.HH. Lo podrá representar en todas esas instancias cuando el Defensor del Pueblo no pueda hacerlo personalmente o podrá acompañarlo y asistirlo en sus funciones de relaciones públicas.

Requisitos para ser elegido Defensor del Pueblo

1. El Defensor del Pueblo es un ciudadano(a) de nacionalidad cubana, mayor de 50 años, con la probidad, vocación, formación suficientes para cumplir sus funciones y una larga y probada experiencia en el desempeño judicial.

2. El Defensor del Pueblo es elegido por un término de 6 años, reelegible una sola vez, preferentemente por consenso, o por mayoría calificada de tres quintos más uno, del Pleno del Congreso Nacional. Y solo podrá ser revocado por la misma proporción que lo eligió más uno, del pleno del Congreso Nacional, cuando sea acusado de violar cualquiera de sus deberes constitucionales, pierda su probidad y transparencia, se compruebe parcialidad política, o ceda a presiones, tráfico de influencias, soborno o chantaje u otro delito contra la Constitución y las leyes.

3. El Defensor del Pueblo es incompatible con cualquier otra variante de mandato representativo, cargo político o actividad de propaganda

partidaria, con la permanencia en servicio activo en la administración pública, con la afiliación a un partido o con el ejercicio de funciones directivas en un partido, sindicato, asociación o fundación, o empleo en los mismos, con la práctica de las carreras judicial o fiscal y con cualquier actividad profesional y liberal, mercantil o laboral.

4. Los candidatos a Defensor del Pueblo pueden ser presentados por cualquiera de los congresistas (senadores y representantes), por organizaciones no gubernamentales de la sociedad civil, o por cualquier ciudadano con tal que reúna diez mil firmas válidas de ciudadanos en plenitud de sus derechos civiles y políticos.

Prerrogativas y deberes del Defensor del Pueblo

1. El Defensor del Pueblo, y su sede, goza de total inviolabilidad y, por supuesto, no está sujeto a ningún mandato imperativo ni recibe instrucciones de ninguna autoridad. Asimismo no puede ser detenido, procesado o perseguido por opiniones o actos realizados en el cumplimiento de su función y tiene inmunidad, salvo en caso de flagrante delito.

2. El Defensor del Pueblo, es una institución nacional pero pudiera tener un representante u oficina en cada provincia para, cumplir a su nivel, y actuar en representación de, el Defensor del Pueblo. Sus principales funciones son la supervisión de los actos y resoluciones de la administración pública y de sus agentes, y cuya actuación está encaminada a comprobar si se han respetado los derechos proclamados en cada constitución o si la administración sirve con objetividad a los intereses generales y actúa de acuerdo con los principios que, de acuerdo con la ley y el Derecho, deben guiar toda su acción.

3. Los documentos presentados por los ciudadanos ante el Defensor del Pueblo no pueden ser objeto de censura por persona natural o jurídica, ni por institución alguna, aún cuando se hagan desde un centro de detención, internamiento o custodia de personas. Toda autoridad estatal, policial, penitenciaria, del orden interior, u otra cualquiera que sea su función incurre en delito, penado por esta Ley del Defensor del Pueblo si censura, mutila, obstruye o no agiliza una denuncia que cualquier ciudadano desee entregar, enviar y presentar, por cualquier medio, sea cual fuere la causa, situación o proceso en que se encuentre.

4. El Defensor del Pueblo, podrá ejercer representación legal a todos los efectos, en su persona o en la persona de uno de sus colaboradores, ante todos los tribunales de la Nación, incluidos el Tribunal Supremo y el Tribunal de Cuentas.

5. Todas las instituciones estatales y los organismos de la administración pública, están obligados a atender, comparecer y responder

adecuadamente a los reclamos y denuncias del Defensor del Pueblo. Ocultar, entorpecer o negarse a proveer de información veraz o respuesta justa a los requerimientos del Defensor del Pueblo, es penado por esta Ley.

6. El Defensor del Pueblo rendirá cuentas de su misión ante el pleno del Congreso Nacional que lo eligió una vez al año en fecha que el presidente del Senado establezca.

7. Las actuaciones del Defensor del Pueblo son por completo gratuitas para todos los ciudadanos. El parlamento proveerá la financiación de la institución Defensor del Pueblo en la Ley del Presupuesto anual de forma independiente y suficiente.

8. Esta Ley creará o modificará las estructuras y modo de financiamiento necesarios para implementar lo establecido en esta Ley.

9. Para redactar esta Ley se deben tener en cuenta la Ley del Defensor del Pueblo de la Unión Europea y la de España.

6. Ley de los Municipios: Descentralización y Desarrollo Local

Objetivos:

1. Establecer el proceso y la forma para la descentralización de la gestión estatal y de los servicios, así como de la convivencia cívica.

2. Lograr la necesaria y suficiente autonomía económica, política y social de cada municipio sin perder la unidad nacional ni la integración internacional.

3. Municipalización de todos los poderes y funciones. Legalizar las diversas formas de propiedad.

4. Garantizar el derecho a invertir y tener oportunidades de negocios a los ciudadanos cubanos de dentro y fuera de la Isla y estimular las inversiones locales.

5. Establecer el libre mercado entre nacionales e inversionistas extranjeros a nivel municipal.

6. Favorecer la toma de decisiones a nivel local con plena autonomía.

7. Reconocer el derecho de los municipios a participar en la elaboración de las estrategias de desarrollo.

Algunos contenidos:

1. Participación de la sociedad civil en la ejecución y evaluación de las estrategias y el control de ingresos y del presupuesto local. Ejecución de presupuestos al nivel municipal.

2. Que los estados financieros de las empresas y el Estado sean públicos y auditables.

3. El Estado central no recauda impuestos, solo fiscaliza la recaudación, la transparencia y la ejecución de todos los presupuestos públicos.

4. Las oficinas municipales son las que recaudan y distribuyen el presupuesto. Una distribución pudiera ser así: 50% se queda en el municipio. 50% sube a la Provincia. De lo que recoge la provincia 50% va a la Nación.

5. La provincia velará por el balance en el desarrollo de sus municipios según su capacidad recaudatoria y podrá subsidiar por un tiempo y favorecer inversiones locales para terminar el subsidio.

7. Código Civil

El objetivo fundamental de un nuevo Código Civil en Cuba es:

1. Contribuir a la edificación de una auténtica convivencia ciudadana, fundamentada sobre:

a. El reconocimiento de la dignidad plena de toda persona humana.

b. La garantía y viabilidad de todos los Derechos Humanos para todos.

c. El derecho a la unidad y estabilidad de la familia.

d. El derecho a la propiedad, la herencia y el respeto a los contratos.

e. El derecho a la estabilidad de las instituciones democráticas.

f. El derecho a la cohesión y el orden social, a la felicidad y a la paz.

g. La regulación del contrato social: Relaciones entre ciudadanos y de estos con la comunidad y las instituciones.

h. El resarcimiento de daños, perjuicios, chantaje, extorsión, amenaza, acoso, y cualquier otra lesión a la integridad personal, los derechos humanos, los deberes ciudadanos y la convivencia fraterna y pacífica.

i. Regulará el divorcio, la separación de bienes, las herencias, el matrimonio civil y la unión jurídica entre personas del mismo sexo.

j. Tendrá como parte constituyente o como ley complementaria una Ley de Patrimonio, Registros y Archivos.

k. Creará o modificará las estructuras y modo de financiamiento necesarios para implementar lo establecido en esta Ley.

8. Código Penal

Objetivos:

1. Proteger a la sociedad, a las personas, al orden social, económico y político y al sector estatal, privado y cooperativo.

2. Salvaguardar las diferentes formas de propiedad reconocida en la Constitución y las leyes.

3. Promover la cabal salvaguardia la dignidad de toda persona humana y todos sus DD.HH.

4. Hacer corresponder las sanciones con la peligrosidad social de cada delito.

5. Eliminar definitiva y absolutamente la pena de muerte.

6. Respetar los derechos humanos de los reclusos.

7. Eliminar las disposiciones que tipifican como delitos conductas que no son punibles. Ejemplo: el sacrificio de ganado mayor y otros.

8. Garantizar que todas las penas sean cumplidas efectivamente.

9. Prevenir y condenar la violencia contra la mujer y abusos a menores, incluyendo la violencia sexual.

10. Reconocer el:
- derecho a la proporcionalidad entre el delito y la sanción.
- derecho a la vida (ley que prohíbe la pena de muerte).
- derecho de hacer justicia, y que los criminales paguen por los daños ocasionados.
- derecho a cumplir condenas que respeten la dignidad de la persona.
- derecho a la integridad física, psicológica y sexual de las personas.
- derecho a la protección y promoción de las familias (leyes que hagan valer los derechos de las mujeres y los niños).

9. Ley de Procedimiento Penal

Como es lógico, esta ley debe tener correspondencia con el Código Penal o formar parte de él y debe salvaguardar la dignidad de los procesados y todos sus DD.HH.

Objetivos:

1. Establecer y garantizar los procedimientos legales que salvaguarden todos los derechos humanos, libertades y garantías de los procesados.

2. Garantizar la presunción de inocencia de la persona mientras no se pruebe lo contrario, tanto en el desarrollo del proceso policial, judicial o en los Medios de comunicación Social y las TICs.

3. Cumplir estrictamente los tiempos establecidos por la ley para cada uno de los trámites a los que será sometida la persona detenida.

4. Garantizar el derecho de *habeas corpus*.

5. Establecer los términos de todos los procesos.

6. Contribuir a la rehabilitación y a la total reinserción del individuo en la sociedad al extinguir su condena e incluso parcialmente durante la pena, si el caso y la rehabilitación personal lo permite y aconseja.

7. Establecer las fianzas, la libertad condicional, las medidas cautelares, las apelaciones, las amnistías y las condonaciones de penas o cambio de medidas punitivas.

8. Establecer las penas administrativas y judiciales contra todo funcionario público que entorpezca el debido proceso, que ceda ante el chantaje, la corrupción, o cualquier otro método de presión, acoso o tráfico de influencia.

9. A la hora de ejecutar una sentencia, toda persona tiene derecho a que se respete su dignidad.

10. Definir las garantías mínimas de las que debe disfrutar todo acusado, por ejemplo, defensa, información transparente, apelación, etc.

11. Garantizar asistencia jurídica gratuita a los acusados. Los jueces deciden con imparcialidad, sin condiciones de tipo alguno.

12. Reconocer los siguientes derechos:

- Que todo ciudadano tenga derecho a la defensa y a la representación jurídica ante las transgresiones de conductas punibles. Que sea representado por un abogado personal o público desde el inicio del proceso de investigación e instrucción.
- Que todos los ciudadanos tengan derecho al debido proceso, y que este sea limpio y transparente que no responda a intereses espurios, ni estatales.
- Derecho del detenido a ser tratado con dignidad, en condiciones mínimas garantizadas (sin tortura física o sicológica, ni tratos inhumanos o degradantes y de irrespeto a la persona).
- Derecho de resarcimiento de los daños morales, físicos y económicos (indemnizaciones por daños y perjuicios).
- Derecho a no ser juzgado por hecho que en el momento que se cometieron no eran delitos según la legislación vigente.
- Garantizar que las personas que estén siendo juzgadas tengan derecho a una adecuada defensa que posibilite decisiones justas.
- Toda persona tiene derecho a exigir justicia ante un tribunal cuando hayan sido violados algunos de sus derechos por las autoridades.

10. Ley de Patrimonio, Registros y Archivos

La Ley de Patrimonio, Registros y Archivos puede formar parte del Código Civil o ser complementario al mismo.

Objetivos:

1. Normar y ordenar los procedimientos relativos al funcionamiento y conservación de Patrimonios, Registros y Archivos.
2. Garantizar el derecho al patrimonio personal y familiar.
3. Garantizar la privacidad personal y familiar, el derecho a la fama, y prohibir el uso público o privado de archivos y datos personales o familiares sin autorización de los implicados u orden judicial expresa y restringida al uso en tribunales con el debido secreto si fuere lesiva de la reputación o la fama.
4. Ningún dato o archivo personal podrá ser entregado a los medios de comunicación sin autorización del implicado. Filtrarlos es punible judicial y administrativamente, por esta ley.
5. Garantizar el derecho al patrimonio de instituciones, asociaciones y empresas y su forma de liquidarlo.
6. Garantizar el derecho de la Nación, representada en el parlamento, asesorado por una Comisión ad hoc, de declarar patrimonio nacional, monumento local o nacional, reservas naturales, y otras categorías aprobadas a propiedades muebles e inmuebles, a recursos naturales, lugares históricos, culturales, religiosos, y otros entes tangibles o intangibles que pertenezcan al conjunto de la Nación cubana y que deban ser preservados, conservados y puestos al servicio, disfrute o contemplación de nacionales y extranjeros como parte del alma y el cuerpo de la Nación cubana.
7. Establecer un Sistema Único de Registros (SUR) digitalizado y transparente, siempre que no y viole el derecho a la privacidad personal y familiar, y que facilite todos los trámites civiles y penales, por la llamada «ventanilla única», es decir, un solo lugar donde el ciudadano pueda recibir todos los servicios de registro civil y otros registros.
8. Establecer un Sistema de Archivos Nacionales (SAN) que tendrá como misión: recopilar, conservar, digitalizar y regular el acceso de los ciudadanos a los archivos públicos de la Nación, Bibliotecas, etc.
9. Garantizar el acceso universal, libre o pagado, a la información y al disfrute de museos y monumentos nacionales, reservas naturales, al SUR y al SAN, reservando aquellos que puedan poner en peligro la seguridad nacional.
10. Garantizar el derecho de todo ciudadano a recibir servicios expeditos de trámites de documentos, así como a su restauración, subsanación, validación, legalización y certificación de documentos e información, ya sea de forma digital o en soporte de papel u otros.
11. Establecer un régimen de desclasificación de archivos, plazos de caducidad de la clasificación y forma de preservar la identidad, la intimidad y

la honra de personas nombradas en dichos documentos desclasificados y no relacionadas con el motivo de la clasificación, observando los siguientes derechos:

a) El ciudadano inocente, o no relacionado con el motivo de clasificación del documento, tiene derecho a preservar su identidad, intimidad y honra, exigiendo que su nombre o información personal sea tachado de los documentos desclasificados.

b) El Estado cubano tiene derecho a tachar información que considere todavía sensible en los documentos desclasificados, esto solo podrá realizarse bajo autorización de la autoridad competente.

10. Crear o modificar las estructuras y modo de financiamiento necesarios para implementar lo establecido en esta Ley.

11. Ley de la Defensa y el Orden Interior

Todas las instituciones de Ministerio de Defensa y del Ministerio de Orden Interior ejercen su servicio a la Nación bajo el principio del respeto irrestricto de la dignidad plena de toda persona humana, la defensa y promoción de todos sus Derechos Humanos, el carácter constitucional, no gubernamental ni partidista, la defensa del Estado de Derecho y del sistema democrático, establecidos en la Constitución de la República de Cuba.

Objetivos:

1. Garantizar la soberanía ciudadana y territorial de la República de Cuba, así como la independencia de la nación.

2. Garantizar la paz interior, regional e internacional dentro del respeto a los Derechos Humanos y al Derecho Internacional.

3. Garantizará el orden, la estabilidad y la convivencia civilizada entre todos los cubanos dentro del respeto a todos los Derechos Humanos.

4. Establecer la abolición del Servicio Militar Obligatorio y regular la forma de un Servicio Militar Voluntario.

5. Respetar el derecho de todos los ciudadanos a la objeción de conciencia para usar las armas o pertenecer a instituciones armadas, incluso en tiempos de guerra, dándoles la opción, en este caso, a prestar un servicio civil de aseguramiento, sanidad, comunicaciones, servicios comunitarios asistenciales, etc.

6. Disminuir drásticamente los efectivos, medios y recursos del Ministerio de las Fuerzas Armadas y el Ministerio del Interior.

7. Garantizar un proceso digno de reubicación justa de los miembros de ambos ministerios que queden disponibles como consecuencia de esta disminución de personal y recursos.

8. Establecer un reglamento u ordenanza para que los miembros disponibles de la reducción de ambos ministerios, tengan derecho a:

a) jubilación con todos sus derechos,

b) ser reubicados conservando un salario promedio adecuado al devengado, incluso si su nuevo empleo se correspondiera con uno menor, y

c) tengan prioridad para integrar empresas de seguridad civil, empresarial, custodios, guardabosques, guarda fronteras, lucha contra la droga, la Defensa Civil, y otros afines a su preparación y entrenamiento, etc.

9. Regular el funcionamiento de las Fuerzas Armadas, del Orden Interior y la Defensa Civil.

10. Establecer el procedimiento correspondiente para decretar los estados de emergencia por desastres naturales, los casos de peligro para la seguridad y del orden interior.

11. Establecer que los órganos armados tienen carácter constitucional y por tanto no podrán tener parcialidad política ni partidista. Las Fuerzas de Defensa y el Ministerio del Interior están obligados, por ley, a la neutralidad política. Deberán ser dirigidos por ministros civiles, defensores del Estado de Derecho, los DD.HH. y que gocen de gran prestigio ético y autoridad moral.

12. Establecer las formas de cooperación internacional en asuntos referentes al terrorismo, tráfico de drogas, la trata de personas, el tráfico de armas, el lavado de dinero, desastres naturales y defensa de los DD.HH.

13. Establecer la defensa en el campo de la ciberguerra.

14. Establecer los medios para sostener Escuelas de Orden Interior, Academias Militares o de Defensa Civil para formar a quienes opten por ser militares de carrera de alto nivel profesional, humanista, cívico y pacífico.

15. Disminuir la partida de gastos militares en el Presupuesto Nacional, que se destinará a cubrir gastos de seguridad social, incluidos educación, salud, alimentación y servicios comunitarios.

12. Ley de Relaciones Exteriores e Integración Internacional

1. La Ley de Relaciones Exteriores e Integración Internacional de Cuba se guía por la visión humanista, solidaria y con vocación universal, de que en la diplomacia moderna hay tres interrelaciones mutuamente indispensables y enriquecedoras:

- Las relaciones entre los Estados.
- Las relaciones entre los pueblos.
- Las relaciones democráticas de los Estados con sus propios pueblos, con la sociedad civil de las demás naciones y la concertación de estas relaciones democráticas en el concierto internacional.

La disfunción en una sola de esta especie de «trinidad diplomática» es y será la verdadera causa de los conflictos entre Estados y de estos con sus pueblos. Es de necesidad insoslayable que coloquemos el presente y el futuro de Cuba en esta visión holística a la que corresponde esta «trinidad de relaciones».

2. La política general del Estado cubano en cuanto a sus Relaciones Exteriores se basará en la visión antes descrita que se expresa en estos cinco principios:

2.1) Respeto irrestricto, prioritario y universal de la dignidad plena de toda persona humana, de todos los Derechos Humanos, del Estado de Derecho y del sistema democrático reconocido en la cultura occidental y por los organismos internacionales.

2.2) Las relaciones entre los Estados y entre las sociedades civiles, conocida como «política exterior pueblo a pueblo».

2.3) La cooperación internacional y la solidaridad con los países en vías de desarrollo y los que son víctimas de desastres naturales, desplazamientos por conflictos y otros.

2.4) La apertura económica, comercial y financiera, diversificada e integrada a organismos internacionales y regionales.

2.5) Cuba firmará la Carta Democrática Interamericana y se adherirá a todos los tratados y mecanismos regionales e internacionales que garanticen la defensa de los Derechos Humanos, el Estado de Derecho y el sistema democrático, ante amenazas internas o externas, de partidos, gobiernos y bloques espurios.

3. Las relaciones diplomáticas, de cooperación y comerciales respetuosas con todas las naciones, tendrán que buscar una diversificación y equilibro tal que no haga depender a Cuba de ninguna nación o bloque en particular.

4. Las relaciones exteriores de Cuba buscan hacerla partícipe en los todos los mecanismos existentes de integración tanto regional (OEA) así como globales (ONU y sus agencias, FMI, BM, BID, etc.) que sean democráticos y respeten todos los DD.HH.

5. Las relaciones exteriores de Cuba buscarán poner en práctica y salvaguardar legal y efectivamente, la ratificación del Pacto de Derechos Civiles y Políticos y del Pacto de Derechos Económicos, Sociales y Culturales de la ONU y demás Tratados Internacionales, así como que Cuba se integre, respalde y colabore con todos los mecanismos internacionales que promuevan, defiendan y eduquen en tales Derechos Humanos universales.

6. Las relaciones exteriores de Cuba trabajarán para llevar a la práctica diplomática cotidiana el compromiso prioritario del país con el respeto y la

defensa universal de todos los Derechos Humanos por encima de cualquier otro interés ideológico, político o económico, en sus relaciones con otras naciones y bloques regionales. Principio básico por el que deberá regirse la política exterior del Estado cubano: diferenciar las políticas de un gobierno de las políticas de Estado como esta, de la primacía de los DD.HH., que es independiente de la opción política del gobierno elegido. Las políticas de Estado no pueden ser violentadas por ningún partido en el gobierno.

7.   El Ministerio de Relaciones Exteriores de Cuba promoverá con otros en iniciativas parlamentarias, adecuar la legislación orgánica del Estado cubano a los pactos y tratados internacionales firmados y ratificados por Cuba.

8.   El Ministerio de Relaciones Exteriores de Cuba garantizará la no injerencia en los asuntos internos de cada país salvaguardando el carácter universal y prioritario de los Derechos Humanos y el recurso extremo de la intervención humanitaria para salvaguardar esos Derechos, especialmente el de la vida humana, bajo los propósitos de la Carta de las Naciones Unidas y previo acuerdo del Consejo de Seguridad de la ONU.

9.   Creará o modificará las estructuras y modo de financiamiento necesarios para implementar lo establecido en esta Ley. 2.2.

2.2. Leyes económicas

13.   Código del Trabajo

Este Código del Trabajo de la República de Cuba, se adecuará a los Convenios de la Organización Internacional del Trabajo (OIT), se inspirará en el primer Código de Trabajo elaborado por la Academia Católica de Estudios Sociales (1919) que fue presentado al Senado de la República de Cuba el 20 de julio de 1920 por el Rector de la Academia el Dr. Mariano Aramburo y se remitió una copia al Presidente de la Cámara de Representantes. (Cf. www.vitral.org Revista *Vitral* No. 35, enero-febrero. Año VI. 2000).

Objetivos:

1.   Reconocer y valorar al trabajo como dignificador de la vida.

2.   Reconocer la primacía de la persona sobre el trabajo y del trabajo sobre el capital.

3.   Propiciar un ambiente educativo que eduque para el trabajo humano, y para el conocimiento de los deberes y derechos de los trabajadores.

4. Establecer la igualdad de oportunidades y de derechos laborales sin distinción de género, origen étnico, religión, opción política u orientación sexual.

5. Normar el funcionamiento del mercado de trabajo.

6. Prohibir el empleo infantil.

7. Gestionar de manera eficiente y segura la protección de los más débiles e indefensos, ya que el mercado laboral es lo suficientemente flexible.

8. Satisfacer las necesidades de la sociedad, de las personas generando riqueza y prosperidad en la nación mediante el incremento del trabajo.

9. Proteger el derecho de los trabajadores de participar en la gestión de las empresas por medio de las organizaciones y de conformidad con la ley.

10. Eliminar la discriminación de los trabajadores por causa de su sexo, opción política, orientación sexual, religión, origen nacional, y toda otra forma de segregación humana.

11. Tener en cuenta todo lo sugerido en el Informe Final 1 sobre «Economía cubana a corto, mediano y largo plazo», subtema 3: Trabajo.

12. Crear un ambiente laboral que facilite la humanización del trabajo, fomente la productividad, eficiencia, la justicia laboral y la seguridad del trabajo y garantice los siguientes derechos:

- Derecho al empleo, a la seguridad y asistencia social en caso de accidentes laborales.
- Derecho a salarios adecuados al costo de la vida y a la protesta legal entre las injusticias sociales.
- Derecho al empleo, protección ante el desempleo, empleos indignos, empleo parcial.
- Derecho a límites de la jornada laboral y justo pago de las horas extras y festivos.
- Derecho a una adecuada seguridad social, asistencia social, y protección de la tercera edad.
- Derechos de empleo a personas con capacidades especiales.
- Derecho a la huelga.
- Derecho a convenios colectivos de trabajo.
- Derecho a concentración de los ingresos salariales.
- Derecho a la libre contratación de trabajo.
- Derecho al trabajo digno y a un salario justo.
- Derecho a asociarse, crear cooperativas, asociaciones gremiales y a crear sindicatos independientes.
- Derecho a pensiones dignas.
- Derecho al descanso y la recreación.
- Derecho de la mujer y de la familia en el mundo del trabajo.

- Derecho a la protección de la maternidad/paternidad y a las personas con capacidades especiales.
- Derecho a la movilidad laboral.
- Derecho al pago por superproducción y a la participación en las utilidades.

14. Ley de Seguridad Social

Objetivos:

1. Garantizar la seguridad social de los ciudadanos.
2. Reconocer el derecho a la autogestión de la seguridad personal y familiar en casos de contingencias.
3. Reconocer el derecho a la protección propia y de la familia.
4. Reconocer el derecho a la capitalización individual.
5. Crear fondos independientes basados en contribuciones de los empleados y de los empleadores con independencia del presupuesto nacional y administrado con transparencia.
6. Establecer que la seguridad social cubra contrarriesgos sociales de vejez, discapacidad, muerte, enfermedad, maternidad, riesgos ocupacionales y desempleo. Todas las personas tienen acceso gratuito y de calidad a los servicios de salud y educación en sus niveles primarios y secundarios.
7. Garantizar la sostenibilidad financiera de la seguridad social.
8. Promover la creación de empleos.
9. Regular y/o evitar las políticas económicas procíclicas.
10. Tener en cuenta todo lo sugerido en el Informe Final 1 sobre «Economía cubana a corto, mediano y largo plazo», subtema 4: Seguridad social.

15. Ley de la Propiedad

Objetivos:

1. Garantizar los derechos de propiedad a todos los ciudadanos nacionales y extranjeros.
2. Establecer en qué casos se puede expropiar o confiscar una propiedad.
3. Reconocer el:
- Derecho a las diferentes formas de propiedad (Privada, mixta, cooperativa, familiar, pública, etc.).

151

- Derecho a ser indemnizado en caso de expropiaciones o daños colaterales.
- Derecho de ser copropietarios de empresas extranjeras.
- Estos derechos de propiedad e indemnización serán dilucidados y decididos en los Tribunales de Justicia competentes e independientes.

4. Limitar la propiedad estatal a sectores estratégicos que, sin embargo, pueden ser gestionados por empresas privadas.

5. Establecer las formas en que se puede ejercer la responsabilidad social de la propiedad privada, de acuerdo al principio del destino universal de los bienes.

6. Establecer un clima de confianza y de seguridad para los propietarios y los inversionistas.

7. Garantizar protección e inviolabilidad de la propiedad. Derechos personales y colectivos sobre bienes y activos materiales e intelectuales.

8. Regular todo lo relacionado con: propiedad, posesión, usufructo, arrendamiento, activos materiales, patentes, licencias, derechos de autor, nacionalización, confiscación, indemnización, propiedad personal, propiedad pública, propiedad estatal, propiedad extranjera.

9. Tener en cuenta todo lo sugerido en el Primer Informe de Estudios, sobre «Economía cubana a corto, mediano y largo plazo», subtema 2: Propiedad.

16. Ley de Empresas

Objetivos:

1. Garantizar que la gestión empresarial sea tarea de la sociedad civil.

2. Garantizar la libertad de empresas y demás sectores productivos, estableciéndose bajo cualquiera de las formas de propiedad establecidas, así como el reconociendo libre de la iniciativa económica: empresa, empresa pública, empresa estatal, empresa mixta, empresa transnacional, cooperativas, requisitos, creación de empresas, procedimientos, extinción, hipotecas, ventas, empresas extranjeras, eficiencia, transparencia.

3. Normar la formación, funcionamiento y extinción de empresas. Libre y ordenado emprendimiento en la creación de riquezas y empleo.

4. Proteger el ejercicio de las actividades económicas sin más limitaciones que por motivos sociales o de interés nacional.

5. Fomentar las diferentes formas de propiedad y la gestión económica y empresarial.

6. Crear un ambiente empresarial propicio para avanzar hacia un Desarrollo Humano Integral.

7. Establecer responsabilidad social de las empresas deduciendo impuestos.

8. Promover la competencia y la formación de precios justos.

9. Establecer la igualdad de condiciones a la hora de las empresas acceder al mercado.

10. Distribuir parte de la ganancia en programas sociales que ayuden a sectores menos favorecidos, y para inversiones en materia medioambiental.

11. Establecer la primacía de la sociedad civil como mediadora, si fuera necesario, de las relaciones entre el mundo empresarial y el Estado.

12. Relación de esta Ley de empresas y la Ley antimonopolio.

13. Tener en cuenta todo lo sugerido en el Informe Final 1 sobre «Economía cubana a corto, mediano y largo plazo», subtema 1: Modelos económicos.

14. Reconocer el:

- Derecho a la libertad de emprendimientos.
- Derecho a la libre contratación laboral.
- Derecho a la creación y protección de las PYMES como eje fundamental del desarrollo.
- Derecho a la inversión dentro y fuera de Cuba.
- Derecho de importación y exportación, a la libre contratación de la mano de obra, a invertir o ser receptor de inversiones.

Contenidos:

1. Libertad empresarial y libertad de la competencia.

2. Obligación de las empresas de aplicar el Código de Trabajo y la Ley de Seguridad Social.

3. Deber de los trabajadores y sus sindicatos de demandar a las empresas por incumplir el Código del Trabajo y la Ley de Seguridad Social.

17. Ley de Inversiones

Objetivos:

1. Regular las formas, las vías de invertir en Cuba, promoviendo la participación de cubanos residentes y no residentes en Cuba. Inversión nacional, inversión extranjera, inversión de instituciones y gobiernos,

inversiones directas, empleo, contratación de capital humano, repatriación de utilidades, transferencia de tecnologías, balanza de pagos, deuda externa, estabilidad monetaria, paz social, derechos de propiedad.

2. Normar legalmente la libertad de invertir para el crecimiento y desarrollo del país. Libertad de asignar recursos según preferencias de los tenedores de capital y los intereses de la nación.

3. Promover el desarrollo integral y planificado de todas las regiones con potencial.

4. Apertura económica para la implantación del Derecho Mercantil y el Código de Comercio en Cuba, con acceso a la creación de empresas por parte de ciudadanos cubanos residentes y no residentes, contribuyendo al desarrollo del país sin detrimento de la soberanía nacional.

5. Crear un marco legal que incentive la inversión y permita desarrollar y diversificar la matriz productiva y exportadora de nuestra economía.

6. Permitir que todos los cubanos puedan invertir sus capitales o asociarse con capitales extranjeros.

7. Liberalizar la inversión en todos los sectores de la economía, sin más limitaciones que las establecidas por la ley.

8. Promover la inversión inclusiva, que genere empleos y promueva a los pobres y excluidos

9. Establecer la responsabilidad social de las empresas inversoras

10. Garantizar la libre movilidad de capitales.

11. Reconocer el:

- Derecho de todos los cubanos a invertir, residan o no en Cuba.
- Derecho de todos los cubanos a ser receptores de inversión extranjera directa.
- Derecho a la libre contratación de la mano de obra y elaboración de los contratos laborales.
- Derecho a igualdad de condiciones para todos los inversionistas.
- Derecho a la garantía de los inversores permitiendo el desarrollo de las mismas a las personas naturales y jurídicas.

Contenidos:

1. Definir la responsabilidad social de los inversionistas.
2. Fomentar la productividad de la economía nacional y su competitividad.

18. Código del Medio Ambiente (Agua, Aire, Tierra, Recursos Naturales, Educación ambiental, etc.)

Este Código, integrará varias leyes referidas al cuidado del hábitat.

Objetivos:

1. Codificar los comportamientos protectores del hábitat nacional y global.
2. Mantener el ambiente y preservarlo en condiciones que propician una vida saludable, sostenible y agradable.
3. Cuidar y salvar el planeta de agresiones económicas y bélicas.
4. Adecuar este Código a los Acuerdos y Tratados medioambientales internacionales como el Acuerdo de París, etc.
5. Proteger, reconstruir, prevenir, mitigar de las agresiones económicas, agresiones bélicas, contaminación, polución, vertimientos, calentamiento global, emisiones de carbono, aumento del nivel del mar, plan de protección de Islas, capa de ozono, etc.
6. Estimular a las empresas, medios de comunicación y otras iniciativas de la sociedad civil que desarrollen un trabajo sistemático de cuidado del medio ambiente.
7. Establecer una serie proporcionada de medidas punitivas contra acciones públicas o privadas, que dañen el medio ambiente.
8. Nombrar de comités de expertos a diferentes niveles, que autoricen, monitoreen y restrinjan la actividad industrial en dependencia al impacto ambiental que provoquen.

9. Ley de Educación Ecológica:

- Dotar al educando de conocimientos que le ayuden a salvar el planeta.
- Reconocer el derecho a saber cómo se puede salvar el planeta: educación, ecología, economía, calentamiento global, causas, consecuencias, perspectivas, posibilidades, ciudadanía ecológicamente responsable.
- Establecer de forma obligatoria la educación ambiental en todos los niveles de enseñanzas públicas y privadas, primaria, media y media superior.

10. Ley de Calidad del Agua:

- Reconocer el derecho al agua.
- Reglamentar la preservación de la calidad de agua para consumo humano e insumo económico.

- Reglamentar todo lo referido a vertimientos, escurrimientos, albañales, contaminación, fuentes, escasez, desalinización, uso racional, impuestos, precios, medición, consumo, medidas punitivas, expendio comercial, fraudes.

11. Ley de Pureza del Aire:

- Reglamentar la preservación de la calidad del aire que respiramos.
- Reconocer el derecho a la salud, a no ser contaminado y enfermado por un aire cada día de menor calidad.
- Regulación de emisiones físicas y químicas, *smog*, chimeneas, CO_2, acidez, pestilencias, aerosoles, automotores contaminantes, autopistas, aeropuertos, naves aéreas, consumo de oxígeno.

12. Ley sobre Contaminación del Mar:

- Preservar especies, pescarios, playas y paisajes marinos.
- Reconocer el derecho de los pueblos a cuidar sus activos naturales.
- Cuidar el mar de los vertimientos de petróleo, explosiones nucleares y convencionales, vertimientos de residuos de ciudades y desechos de naves, residuos, etc.
- Cuidar de los humedales, manglares, arrecifes coralinos, arenas, etc.

13. Ley de Pesca:

- Normar la actividad pesquera conjugando la eficiencia económica con la ecológica.
- Reconocer el derecho a preservar una sustancial fuente de vida y de equilibrio ecológico.
- Regular todo lo relacionado con: pesca, captura exhaustiva, extinción de especies, vedas, cultivo de especies, cuotas de captura, coordinación internacional, ganancia y rentabilidad versus agotamiento y desequilibrio natural.

19. Código de Comercio Exterior y Derecho Mercantil. (Importación/Exportación) *Código de Comercio (o puede ser sustituido por varias leyes, a saber: Ley de Contabilidad, Ley de Finanzas, Ley de Quiebra, etc.).*

Objetivos:

1. Reglamentar jurídicamente las actividades mercantiles del país. Evitar el endeudamiento inadecuado.
2. Normar los procedimientos contables y financieros, así como los procesos de apertura, cierre y quiebra de los negocios.
3. Normar el derecho al orden, la transparencia, la precisión y el rigor de las actividades mercantiles.
4. Reconocer el derecho a la protección legal de las actividades mercantiles.
5. Establecer las obligaciones legales en los negocios: apertura, cierre, quiebras, libros y estados contables obligatorios.
6. Reglamentar financiera, libro de actas, contratos, notarios, impuestos, auditorías, informes fiscales, demandas, sistemas de contabilidad y finanzas computarizados.
7. Detectar evidencias en los sistemas electrónicos, falsedad y fraude, veracidad de los datos, responsabilidad de contadores, financistas y auditores, consultor externo, transnacionales y estados consolidados, evaluación de activos e inventarios.

Derechos:

1. Importación y exportación libres.
2. Acceso y diversificación de mercados.

Contenidos:

1. Promoción de las exportaciones.
2. Adecuación de las importaciones.
3. Liberalización del comercio.
4. Integrar a Cuba en los Tratados internacionales de comercio, exportaciones-importaciones.

20. Ley Antimonopolio y Desarrollo de las PYMES

Objetivos:

1. Defender la libre competencia y la eficiencia del mercado.
2. Luchar contra el monopolio: monopolio estatal, oligopolios, precios de monopolio, distorsión del mercado, tiranía de Estado o de familias, fusiones verticales y horizontales, monopolios naturales.

3. Crear un ambiente de competencia que propicie una mejor distribución del ingreso y mayor justicia social.
4. Establecer la protección y promoción de las PYMES.
5. Promover la competencia y la justicia social.
6. Evitar la formación de precios monopólicos.
7. Reconocer el:
- Derecho a competir en el mercado en igualdad de condiciones.
- Derecho a participar en la formación de precios en el mercado.
- Derecho a no ser explotado ni sometido por grandes empresas.
- Derecho a la libre concurrencia y el libre juego de la oferta y la demanda, la información necesaria disponible para todos los concurrentes.

21. Ley del Sistema Financiero, la Banca y la Bolsa de Valores

Objetivos:

1. Crear un mercado financiero estable, eficiente y justo.
2. Permitir la Banca privada.
3. Separación de la Banca de Ahorro y Cuentas Corrientes de la Banca de Fondos de Inversiones.
4. Controles a la especulación y estabilización monetaria.
5. Reconocer el derecho a la libertad de inversión.
6. Crear una Bolsa de valores, precio de inscripción, reglamentos, topes, corredores, tipos de acciones, cotizaciones horarias, información, sede, tasas de interés y descuento, permisos, operaciones colectivas, transparencia, auditoría bursátil.

22. Ley del Sistema Tributario

Objetivos:

1. Establecer un sistema impositivo progresivo a partir de un ingreso básico suficiente o las utilidades.
2. Normar el pago y el cobro de impuestos y otros tributos como vía de redistribución del ingreso y de participación ciudadana.
3. Establecimiento de bases imponibles realmente calculables, con el reconocimiento de gastos reales.
4. Tasas impositivas que estimulen la producción, el consumo, la calidad, el empleo y la responsabilidad social.
5. Establecimiento de mecanismos de participación ciudadana directa sobre el uso de los impuestos.

6. Establecer un sistema punible para la evasión fiscal.
7. Reconocer el:
- Derecho a impuestos justos.
- Derecho a la transparencia del sistema tributario.
- Derecho a participar en la distribución de los ingresos del Estado.
- Derecho a reconocer los beneficios obtenidos por el pago de impuestos en servicios públicos eficientes.
- Derecho a un mecanismo funcional de reclamaciones. Tipos de tributos, cuantías, tiempos, mecanismos de control.

23. Ley de Seguros

Objetivos:

1. Proteger económicamente a las personas y las propiedades.
2. Crear el marco jurídico necesario para la implantación y funcionamiento de la actividad de seguros. Creación de sistemas de seguros:
- de vida,
- médico,
- de las propiedades.

Derechos:

- Derecho a la iniciativa económica de las empresas de seguros.
- Derecho a prever y anticipar pérdidas y desastres.
- Derecho a proteger vidas, activos, capitales, acciones, inversiones, etc.
- Derecho de los usuarios del seguro a recibir protección de la ley contra prácticas delictivas de las instituciones de seguros.

Contenidos:

1. Seguros de vida
2. Seguros de inversiones
3. Seguros de negocios
4. Seguros financieros
5. Protección del asegurado
6. Fondos de cobertura

24.   Ley de Transparencia y Anticorrupción

Objetivos:

1.   Garantizar la transparencia informativa en el funcionamiento de los gobiernos.

2.   Garantizar que todas las finanzas del país deben ser de conocimiento público, excepto los gastos militares y de seguridad, que estarán bajo supervisión de una comisión en las respectivas asambleas parlamentarias.

3.   Crear un valladar jurídico contra la corrupción.

4.   Reconocer el derecho de la sociedad a vivir en un ambiente de limpieza moral y seguridad contra fraudes, engañifas y delitos correlatos.

5.   Regular todo lo relacionado con: corrupción, corruptos, corrompidos, fiestas, regalos, mesadas bajo cuerda, desvío de recursos, cohecho, connivencia, soborno, clientelismo, nepotismo, venta de empleos y cargas, racismo, sexo y drogas en la economía.

25.   Ley Antidroga y contra el crimen organizado

Objetivos:

1.   Prevenir, disminuir o eliminar el flagelo de la producción, distribución y consumo de drogas.

2.   Prevenir y combatir las asociaciones ilícitas para delinquir (mafias).

3.   Preservar el derecho ciudadano a una vida tranquila, saludable y segura.

4.   Preservar el derecho a la salud personal y pública.

5.   Reconocer el derecho a la estabilidad y la paz social.

6.   Establecer relaciones de trabajo y cooperación bilateral e internacional.

7.   La ley debe contener un articulado que combine acciones educativas con acciones punitivas:

a)   Establecer penas mínimas y penas máximas anti drogas y antimafias.

b)   Dictaminar las drogas legales, con fines terapéuticos, puntos de expedición, cantidades de consumo.

c)   Identificar, perseguir todo tipo de drogas ilegales y contribuir a divulgar los males producidos por ellas en la salud personal y social.

d) Campañas educativas en las escuelas, los barrios, en los medios de comunicación; publicidad, programas escolares, control y limitación del expendio de armas de fuego.

8. Relacionar esta Ley con el Código Penal, sea dentro de él o como ley complementaria.

9. Establecer las relaciones estables del Estado cubano con los organismos e instituciones internacionales o nacionales que tengan los mismos objetivos que la presente Ley antidrogas y antimafias.

10. Crear o modificar las estructuras y el modo de financiamiento necesarios para implementar lo establecido en esta Ley.

26. Ley de Defensa de los Consumidores

Objetivos:

1. Garantizar la decencia y probidad en el comercio.
2. Crear un dispositivo legal que proteja al consumidor de abusos, fraudes y estafas por parte de los ofertantes.

Derechos:

1. Derecho a comerciar sin temor a ser burlado, agredido, estafado en relación a precios, calidades, cantidades, términos, etc.

Contenidos:

1. Protección de derechos del consumidor, fraude, estafa, precios, calidad, cantidad, denuncia, juicios, penas, publicidad, agentes, tribunales.

2.3. Leyes para el desarrollo de la sociedad civil

27. Código de la Familia, la Niñez y la Juventud

Objetivos:

1. Proteger jurídicamente la institución de la familia: matrimonio, relaciones paterno-filiales, madres solteras, familias numerosas, tercera edad, obligación de dar alimentos, adopción y tutela.

161

2. Respeto a la patria potestad de los padres sobre sus hijos con respecto al derecho de escoger el tipo de educación, valores, creencia, etc.

3. Proteger al derecho de sucesión y herencia en relación con lo establecido en el Código Civil.

4. Proteger, con recursos legales, de consecuencias adversas del divorcio, de la violencia doméstica, del abuso en la escuela, de las violaciones, la delincuencia y la marginalidad, a la niñez, la adolescencia y la juventud y garantizar sus derechos a un hogar, una educación familiar basada en valores y un sano esparcimiento.

5. Garantizar la seguridad social a todos los ancianos, especialmente a los viudos y sin familia.

6. Garantizar sistemas de salud y educación, públicos y privados, necesarios para los niños y adolescentes.

7. Reconocer el derecho de igualdad de género.

8. Pronunciarse sobre: el aborto, la eutanasia, la unión legal de personas del mismo sexo y la adopción por parte de padres del mismo sexo.

9. Mantener una visión proactiva y no solo asistencial en las políticas públicas, para empoderar a las familias.

28. Ley de Memoria Histórica, Amnistía y Reconciliación Nacional

Objetivos:

1. Excarcelar a todas las personas que cumplen sanciones por motivos políticos.

2. Crear el Instituto de la Memoria Histórica y la Reconciliación Nacional.

3. Esclarecer, reconciliar y conservar la memoria histórica del país.

4. Constituir una Comisión de la Verdad: conocimiento de la verdad histórica del país, pedir perdón y perdonar, amnistía y Punto final.

5. Establecer un marco temporal, restringido, muy especificado y consensuado para ejercer una llamada justicia transicional que evite por un lado la impunidad para crímenes de lesa humanidad, y por el otro favorezca el tránsito temporal, específico y bien definido hacia la rehabilitación personal, la reinserción social y la reconciliación nacional.

6. Resarcir agravios.

7. Compensar a las víctimas.

8. Revisar a nivel nacional las causas penales.

9. Reducir la excesiva población penal cubana.

10. Establecer sanciones acorde al delito cometido.

11. Derecho de justicia para los que sufren sanciones excesivas.

12. Crear o modificar las estructuras y modo de financiamiento necesarios para implementar lo establecido en esta Ley.

29. Ley de Soberanía y Participación ciudadanas

Objetivos:

1. Garantizar el derecho de cada ciudadano a ejercer directa o indirectamente, personalmente o por representación, la soberanía y el poder que le reconoce la Constitución de la República, de modo que la democracia pueda ser lo más participativa posible.

Contenidos:

1. Ninguna institución ni autoridad del Estado puede ejercerse en contra de la soberanía ciudadana expresada por las vías pacíficas, legales y ordenadas establecidas por esta ley.

2. Establece cuándo y cómo se deben realizar los referendos revocatorios para poder ejercer la soberanía ciudadana.

3. Garantizar otro tipo de plebiscitos y referendos para el ejercicio real del pueblo y no de grupos o partidos en los casos que se requiera y convocados por la autoridad competente. (Que estos referendos puedan ser también convocados a todos los niveles para decidir asuntos locales de gran impacto social).

4. Garantizar igualdad de derechos para todos los cubanos, independientemente de dónde vivan y que todos puedan viajar libremente entrando y saliendo de su país sin restricciones.

5. Que no se afecten las propiedades en Cuba por radicar fuera.

6. Que se admita la pérdida de ciudadanía o la doble ciudadanía.

30. Ley de Asociaciones
(Aportes del Centro de Estudios Convivencia basados en el Curso No. 5 del libro de Ética y Cívica de Ediciones Convivencia).

Objetivos:

1. Favorecer el fortalecimiento de la sociedad civil cubana, y la democratización de la sociedad en todos sus niveles.

2. Fortalecer la gobernabilidad y la gobernanza gracias a la participación y empoderamiento de la sociedad civil

3. Establecer la subsidiaridad del Estado y del Mercado con respecto a la sociedad civil y su autonomía y autogestión.

4. Reconocer el papel de la sociedad civil como espacio de personalización: Contribuir a la libertad y a la responsabilidad, al desarrollo de subjetividad, a la apertura o lo trascendente, a ser plenamente una persona.

5. Reconocer el papel de la sociedad civil como espacio de socialización: Contribuir a la comunidad interpersonal, a las relaciones grupales, a la participación consciente y responsable, a la apertura a otros grupos mayores.

6. Reconocer los diferentes roles de la sociedad civil como:

a. Educadora: para reconstruir a la persona humana y sus relaciones sociales (Educación ética y cívica).

b. Cantera de ciudadanos: empoderando el ciudadano para ejercer la soberanía que le es propia por derecho.

c. Taller de participación: para una democracia más horizontal y eficaz.

d. Edificadora de consensos y representación internacional: Para insertarse en escenarios nacionales e internacionales (Ej. Espacio Abierto de la Sociedad Civil).

e. Fuente de progreso: en el aspecto económico y del desarrollo humano integral. Emprendedores y PYMES.

f. Factor de presión y denuncia: para controlar al Mercado y al Estado.

g. Generadora de propuestas: para participar en las soluciones.

h. Red de solidaridad: para promover y asistir a los más vulnerables.

i. Escudo de protección: para ciudadanos indefensos y para grupos minoritarios.

j. Vía de acceso: a los demás sectores de la Nación: políticos, económicos, culturales, religiosos, etc.

7. Reconocer, promover y potenciar los diferentes actores de la sociedad civil.

8. Establecer los requisitos que deben satisfacer aquellos grupos humanos que deseen inscribirse o darse Baja en el Registro de Asociaciones y adquirir personalidad jurídica en concordancia con la Ley de Asociaciones. Las ONGs de carácter no lucrativo estarán exentas de impuestos y otras obligaciones fiscales, pero podrán ser objeto de auditorías y controles por parte del Tribunal de Cuentas previa autorización judicial.

9. Reconocer el:

• Derecho de asociarse libremente para todos los ciudadanos, siempre que sea para fines y medios pacíficos y respetuosos de todos los Derechos Humanos.

- Derecho de los ciudadanos de reunirse, expresarse y manifestarse pacíficamente.
- Derecho a participar e influir desde la primacía de la sociedad civil en todos los aspectos de la vida social.

(Aportes tomados de la ponencia de la abogada Laritza Diversent y Cubalex que fue publicada íntegramente en nuestra revista Convivencia *No. 51 y 52,* www.centroconvivencia.org*).*

Propuestas de reforma a la Ley de Asociaciones y su reglamento

Cubalex, ONG de la sociedad civil cubana, actualmente trabaja en la elaboración de una estrategia para presentar el Proyecto de Ley de reforma de la Ley de Asociaciones y su Reglamento. Al igual que el proyecto de reforma electoral se integra de las propuestas basadas en los problemas identificados que restringen la libertad de manifestación, reunión y asociación, complementado por una matriz de reforma de los artículos que necesitan ser modificados o eliminados, en ambas disposiciones legales, así como sus respectivos anteproyecto legislativos.

Propuestas de reformas relacionadas con el derecho de asociación

Actualmente la existencia legal de las asociaciones depende de voluntad estatal, pues es el Ministerio de Justicia, después de un informe de legalidad y conveniencia que realizan otras instituciones del Estado, quien autoriza o deniega la inscripción en el registro y con ello la existencia legal y personalidad jurídica de la agrupación.

Propuestas por Cubalex

21. Para garantizar el derecho a establecer asociaciones y a adherirse a ellas, nuestro proyecto de ley elimina este informe y con ello toda posibilidad de discreción de las autoridades administrativas, para evitar que continúe siendo un medio para impedir el reconocimiento legal de organizaciones críticas al gobierno.
22. Establecer un procedimiento de notificación para que las asociaciones adquieran personalidad jurídica. En consecuencia, la formalización del acto de constitución de una asociación se realizará ante notario público, por sus iniciadores o fundadores

y su existencia legal se acreditará únicamente con la certificación expedida por el registro de asociaciones a cargo del Ministerio de Justicia, después de inscribirla en su registro.

23. Incluir a los partidos políticos y sindicatos como una forma específica de asociaciones y eliminar las restricciones que impiden a los grupos religiosos ejercer este derecho, por ausencia de marco legal.

24. Eliminar toda referencia o distinción a las organizaciones sociales o de masas, por atentar contra el principio de igualdad y no discriminación, advirtiendo expresamente que no permitirá discriminación de ningún tipo en la inscripción de asociaciones.

25. Proponemos la eliminación de la restricción a la constitución de asociaciones que tengan iguales o similares objetivos, fines o propósitos de otra ya registrada y la exigencia de 30 miembros, para constituir una asociación por no estar acorde con los estándares internacionales.

26. Nuestra propuesta de ley exige como mínimo dos personas, para establecer una asociación y como única limitación que la denominación de la que pretenda constituirse no coincida con la de una asociación ya registrada.

27. La nueva ley solo facultará al Registro de Asociaciones del Ministerio de Justicia, a emitir certificaciones en las que acredite que en sus archivos no existe ninguna organización con la misma denominación que la que se pretende constituir.

28. Proponemos que la Ley precise el término con que cuenta el Ministro/a de Justicia para resolver el recurso de alzada y el tiempo que el encargado/a del Registro debe expedir la certificación solicitada.

29. La ley reconocerá el derecho de las asociaciones, estén o no registradas, a actuar libremente y a recibir protección contra injerencias indebidas, para lo cual se deben eliminar las facultades de control supervisión e inspección que actualmente tiene registro y los órganos de relaciones sobre las asociaciones.

30. Abolir lo que la ley vigente exige a las asociaciones de establecer «Normas de relaciones», con una institución estatal denominada por la ley actual como «órganos de relación», que adquieren la facultad de inspecciones periódicas a la asociación, atribución que también tienen funcionarios del Departamento de Asociaciones del Ministerio de Justicia. Ambas instituciones estatales tienen la facultad, uno de proponer (órgano de relación), el otro de imponer (departamento de Asociaciones del Ministerio de Justicia) sanciones

que pueden conducir a la disolución de la asociación. Este doble sistema, garantiza que las decisiones que tomen los miembros o directiva de una organización se subordinen a lo que al respecto decida el «departamento de asociación» o el «órgano de relación», so pena de poner en riesgo la existencia misma de la organización.

31. En ese sentido la nueva ley eliminará la facultad que tiene el Ministerio de Justicia de imponer a las asociaciones y sus directivos las sanciones administrativas, especialmente la disolución involuntaria.

32. La suspensión y la disolución involuntaria de una asociación solo podrán imponerse ante un riesgo claro e inminente de violación flagrante de la legislación nacional. Esta facultad queda reservada a un tribunal independiente e imparcial.

33. La ley reconocerá el derecho de las asociaciones, estén o no registradas, a:

- Expresar opiniones, difundir información, colaborar con el público y abogar ante los gobiernos y los organismos internacionales en favor de los derechos humanos, la preservación y el desarrollo de la cultura de una minoría o de cambios en los instrumentos legislativos, incluida la Constitución, a presentar proyectos de Ley o propuestas para la redacción de proyectos de ley y a participar en el proceso de adopción de decisiones del Estado.

- Recabar y obtener financiación de entidades nacionales, extranjeras e internacionales, incluidos particulares, empresas, organizaciones de la sociedad civil, gobiernos y organizaciones internacionales, en el marco de la cooperación internacional, independientemente de los objetivos que persigan con arreglo al derecho internacional. Se establece un sistema de rendición de cuentas y publicidad del financiamiento de las asociaciones, en especial información sobre el donante y la cantidad de dinero que aporta.

Para el pleno disfrute de este derecho exigimos la derogación de la Ley No. 88, conocida como «Ley Mordaza».

34. La nueva ley impondrá a las autoridades la obligación de proteger a los miembros de una asociación lícita de posibles amenazas, actos de intimidación o violencia, como ejecuciones sumarias o arbitrarias, desapariciones forzadas o involuntarias, arrestos o detenciones arbitrarios, torturas y tratos o penas crueles, inhumanos o degradantes, campañas difamatorias en los medios de difusión, prohibición de viajar y despidos arbitrarios, en particular en el caso de los sindicalistas.

35. Establecerá la prohibición de exigir la obtención de una autorización oficial previa para recibir financiación nacional o extranjera, ni utilizarán la presión fiscal para disuadir a las asociaciones de recabar fondos, en particular del extranjero. La lucha contra el blanqueo de dinero y el terrorismo, no podrá invocarse como justificación para socavar la credibilidad de una organización, ni para obstaculizar arbitrariamente a sus actividades legítimas.

36. Esta Ley debe reconocer que una persona es libre de asociarse con quien elija y formar o ingresar en asociaciones ya existentes, y en ningún supuesto podrá ser obligado a pertenecer a una asociación.

37. Igualmente reconocerá expresamente que estarán prohibidas las asociaciones criminales, terroristas o con similares propósitos. Prohibirá las reuniones y asociaciones cuando su fin sea hacer propaganda en favor de la guerra y toda apología del odio nacional, racial o religioso que constituya incitación a la discriminación, la hostilidad o la violencia.

38. La Ley debe establecer la sanción adecuada en caso de incumplimiento. La prohibición establecida abarcará toda forma de propaganda que amenace con un acto de agresión o de quebrantamiento de la paz.

Propuestas de reforma relacionadas con el derecho de manifestación y reunión

El derecho constitucional de reunión, entendido como la manifestación colectiva de la libertad de expresión a través de una asociación temporal, no tiene definido su contenido ni los límites a su ejercicio en la legislación cubana.

La nueva ley deberá reconocer el derecho que tiene toda persona a reunirse en grupos, pública o privadamente, para discutir o defender sus ideas.

Proponemos que toda reunión que se celebre se presuma pacífica y no estará supeditada a la obtención de una autorización previa de las autoridades, excepto las grandes reuniones o actos que pudieran provocar interrupciones del tránsito y requieran medidas para proteger la seguridad y el orden públicos y los derechos y libertades de los demás. La libre circulación vehicular no debe anteponerse automáticamente a la libertad de reunión pacífica.

Las contramanifestaciones

Los mítines de repudio, son contramanifestaciones alentadas e incitadas por las autoridades nacionales contra los defensores y defensoras de derechos humanos que se manifiestan públicamente, a través de los cuales se promueve la apología al odio nacional y se incita a la hostilidad y la violencia.

La ley reconocerá como legítimas y regulará las contramanifestaciones para expresar desacuerdo con el mensaje de otras reuniones, siempre que no se intente disuadir a los participantes en las demás reuniones del ejercicio de su derecho.

Las fuerzas del orden tienen la obligación de proteger activamente las reuniones pacíficas, y a sus participantes de los actos perpetrados por personas aisladas o grupos de personas, incluidos agentes provocadores y contramanifestantes, con el propósito de perturbar o dispersar tales reuniones, entre ellos miembros del aparato del Estado o individuos que trabajen a cuenta de este.

Obligaciones del Estado ante las manifestaciones y reuniones pacíficas

La Ley establecerá expresamente las obligaciones de respetar y garantizar este derecho que tiene el Estado y sus instituciones a todos los individuos que se encuentren en su territorio y estén sujetos a su jurisdicción, sin distinción alguna de raza, color, sexo, idioma, religión, opinión política o de otra índole, origen nacional o social, posición económica, nacimiento o cualquier otra condición social.

En especial establecerá mecanismos accesibles y eficaces de presentación de denuncias que puedan investigar de forma independiente, rápida y minuciosa las denuncias sobre violaciones o abusos de los derechos humanos, a fin de exigir responsabilidad a los autores de esos actos.

Ese procedimiento no solo garantiza que se ponga fin a la violación, sino también que se evite su repetición en el futuro. Igualmente la Ley establecerá la observación de las reuniones pacíficas, para evitar el uso excesivo o arbitrario de la fuerza contra manifestantes pacíficos y el empleo de armas de fuego».

31. Ley de Medios de Comunicación Social y TICs
(Aportes del periodista Reinaldo Escobar, del diario cubano 14ymedio).

«Varios son los aspectos que pudieran y debieran ser regulados en un marco jurídico en relación con los medios de información. Los siete puntos expuestos a continuación, solo se exponen como un adelanto del debate.

1. El ejercicio de la libertad de expresión

a) Alcances y límites
La libertad de expresión, como base para la libertad de prensa, debe fijar sus límites con dos propósitos. El primero: dejar claro su alcance y el segundo: regular lo que no se debe permitir porque afecta el derecho ajeno.

La base de este equilibrio debe descansar en un principio: Estará permitido todo aquello que no esté explícitamente prohibido.

Podrá establecerse el concepto de restricciones de espacios y horarios, de manera que el contenido de ciertos mensajes no invada el espacio público y se restrinja a canales de difusión específicos cuyo acceso dependa de la iniciativa de selección del ciudadano.

b) La protección legal

Debe penalizarse cualquier intento de dificultar la libertad de expresión, ya sea a través de acciones personales o institucionales.

Debe penalizarse igualmente la violación de las prohibiciones y restricciones establecidas.

Las penalizaciones nunca deben incluir el encarcelamiento del infractor.

2.   El acceso a la información

a) La información pública

Debe establecerse de forma clara y transparente cuál es el tipo de información que tiene libre acceso, tanto por parte de los profesionales de la prensa como por cualquier ciudadano que la demande. El acceso a la información pública debe ser gratuito y sin ningún tipo de barrera burocrática o tecnológica.

b) La información corporativa

Las empresas, entidades financieras, fundaciones, sea cual sea su propiedad, podrán reservarse el derecho de conservar fuera del alcance del público informaciones de su gestión. Pero si estas informaciones fueran reclamadas por interés público, dicho reclamo podrá ser llevado a tribunales que determinarán su posible desclasificación.

c) La información privada

Las personas tienen derecho a la privacidad. Solo con el consentimiento del sujeto afectado pueden divulgarse informaciones que pertenecen al ámbito íntimo y familiar de los individuos. La ley debe precisar la diferencia cuando la divulgación de informaciones falsas sobre una persona incurre en el delito de calumnia.

d) Internet

El acceso a Internet debe ser libre y sin censuras, tanto para recibir informaciones como para difundirlas, siempre que no contradiga las regulaciones antes mencionadas. En el entorno familiar los padres tendrán el derecho a regular en sus hogares el acceso de los menores de edad. En el entorno laboral los empleados públicos o privados podrán estar sujetos a regulaciones referidas al uso de la red de redes en horario de trabajo.

3. La propiedad sobre los medios informativos

a) Propiedad pública

Los medios de propiedad pública brindarán sus espacios de forma gratuita e igualitaria a las organizaciones de la sociedad civil y partidos políticos. Estarán exentos de pagar impuestos. Mantendrán actualizada la información sobre los debates parlamentarios y gozarán de todas las prerrogativas de la libertad de expresión. Sus cargos de dirección serán elegibles. Podrán publicar publicidad y serán objeto de subvención.

b) Propiedad estatal

Será el espacio para hacer públicos los avisos gubernamentales, leyes, decretos, etc. Estarán exentos de pagar impuestos. No se permitirá la publicidad en estos medios y gozarán de todas las prerrogativas de la libertad de expresión. Sus cargos de dirección serán designados por el gobierno. Sus costos dependerán del presupuesto estatal.

c) Propiedad privada

Gozarán de todas las prerrogativas de la libertad de expresión. Se dictarán normas que impidan la actividad monopólica en los medios de difusión. No podrán recibir subvenciones estatales y estarán sujetos a tributos según sus ganancias.

d) Propiedad cooperativa o comunitaria

Las organizaciones de la sociedad civil, los partidos políticos, las entidades gremiales, religiosas o fraternales, así como comunidades agrupadas bajo cualquier otra denominación, podrán difundir sus informaciones y opiniones a través de medios propios. Estos medios podrán recibir subsidios y contener publicidad. Gozarán de todas las prerrogativas de la libertad de expresión.

e) Medios extranjeros

La circulación de medios extranjeros en el país, en forma impresa, radiofónica o de otro tipo, estará sujeta a regulaciones que protejan a los medios nacionales. Si estos medios se radicaran físicamente en el país tendrán la obligación de contratar a un porciento de empleados de origen nacional y residentes en el país. Gozarán de todas las prerrogativas de la libertad de expresión.

f) Insumos y locales

Todos los medios de difusión tienen igual derecho a importar o adquirir en el país los insumos y equipos necesarios para su trabajo. Igualmente pueden rentar o tener en propiedad los inmuebles requeridos. Las inversiones relacionadas con la adquisición de infraestructura, equipos e insumos serán deducibles de los impuestos.

4.   La protección de las fuentes

a) Ante la investigación policial

Las autoridades policiales, en virtud de investigaciones ante hechos criminales, podrán solicitar a los medios que revelen las fuentes de dónde han salido las informaciones. Será una responsabilidad de la dirección de cada medio acceder o no a esas solicitudes.

b) Ante los tribunales

Solo mediante una orden judicial, debidamente fundamentada, las direcciones de los medios de información se verán obligadas a revelar sus fuentes de información.

c) Ante los lectores

Siempre que no haya necesidad de proteger a la fuente de información, los medios deben hacer saber a sus lectores el origen de las mismas.

5.   El intrusismo profesional

a)   Los medios públicos, los estatales y privados deberán priorizar la ocupación de plazas a personas tituladas en las especialidades de cada profesión. Solo en los casos en que ningún titulado opte por la plaza puesta a oposición, se podrá contratar a una persona no titulada.

b)   Los medios de propiedad cooperativa o comunitaria pueden contratar titulados, pero están exentos de esta obligación.

6.   El periodismo ciudadano

a)   Cada ciudadano tiene el derecho a, con sus propios recursos, difundir informaciones usando el medio que tenga a su alcance.

7.   Las asociaciones gremiales

a)   Todos los trabajadores de los medios, titulados o no, tienen el derecho de agruparse gremialmente, atendiendo a sus diversos intereses y especialidades profesionales.»

(Aportes del trabajo en Comisiones durante el II Encuentro en la Isla y en la Diáspora).

Objetivos:

1.   Garantizar que alguien pueda obstruir esas libertades y al mismo tiempo preservar a los ciudadanos de los ataques de la prensa a su privacidad, su fama y sus derechos.
2.   Establecer el marco legal para la competencia en la prensa escrita, radial y televisada, una ley antimonopolio. Los medios pueden ser privados, públicos y de asociaciones establecidas.
3.   Establecer sanciones para los que traten de impedir esos derechos. Multas y privación de libertad para casos graves de difamación, mentira, incitación a la violencia, atentados a la moral pública y a la convivencia civilizada.
4.   Garantizar el acceso libre a Internet.
5.   Velar que el Estado, las provincias y los municipios reconozcan que este derecho se pueda cumplir tanto desde el punto de vista legal como económico, atrayendo inversiones para este sector de empresas privadas, cooperativas o mixtas que asumirán los gastos de instalaciones y *software.*

32.   Ley de Libertad Religiosa y Cultos

En esta ley se reconoce como libertad religiosa el derecho de todo ciudadano y de las instituciones religiosas a los derechos prioritarios de la conciencia y, en consecuencia, a profesar y practicar su religión, en público y en privado, en espacios públicos y en sus templos o demás locales, o en sus hogares y centros de estudio o de trabajo, salvaguardando los espacios y el respeto al derecho de los demás a no profesar ninguna religión y a no ser molestado por los que la profesan en el marco legal que establece un Estado laico para garantizar la convivencia fraterna y pacífica de todos los ciudadanos.

Esta ley entiende por Estado laico aquel que respeta y reconoce los derechos de todas las religiones y de todos los creyentes o no creyentes.

El Estado laico no reconoce ninguna confesión como religión oficial o de Estado pero no limita, discrimina o interviene, en la misión de las Iglesias y los creyentes.

En esta ley se entiende por profesar y practicar libremente una religión, los siguientes Contenidos:

1. La libertad y el derecho a practicar el culto en privado y en público siempre que se respete el orden público, la convivencia civilizada y la paz.

2. La libertad y el derecho de recibir y ofrecer una educación coherente con la religión que profesa y a establecer, administrar y poseer, escuelas, colegios, universidades y seminarios donde se cumplan y homologuen los requisitos establecidos por el Ministerio de Educación y tengan derecho a escoger y emplear educadores y personal auxiliar, derecho al financiamiento público, privado, de ONGs, y también subsidios del Estado. Estos centros educativos se regirán en lo concerniente al requerimiento de la instrucción académica, por lo menos, al mismo nivel de la educación pública estatal, pero podrá aspirar a niveles más altos desde el punto de vista académico, pedagógico, ético y cívico. Podrán ser dirigidos por laicos o consagrados de las respectivas confesiones religiosas. Todos gozarán de una seguridad social adecuada. Que todos los ciudadanos que profesen una religión puedan optar y acceder a una formación ética y religiosa en escuelas y colegios públicos, impartidas por educadores escogido y colegiado por las respectivas iglesias. Así como que los que no profesen ninguna religión ocupen ese tiempo lectivo en clases de ética y cívica a las que también pueden optar los creyentes no haciendo coincidir los horarios.

3. La libertad de establecer, administrar y poseer Medios de Comunicación Social propios o poder participar en otros medios públicos y privados.

4. Derecho de las religiones, denominaciones religiosas o profesantes individuales a participar en el desarrollo humano integral y en el desarrollo de la convivencia, participando en igualdad de condiciones en la educación, la cultura, la salud, la seguridad social, la atención a la tercera edad y a las personas con capacidades especiales, la asistencia caritativa en casos de desastres naturales, crisis económica, etc.

5. Derecho de los creyentes a la participación política, económica, social, en igualdad de derechos y oportunidades con los no creyentes. Esto incluye y reconoce el derecho a proponer visiones, soluciones o leyes en los espacios e instituciones públicas que estén en coherencia con sus creencias religiosas y su concepción antropológica y cívica.

6. Derecho a la asistencia religiosa a reclusos, detenidos o procesados, entendida esta pastoral penitenciaria en el sentido amplio que establecen los contenidos de esta ley.

7. Derecho al reconocimiento legal y a la personalidad jurídica por parte del Ministerio de Justicia, de toda religión u organización religiosa que no atente contra los derechos humanos, la estabilidad social, la paz, la concordia y el bien común de la sociedad en general y la integridad y derechos de toda persona humana y de las demás confesiones religiosas. Las denominaciones religiosas como tales no se inscribirán en el Registro de Asociaciones. Tendrán una personalidad jurídica y estatus diferente a una ONG que son las que se registrarán en dicho registro.

8. El derecho de cualquier denominación religiosa a establecer acuerdos, tratados o convenios con el Estado, o con instituciones públicas y privadas, que contribuyan al bien común, al mayor respeto, entendimiento y coordinación de los servicios que las confesiones religiosas ofrecen a la persona humana y al cuerpo social, sea por iniciativa y recursos propios de la institución religiosa, sea en cooperación con instituciones públicas, semipúblicas o privadas.

9. Esta ley establece las relaciones internacionales de cada religión, su representación jerárquica, la forma de elegir y educar a sus ministros, la forma de relacionarse con el Estado cubano y con las jerarquías regionales y globales de su religión.

10. Derecho de entrada y distribución de materiales religiosos, congregaciones, ministros y misioneros laicos de forma temporal o permanente.

11. Derecho a construcción de templos y otros locales con fines religiosos, educativos, asistenciales, culturales y para los Medios de Comunicación Social.

12. Las denominaciones religiosas, y las instituciones que le son constitutivas, están exentas de impuestos y están obligadas por ley a la transparencia financiera, como todas las demás instituciones públicas. Los ciudadanos podrán decidir que sus impuestos sean destinados a instituciones religiosas y sus obras educacionales, culturales, asistenciales y sociales. Las donaciones hechas por ciudadanos a instituciones religiosas se deducen de sus impuestos.

33. Ley de Sindicatos y Asociaciones de Empresarios (patronales)

Debería regirse por la Ley General de Asociaciones que siente las bases para particularizar cada una de ellas.

Objetivos:

1. Regular el ejercicio de creación y funcionamiento de los diferentes tipos de sindicatos y asociaciones patronales.
2. Establecer deberes y derechos de los asociados.
3. Defender los Convenios Colectivos de Trabajo y los Convenios de la OIT.
4. Establecer las garantías laborales y de seguridad social mínimas de los trabajadores.
5. Permitir la personalidad jurídica de sindicatos y asociaciones patronales. Reglas específicas para normar el funcionamiento de los sindicatos y asociaciones empresariales.
6. Establecer los mecanismos de diálogo y negociación entre trabajadores, sindicatos y empresarios.
7. Crear o modificar las estructuras y modo de financiamiento necesarios para implementar lo establecido en esta Ley.
8. Reconocer el:
*   Derecho a la libre asociación sindical.
*   Derecho de afiliación sindical internacional.
*   Derecho de los trabajadores a la huelga y de los patronos al paro.

34. Ley de Partidos Políticos

Objetivos:

1. Reconocer constitucionalmente las diversas opciones políticas y su derecho a formar partidos y competir lealmente en elecciones limpias, plurales y supervisadas. Derecho al pluripartidismo.
2. Reconocer el derecho de los ciudadanos a militar o no en un partido determinado y a no ser molestado o coaccionado o discriminado por su militancia o por no tener ninguna.
3. Promover una comunidad política fuerte, honrada, respetuosa de las instituciones del Estado y competitiva, para el fortalecimiento de la democracia.
4. Exigir la participación de los partidos en los procesos electorales con programas serios, viables, al servicio de toda la nación y no solo del partido.
5. Establecer la existencia de partidos provinciales y nacionales por su membrecía. Establecer el número de militantes necesarios para inscribir un partido provincial o nacional.
6. Establecer la forma de inscripción de los partidos, las normas para presentar sus programas, estatutos, financiamiento, logotipos, etc.

7. Reconocer el papel de los partidos en la oposición y el respeto a los derechos de las minorías y su representación parlamentaria.

8. Establecer la forma de hacer alianzas entre partidos y la forma de presentar candidatos a las elecciones generales (presidenciales y parlamentarias) y a las elecciones locales.

9. Establecer el derecho de los partidos a poseer propiedades inmuebles, medios de comunicación, y libre acceso a internet y se hagan cargo de su financiamiento y mantenimiento. Se prohíbe usar fondos o propiedades estatales para sostener o celebrar actividades de partidos, a no ser el alquiler temporal de espacios privados o uso puntual de espacios públicos para manifestar.

10. Establecer los mecanismos de control, por ley, de la transparencia de los partidos, de sus propiedades y finanzas.

11. Reconocer el derecho de los partidos a participar e influir en todos los ámbitos de la vida social mediante la publicidad regulada por la ley, el derecho a manifestación pacífica, el acceso igualitario a los medios de comunicación y otras formas de divulgación de sus propuestas, programas y candidatos.

12. Establecer, con medios públicos y privados, el empoderamiento del ciudadano para participar en la vida pública y en las instituciones democráticas, por medio de una sistemática educación ética y cívica desde la familia, en todos los niveles de enseñanza, en los Medios de Comunicación, sin permitir la manipulación, ideologización, sectarismos, ni chovinismos.

13. Establecer la obligación de los partidos de promover y educar a sus militantes con programas de educación ética y cívica, en los valores prioritarios de la gobernabilidad y la gobernanza, del respeto y fortalecimiento de las instituciones constitucionales para salvaguardar la democracia.

14. Establecer la forma para proscribir a los partidos que promuevan o practiquen la violencia, la xenofobia, el racismo, el radicalismo, la división de la nación cubana, el chovinismo, así como que permitan o fomenten el incumplimiento de los pactos internacionales o regionales firmados y ratificados por Cuba, que incluya en sus programas o en su actuación el incumplimiento de los deberes financieros y las políticas de Estado aprobadas por la mayoría absoluta del congreso nacional.

15. Establecer la forma para proscribir a los partidos, tanto los que están en el gobierno como en la oposición, que promuevan o practiquen el populismo y el descrédito a las instituciones democráticas, al papel de los partidos, al servicio de la política y los políticos a la Nación. A los que

promuevan la desarticulación o limiten el papel y el servicio de la sociedad civil pacífica, o propongan o apoye cambios radicales, revoluciones o golpes violentos contra las instituciones y el Estado.

16. Establecer los mecanismos y medios para combatir y proscribir los financiamientos espurios y tendenciosos, la corrupción, las coimas, el clientelismo político, la sinecura, la burocracia partidista, las alianzas sectarias contra la nación, la partidocracia que no cumple, ya sea por falta de voluntad política o mala o nula gestión, lo prometido en sus programas electorales, esa partidocracia que invierte el rol de los partidos que deben estar al servicio de la Nación, desde el gobierno o desde la oposición, y no poner al Gobierno, al Estado y a la Nación al servicio de los intereses o ideologías partidistas. Esta ley debe establecer penas para cada una de estas lacras.

17. Promover la primacía y el protagonismo de la sociedad civil, sus relaciones con la comunidad política, y preservar las funciones que debe ejercer la sociedad civil de control, crítica y apoyo a los programas y conductas de los políticos y los partidos.

18. Establecer las formas para respetar el pluralismo político, la decencia en las campañas electorales y en los debates parlamentarios, estableciendo programas formativos y medidas punitivas para quien viole esas actitudes y acciones inciviles.

19. Penar la violencia física y verbal en las campañas electorales, los mítines políticos, así como las ofensas y ataques a la persona y a la familia de los políticos, la violación del derecho a su buena fama, a la presunción de inocencia y a su libertad de expresión.

20. Crear o modificar las estructuras y modo de financiamiento necesarios para implementar lo establecido en esta Ley.

35. Ley Electoral y de Financiamiento de Campañas Electorales
(*Aportes tomados de la ponencia de la abogada Laritza Diversent y Cubalex que fue publicada íntegramente en nuestra revista* Convivencia *No. 51 y 52, www.centroconvivencia.org*).

Propuestas mínimas estratégicas de reforma al Sistema Electoral

Como Propuestas mínimas estratégicas escogimos tres:

1. El derecho a participar en las elecciones, quién puede votar quién puede ser votado.

2.   La libertad de expresión, lograr que se permita la campaña electoral incluyendo acceso a la internet, para todo efecto.

3.   Un padrón electoral que genere confianza, incluyendo la paridad debe estar entre nuestras propuestas estratégicas.

Las llamamos «tres propuestas claves de reforma al sistema electoral cubano», que buscan una apertura política ordenada, que nos lleven a una transición pacífica y tratan de garantizar el libre ejercicio de los derechos del derecho a elegir y ser elegidos de las ciudadanas y ciudadanos cubanos. También buscan generar confiabilidad y garantizar la integralidad y transparencia de las elecciones.

Se basan en el precepto constitucional que afirma que «Cuba es un Estado... independiente y soberano, organizado... como República unitaria y democrática, para el disfrute de la libertad política...», para promover «elecciones con integridad» basadas en los principios democráticos del sufragio universal y la igualdad política.

1. El derecho de los cubanos de elegir y ser elegidos

El problema

En las elecciones, las y los ciudadanos someten sus propuestas de candidatos/as a Delegados/as Municipales, a votación directa y pública (a mano alzada) en las asambleas de nominación. Sus preferencias o apoyos políticos se exponen públicamente a través de un método que origina el miedo a las represalias y en consecuencia limita la diversidad de postulaciones.

Nuestra propuesta

1.   La eliminación de las comisiones de candidaturas y las asambleas de nominación.

2.   Reconocimiento y respeto del derecho a ser elegidos. Las y los ciudadanos tienen derecho a postularse como candidatas y candidatos para ocupar cargos públicos electivos a todos los niveles, como representante de un movimiento, partido político o asociación cívica política.

3.   La nominación debe realizarse mediante inscripción ante la autoridad electoral competente, que tendrá que garantizar la paridad de género, el derecho de las y los candidatos a realizar campañas electorales con acceso en condiciones de igualdad a los medios de comunicación y al financiamiento público y privado con reglas claras de rendición de cuentas.

4. La ley debe procurar la alternancia en el poder como principio democrático.

2. Limitaciones a la libertad de expresión, reunión y asociación

El problema

El sistema establecido por la actual ley electoral impide que se generen las condiciones para que pueda producirse una deliberación plural y abierta, sobre los asuntos de interés público.

Prohíbe la campaña electoral y restringe el derecho de las y los ciudadanos a formular y manifestar sus preferencias políticas y obtener información de diversidad de fuentes.

También se restringe la libertad de las y los ciudadanos con aspiraciones políticas a desarrollar actividades naturales de quienes compiten a cargos de elección popular, a saber, la búsqueda de recursos y de votos, y a organizarse abierta y legamente en partidos políticos.

Cabe destacar que el sistema electoral es apartidista y no existe prohibición expresa para la existencia de otras organizaciones políticas.

Propuesta de Cubalex

Garantizar a las y los ciudadanos, el derecho a organizarse en movimientos, partidos políticos o asociaciones cívicas con fines políticos de acuerdo a sus preferencias ideológicas, para la formulación de propuestas sobre políticas públicas, promoción del debate público y la observación de procesos electorales.

Debe ofrecerse protección especial a las expresiones relacionadas con asuntos de interés público y a las personas que buscan ocupar cargos de representación pública. Respetar el pleno ejercicio de la libertad de expresión tanto para que los candidatos/as puedan manifestar sus propuestas y se genere un sano y equilibrado debate, como para que las y los ciudadanos puedan expresar libremente sus inquietudes con el fin de ejercer un voto consciente.

3. Independencia funcional del Organismo Electoral y el Registro de Electores

El problema

Actualmente la Comisión Electoral Nacional (CEN), máximo órgano electoral, solo funciona en tiempo de elecciones y se integra por mandato del Consejo de Estado.

Su carácter transitorio, su designación por un órgano político y la no profesionalidad de sus miembros, atenta contra la independencia e imparcialidad, requisitos con los cuales debe contar cualquier órgano electoral que pretenda dirigir elecciones democráticas.

Por su parte el Registro de Electores está a cargo del Ministerio del Interior, una institución militar, lo que inhibe a las y los ciudadanos para solicitar la información necesaria que les permita ejercer sus derechos civiles y políticos.

Las funciones asignadas por el actual sistema electoral a las organizaciones sociales y de masa, en especial al Comité de Defensa de la Revolución (CDR), atentan el libre ejercicio del derecho al voto de las y los ciudadanos restan transparencia a las elecciones.

Otras funciones que les son asignadas a sus miembros y que afectan profundamente el proceso electoral son: la de conformar la integración de las mesas electorales, incluir electores que no cumplen con el requisito de residencia al momento de la votación.

Propuestas de Cubalex

Generar confiabilidad en el órgano electoral y por ende en las elecciones, promover el libre ejercicio de los derechos civiles y políticos de las y los ciudadanos, así como la integralidad y transparencia de las elecciones, otorgando al órgano electoral, carácter descentralizado y permanente, y adscribiéndole el Registro de Electores para garantizar la independencia funcional y económica.

En especial proponemos la debida identificación de las sedes del Registro de Electores, al menos una por provincia. Candidatos/as y votantes, tendrán derecho a solicitar al Registro Electoral información para verificar la precisión de su contenido.

El Registro Electoral no debe permitir el uso o difusión de la información personal de los electores, para ningún propósito distinto al del ejercicio del derecho al voto.

Las y los funcionarios que integren los órganos electorales y el Registro de Electores, mientras desempeñen su cargo no podrán postularse como candidatos/as a cargos públicos electivos o por designación en cualquier organismo del Estado de carácter ejecutivo o en entidades económicas, sean estatales o privadas.

Y de postularse a elecciones, deberán renunciar a su cargo dos años antes del proceso electoral en cuestión. Tampoco podrán ocupar cargos directivos en organizaciones político-partidistas. Y en ningún caso podrán ser militares activos o en servicio.

Debe eliminarse toda situación que tenga la potencialidad de restringir la libertad de decisión y voto de las y los electores, eliminando las funciones asignadas legalmente dentro del proceso electoral a las organizaciones sociales y de masas, en especial las que asumen los CDR.

La nueva ley debe impedir la doble votación y con ello el eventual fraude electoral. Las reglas de actualización y corrección sistemática y transparente del Registro Electoral deberán realizarse en un plazo límite previo al día de las elecciones. Con ello se limita la posibilidad que tienen actualmente los órganos electorales temporales inferiores de realizar inclusiones en la lista el día de las elecciones.

Por último, deben eliminarse las funciones asignadas a los órganos electorales temporales en la verificación, tramitación o resolución de reclamaciones relacionadas con las inscripciones en el Registro Electoral.

Las propuestas fueron presentadas conjuntamente con la Matriz de reforma de la legislación electoral, documento en el que se especifica qué normas legales deben ser modificados o eliminados, así como los contenidos que deben adicionarse para la implementación de nuestras propuestas.

En las mismas dimos a los actos electorales un orden lógico y continuo, estableciendo términos en que cada uno de ellos debía realizase y el órgano responsable, para brindar mayor certeza jurídica y transparencia al proceso electoral».

(Aportes del trabajo en Comisiones durante el II Encuentro en la Isla y en la Diáspora).

1.   La financiación de las campañas electorales serán exclusivamente de fondos nacionales sean asignadas en el presupuesto nacional aprobado por el parlamento proporcionalmente a la representación porcentual de cada partido, y si son de fondos privados que sean de procedencia demostrable y limpia con tope a las donaciones.

2.   La financiación extranjera para las campañas electorales están prohibidas.

3.   La financiación de las campañas electorales estarán siempre expuestas al escrutinio público y a la auditoría institucional, de forma transparente, sistemática y detallada.

4.   La ley establece las sanciones para las personas naturales o jurídicas que violen estos presupuestos e invalidará de oficio los resultados de los partidos que lo violen en las elecciones y sea demostrada esa violación en tribunales competentes.

2.4. Leyes para el desarrollo humano integral

36. Ley de Salud

Objetivos:

1. Crear un sistema de salud ético, accesible, universal y personalizado, de calidad que prevenga, cure y proteja a todos los ciudadanos. Basado en el Juramento Hipocrático.
2. Favorecer un ambiente social sano dirigido a aumentar el DHI, según las 6 dimensiones establecidas por la ONU.
3. Combinar adecuadamente el sistema de salud público, privado, mixta.
4. Favorecer el desarrollo de la natalidad.
5. Reconocer el:
- Derecho gratuito a la atención primaria y de emergencia de salud.
- Derecho a seguros de salud universal diferenciado.
- Derecho a ejercer la medicina de forma privada.
- Derecho a un plan epidemiológico y de vacunación de acceso universal.
- Derecho al sano esparcimiento.
- Derecho a la práctica de deportes y a la cultura física.
- Derecho a peritos médicos en los tribunales para evitar que las leyes ordinarias sean aplicadas sin una valoración médica especializada.
- Acceso a medicamentos y otros recursos de la industria farmacéutica: precios moderados, garantía de la calidad, oferta estable, etc.

Contenidos:

1. Sistema de atención primaria (prevenir), secundaria (sanar) y terciaria (rehabilitar).
2. Atención a la maternidad, la infancia y la tercera edad.
3. Atención a personas con condiciones especiales.
4. Promoción de estilos de vida sanos y prevención, de responsabilidad individual.
5. Investigación científica para un DHI. Administrar eficientemente su financiamiento. Intercambio de descubrimientos, investigaciones y producción científica en general.
6. Libertad para crear escuelas médicas estatales y privadas, autónomas. Libertad de cátedra y de investigación basadas en principios éticos.
7. Ayudas médicas en cooperación internacional y estrictamente voluntarias y sin fines políticos.

8.   Acciones legales contra las malas prácticas médicas.

9.   Formación de profesionales de la salud competentes.

10.   Constitución de un Fondo para garantizar la atención a personas vulnerables: niños sin amparo, de la tercera edad, y personas con capacidades especiales.

11.   Entorno libre de contaminación (sustancias tóxicas, residuales, ruidos, drogas, etc.).

12.   Mantener el contenido del artículo 50 de la actual Constitución y de la Ley 41 y partir de ellos para mejorar.

13.   Prohibición de cualquier forma de atentado contra la vida y la dignidad humanas con fines investigativos o comerciales, en cualquier fase de su desarrollo.

14.   Descentralización de los servicios de salud incluyendo a la industria farmacéutica y de equipos médicos.

37.   Ley de Educación y Cultura. Educación Superior y Centros de Investigación Científica

Objetivos:

1.   Lograr un sistema educacional de calidad que prepare a la persona de manera intelectual, cívica y académica, basado en la siembra y rescate de virtudes y valores para sanar el daño antropológico infligido a varias generaciones. Este sistema educacional integrará la escuela pedagógica de Varela, Luz y Martí con los métodos pedagógicos liberadores y participativos más modernos, garantizando así el traspaso generacional de la cubanía y su cultura que le permita un efectivo protagonismo ciudadano.

2.   Formar una comunidad educativa, eficiente y plural, con la participación activa de padres, maestros y alumnos y otras instituciones relacionadas con la formación y promoción humana.

3.   Garantizar el acceso de cada ciudadano a un sistema educacional de calidad y público, el cual prepare y eduque al individuo.

4.   Establecer como obligatorios, de acceso universal y gratuito, los estudios primarios, secundarios y de bachillerato garantizados por el sistema estatal o privado-religioso.

5.   Normar un sistema de educación de adultos.

6.   Normar un Sistema de enseñanza para personas con capacidades especiales tratando de incorporarlos al sistema regular de educación.

7.   Lograr la formación plena e integral con una conciencia crítica, científica y humanista fundamentada en valores nacionales y universales.

Realizando convenios internacionales que garanticen la inserción de nuestros profesionales en dichos contextos a partir del reajuste de los planes de estudios con las exigencias de las más prestigiosas universidades del mundo.

8. Restablecer el principio de autonomía universitaria y la libertad de cátedra.

Derechos:

1. Derecho prioritario de los padres a elegir la educación para sus hijos.
2. Derecho a la gestión de escuelas y universidades por parte de privados, siempre con supervisión para garantizar los niveles necesarios y suficientes de instrucción, educación, medios de enseñanza, comunidad educativa, recursos, etc.
3. Derecho universal a internet. Informatización de todo el sistema de educación y universidades.

Contenidos:

1. Existencia de un sistema educacional privado y/o religioso.
2. Pleno desarrollo del individuo donde las carreras universitarias no sean por designación.
3. Acceso a cuantas carreras superiores pretenda la persona sin límites de edades.
4. Acceso a la educación libre e igual, gratuita y obligatoria, pública, privada y religiosa.
5. Convenios internacionales con centros homólogos, Inserción de profesionales en contextos afines.
6. Reajuste de los planes de estudios.
7. Homologación de títulos y sus honorarios.
8. Obligatoriedad de los estudios primarios, secundarios y de bachillerato garantizados por el sistema público.
9. Garantizar los parámetros de calidad educacional e investigativa.
10. Obligatoriedad por parte de los diferentes sistemas educacionales, públicos y privados, de cumplir con la transmisión de los valores morales, éticos y cívicos, especialmente mediante un programa de Educación ética y cívica a todos los niveles.
11. Obligatoriedad, en todos los sistemas de educación, públicos y privados, de la enseñanza de la Historia de Cuba y la Geografía de Cuba.
12. En todos los sistemas de educación, públicos y privados, será obligatoria la Educación Económica que posbilite dotar al educando de

nociones económicas imprescindibles en el mundo moderno y propicie el ejercicio del derecho a pensar y a decidir con información y conocimientos. Contenidos curriculares: Educación, crecimiento, desarrollo, mercado, oferta, demanda, justicia social, economía segura, eficiencia, productividad, producto bruto.

13. Utilización de los recursos obtenidos por la colaboración internacional de maestros y profesores en el propio sistema de educación y universidades.

14. Promover alianzas internacionales que faciliten fondos para la educación así como fomentar la educación a distancia.

15. Introducir un Impuesto para la Educación en los ingresos de empresas extranjeras y a las empresas de turismo y ocio.

38. Ley de Desarrollo Alimentario: agrícola, avícola, pesquero y ganadero

Objetivos:

1. Crear un marco legal que oriente y regule el desarrollo de los potenciales alimentarios del país en consonancia con los adelantos de la ciencia, la técnica y las circunstancias del comercio global.

2. Liberar las fuerzas vivas del campo para estimular la producción de alimentos.

3. Estimular el desarrollo de los sectores alimentarios fundamentales: agrícola, avícola, pesquero y ganadero.

4. Garantizar una infraestructura adecuada y suficiente para la producción, envase, conservación y comercialización de la producción agrícola, avícola, pesquera y ganadera.

5. Educar en la promoción de una cultura alimentaria saludable y variada en los cubanos y cubanas.

6. Garantizar la apertura e integración de Cuba a organismo internacionales como la FAO para incrementar la realización de trabajaos conjuntos y cooperación en materia alimentaria.

7. Proteger la alimentación de la nación, logrando la soberanía alimentaria, la reconstrucción ecológica de las tierras y el desarrollo económico sostenible. *Cf. Ley No. 18.*

8. Propiciar el acceso de los cubanos a un consumo alimentario higiénicamente, seguro y económicamente posible: altos estándares de calidad, desarrollo de exportables, productos genéticamente modificados, transgénicos y clonados siempre que estén debidamente controlados por las agencias reguladoras de alimentos, denominación de origen, productos orgánicos,

trazabilidad, valor agregado, encadenamientos, industria alimentaria, vedas, epizootias, reservas para desastres, resiliencia, importación de alimentos.

9. Democratizar y distribuir de manera justa la adquisición de la tierra, garantizando la propiedad de los propietarios, eliminando el latifundio o cualquier forma de explotación, facilitando los medios y recursos necesarios que permitan elevar la eficiencia y la productividad.

10. Propiciar la apertura económica para la adquisición de la tierra mediante compra venta, eliminando burocratismos en las formas de administración, permitiendo la asociación bajo formas asociativas e individuales, definiendo las políticas de transformación agraria por medio de sus propias organizaciones.

11. Garantizar el derecho a propiedad de la tierra a aquellas personas que la adquieran por compra, transacción debidamente aprobada por la ley, y que contribuyan al desarrollo de país.

12. Propiciar el desarrollo agrario y la protección de los productores nacionales a través de un sistema de créditos bancarios.

13. Promover una industria pesquera eficiente como fuente de alimento para el consumo nacional y la exportación sin detrimento del medio ambiente.

14. Garantizar un nivel de ingresos mínimos para acceder a un nivel de vida digno y decoroso.

Derechos:

• Derecho a una alimentación sana, suficiente y balanceada.
• Derecho a la gestión privada y cooperativa en los sectores relacionados con la alimentación.
• Derecho a diversas formas de gestión y acceso a los renglones alimentarios: productor-comercializador-consumidor-exportador.

39. Ley de Agricultura y Desarrollo Rural. De tenencia y uso de la tierra

Objetivos:

1. Democratizar y distribuir de manera justa la adquisición de la tierra, garantizando el derecho de propiedad, la herencia, el arrendamiento, la eliminación del latifundio o cualquier forma de explotación, facilitando los medios y recursos necesarios que permitan elevar la eficiencia y la productividad.

2. Promover el desarrollo productivo mediante las potencialidades y el protagonismo de los productores agrícolas y su cultura rural.

3.   Fomentar la vida, el trabajo en el campo y el cuidado de la madre Tierra y el equilibrio ecológico. *Cf. Ley No. 18.*

4.   Proteger la alimentación de la nación, logrando la soberanía alimentaria, la reconstrucción ecológica de las tierras y el desarrollo económico sostenible.

5.   Reconocer el derecho a la propiedad y tenencia de la tierra y la libertad de cultivar lo que desee y libre acceso al mercado del productor.

6.   Facilitar el acceso a créditos, conciliaciones, y subsidios.

7.   Reconocer el derecho al seguro y reaseguro.

8.   Permitir la importación y compra de implementos y maquinarias.

9.   Permitir la importación y exportación. Apertura económica para la adquisición de la tierra (compra venta, permuta, arrendamiento).

10.   Establecer las reglas de importación y exportación de equipos y tecnologías agropecuarias.

11.   Otorgar licencias de importación y exportación.

12.   Facilitar a los productores y desde las comunidades rurales, explotar el valor agregado de las producciones agrícolas.

13.   Establecer una política crediticia y de impuestos.

14.   Regular la entrega de la tierra a los que la trabajan.

15.   Normar los sistemas o formas de propiedad (cooperativo, familiar, etc.).

16.   Establecer mecanismos legales que permitan al campesinado la libre negociación o firma de convenios con compañías extranjeras, en aras de garantizar la prosperidad del campesinado cubano, su cultura y modo de vida y las producciones tradicionales.

17.   Proteger a los pequeños productores frente a las grandes empresas inversoras y propietarias. Desarrollo de la agricultura nacional.

18.   Establecer formas de empleo y pago que garanticen una vida digna para el sector campesino.

19.   Poner en marcha un sistema agrícola y pecuario eficiente, vivo y generador de riquezas.

20.   Fomentar y estimular la ganadería en la nación. Abolición de todas las leyes que pudieran restringir, penar o bloquear la producción agropecuaria.

21.   Regular la libre comercialización de los productos agropecuarios en el mercado nacional e internacional.

40.   Ley de la Vivienda, la Construcción y el Urbanismo

Objetivos:

1.   Favorecer la educación ambiental y de reciclaje de desechos en la vivienda y urbanizaciones.

2.   Fomentar las construcciones económicamente accesibles.

3.   Establecer un Reglamento integral de urbanístico humano, ecológico y de planificación física. *Cf. Ley No. 18.*

4.   Disminuir el burocratismo en las gestiones de construcción de viviendas.

5.   Planificación física de las ciudades y barrios nuevos.

6.   Crear obligatoriamente nuevos servicios esenciales cercanos a la vivienda.

7.   Establecer un Reglamento arquitectónico y construcción civil.

8.   Descentralizar las acciones de reparación y otros servicios públicos relacionados con la vivienda.

9.   Favorecer un equilibrio entre megaciudades y el desarrollo de sus barrios marginales.

10. Sentar las bases para la elaboración de políticas nacionales de desarrollo y ordenamiento territorial.

11. Incentivar las iniciativas privadas, cooperativas y públicas para la construcción de viviendas.

12. Fomentar la industria inmobiliaria.

13. Fomentar la industria de materiales de construcción, abriendo a la empresa y al comercio privado de materiales de construcción y accesorios para el hogar acordes al clima del país.

14. Establecer el derecho de indemnización en caso de ser afectada la propiedad inmobiliaria y las formas de protección o negociación de la propiedad urbana ante necesidades públicas justas.

15. Crear o modificar las estructuras y modo de financiamiento necesarios para implementar lo establecido en esta Ley.

16. Reconocer el:

- Derecho a una vivienda digna.
- Derecho a la privacidad en la vivienda y al espacio que evite el hacinamiento.
- Derecho de propiedad y mercado inmobiliario.
- Derecho a un ordenamiento urbanístico humano y ecológico.
- Derecho a un Título de propiedad.
- Derecho al respeto a la intimidad y a la privacidad personal y familiar.
- Derecho a la inviolabilidad del hogar y de la vivienda.
- Derecho a la salud ambiental, reparación de redes hidráulicas y de alcantarillado.
- Derecho a la preservación del medio ambiente que proteja a la áreas urbanizadas y áreas de recreación, de las construcciones industriales, la construcción de carreteras y de servicios.

41. Ley de Migraciones, Extranjería, Movilidad, Transporte y Seguridad Vial

Esta Ley incluiría dos partes: una sobre movilidad global, migraciones y extranjería y otra parte concerniente al orden y los servicios de la movilidad interna, el transporte en todas sus modalidades y un código de vialidad o seguridad vial.

En cuanto a la parte de movilidad global esta ley debe incluir:

- El derecho universal de viajar libremente observando las regulaciones establecidas para cada país y respetando la soberanía y las ordenanzas de extranjería de los demás países.
- El derecho de los migrantes de ser protegidos por su propio país a través de sus consulados, otros servicios que sirven humanitariamente a los inmigrantes, desplazados, indocumentados, etc.
- El derecho de todo cubano de salir y entrar a su propio país manteniendo su ciudadanía y todos los derechos inherentes a ella sin límites de tiempo. Eliminar la restricción actual de dos años como límite de tiempo para permanecer en el extranjero.
- Cuba garantizará una atención de extranjería que observe todos los derechos humanos de los extranjeros que vivan, trabajen o visiten nuestro país basado en las convenciones internacionales y en los Pactos de la ONU sobre derechos migratorios.
- En caso de olas de migrantes por causas extraordinarias como por ejemplo guerras, desastres naturales, crisis humanitarias o de otro tipo, Cuba siempre actuará dando primacía a la dignidad de la persona humana y la observancia de todos sus derechos y deberes.

En cuanto a la parte de movilidad interna esta ley debe incluir:

El derecho a la libre movilidad de todos los cubanos en plenitud de sus derechos civiles y políticos por todo el territorio nacional y a fijar su residencia en el lugar de su preferencia, respetando el ordenamiento urbanístico y la convivencia pacífica.

Objetivos:

1. Normar y organizar el óptimo funcionamiento de la Transportación, Movilidad y Seguridad Vial.
2. Reconocer el derecho de los ciudadanos a la propiedad del transporte privado, cooperativo y mixto.
3. Reconocerá el derecho de los ciudadanos a una eficiente gerencia del transporte local, nacional e internacional.

4. Reconocer el derecho a condiciones dignas y seguras de movilidad y transportación por vías terrestres, aéreas y marítimas.

5. Fomentar las inversiones, la modernización, y la gestión eficiente y puntual del transporte público y privado terrestre, aéreo y marítimo.

6. Regular la calidad de vía, el sistema de cargas, la seguridad vial, las tasas y peajes.

7. Establecer las normas generales y la confección de un nuevo Código de Vialidad.

8. Crear o modificar las estructuras y modo de financiamiento necesarios para implementar lo establecido en esta Ley.

42. Ley de Energía, Minas y Fuentes Renovables

Objetivos:

1. Normar el uso racional y eficiente de la energía disponible.

2. Asegurar la explotación eficiente y eficaz de los recursos mineros. Hacerlo en armonía con el medioambiente. *Cf. Ley No. 18.*

3. Asegurar que la explotación de los recursos naturales del país se revierta en desarrollo para el mismo.

4. Regular y propiciar el establecimiento creciente de una matriz energética en que preponderen las fuentes renovables.

5. Regular todo lo relacionado con la energía necesaria para el desarrollo humano integral y el desarrollo del país.

6. Normar la explotación de fuentes energéticas renovables y no renovables.

7. Garantizar la extracción segura de combustibles fósiles y otros minerales.

8. Evitar la contaminación por derrames en tierras y mar y evitar la destrucción de hábitats.

9. Uso racional de energías, energías renovables, seguridad energética, independencia energética, cuidado del medioambiente, recursos naturales y soberanía, recursos naturales y desarrollo.

10. Garantizar la seguridad personal e higiene del trabajo de los trabajadores minero-energético en el Código de Trabajo.

11. Garantizar los aspectos específicos relacionados con los trabajadores minero-energéticos en la Ley de Salud.

Derechos:

1. Derecho del ser humano a cuidar la tierra en que vive.

2. Uso seguro, autosustentable y relativamente sostenible de las fuentes de energía disponibles.

3. Convertir los recursos naturales en desarrollo sin dañar el medioambiente.

4. Regular todo lo referido a: Perforaciones irresponsables, extracciones negligentes, tecnologías no confiables, emisiones de carbono, gasto de agua y energía para obtener petróleo, riqueza de capital contra empobrecimiento del ambiente, desarrollo, crecimiento y miseria natural y climática.

43. Ley de Desarrollo Industrial

(Nota: En lugar de ser una ley, pudieran pasar a ser estrategias o políticas públicas a mediano y largo plazo).

Objetivos:

1. Regular a grandes rasgos el desarrollo industrial del país.

2. Normar y orientar los énfasis y acentos del desarrollo sectorial y ramal sin coartar iniciativas que no lesionen gravemente el medio ambiente.

3. Normar el desarrollo industrial del país de manera que propicie la creación de sinergias entre diferentes sectores (agricultura, pesca, silvicultura, minería, etc.) y preserve el equilibrio ecológico y las reservas naturales.

4. Garantizar la apertura a la inversión cubana y extranjera en el sector industrial con un marco jurídico que las estimule y proteja el medio ambiente.

Derechos:

• Asegurar las direcciones del desarrollo industrial convenientes al país, en concordancia con las circunstancias globales.

•

Contenidos:

1. Establecerá las direcciones del desarrollo, sectores y ramas privilegiadas, valor agregado, encadenamientos productivos, inversiones directas, propiedad privada y mixta, propiedad estatal, pequeñas y grandes industrias, ciencia y técnica, exportaciones.

2.   Reconocerá el derecho de propiedad privada, pública, mixta y cooperativa, y el derecho de gestión en el sector industrial.

3.   Normará y ordenará el desarrollo de la industrialización del país.

4.   Fomentará el desarrollo de la agroindustria, la industria pesquera, la industria maderera, la ingeniería genética y la biotecnología.

5.   Estimulará las inversiones en el sector industrial, la liberación de fuerzas productivas, sobre todo en los sectores de interés nacional.

6.   Regulará la eliminación gradual de aquellas industrias que sean consideradas contaminantes.

7.   Regulará los requerimientos medioambientales para toda industria nueva.

8.   Prohibirá y cerrará toda industria nueva que no cumpla con los requerimientos medioambientales que establece esta ley y el Código de Medioambiente. *Cf. Ley No. 18.*

9.   Establecerá las multas y otras medidas punitivas para la violación accidental, sistemática o puntual de los requerimientos medioambientales por parte de todas las industrias, pequeñas, medianas y grandes.

10.   Establecerá la indemnización, asistencia social, seguridad laboral, de todos los trabajadores industriales que sean afectados física o sicológicamente por violaciones sistemáticas, constructivas, tecnológicas o fallas accidentales, en la industria. Esta indemnización y seguridad social será asumida tanto por parte de los propietarios privados, cooperativos, mixtos o públicos, o con ayuda de subsidios estatales.

11.   Creará o modificará las estructuras y modo de financiamiento necesarios para implementar lo establecido en esta Ley.

44.   Ley del Turismo y las Reservas Ecológicas

Objetivos:

1.   Regular la actividad turística para lograr mayor aprovechamiento de los atractivos naturales y culturales del país, sin afectar el medio ambiente y las reservas ecológicas. *Cf. Ley No. 18.*

2.   Promover los valores de la cultura cubana integrada a los valores de la cultura universal.

3.   Mejorar la educación para el turismo ajustándola a los estándares internacionales.

4.   Reconocer el derecho de los animales destinados a la actividad turística.

5.   Establecer el acceso por parte de los nacidos y residentes en Cuba a todos los sitios turísticos y a todos los servicios turísticos.

6. Salvar especies animales y vegetales de la depredación producto del crecimiento económico (Ley de Parques Naturales).

7. Reconocer el derecho a preservar muestras de la vida natural, a crear islotes de naturaleza para el recuerdo y el ejercicio de concientización.

8. Preservar, especies en peligro y equilibrios ecológicos de la invasión económica.

9. Crear espacios para el estudio de la fisiología ecológica y la concientización acerca de los peligros que aquejan al planeta, conservación y recuperación de recursos naturales.

10. Reconocer el derecho a crear entidades privadas para la protección de las reservas ecológicas.

11. Establecer una regulación de época de veda para la caza y la pesca.

12. Garantizar la armonía entre el desarrollo turístico y el cuidado del medio ambiente.

13. Preservar y proteger el patrimonio cultural y arquitectónico.

14. Propiciar la ética del turismo.

15. Introducir un Impuesto especial al Turismo para reinvertirlo en educación y salud.

45. Ley de los Servicios Comunales

Objetivos:
1. Garantizar el acceso universal a los servicios comunales, sean públicos o privados.
2. Crear un sistema de servicios de calidad competitivo, encaminado a lograr la satisfacción del cliente.
3. Prohibir la discriminación o segregación social o territorial en cuanto a servicios comunales.
4. Garantizar que los Servicios Comunales contribuyan a la conservación del medio ambiente. *Cf. Ley No. 18.*
5. Garantizar el derecho de todos los individuos de acceder mínimamente a los servicios comunales que dignifiquen la calidad de su vida cotidiana. Con el acceso a:
- el agua (potable y de uso doméstico, comunal, etc.).
- la electricidad
- las comunicaciones y el internet en espacios públicos y privados
- la limpieza y salubridad de los espacios públicos y privados
- los servicios funerarios públicos y privados
- la red de drenaje y alcantarillado

- los servicios de bomberos, rescatistas y salvavidas públicos y privados
- los servicios de organización y orden de los espacios públicos
- las reparaciones constructivas, mecánicas o eléctricas públicas y privadas
- la limpieza ambiental: aire, agua, ruidos, canales, etc.
- las campañas preventivas y curativas comunitarias
- los servicios públicos en catástrofes naturales o crisis extraordinarias.

6.   Proteger al ciudadano con capacidades diferentes respecto al acceso y uso igualitarios de los servicios comunales.

7.   Establecer un Presupuesto local o comunitario para los servicios comunales públicos.

8.   Establecer un plan de privatización de aquellos servicios que el Estado no puede, ni debe asumir.

9.   Crear o modificar las estructuras y el modo de financiamiento necesarios para implementar lo establecido en esta Ley.

PONENCIAS PRESENTADAS EN EL II ENCUENTRO
DE PENSAMIENTO Y PROPUESTAS PARA CUBA,
EN LA ISLA Y EN LA DIÁSPORA

REFORMA AL SISTEMA ELECTORAL CUBANO Y A LA LEY DE ASOCIACIONES Y SU REGLAMENTO

Por Laritza Diversent Cambara[1]

A. Proceso de formulación de las propuestas de reforma electoral

El 23 de febrero de 2015 el X Pleno del Comité Central del Partido Comunista de Cuba (PCC), anunció que en su VII Congreso a celebrarse en abril de 2016, se le pediría a la Asamblea Nacional del Poder Popular, órgano legislativo, modificar el proceso electoral y la adopción de una nueva Ley; con vista a las elecciones generales de 2018[2].

Nuestra organización realizó una investigación sobre el sistema electoral cubano y desarrolló debates en los que participaron representantes de organizaciones de la sociedad civil independiente, para detectar los obstáculos que impedían la participación política de los ciudadanos y ciudadanas en condiciones de igualdad y formular propuestas de solución a los mismos.

Una de las principales conclusiones de los debates fue la necesidad de un proceso de reformas a la Constitución, para compatibilizar el sistema legal a los cambios actuales dentro de la sociedad y los compromisos internacionales asumidos por el estado cubano en materia de derechos humanos. Sin embargo, en algunos de los cambios propuestos no era imprescindible el proceso de reforma constitucional, razón por la que se

[1] Laritza Diversent Cambara. Abogada. Directora del Centro de Información Legal Cubalex.

[2] http://www.cubadebate.cu/noticias/2015/02/23/en-abril-de-2016-tendra-lugar-el-vii-congreso-del-partido-comunista-de-cuba/#.VXB3N0agTGg

decidió dividir el informe con las propuestas en dos partes: la primera contenía las propuestas que se podían implementar con una reforma de leyes. La segunda contenía las propuestas que para su implementación necesitaban una reforma constitucional.

El informe fue presentado a expertos en el tema electoral en América Latina, gracias a la alianza establecida con el Centro de Asesoría y Promoción Electoral (CAPEL) del Instituto Interamericano de Derechos Humanos (IIDH), con sede en San José, Costa Rica. La Organización es experta en el tema electoral y tiene coordinaciones con las instituciones electorales de casi toda América Latina. Nuestra intención era aprovechar la rica experiencia de la región en los últimos 30 años. La principal crítica a nuestro informe era que proponía una ruptura brusca con el sistema actual y no daba la oportunidad de diseñar una transición pacífica y ordenada hacia un régimen democrático.

Los expertos resaltaron también el difícil reto que nos encontrábamos, pues no se trataba de desmontar una sociedad autoritaria sino totalitaria y por la vía pacífica, y como primer problema, el desafío de cambiar valores en la sociedad, especialmente la tolerancia y las diferencias. Advirtieron la oportunidad histórica, y la necesidad de aprovecharla detectando posibles escenarios y espacios. La normalización de las relaciones entre Cuba y Estados Unidos, y un posible levantamiento del embargo, rompían el círculo vicioso entre embargo y represión, enfatizando que uno reforzaba al otro.

Según la valoración de los expertos en Cuba aún no estamos en transición, aunque reconocieron que existía posibilidad de iniciarla, identificando nuestro segundo reto:

- ¿Cómo hacer una transición?
- ¿Qué reglas proponer?
- ¿Qué modelo de democracia queríamos?

Insistieron en la necesidad de que identificáramos de dónde partíamos, a dónde queríamos llegar y qué capacidad teníamos para hacerlo.

Calificaron algunas propuestas de autoritarias, recomendándonos garantizar la libertad por encima de cualquier cosa, aconsejándonos restringir lo menos posible. Recomendaron eliminar todos los términos discriminatorios, especialmente respecto a la presentación de candidaturas. Nos criticaron el lenguaje del texto, especialmente su redacción en género masculino. Nos recomendaron escoger solo propuestas mínimas pero que fueran estratégicas, para abrir el juego democrático, desarrolladas como máximo en 5 páginas, porque los políticos no leían textos largos. Enfatizaron, que si lográbamos abrir el juego político, existiría la posibilidad de discutir el resto de las propuestas.

b. Propuestas mínimas estratégicas de reforma al Sistema Electoral

Como propuestas mínimas estratégicas escogimos el derecho a participar en las elecciones, quién puede votar, quién puede ser votado; en segundo lugar, la libertad de expresión, lograr se permita la campaña electoral incluyendo acceso a la internet, para todo efecto; en tercero, un patrón electoral que genere confianza, incluyendo la paridad que debe estar entre nuestras propuestas estratégicas.

Las llamamos «tres propuestas claves de reforma al sistema electoral cubano», que buscan una apertura política ordenada, que nos lleven a una transición pacífica y tratan de garantizar el libre ejercicio del derecho a elegir y ser elegidos de las ciudadanas y ciudadanos cubanos. También buscan generar confiabilidad y garantizar la integralidad y transparencia de las elecciones. Se basan en el precepto constitucional que afirma que «Cuba es un Estado... independiente y soberano, organizado... como república unitaria y democrática, para el disfrute de la libertad política...», para promover «elecciones con integridad» basadas en los principios democráticos del sufragio universal y la igualdad política.

1. El derecho de los cubanos a elegir y ser elegidos

El problema

En las elecciones, las y los ciudadanos someten sus propuestas de candidatos/as a Delegados/as Municipales, a votación directa y pública (a mano alzada) en las asambleas de nominación. Sus preferencias o apoyos políticos se exponen públicamente a través de un método que origina el miedo a las represalias y en consecuencia, limita la diversidad de postulaciones.

Los Comité de Defensa de la Revolución (CDR) tienen la potestad de otorgar avales de comportamiento y modo de vida de las y los ciudadanos, lo que es usado como mecanismo de intimidación, que impide la libre expresión de sus preferencias políticas y condiciona el ejercicio libre del derecho a elegir.

La Ley Electoral asigna la función de seleccionar las y los candidatos a cargos de elección nacional y de dirección del gobierno a comisiones integradas por representantes de 6 organizaciones notoriamente comprometidas con el Partido Comunista de Cuba (PCC). Además de los CDR, entre ellas se encuentran la Central de Trabajadores de Cuba (CTC) y la Federación de Mujeres Cubanas (FMC). Generalmente sus dirigentes ocupan cargos en las más altas estructuras del PCC y en el Consejo de Estado. La actuación de estas comisiones elimina la posibilidad de competencia, ya que proponen un solo candidato por cargo, que con frecuencia pertenece al único partido político reconocido.

Esta situación genera inequidad, y violenta el derecho de las y los ciudadanos a postularse en condiciones de igualdad. No existen oportunidades para candidatos/as distintos a los del régimen para ocupar cargos de elección popular.

Nuestra propuesta

- La eliminación de las comisiones de candidaturas y las asambleas de nominación.
- Reconocimiento y respeto del derecho a ser elegidos. Las y los ciudadanos tienen derecho a postularse como candidatas y candidatos para ocupar cargos públicos electivos a todos los niveles, como representantes de un movimiento, partido político o asociación cívica política.
- La nominación debe realizarse mediante inscripción ante la autoridad electoral competente, que tendrá que garantizar la paridad de género, el derecho de las y los candidatos a realizar campañas electorales con acceso en condiciones de igualdad a los medios de comunicación y al financiamiento público y privado con reglas claras de rendición de cuentas.
- La ley debe procurar la alternancia en el poder como principio democrático.

2. Limitaciones a la libertad de expresión, reunión y asociación

El problema

El sistema establecido por la actual ley electoral impide que se generen las condiciones para que pueda producirse una deliberación plural y abierta, sobre los asuntos de interés público. Prohíbe la campaña electoral y res-tringe el derecho de las y los ciudadanos a formular y manifestar sus preferencias políticas y obtener información de diversidad de fuentes. También se restringe la libertad de las y los ciudadanos con aspiraciones políticas a desarrollar actividades naturales de quienes compiten a cargos de elección popular, a saber, la búsqueda de recursos y de votos, y a organizarse abierta y legalmente en partidos políticos.

Cabe destacar que el sistema electoral es apartidista y no existe prohibición expresa para la existencia de otras organizaciones políticas.

Nuestra propuesta

Garantizar a las y los ciudadanos, el derecho a organizarse en movimientos, partidos políticos o asociaciones cívicas con fines políticos de acuerdo a sus preferencias ideológicas, para la formulación de propuestas sobre políticas públicas, promoción del debate público y la observación de procesos electorales.

Debe ofrecerse protección especial a las expresiones relacionadas con asuntos de interés público y a las personas que buscan ocupar cargos de representación pública. Respetar el pleno ejercicio de la libertad de expresión tanto para que los candidatos/as puedan manifestar sus propuestas y se genere un sano y equilibrado debate, como para que las y los ciudadanos puedan expresar libremente sus inquietudes con el fin de ejercer un voto consciente.

En consonancia con estas propuestas y su adecuada implantación, realizamos un estudio de la Ley de Asociaciones y su reglamento y formulamos propuestas para la reforma de ambas normas legales. Además, el 26 de febrero de este año, Cubalex presentó formalmente al Ministerio de Justicia, la solicitud de legalización de nuestra organización e invitamos y asesoramos a otra organización a que iniciaran este proceso. Debemos recibir respuesta a finales del próximo mes de julio. Actualmente la Mesa de Diálogo de la Juventud Cubana ya presentó su solicitud de legalización al Ministerio de Educación Superior identificado como órgano del estado afín, otras como el Partido Político «Pedro Luis Boitel», están en proceso de preparación de la documentación necesaria para formular similar solicitud.

3. Independencia funcional del Organismo Electoral y el Registro de Electores

El problema

Actualmente la Comisión Electoral Nacional (CEN), máximo órgano electoral, solo funciona en tiempo de elecciones y se integra por mandato del

Consejo de Estado. Su carácter transitorio, su designación por un órgano político y la no profesionalidad de sus miembros, atenta contra la independencia e imparcialidad, requisitos con los cuales debe contar cualquier órgano electoral que pretenda dirigir elecciones democráticas.

Por su parte el Registro de Electores está a cargo del Ministerio del Interior, una institución militar, lo que inhibe a las y los ciudadanos para solicitar la información necesaria que les permita ejercer sus derechos civiles y políticos.

Las funciones asignadas por el actual sistema electoral a las organizaciones sociales y de masa, en especial los CDR, atentan contra el libre ejercicio del derecho al voto de las y los ciudadanos y restan transparencia a las elecciones. Ejemplo: la verificación de las Listas de Electores. Otras funciones que les son asignadas a sus miembros y que afectan profundamente el proceso electoral son: la de conformar la integración de las mesas electorales e incluir electores que no cumplen con el requisito de residencia al momento de la votación.

Nuestra propuesta

Generar confiabilidad en el órgano electoral y por ende en las elecciones, promover el libre ejercicio de los derechos civiles y políticos de las y los ciudadanos, así como la integralidad y transparencia de las elecciones, otorgando al órgano electoral, carácter descentralizado y permanente, y adscribiéndole el Registro de Electores para garantizar la independencia funcional y económica.

En especial proponemos la debida identificación de las sedes del Registro de Electores, al menos una por provincia. Candidatos/as y votantes, tendrán derecho a solicitar al Registro Electoral información para verificar la precisión de su contenido.

El Registro Electoral no debe permitir el uso o difusión de la información personal de los electores, para ningún propósito distinto al del ejercicio del derecho al voto. Las y los funcionarios que integren los órganos electorales y el Registro de Electores, mientras desempeñen su cargo no podrán postularse como candidatos/as a cargos públicos electivos o por designación en cualquier organismo del estado de carácter ejecutivo o en entidades económicas, sean estatales o privadas.

De postularse a elecciones, deberán renunciar a su cargo dos (2) años antes del proceso electoral en cuestión. Tampoco podrán ocupar cargos directivos en organizaciones político-partidistas. Y en ningún caso podrán ser militares activos o en servicio.

Debe eliminarse toda situación que tenga la potencialidad de restringir la libertad de decisión y voto de las y los electores, eliminando también las funciones asignadas legalmente dentro del proceso electoral a las organizaciones sociales y de masas, en especial las que asumen los CDR.

La nueva ley debe impedir la doble votación y con ello el eventual fraude electoral. Las reglas de actualización y corrección sistemática y transparente del Registro Electoral deberán realizarse en un plazo límite previo al día de las elecciones. Con ello se limita la posibilidad que tienen actualmente los órganos electorales temporales inferiores de realizar inclusiones en la lista el día de las elecciones. Por último, deben eliminarse las funciones asignadas a los órganos electorales temporales en la verificación, tramitación o resolución de reclamaciones relacionadas con las inscripciones en el Registro Electoral.

c. Presentación de las propuestas de Reforma Electoral a las autoridades nacionales

El pasado 14 de abril Cubalex, conjuntamente con la Mesa de Diálogo de la Juventud Cubana y el Partido por la Democracia «Pedro Luis Boitel Abraham», aprovechando la Celebración del VII Congreso del PCC, presentó las tres propuestas claves de reforma al sistema electoral cubano a la Ingeniera Lázara Mercedes López Acea, Primera Secretaria del Comité Provincial del Partido en La Habana, Miembro del Comité Central, del Buró Político y Vicepresidenta del Consejo de Estado.

En la carta solicitamos a López Acea que en su condición de Miembro del Buró Político haga llegar estas nuestras propuestas a la magna y trascendental cita de los comunistas cubanos, para que sean consideradas, debatidas, discutidas y tomadas en cuenta a la hora de formular las indicaciones a la Asamblea Nacional del Poder Popular, y concebir la estrategia de desarrollo a corto, mediano y largo plazos de nuestra nación, con todos y para el bien de todos los cubanos. Igualmente le pedimos que en su carácter de Diputada y Vicepresidenta del Consejo de Estado hiciera llegar nuestras propuestas al parlamento.

La reelección de Raúl Casro como Secretario General del Partido y la ratificación de la irrevocabilidad del socialismo en Cuba, son muestras de la postura intransigente de las autoridades del único partido reconocido cuya intención es mantener un Estado totalitario.

No obstante, Cubalex invita a las organizaciones de la sociedad civil, y a todos los ciudadanos cubanos que estén interesados en participar en la formulación de políticas públicas, específicamente en el proceso de reforma electoral, a que sigan y nos acompañen en este proceso, en principio, haciendo un seguimiento a la acogida de las tres propuestas por parte de las autoridades nacionales. Igualmente ofrece sus servicios de asesoría y asistencia técnica, y capacitación, a las organizaciones de la sociedad civil cubana que nos lo requiera.

Las propuestas fueron presentadas conjuntamente con la «Matriz de reforma de la legislación electoral», documento en el que se especifica qué normas legales deben ser modificadas o eliminadas, así como los contenidos que deben adicionarse para la implementación de nuestras propuestas.

En las mismas, dimos a los actos electorales un orden lógico y continuo, estableciendo términos en que cada uno de ellos debía realizase y el órgano responsable, para brindar mayor certeza jurídica y transparencia al proceso electoral.

Continuaremos insistiendo y presionando a las autoridades nacionales. Presentaremos a la Asamblea Nacional un Anteproyecto de reforma de ley electoral a través del ejercicio directo e indirecto de la iniciativa legislativa prevista en el artículo 88 de la Constitución de la República. Solicitaremos a diputados, a la Comisión de asuntos Constitucionales y Jurídicos de la ANPP, a las Direcciones nacionales de las organizaciones sociales y de masas, que presenten nuestro Proyecto de Ley al Parlamento.

También comenzamos a estudiar una estrategia para realizar la iniciativa legislativa ciudadana, prevista específicamente en el artículo 88 inciso g de la Constitución, en relación con el Artículo 64 del Reglamento de la ANPP, que exige que el Proyecto de Ley esté respaldado por la firma de 10 mil ciudadanos en pleno goce de sus derechos al sufragio activo y pasivo, probado mediante declaración jurada ante notario, un procedimiento que hasta la actualidad, no se ha realizado. Próximamente Cubalex solicitará a la Dirección Nacional de Notarías que nos informe cómo debemos realizar el proceso. En cuanto tengamos la respuesta de la autoridad comenzaremos la tramitación del mismo.

Invitamos al resto de las organizaciones de la sociedad civil a trabajar conjuntamente con nosotros en elaborar estrategias para hacer llegar las tres propuestas claves de reforma al parlamento por diferentes vías, a insistir, presionar e incidir en las autoridades nacionales.

Estas acciones tienen la intención de llamar la atención sobre la necesidad de impulsar reformas legales que garanticen un entorno seguro para el desarrollo de la sociedad civil, a la par que ejerzan presión sobre las autoridades nacionales, en el contexto actual de aparente apertura política. Estrategia similar utilizaremos en la presentación del Proyecto de Ley de reforma de la Ley de asociaciones que a continuación explico.

Cubalex actualmente trabaja en la elaboración de una estrategia para presentar el Proyecto de ley de reforma de la Ley de Asociaciones y su reglamento. Al igual que el proyecto de reforma electoral, está integrado por las propuestas basadas en los problemas identificados que restringen la libertad de manifestación, reunión y asociación, complementado por una matriz de reforma de los artículos que necesitan ser modificados o eliminados, en ambas disposiciones legales, así como sus respectivos anteproyectos legislativos.

Propuestas de reformas relacionados con el derecho de asociación Actualmente la existencia legal de las asociaciones depende de voluntad estatal, pues es el Ministerio de Justicia, después de un informe de legalidad y conveniencia que realizan otras instituciones del estado, autoriza o deniega la inscripción en el registro y con ello su existencia legal y personalidad jurídica de la agrupación.

Para garantizar el derecho a establecer asociaciones y a adherirse a ellas, nuestro proyecto de ley elimina este informe y con ello toda posibilidad de discreción de las autoridades administrativas, para evitar que continúe siendo un medio para impedir el reconocimiento legal de organizaciones críticas al gobierno.

Establece un procedimiento de notificación para que las asociaciones adquieran personalidad jurídica. En consecuencia la formalización del acto de constitución de una asociación se realizará ante notario público, por sus iniciadores o fundadores y su existencia legal se acreditará únicamente con la certificación expedida por el registro de asociaciones a cargo del Ministerio de Justicia, después de inscribirla en su registro.

Incluye a los partidos políticos y sindicatos como una forma específica de asociaciones y pretende eliminar las restricciones que impiden a los grupos religiosos ejercer este derecho, por ausencia de marco legal. Elimina toda referencia o distinción a las organizaciones sociales o de masas, por atentar contra el principio de igualdad y no discriminación, advirtiendo expresamente que no permitirá discriminación de ningún tipo en la inscripción de asociaciones.

Proponemos la eliminación de la restricción a la constitución de asociaciones que tengan iguales o similares objetivos, fines o propósitos de otra ya registrada y la exigencia de 30 miembros, para constituir una asociación, por no estar acorde con los estándares internacionales.

Nuestra propuesta de ley exige como mínimo dos personas, para establecer una asociación y como única limitación que la denominación de la que pretenda constituirse no coincida con la de una asociación ya registrada.

207

Actualmente, al emitir esta certificación, el Registro de Asociaciones del Ministerio de Justicia desalienta la creación de nuevas organizaciones alegando que los objetivos que se propone desarrollar en la pretendida asociación, son atribuciones y funciones que constitucionalmente conciernen al Estado y no se corresponden con los objetivos de una asociación o que ya existe una en ese mismo ámbito, aunque no le conste en sus archivos.

La nueva ley solo facultará al Registro de Asociaciones del Ministerio de Justicia, a emitir certificaciones en la que acredite que en sus archivos no existe ninguna organización con la misma denominación que la que se pretende constituir.

Proponemos que la Ley precise el término con que cuenta el Ministro/a de Justicia para resolver el recurso de alzada y el tiempo que el encargado/a del Registro debe expedir la certificación solicitada.

La ley reconocerá el derecho de las asociaciones, estén o no registradas, a actuar libremente y a recibir protección contra injerencias indebidas, para lo cual se debe eliminar las facultades de control, supervisión e inspección que actualmente tienen registro y los órganos de relaciones sobre las asociaciones.

La ley vigente exige a las asociaciones establecer «Normas de relaciones», con una institución estatal denominada por la ley actual como «órganos de relación», que adquiere la facultad de inspecciones periódicas a la asociación, atribución que también tienen funcionarios del Departamento de Asociaciones del Ministerio de Justicia.

Ambas instituciones estatales tienen la facultad, uno de proponer (órgano de relación), el otro, de imponer (departamento de Asociaciones del Ministerio de Justicia) sanciones que pueden conducir a la disolución de la asociación. Este doble sistema, garantiza que las decisiones que tomen los miembros o directiva de una organización se subordinen a lo que al respecto decida el departamento de asociación o el órgano de relación, so pena de poner en riesgo la existencia misma de la organización.

En ese sentido, la nueva ley eliminará la facultad que tiene de Ministerio de Justicia de imponer a las asociaciones y sus directivos las sanciones administrativas, especialmente la disolución involuntaria. La suspensión y la disolución involuntaria de una asociación solo podrán imponerse ante un riesgo claro e inminente de violación flagrante de la legislación nacional. Esta facultad queda reservada a un tribunal independiente e imparcial.

La ley reconocerá el derecho de las asociaciones, estén o no registradas, a:
- Expresar opiniones, difundir información, colaborar con el público y abogar ante los gobiernos y los organismos internacionales en favor de los derechos humanos, la preservación y el desarrollo

de la cultura de una minoría o de cambios en los instrumentos legislativos, incluida la Constitución, a presentar proyectos de Ley o propuestas para la redacción de proyectos de ley y a participar en el proceso de adopción de decisiones del Estado.

- Recabar y obtener financiación de entidades nacionales, extranjeras e internacionales, incluidos particulares, empresas, organizaciones de la sociedad civil, gobiernos y organizaciones internacionales, en el marco de la cooperación internacional, independientemente de los objetivos que persigan con arreglo al derecho internacional.

Se establece un sistema de rendición de cuentas y publicidad del financiamiento de las asociaciones, en especial información sobre el donante y la cantidad de dinero que aporta.

Para el pleno disfrute de este derecho exigimos la derogación de la Ley No. 88, conocida como «Ley Mordaza», que tipifica y sanciona hechos, que según el gobierno cubano, están dirigidos a apoyar, facilitar o colaborar con los objetivos de la Ley «Helms-Burton», el bloqueo y la guerra económica, encaminados a quebrantar el orden interno, desestabilizar el país y liquidar el Estado Socialista y la Independencia de Cuba. En 9 de sus 12 artículos, recoge una serie de delitos con penas entre los 2 y 20 años de prisión, incluyendo multas que oscilan entre los mil y 250 mil pesos. Las sanciones pueden duplicarse, si en los hechos participan, dos o más personas; o se realizan con ánimo de lucro o mediante remuneración, violentando y restringiendo desproporcionadamente el derecho a la libertad de reunión, asociación y expresión de los cubanos y el derecho de las asociaciones a recibir financiamiento del exterior.

La nueva ley impondrá a las autoridades la obligación de proteger a los miembros de una asociación lícita de posibles amenazas, actos de intimidación o violencia, como ejecuciones sumarias o arbitrarias, desapariciones forzadas o involuntarias, arrestos o detenciones arbitrarios, torturas y tratos o penas crueles, inhumanos o degradantes, campañas difamatorias en los medios de difusión, prohibición de viajar y despidos arbitrarios, en particular en el caso de los sindicalistas.

Establecerá la prohibición de exigir la obtención de una autorización oficial previa para recibir financiación nacional o extranjera, ni utilizarán la presión fiscal para disuadir a las asociaciones de recabar fondos, en particular del extranjero. La lucha contra el blanqueo de dinero y el terrorismo, no podrá invocarse como justificación para socavar la credibilidad de una organización, ni para obstaculizar arbitrariamente sus actividades legítimas.

Actualmente la mayoría de los ciudadanos/as una vez cumplidos los 14 años o cuando inician en los diferentes niveles de educación (primario, básico, medio superior y superior), para hacer vida social están obligados a ser parte en las organizaciones sociales y de masas[3] que emiten valoraciones que afectan positiva o negativamente sus vidas sociales.

En la Ley se debe reconocer que una persona es libre de asociarse con quien elija y formar o ingresar en asociaciones ya existentes, y en ningún supuesto podrá ser obligado a pertenecer a una asociación. Igualmente reconocerá expresamente que estarán prohibidas las asociaciones criminales, terroristas o con similares propósitos. Prohibirá las reuniones y asociaciones cuando su fin sea hacer propaganda en favor de la guerra y toda apología del odio nacional, racial o religioso que constituya incitación a la discriminación, la hostilidad o la violencia. La ley debe establecer sanción adecuada en caso de incumplimiento. La prohibición establecida abarcará toda forma de propaganda que amenace con un acto de agresión o de quebrantamiento de la paz.

Propuestas de reforma relacionadas con el derecho de manifestación y reunión

El derecho constitucional de reunión[4], entendido como la manifestación colectiva de la libertad de expresión a través de una asociación temporal, no tiene definido su contenido ni los límites a su ejercicio en la legislación cubana.

La nueva ley deberá reconocer el derecho que tiene toda persona a reunirse en grupos, pública o privadamente, para discutir o defender sus ideas.

Proponemos que toda reunión que se celebre se presuma pacífica y no estará supeditada a la obtención de una autorización previa de las autoridades, excepto las grandes reuniones o actos que pudieran provocar interrupciones del tránsito y requieran medidas para proteger la seguridad y el orden públicos y los derechos y libertades de los demás. La libre circulación vehicular no debe anteponerse automáticamente a la libertad de reunión pacífica.

Las contramanifestaciones

Los mítines de repudio, son contramanifestaciones alentadas e incitadas por las autoridades nacionales contra los defensores y defensoras de dere-

---

[3] Ejemplo Comité de Defensa de la Revolución, Federación de Mujeres Cubanas (FMC), Organización de Pioneros «José Martí», Federación de Estudiantes de la Enseñanza Media (FEEM), Federación de Estudiantes Universitarios (FEU), entre otras.

[4] Artículo 54 Constitución de la República de Cuba.

chos humanos que se manifiestan públicamente, a través de la cual se promueve la apología al odio nacional y se incita a la hostilidad y la violencia.

Los contramanifestantes, calificados por el propio gobierno como «masas enardecidas», se organizan a nivel institucional, en centros laborales, estudio y barrio, a través de sus organizaciones sociales y de masa en Brigadas de Respuesta Rápida (BRR), y son dirigidas y controladas por los órganos de la Seguridad del Estado y autoridades policiales.

En un acto que califican «de reafirmación política», cantan alabanza a la revolución cubana y sus líderes, y profieren frases amenazantes, que incitan a la violencia, como «machete, que son poquitos». Agreden física y verbalmente, incluso a veces con armamento rústico: palos, cabillas y cables, provocando lesiones a los defensores y defensoras, que van desde mordeduras, pinchazos con objetos desconocidos, fracturas de hueso, hasta lesiones cráneo-faciales. Gritan ofensas sexistas, de tipo racial, y relacionadas con la orientación sexual. Escupen y provocan con gestos obscenos y ademanes en los que emiten expresiones vulgares con signos de agravio sexual.

Mientras los contramanifestantes actúan con total impunidad, las autoridades policiales, bajo el pretexto de que mantienen la seguridad pública y protegen a los defensores y defensoras de derechos humanos, de las supuestas «masas enardecidas», los y las detiene de forma preventiva, en forma violenta; utilizando la fuerza en forma desproporcionada y desmedida, con empleo de torturas, tratos crueles, inhumanos y degradantes.

Incluso incitan al descontrol de sus efectivos, sin tener en cuenta los riesgos de exceso que afectan el derecho a la integridad personal de los y las manifestantes. En ocasiones los oficiales del sexo masculino ordenan específicamente a oficiales mujeres que las golpeen con expresiones como «aplícale la técnica», y las agresoras cumplen las órdenes dadas.

La ley reconocerá como legítimas y regulará las contramanifestaciones para expresar desacuerdo con el mensaje de otras reuniones, siempre que no intente disuadir a los participantes en las demás reuniones del ejercicio de su derecho. Las fuerzas del orden tienen la obligación de proteger activamente las reuniones pacíficas, y a sus participantes de los actos perpetrados por personas aisladas o grupos de personas, incluidos agentes provocadores y contramanifestantes, con el propósito de perturbar o dispersar tales reuniones, entre ellos miembros del aparato del Estado o individuos que trabajen a cuenta de este.

Obligaciones del estado ante las manifestaciones y reuniones pacíficas

La ley establecerá expresamente las obligaciones de respetar y garantizar este derecho que tiene el estado y sus instituciones a todos los individuos que se encuentren en su territorio y estén sujetos a su jurisdicción, sin distinción alguna de raza, color, sexo, idioma, religión, opinión política o de otra índole, origen nacional o social, posición económica, nacimiento o cualquier otra condición social.

En especial establecerá mecanismos accesibles y eficaces de presentación de denuncias que puedan investigar de forma independiente, rápida y minuciosa las denuncias sobre violaciones o abusos de los derechos humanos, a fin de exigir responsabilidad a los autores de esos actos.

Ese procedimiento no solo garantiza que se ponga fin a la violación, sino también que se evite su repetición en el futuro. Igualmente la ley establecerá la observación de las reuniones pacíficas, para evitar el uso excesivo o arbitrario de la fuerza contra manifestantes pacíficos y el empleo de armas de fuego.

Cubalex, la plataforma «Otro 18» y las propuestas de reforma legal

En principio fue nuestro empeño trabajar en la formulación de propuestas de reforma al sistema electoral de manera conjunta y en alianza con otras organizaciones de la sociedad civil, actualmente agrupadas en la Plataforma «Otro 18». En febrero de este año Cubalex se retiró de este proyecto por el conflicto de intereses relacionados con el rol que juega dentro de la sociedad una organización defensora de derechos humanos y una organización política.

La presentación y lanzamiento de candidatos es una función propia de un partido político, no de una plataforma que intenta agrupar organizaciones de la sociedad civil. No obstante, continúa y continuará trabajando en la formulación de propuestas de reforma legal, no solo en el tema electoral.

Nuestra organización hace valer el derecho que tienen las organizaciones de la sociedad civil de abogar ante los gobiernos y los organismos internacionales en favor de los derechos humanos, cambios en los instrumentos legislativos, incluida la Constitución, a presentar proyectos de Ley o propuestas para la redacción de proyectos de Ley y a participar en el proceso de adopción de decisiones del Estado.

CÓDIGOS Y LEYES PRINCIPALES PARA CREAR UN NUEVO MARCO JURÍDICO EN CUBA

Por Marioly Moreira Bejerano[1]

Las ciencias jurídicas son los estudios científicos en los que se le impone a la sociedad un compendio de leyes y normas previamente estudiadas y debatidas en congresos y plenarias de quienes legislan. Ellos se encargan de evaluar el panorama social y crearle barreras y dimensiones legales para mantener el orden.

Un marco jurídico es aquel que toma forma cuando una situación invoca al ámbito legal para su resolución, en él no están presentes todas las leyes, pero sí están las necesarias para ser aplicadas a la solución del problema.

La materia del derecho es muy extensa, lo jurídico representa un refuerzo, no solo como palabra o como adjetivo, sino más bien como parte fundamental de la nueva era del derecho. La sistematización del sistema jurídico representa que la organización busca dejar claro que la administración es la correcta, incluyendo el conjunto de normas que rigen las conductas de una sociedad en un tiempo y espacio determinado.

En términos generales, puede considerarse que el marco jurídico es un conjunto de normas constitucionales, leyes, reglamentos, jurisprudencia y disposiciones administrativas que determinan la forma de un sistema político y desde un punto de vista más estrecho o más técnico, el marco jurídico es también un conjunto de técnicas procedimentales.

El marco jurídico reviste una gran importancia para las relaciones que se establecen entre los hombres de manera integral, que tiene trascendencia

---

[1] Marioly Moreira Bejerano (Pinar del Río, 1971). Abogada y Máster en Derecho. Reside en Pinar del Río.

en el presente y para el futuro de una nación, refleja la forma de vida de un pueblo. Por esa razón, la revisión del marco jurídico debe llevarse a cabo con prudencia y teniendo en cuenta las particularidades históricas, sociales y culturales del país.

Por tanto, los cambios que deban realizarse y de hecho son necesarios para atemperar las normas con los avances de la sociedad en su conjunto, deben ser prudentes; no se trata de destruir, reciclar y comenzar de cero; lo que está bien, así debe continuar, se debe eliminar todo aquello que entorpece el desarrollo, aquello que es arcaico y que merece ser reconceptualizado.

En buena mirada del lector, podrá entender que la sociedad que quiera tener un marco jurídico actualizado debe adoptar periódicamente las provisiones para mantener un ciclo de lectura, análisis y rediseño de sus normas, sobre todo las que revisten mayor trascendencia para el país.

En este contexto, no hay que tener temor a equivocaciones, las contradicciones generan respuestas y cuando hay participación masiva, el margen al repudio se minimiza. En lo jurídico el marco legal proporciona las bases sobre las cuales las instituciones construyen y determinan el alcance y naturaleza de la participación política. Una de las formas más tradicionales de explicar el derecho toma como eje a la norma jurídica.

En base a la consideración de que si sabemos lo que es una norma jurídica sabremos también lo que es el derecho, se formula una teoría normativista del derecho; tal consideración no es particular del mundo jurídico, sino que se encuentra también en otras disciplinas y sectores del conocimiento. Responde a la idea de que el todo puede explicarse y conocerse a partir de su parte o elemento más característico y fundamental. Por consiguiente, si queremos saber o explicar qué es el derecho debemos analizar la institución jurídica. Al reconocer el importante papel que juega toda institución u organización en el mundo del derecho en general, se pregunta qué es o en qué consiste exactamente una organización.

Debemos aclarar que toda organización implica una distribución o asignación de competencias y de responsabilidades, por tanto, deberá gozar, por lo menos, de la estabilidad suficiente como para permitir la proyección en el tiempo de la organización, por lo que no puede quedar confiado al capricho de los asociados, siendo necesario que se establezca por una norma. En el marco legal, regularmente se encuentra un buen número de provisiones regulatorias y leyes interrelacionadas entre sí. Su fundamento en muchos países es la Constitución como suprema legislación, que se complementa con otras leyes, como es nuestro caso. La existencia de un marco jurídico y normativo es esencial para que los actores sociales rindan cuenta por su labor realizada.

Desarrollar un marco de este tipo requiere asegurarse de que los niveles más altos de dirección y gestión de cada sector institucional del país se comprometan políticamente con la implementación de estrategias y políticas relacionadas con la prevención y la respuesta de los problemas más acuciantes que afectan a todos, y por supuesto, hacerlo requiere un seguimiento constante de las regulaciones establecidas en los cuerpos legales aprobados.

Este compromiso puede llevarse a la práctica del modo siguiente:
- Estableciendo leyes nacionales con medidas específicas para que los actores sociales implicados defiendan el derecho tutelado, impidiendo que se cometan infracciones y transgresiones de las normas.
- Implantando políticas, estrategias y planes de acción nacionales que determinen los papeles y las responsabilidades de los diferentes actores sociales y que cuenten con presupuesto para su implementación.
- Desarrollando políticas institucionales, políticas operacionales y códigos de conducta para promover la tolerancia cero ante las violaciones de conducta, con medidas correctivas ajustadas que prioricen la comunicación, el diálogo, la comprensión y sobre todo la educación de toda la población en el marco de la legalidad.
- Según el contexto y el tipo de política de que se trate, se puede implicar en su elaboración a una amplia variedad de actores, como partes interesadas del ámbito internacional, regional y nacional.

Claro está, de nada sirven dichas políticas, estrategias y planes de acción si se elaboran y quedan guardadas hasta que llegue el momento de desempolvarlas, los instrumentos que se elaboren tienen que ser herramientas de trabajo cotidiano, de análisis y medición de los resultados que se quieren alcanzar, y por supuesto, hacerlo implica que se puedan proponer las debidas modificaciones cuando no se atemperen a la realidad, evitando con ello el descontento. Es de esa manera, que una norma cobra importancia, desde la generalidad y la singularidad, solo así se puede decir que la norma se encuentra al servicio de la sociedad, de lo contrario será letra muerta desde su nacimiento.

También es fundamental supervisar la implementación de las políticas y efectuar una evaluación continua de su impacto. Cada área de trabajo para llevar a cabo un cambio o implementación en el marco jurídico incluye acciones y calificación de resultados: «resultados estratégicos», «resultados de efecto-impacto» y «resultados finales». Para cada una de las acciones, se identifica una parte responsable y un método de presentación de informes. El marco lógico identifica también los riesgos y define los indicadores de resultados, las fuentes de verificación y los medios de verificación para cada uno de los resultados deseados.

La determinación de un marco jurídico legal a partir de nuevos códigos y otras leyes principales con el fin de reformar los sectores fundamentales de la vida nacional requiere del estudio de la estructura institucional con la que se vive hoy en el país.

En la actualidad, es la Constitución de 1976, reformada el 12 de julio de 1992 y el 26 de junio de 2002, la disposición que establece las facultades normativas de los diferentes órganos del Estado cubano. En primer orden la Asamblea Nacional del Poder Popular la que por mandato de ley se faculta para dictar leyes, disposiciones normativas del mayor rango jerárquico en el ordenamiento jurídico cubano y adoptar acuerdos; el Consejo de Estado, como órgano que representa a la Asamblea Nacional en el período en que no sesiona la misma, emite durante ese período Decretos-leyes, los que serán ratificados o no por la Asamblea en su próximo período de sesiones.

En doctrina y conforme a la práctica internacional, las disposiciones emitidas por el órgano de poder ejecutivo no pueden, formalmente, interferir la vigencia de las disposiciones del máximo órgano representativo de la voluntad popular. Pero lo cierto es que en la elaboración de la Ley Suprema, al Consejo de Estado de la República de Cuba se le ha dado facultades para hacerlo, argumentándose que el mismo no es un simple órgano ejecutivo de la Asamblea, sino que la representa en todo momento, y ostenta la suprema representación del Estado a los fines nacionales e internacionales, por lo que sus disposiciones se reconocen con fuerza y rango de ley, pudiendo modificar, derogar total o parcialmente disposiciones normativas de la Asamblea.

Es cierto que la operatividad en la toma de decisiones de un Estado necesita de un aparato eficiente, dinámico, proactivo, que sea capaz de adoptar decisiones operativas y que permita ofrecer niveles de respuestas a corto plazo, incluso de inmediato, pero, cuando hablamos de legislar leyes que afectan a todo un país, su actuación nunca debería estar por encima de la Asamblea Nacional.

En primer orden porque es a la Asamblea a quien corresponde hacerlo; en segundo orden porque no se concibe que una ley estudiada, analizada y aprobada por la máxima instancia legislativa, sea revocada parcial o total por un órgano subordinado a la misma, hacerlo es irreconocer su mandato;

y en tercer orden porque el poder ejecutivo no debe suplantar las facultades legislativas que posee solo la Asamblea.

Esta es una práctica autorizada en ley al órgano de poder ejecutivo en nuestro país, pero no debería rebasar los límites internacionalmente reconocidos, y mucho menos ir en contra o dictar normas que no han sido propuestas, estudiadas, analizadas y aprobadas por el máximo órgano representativo.

Sin embargo, son tan amplias las facultades del Consejo de Estado que se pone en sus manos el ejercicio de la voluntad popular que le compete a la Asamblea, puede suspender las disposiciones del Consejo de Ministros, incluso las de las Asambleas locales que no se ajusten a la Constitución o las leyes, y revocar los acuerdos y disposiciones de las Administraciones locales que contravengan la Constitución y las leyes.

Actualmente se trabaja en la separación de funciones, resulta conveniente dejar por sentado que la separación de funciones y poderes debe estar disciplinado en todos los niveles, es vital que cada cual haga lo que le corresponde según su encargo social por el cual ha sido creado.

El marco jurídico cubano actual se define y caracteriza por:

- Un solo poder.
- Un solo partido.
- Un sistema de órganos del poder popular.
- Las disposiciones de los órganos estatales superiores son de obligatorio cumplimiento para los inferiores.
- Los órganos estatales inferiores responden ante los superiores y le rinden cuenta de su gestión.

Los marcos jurídicos deben ser flexibles, ajustados al Derecho Internacional, en cuanto a establecer las normas mínimas fundamentales relativas y democráticas. En tal sentido es necesario que incluya mecanismos eficaces para garantizar la plena aplicación de la ley y de los derechos civiles, económicos, culturales y políticos de los ciudadanos.

En la actualización del modelo cubano se han hecho modificaciones en cuanto a determinados aspectos del marco jurídico pero sin transformar otras legislaciones que propicien su rápida actualización, siendo importante señalar que la actualización es un proceso complejo, sí, pero lleva aterrizar acciones fundamentales que lo hagan gradual, viable y patente, los retos se imponen pero las estrategias prácticas, concisas y directas lo hacen posible. Actualizar una temática o realidad que esencialmente debe sufrir cambios, lleva consigo tiempo, energía y motivación.

Tras la señalada complejidad del proceso de actualización del modelo económico cubano, su análisis no debe estar solo enfocado a los principales problemas a resolver, sino también a sus mecanismos administrativo-económico-financieros que deben suprimirse o modificarse, al plan mercado y macro-microeconomía a implementar. Esta línea de análisis es insuficiente cuando no se tiene en cuenta todo el entramado legal, civil y financiero, pues el proceso es de todos y cada uno de los cubanos.

Se han identificado por la nación algunos de los cambios principales que deberán tener lugar, entre los cuales se encuentran la separación de las funciones estatales y empresariales a todos los niveles, la combinación de las distintas formas de gestión estatal y no estatal, la unificación monetaria y cambiaria, el desarrollo de los mercados internos mayoristas y minoristas, el fortalecimiento del desarrollo de la agricultura, la recuperación de la industria, como el enfoque de la producción hacia la satisfacción sostenida de las demandas y sus exigencias en el mercado.

¿Cuáles son los resultados de la estrategia definida por el país para el diseño e implementación del nuevo modelo económico? Es preciso plantearse de forma objetiva y directa si la estrategia trazada ha resuelto los problemas identificados, si las líneas propuestas son las decisorias y si los cambios en las normas son palabra viva en relación a las acciones administrativas y económicas a acometer.

Un buen artista de la plástica define antes de hacer una obra el marco u entorno en el que se desarrollará su tema u obra, pero a la vez instrumenta el diseño del objeto, recursos y colores a utilizar y con la misma, pincel en mano para definir rasgos y hacer siluetas que hagan de su obra una pieza única y singular, logrando al menos una respuesta visual del público. Si esto es propio del mundo artístico, vital, prioritario y profundo es el diseño del futuro de la nación.

Las transformaciones sucedidas en el ámbito legislativo vinculadas con el perfeccionamiento del modelo económico, han consistido en instrumentar disposiciones legales, derogar y modificar normas, muchas con carácter experimental y con el objetivo de la búsqueda de fórmulas legales que aseguren el fortalecimiento de la empresa estatal socialista, establecer garantías laborales y sociales para los trabajadores en el nuevo escenario, y a ordenar de mejor manera la participación del sector no estatal en la economía. Con estas medidas legales no se propicia un vuelco a la realidad cubana actual, el marco jurídico necesita ser renovado desde adentro. Actualizar o derogar determinadas leyes que en nuestra opinión son las fundamentales para la vida nacional, es proponer caminos de tránsito para de forma ordenada, pacífica y gradual, lograr niveles de democracia auténticos.

El marco jurídico ha de tener en cuenta premisas importantes para su diseño y evaluación entre las cuales sería conveniente considerar las siguientes:

Para el estudio e instrumentación de un marco primario se deben tener en cuenta los siguientes elementos:

a) Los principios y el contexto del marco jurídico: visión, contenido y metodología empleada, de modo que sea sencillo, inteligible, claro.

b) Fundamentos estructurales del marco jurídico: tradiciones políticas y examen del sistema político y de gobierno, instrumentos jurídicos y regulatorios y procesos de creación y reforma.

c) Elementos básicos del marco jurídico.

d) Estudios de casos.

- Será democrático, considerando a la democracia no solamente como una estructura jurídica y un régimen político, sino como un sistema de vida fundado en el constante mejoramiento económico, social y cultural del pueblo.

- Será nacional, en cuanto —sin hostilidades ni exclusivismos— atenderá a la comprensión de nuestros problemas, al aprovechamiento de nuestros recursos, a la defensa de nuestra independencia política, al aseguramiento de nuestra independencia económica y a la continuidad y acrecentamiento de nuestra cultura.

- Contribuirá a la mejor convivencia humana, tanto por los elementos que aporte a fin de robustecer en el educando, junto con el aprecio para la dignidad de la persona y la integridad de la familia, la convicción del interés general de la sociedad, cuanto por el cuidado que ponga en sustentar los ideales de fraternidad e igualdad de derechos de todos los hombres, evitando los privilegios de razas, de religión, de grupos, de sexos o de individuos.

- El desarrollo nacional debe ser integral y sustentable, que fortalezca la soberanía de la Nación y su régimen democrático y que, mediante el fomento del crecimiento económico y el empleo y una más justa distribución del ingreso y la riqueza, permita el pleno ejercicio de la libertad y la dignidad de los individuos, grupos y clases sociales.

- Sistema de planeación democrática del desarrollo nacional que imprima solidez, dinamismo, permanencia y equidad al crecimiento de la economía para la independencia y la democratización política, social y cultural de la Nación. La forma de planificación de la economía debe ser participativa, libre y diversa en sus formas y métodos, que cree nuevas leyes como la Ley de la Propiedad, la Ley de las Empresas, la Ley del Comercio Exterior, y con reconocimiento jurídico de las personas jurídicas que intervienen.

- Las políticas y disposiciones jurídicas actuales que regulen el ejercicio del comercio exterior y la inversión, estimulando la inversión y las diversas formas de empleos, la libre contratación y con mecanismos y procesos que sobre el tema de propiedad lleve a participación social sobre los bienes.
- El sistema de formación de precios negociador, con un sistema de libre demanda y gestión.
- Las normativas en relación a la tierra, basadas en el uso y disfrute de la agricultura, el acceso a créditos y a la venta de sus producciones.
- La legislación laboral con una concepción integral del mercado laboral y la protección y defensa de los derechos y deberes de los trabajadores en cualquier forma de propiedad.
- El ejercicio de la autonomía y el derecho de las instituciones encargadas de la fiscalización y control de la legalidad en base a la democracia y la transparencia.
- La participación activa y determinante de la sociedad civil en el desarrollo integral de la nación, desde un enfoque abierto, emprendedor y de todos los cubanos.
- El ejercicio de la salud: estatal y no estatal, gratuita, con calidad y para todos los ciudadanos, con actuación preferencial por los niños, ancianos, embarazadas y personas con condiciones especiales.
- El marco jurídico debe estructurarse de manera que resulte inequívoco, comprensible y transparente, y ha de abordar todos los componentes del sistema, acordes con las normas internacionales.
- En un modelo con un alto nivel de legitimidad, con apertura a las diferentes expectativas políticas.

En resumen, el desarrollo de todo proyecto social, empresarial y político se encuentra condicionado por la normativa legal vigente en ese momento: normas sobre la forma jurídica, normas laborales, normas contables, normas fiscales, normas medioambientales, urbanísticas, o la propia normativa del sector financiero, por lo que su diseño, aplicación y ejecución depende de todos y define la forma de vida de la nación. Busquemos un nuevo marco legal hacia la prosperidad, con pensamientos y acciones siempre orientadas hacia la consecución de propósitos, metas, fines u objetivos bien sea a corto, mediano o largo plazos.

TRÁNSITO CONSTITUCIONAL EN CUBA

Por René Gómez Manzano[1]

INTRODUCCIÓN

Desde el mismo inicio de sus luchas independentistas, Cuba supo adoptar en forma democrática textos supralegales que establecieron un sistema de esa misma índole —democrático—, los cuales reconocían los derechos de sus ciudadanos; es el caso de la Constitución de Guáimaro, de 10 de abril de 1869. Después, durante el llamado «período republicano», rigieron textos de iguales características, tales como las Cartas Magnas de 1901 y 1940.

Como se sabe, hoy impera en nuestro país un sistema de firme vocación totalitaria, que se instauró en el poder por la vía armada en 1959. Tras ese triunfo, se estableció un régimen *de facto* que duró diecisiete años. Se trataba del «Gobierno Revolucionario» propiamente dicho; no obstante, después, de manera absurda, ha seguido utilizándose esa misma denominación para un régimen que se autoproclama como *de jure*. El aludido régimen *de facto* comenzó a dar pasos hacia la institucionalización en 1975.

En ese año se celebró el I Congreso del partido único (conviene recordar aquí que esta organización, por definición, es selectiva, y —por tanto— minoritaria y elitista). Ese cónclave, entre otras cosas, se autoconcedió la facultad constituyente y aprobó el proyecto de la llamada «Constitución socialista», elaborado por una comisión monocolor virtualmente anónima, que había sido designada por las propias autoridades cubanas. Ese proyecto fue aprobado posteriormente en un referendo en el que la abrumadora mayoría de los ciudadanos optó por el «sí».

[1] René Gómez Manzano (La Habana, 1943). Abogado. Fundador de la Corriente Agramontista. Miembro del Consejo Académico del Centro de Estudios Convivencia. Reside en La Habana.

Las circunstancias en que se adoptó ese texto son harto discutibles: La consulta popular se llevó a cabo en un ambiente de control absoluto de la sociedad, sin análisis pluralistas de clase alguna y sin la participación de nuestros numerosos compatriotas radicados en el extranjero. En la práctica, para la generalidad de los electores participantes, solo había una opción real: aprobar el texto presentado por el régimen.

Características actuales de la «Constitución socialista»

Con el paso de los años, la referida «Constitución socialista» ha sido objeto de varias modificaciones. Tras una de carácter anodino (para cambiarle el nombre a la Isla de Pinos), hubo otras dos más significativas: en 1992 y 2002. Cabe destacar que, al llevar a cabo la primera de estas dos reformas, se incumplió con el requisito de realizar el referendo que marca el último párrafo de la misma Carta Magna. Ese precepto ordena que se celebre la consulta popular «si la reforma es total o se refiere a la integración o facultades de la Asamblea Nacional del Poder Popular o de su Consejo de Estado o a derechos y deberes consagrados en la Constitución».

En aquella ocasión, concurrían los tres supuestos previstos. Ello es así porque la reforma tuvo carácter general (fueron modificados por ella el 56% de sus preceptos, amén de haberse incluido seis nuevos); ella afectó la integración de la Asamblea Nacional (cuyos diputados pasaron a ser objeto de votaciones directas de los electores); por último, también se contrajo a los derechos y deberes de los ciudadanos (pues varias de las modificaciones afectaron esta materia). Este asunto lo he tratado con mayor extensión en un libro que publiqué sobre estos temas, por lo que aquí no me extenderé al respecto[2].

A su vez, la reforma de 2002 tuvo el objetivo central de declarar la «irrevocabilidad» del sistema imperante.

En resumidas cuentas, el texto supralegal que exhibe hoy el régimen cubano se caracteriza por:

- Una enunciación harto deficiente de los derechos humanos internacionalmente reconocidos (netamente inferior, por ejemplo, a la de la Constitución democrática de 1940).
- No inclusión de las ideas políticas entre los criterios de discriminación prohibidos.
- Limitación de las posibilidades empresariales de los ciudadanos particulares.

---

[2] René Gómez Manzano, *Constitucionalismo y cambio democrático en Cuba*, Editorial Hispano Cubana, Madrid, 2007, p. 35 y siguientes.

- Proclamación del PCC o Partido Comunista de Cuba (único) como «fuerza dirigente superior de la sociedad y del Estado».
- Establecimiento de la concepción monista del Estado («la unidad de poder y el centralismo democrático»), con el consiguiente rechazo de la partición de poderes.
- Eliminación de la independencia formal de los tribunales y subordinación de los mismos a los órganos supremos del Poder Estatal.
- Ausencia de escogencia de los ciudadanos al votar por los diputados y los delegados provinciales (es conveniente aclarar que esto lo establece la Ley Electoral vigente, y no directamente la Constitución; no obstante, esta sí da pie para ello).
- Concentración del cúmulo de la autoridad en un solo ciudadano, para cuya reelección no existen límites.
- Supresión del control de la constitucionalidad de las disposiciones legales por parte de un órgano jurisdiccional independiente.

Aclaro que aquí he citado solo las características actuales de esa superley que me han parecido más importantes.

ASPIRACIONES DEMOCRÁTICAS PARA UN CAMBIO CONSTITUCIONAL EN CUBA

A pesar de los constantes esfuerzos en contrario de los especialistas comunistas, el texto constitucional que exhibe en la actualidad el régimen cubano no puede ser conceptuado en ningún caso como democrático. Es evidente que no puede ser calificado de esa forma si tenemos en cuenta sus características fundamentales que acaban de ser enunciadas.

En vista de lo antes expresado, se hace imprescindible que, si se desea poder afirmar que Cuba avanza hacia la democracia, la Carta Magna que rija en el país sea sustancialmente diferente a la que ahora mismo existe.

Para alcanzar ese objetivo, se han valorado tres opciones fundamentales; a saber:

- *Realizar una reforma general a la actual «Constitución socialista»:* Esta variante, que requeriría la derogación o modificación de numerosos preceptos supralegales, ha sido analizada en detalle por el autor del presente trabajo en el libro ya mencionado. A lo allí planteado me remito.[3]
- *Restablecer la vigencia de la Constitución democrática de 1940:* Esta opción requeriría asimismo que se hiciera una revisión general del

---

[3] *La «Constitución socialista»: ¿Instrumento de cambio?* Ib., p. 61-80.

223

mencionado texto histórico. En la misma obra ya citada, abordé también, de manera bastante pormenorizada, este asunto. [4]

- *Elaborar una Carta Magna esencialmente nueva:* Esta variante parece ser la preferible. Para que ese proceso tenga sentido, sería menester que las labores correspondientes fuesen acometidas por una asamblea constituyente electa democráticamente, conforme a lo que —según se ha expuesto con anterioridad— fue la tradición patria desde Guáimaro en 1869 hasta 1940.

Ahora bien, cualquiera que sea el método escogido con ese fin, sí resultaría imprescindible que en el nuevo texto supralegal queden reflejados principios básicos irrenunciables (cuya ausencia de su letra implicaría necesariamente que el sistema establecido tuviese un carácter no democrático).

Lo anterior será particularmente válido en el caso de que la coyuntura política conduzca a que, al menos de inicio (probablemente durante un período limitado en el tiempo), se opte por la reforma de la llamada «Constitución socialista», que está viciada de origen por las mismas circunstancias en que fue redactada, adoptada y reformada.

Entre esos aspectos que considero vitales para que la nueva Carta Magna pueda ser considerada democrática, habría que mencionar, como los más importantes, los siguientes:

- Una enunciación de los derechos ciudadanos que se ajuste a las tradiciones jurídicas patrias (Constitución democrática de 1940) y a la letra de los documentos internacionales que rigen en la materia (Declaración Universal de los Derechos Humanos, cuyo actual carácter vinculante creo haber demostrado en otro opúsculo[5], y los pactos internacionales de la ONU en esa materia, en el supuesto de que estos sean ratificados finalmente por nuestro país).
- Plena afirmación de las libertades políticas de los ciudadanos, incluyendo el reconocimiento de su derecho a crear partidos y otras organizaciones de esa clase. (Esto tendría que incluir la eliminación del actual *status* privilegiado y monopólico del Partido Comunista).
- Un nuevo sistema electoral que, al menos, permita la libre postulación de candidatos a todos los cargos electivos (con la consiguiente posibilidad de que los ciudadanos puedan escoger entre distintos aspirantes), la autorización para realizar campañas electorales (algo

---

[4] Ib., p. 47-55.

[5] René Gómez Manzano, «La actual naturaleza jurídica de la DUDH», *Boletín de la Corriente Agramontista*, La Habana, diciembre de 2012, p. 36 y siguientes.

que actualmente prohíbe la Ley) y la presencia de representantes de las fuerzas políticas alternativas en todos los eslabones del sistema de las comisiones electorales.

- Partición de los poderes públicos. El Legislativo (en el cual deberá haber una representación de la oposición), debe sesionar de manera frecuente y sistemática (y no un par de días al año, como sucede ahora). El Ejecutivo debe estar sometido al escrutinio de la Representación Nacional.
- Los tribunales deben gozar de independencia formal y sus integrantes deben perder el carácter partidista que ahora tienen.
- Establecimiento de límites a la reelección de los cargos públicos; en especial, en el caso del Jefe del Estado.
- Recreación de un órgano jurisdiccional técnico facultado para dictaminar sobre la constitucionalidad o inconstitucionalidad de las leyes y otras disposiciones.
- El reconocimiento de amplias posibilidades empresariales a los cubanos.

Aquí resulta oportuno hacer un comentario: Los aspectos que acabo de señalar no tienen un carácter maximalista, extremo, ni excepcional. Todos y cada uno de ellos han sido recogidos de uno u otro modo en los textos supralegales de los países de nuestro hemisferio. Casi todas las disposiciones recién mencionadas aparecen plasmadas incluso en las constituciones de los países en los que impera el llamado «Socialismo del Siglo XXI», tales como Venezuela, Bolivia y Ecuador.

En realidad, lo excepcional es la situación que existe hoy en Cuba, un país que se mantiene de espaldas a las tendencias democráticas que priman en el mundo occidental. ¿Qué argumentos pueden esgrimirse para mantener ese estado de cosas anormal? ¡Sobre todo ahora que se normalizan las relaciones con «el enemigo»! Resulta evidente que, con el fin de insertar a nuestro país en el contexto internacional, se hace necesario poner fin a esa absurda e insostenible situación de excepcionalidad.

ANUNCIOS HECHOS SOBRE ESTE TEMA EN EL VII CONGRESO DEL PCC

Sin embargo, las perspectivas que sobre este tema acaba de exponer el general-presidente Raúl Castro en el Informe Central que presentó hace apenas una semana al VII Congreso del partido único, apuntan en una dirección bien diferente. De todas las medidas democratizadoras mínimas que acabo de enumerar, la única que fue anunciada por el orador es la relativa a la fijación de «límites para el desempeño de cargos de dirección».[6]

Junto a esto, fueron formuladas otras propuestas que, desde el punto de vista de la legitimidad democrática, no poseen mayor importancia (como la de establecer límites de edad máxima para desempeñar determinados puestos). Otros planteamientos, por el contrario, ratifican el carácter antidemocrático y la vocación inmovilista del régimen establecido en Cuba. Entre esos se cuenta la propuesta de «ratificar el carácter irrevocable del sistema político y social refrendado en la actual Constitución»[7] (lo que está orientado a que el pueblo —el soberano, según nuestro ordenamiento— no pueda decidir libremente sobre esos asuntos. También corresponde mencionar, en este contexto, la ratificación del «papel dirigente del Partido Comunista de Cuba en nuestra sociedad».[8] Todo lo anterior, en los marcos de lo que el orador definió como «una oportunidad para ajustar en nuestra Carta Magna otras cuestiones que requieren de amparo constitucional»[9], lo cual, según sus propias palabras, tendrá lugar «en los próximos años».[10]

Lo absurdo del mantenimiento a ultranza de los aspectos negativos antes señalados, se hace aún más evidente si se toman en cuenta los pasos dados durante el último año y un tercio por ambas partes (pero sobre todo por los Estados Unidos) para solucionar el diferendo cubano-norteamericano. El gran pretexto esgrimido durante decenios para justificar el inmovilismo, fue la existencia de ese enfrentamiento. Pero ahora que se dan pasos para normalizar las relaciones entre ambas partes, ¿qué excusa puede invocarse para que en lo político todo siga esencialmente igual en nuestro país?

En mi opinión, el único aspecto positivo de verdadera importancia que podemos encontrar dentro de lo que, con respecto a este tema, planteó el actual Primer Secretario del partido único, fue su ofrecimiento de que la «amplia participación popular» que acompañará la reforma incluirá «la realización de un referendo constitucional».[11]

Esto quiere decir que, al menos por esta vez, no se repetirá lo sucedido en 1992, cuando —como ya señalé— las autoridades cubanas hicieron caso

---

[6] Diario *Granma*, domingo 17 de abril de 2016, Edición Única, p. 8.

[7] Ib., p. 9.

[8] Ídem.

[9] Ídem.

[10] Ib., p. 8.

[11] Ib., p. 9.

omiso del precepto supralegal dictado por ellas mismas, que las obligaba a llevar a cabo una consulta popular formal sobre el tema.

En su momento, esta decisión abrirá nuevas perspectivas ante la ciudadanía. En el ínterin, no resulta aventurado afirmar que la lucha pacífica que las fuerzas políticas independientes libran en pro de la democratización de Cuba, no cesará.

LA TRADICIÓN CONSTITUCIONAL HISPANOAMERICANA Y EL EXCEPCIONALISMO CUBANO

Por Rafael Rojas[1]

No habría que hacer mayores esfuerzos para constatar que la experiencia constitucional cubana es excepcional dentro del constitucionalismo iberoamericano de los dos últimos siglos.[2] La pertenencia de la isla al imperio español en el siglo XIX y la subsistencia, por cincuenta y seis años, de un Estado autodenominado «socialista», aunque inscrito en el modelo marxista-leninista impulsado por la URSS y Europa del Este hasta la caída del Muro de Berlín, en 1989, serían dos condicionantes históricos de esa excepcionalidad. Sin embargo, la ruta constitucional propia que ha seguido Cuba, no solo dentro de América Latina sino específicamente dentro del Caribe, no ha transitado sin diálogos, contactos y, en muchos casos, fricciones con el constitucionalismo de su contexto geográfico e histórico más próximo.

La historia constitucional cubana, entendida no como un recuento de las Cartas Magnas de la isla, sino como arqueología documental del constitucionalismo, podría dividirse en tres grandes etapas.[3] La primera se

---

[1] Rafael Rojas. División de Historia. CIDE/Princeton University. Miembro del Consejo Académico del Centro de Estudios Convivencia. Reside en México.

[2] Sobre el excepcionalismo cubano, ver Rafael Rojas, «La soledad constitucional del socialismo cubano», en Adriana Luna, Pablo Mijangos, Rafael Rojas, eds., *De Cádiz al siglo XXI. Doscientos años de constitucionalismo en México e Hispanoamérica*, México D.F., Taurus/ CIDE, 2012.

[3] Sobre la diferencia conceptual entre constitución y constitucionalismo, ver Horst Dippel, «El concepto de Constitución en los orígenes del constitucionalismo norteamericano», y José María Portillo Valdés, «La Constitución en el Atlántico hispano, 1808-1824», en Ignacio Fernández Sarasola y Joaquín Varela Suanzes-Carpegna, *Conceptos de Constitución en la historia*, Oviedo,

ubicaría en el largo periodo de constitucionalismo reformista, autonomista, anexionista o separatista, bajo el régimen constitucional colonial del imperio español que rigió en la isla hasta 1898. Llamamos «liberal» ese momento por la sintonía mayoritaria que todas aquellas constituciones y proyectos constitucionales tuvieron con el liberalismo hispánico y atlántico del siglo XIX. De acuerdo con la propuesta de comprensión de ese siglo latinoamericano, de Roberto Gargarella y otros autores, el caso cubano, a pesar de su *status* colonial, seguiría pautas similares a las de los nuevos estados nacionales de la región, aunque mostrando una mayor gravitación hacia el referente republicano y asociando la experiencia de una Constitución híbrida o «fusión», liberal-conservadora, a las Cartas Magnas peninsulares que se aplicaron a la isla en el último tercio del siglo.[4]

El segundo momento constitucional que proponemos, para repensar la historia del constitucionalismo cubano, es el que llamamos «republicano». La definición tiene tanto que ver con la fuerte presencia de elementos republicanos en las dos constituciones que funcionaron en Cuba entre 1898 y 1976, la de 1901 y la de 1940, y la ceñida adaptación de esta última por medio de la Ley Fundamental de 1959 y sus múltiples reformas hasta 1963, como con la condición pre-socialista, en el sentido marxista-leninista o comunista del término, del ordenamiento jurídico del Estado nacional. El adjetivo «republicano» funciona aquí, también, como una demarcación temporal del periodo histórico previo a la constitucionalización del orden revolucionario cubano, en 1976, que tradicionalmente se subdivide en dos repúblicas postcoloniales, la de 1901 y la de 1940.

Por último, el tercer momento, el socialista, abarca propiamente el lapso de los últimos cuarenta años de la historia contemporánea de Cuba. Es en este periodo cuando la historia constitucional cubana da el giro más pronunciado, en relación con su entorno latinoamericano y caribeño, ya que la entronización, en la isla, de un régimen de partido comunista único, ideología marxista-leninista de Estado y control gubernamental de la sociedad civil y los medios de comunicación, se da justo cuando comienzan a resquebrajarse las dictaduras militares en América Latina y empiezan a crearse condiciones para las transiciones democráticas en la región. En las cuatro décadas de

Junta General del Principado de Asturias, 2010, p. 25-84 y 123-178. Ver también José María Portillo Valdés, «Entre la historia y la economía política: orígenes de la cultura del constitucionalismo», en Carlos Garriga, *Historia y Constitución. Trayectos del constitucionalismo hispano*, México D.F., Instituto de Investigaciones Dr. José María Luis Mora, 2010, p. 27-58.

[4] Roberto Gargarella, *Latin American Constitutionalism, 1810-2010. The Engine Room of the Constitution*, New York, Oxford University Press, 2013, p. 1-43.

vigencia de la Constitución de 1976, reformada, pero también ratificada en lo esencial en 1992 y 2002, Cuba ha alcanzado el punto de mayor distancia con respecto al nuevo constitucionalismo iberoamericano.

El momento liberal (1812-1901)

A pesar de haber sido colonia de España hasta 1898, Cuba vivió en el siglo XIX una experiencia constitucional muy parecida a la de las nuevas repúblicas hispanoamericanas. También en la isla se aplicó brevemente la Constitución de Cádiz entre 1812 y 1814 y, aunque no estalló una guerra de independencia, circularon alternativas al proyecto gaditano como el texto constitucional redactado por el abogado bayamés Joaquín Infante, colaborador de Francisco Miranda y Simón Bolívar en la independencia de la Nueva Granada. El proyecto de Infante se publicó, precisamente, en Caracas, luego de que la conspiración de criollos de las provincias orientales de la isla, para el que fue concebido y en el que intervinieron otros liberales cubanos como Román de la Luz y Juan Francisco Bassave, fuera descubierto y reprimido por los autoridades españolas.[5]

Al igual que otros proyectos constitucionales de aquellos años, como el federal venezolano de 1811 o el republicano de Apatzingán de 1814, el texto de Infante se colocaba en abierta interpelación de la Constitución de Cádiz. Esta última, según Infante, no tenía vigencia en la América española desde el momento en que la dinastía borbónica del trono de España había sido desplazada por «otra dinastía», es decir, la bonapartista, tras la invasión francesa de la península y las abdicaciones de Bayona.[6] Sin embargo, al igual que en la Nueva España, en Venezuela y en otras regiones hispanoamericanas, el proyecto de Infante, en 1812, se sumaba al proceso de asimilación de una lógica federalista dentro de las diputaciones provinciales creadas por la legislación territorial borbónica.

No es raro, entonces, que Infante propusiera que el «Estado de la isla de Cuba», al que nunca llama república o monarquía, ejerciera su poder

---

[5] Leonel Antonio de la Cuesta, *Constituciones cubanas. Desde 1812 hasta nuestros días*, Miami, Ediciones Exilio, 1974, p. 94-117. Además de los recomendables estudios de Leonel de la Cuesta, pueden consultarse algunos textos de historia constitucional cubana, por ejemplo, Ángel Ugarte, *Comentarios a la Constitución de Cuba*, La Habana, Compañía Biográfica, 1918; Enrique Gay-Calbó, *El momento constitucional, las constituciones del Nuevo Mundo y la futura Constitución cubana*, La Habana, Molina y Compañía, 1936; Ramón Infiesta, *Historia constitucional de Cuba*, La Habana, Cultural S.A., 1942 y Beatriz Bernal, *Cuba y sus constituciones republicanas*, Miami, Instituto Biblioteca de la Libertad, 2003, y *Cuba y sus leyes. Estudios histórico-jurídicos*, México D.F., UNAM, 2002.

[6] Ibid, p. 93.

legislativo por medio de un Consejo integrado por seis diputados elegidos en las seis provinciales occidentales, centrales y orientales de la isla.[7] La Constitución de Infante otorgaba amplias atribuciones al poder legislativo y hasta incluía un distanciamiento deliberado del modelo presidencialista norteamericano al conceder la potestad del indulto por traición a la patria, no al presidente, sino al Consejo parlamentario.[8] En una fórmula con ciertas semejanzas con la carta de Apatzingán, impulsada por José María Morelos en México, el poder ejecutivo estaba compuesto por un triunvirato de tres ministros, uno de Guerra, otro de Rentas y un tercero de Interior.[9]

Como Constitución de guerra, en una pauta que se mantendría a lo largo del siglo XIX cubano, además de los tres poderes, el legislativo, el ejecutivo y el judicial, habría un cuatro poder, que Infante llamaba «poder militar», ejercido por un Estado Mayor, con un General en Jefe, un Mariscal de Campo y dos brigadieres. El de Infante era un Proyecto de Constitución redactado para una conspiración criolla contra el régimen colonial de la isla, que debería desatar una guerra de independencia. Esta característica de Constitución de guerra no impide apreciar la fuerza del referente rousseauniano del texto —Rousseau es la autoridad más citada en el proyecto— ni la apertura a la tolerancia religiosa del mismo, al señalar, en su artículo 35º, que la «religión católica sería dominante, pero se tolerarían las demás, por el fomento y prosperidad que proporciona a la isla la concurrencia de hombres de todos los países, y opiniones».[10] Algo bastante raro en el constitucionalismo hispanoamericano posterior a Cádiz y durante la primera mitad del siglo XIX.

Todas las constituciones cubanas que siguieron a la de Joaquín Infante de 1812, hasta la primera postcolonial de 1901, compartieron la premisa de un constitucionalismo de guerra, que, a la vez que afirmaba su carácter de «proyecto», generaba una jurisdiccionalidad parcial, limitada al territorio ocupado por las fuerzas insurgentes. En 1851, la Constitución de Narciso López, el líder anexionista de origen venezolano, decretaba en nombre de un «gobierno provisional» y un «Jefe del Ejército Libertador», el propio López, que el nuevo código se aplicaría en el territorio liberado mientras «se expelía al enemigo de la Isla» y se convocaba a una Asamblea Constituyente.[11] A pesar de su provisionalidad y su subordinación a una causa militar, la

---

[7] Ibid, p. 95.

[8] Ibid, p. 98.

[9] Ibid.

[10] Ibid, p. 103.

[11] Ibid, p. 120.

Constitución de López reconocía los derechos fundamentales —«libertad de imprenta, de palabra, de propiedad y de seguridad»— a los ciudadanos que «prestaran juramento de fidelidad a la República ante un Tribunal Civil».[12]

Con el constitucionalismo anexionista de Narciso López, tanto en la Constitución de 1851 como en la llamada Constitución del «Ave María», de 1858, impulsada por el gobierno provisional encabezado por los rebeldes J. E. Hernández, Juan H. Félix, M. Ramírez Tapia y Pablo A. Golibart, el liberalismo criollo estableció una conexión definitiva con el republicanismo, que no hizo más que afianzarse hasta mediados del siglo XX. López y sus seguidores, junto con la bandera tricolor, establecieron que la nueva nación, surgida de la «anulación de la autoridad de la Corona de España en la isla» se llamaría «República de Cuba».[13] La única diferencia advertible entre la Constitución del 51 y la del «Ave María» es el artículo 19º de la segunda, que hacía explícita la «abolición de la trata de africanos, y la introducción de cualquiera otra gente de color», sometiendo a Ley Marcial a quienes violaran dicho artículo.[14] En ese aspecto, el del rechazo a la trata esclavista, preservando la esclavitud misma, el constitucionalismo anexionista se acercaba a la corriente reformista y autonomista de la isla.

En lo que no se acercaban era en la contundencia del principio republicano, que los anexionistas incorporaban a la premisa de la separación de España. Hasta el estallido de la Guerra de los Diez años (1868-1878), la primera contienda separatista de la isla, las cinco constituciones peninsulares que rigieron en Cuba —la de 1812, la de 1837, la de 1845, la de 1869 y la de 1876— mantuvieron un principio integrista de la soberanía, con mayores o menores leyes excepcionales para la isla, y solo la última permitió algunos elementos de autogobierno, que aprovechó hábilmente el Partido Liberal Autonomista a partir de 1878. Pero aún bajo el *status* colonial, el horizonte doctrinario fundamental del constitucionalismo cubano en el siglo XIX fue el liberalismo, como se desprende de un recorrido por la eminente tradición letrada que va de Félix Varela —quien en sus Observaciones sobre la Constitución política de la monarquía española (1820), resumía de la mano de Benjamin Constant, el meollo liberal a través de los conceptos de soberanía popular, libertad política, igualdad ante la ley, división de poderes y régimen constitucional— a José Martí, que dejó escrito un detallado y elogioso ensayo sobre la Constitución norteamericana de 1787.[15]

---

[12] Ibid, p. 119.

[13] Ibid, p. 118 y 121.

[14] Ibid, p. 123.

[15] Félix Varela, *Escritos políticos*, La Habana, Editorial de Ciencias Sociales, 1977, p. 33-56; José Martí, *Obras completas*, La Habana, Editorial Lex, 1953, t. I, p. 1237-1242. Ver también Beatriz Bernal, *Cuba y sus leyes. Estudios histórico-jurídicos*, México D.F., UNAM, 2002, p.

Las constituciones en armas de fines del siglo XIX, la de Guáimaro en 1869, la de Baraguá en 1878, la de Jimaguayú en 1895 y la de La Yaya en 1897, naturalizaron aquella asimilación de la doctrina liberal de los derechos naturales del hombre desde una plataforma fuertemente republicana, determinada por el imperativo soberanista de la separación de España. Todas aquellas constituciones, a pesar de ser constituciones de guerra, que consideraban a los ciudadanos de una «República en armas, soldados de un ejército libertador», reconocieron las «libertades de culto, imprenta, reunión pacífica, enseñanza y petición y todos los demás derechos inalienables del pueblo», como decía la de Guáimaro, o refirmaban la voluntad de construir en Cuba una «república democrática», como decía la de Jimaguayú.[16] La última de esas constituciones, la de La Yaya, en Camagüey, aprobada en territorio liberado en el último año de la guerra, era mucho más exhaustiva en su dotación de derechos individuales, incluyendo desde entonces el *habeas corpus*, la inviolabilidad de la correspondencia y el domicilio, la educación libre y el derecho electoral al sufragio universal.[17] Esta Constitución de 1897 abandonó, finalmente, el injustificado federalismo que, por exceso de imitación de Estados Unidos, se había introducido en la primera de las constituciones «mambisas», la de Guáimaro de 1869.

De esa última Constitución de guerra, en el siglo XIX, también pasó a la primera de las constituciones postcoloniales del siglo XX, la de 1901, junto con un más amplio registro de derechos civiles y políticos, un acento republicano que enfatizaba los deberes del ciudadano. Si en la Constitución de La Yaya se establecía el servicio militar obligatorio y la «obligación de servir a su país con sus personas y bienes» de todos los ciudadanos, en la de 1901 se reiterará que «todo cubano está obligado a servir a la patria con las armas en los casos y forma que determinen las leyes», además de «contribuir para los gastos públicos en la forma y proporción que dispongan las leyes».[18] En 1901, sin embargo, se cerraba un ciclo constitucional, el de las Cartas Magnas producidas por conspiradores o rebeldes, anexionistas o separatistas, opuestos al régimen colonial español, y se iniciaba otro: el de la gran integración republicana de la nación que acompañó al nacimiento de un Estado con independencia relativa.

Hasta 1901, todas las constituciones que rigieron en Cuba, fuera desde el orden constitucional del imperio español en el Caribe o desde las

---

20-38 y 59-80.

[16] Leonel Antonio de la Cuesta, Op. Cit., p. 126.

[17] Ibid, p. 130.

[18] Ibid, 130 y 137.

alternativas jurídicas que lanzaron los opositores separatistas, anexionistas o autonomistas a ese régimen, suscribieron centralmente el núcleo doctrinario del jusnaturalismo liberal. Los derechos naturales del hombre se convirtieron en el enunciado básico de aquellos textos y comprendieron, en buena medida, el derecho al autogobierno o la independencia, como elemento indisociable de la soberanía popular. Ser república soberana o entidad federal de los Estados Unidos o provincia autónoma del imperio español, en el Caribe, según las opciones separatista, anexionista y autonomista, era una aspiración asimilable desde el canon liberal de los derechos naturales del hombre heredado de los siglos XVIII y XIX.

El momento republicano (1901-1976)

Hay un efecto de desfase temporal en el hecho de que en 1901 Cuba alcance la formulación más plena del constitucionalismo liberal que, en Europa, asociamos a los años posteriores al Congreso de Viena, en 1815, y en Hispanoamérica, a las décadas de 1850 y 1860, cuando los liberales vencieron a los conservadores en la mayoría de las guerras civiles del continente. A pesar de que aquella Constitución de 1901, la mejor pensada y redactada hasta entonces, se aprobaba en los primeros años del siglo XX, sus premisas programáticas y orgánicas cargaban con referentes viejos, propios del liberalismo clásico. Luego de los títulos y artículos dedicados a la nación, el territorio, la ciudadanía, el Estado y la forma de gobierno, aquella Constitución dedicaba más de treinta artículos consecutivos a garantías jurídicas para la libertad individual.

Todos aquellos derechos civiles y políticos, desde la profesión de todas las religiones hasta la libertad irrestricta de salir y entrar al territorio nacional, partían del reconocimiento de la «igualdad ante la Ley».[19] En el primero de los artículos del amplio bloque dedicado a los derechos civiles y políticos de la Constitución de 1901 se establecía la hegemonía de ese principio, y acto seguido se señalaba que en la nueva República cubana no se «reconocían fueros y privilegios».[20] La fuerza de esa premisa articuladora de los derechos naturales del hombre nos habla de la proximidad de un antiguo régimen en el pasado de la isla, a pesar de que el texto constitucional entrara en vigor en los primeros años del siglo XX. El estilo y la ideología de la primera Carta Magna de la isla acogían el núcleo de la tradición liberal atlántica.

---

[19]   Ibid, p. 138.
[20]   Ibid.

Sin embargo, aquellos constituyentes estaban fundando un Estado nacional en el Caribe postcolonial. De ahí que no solo el republicanismo sino también el presidencialismo y el centralismo se hicieran patentes en un texto que, paradójicamente, intentaba dejar atrás un régimen autoritario como el de la Capitanía General española. Además de un congreso bicameral, con un Senado que cumpliría funciones de Tribunal de Justicia, con potestad de juzgar al primer magistrado, y una Cámara de Representantes, con atribuciones de acusador fiscal del poder ejecutivo ante el Senado, la Constitución de 1901 otorgaba amplias facultades al presidente de la República. El mandatario, de acuerdo con aquel régimen constitucional, tenía atribuciones legislativas: podía «sancionar y promulgar leyes», además de «ejecutarlas y hacer ejecutarlas», y «dictar, cuando no lo hubiere hecho el Congreso, los reglamentos para la mejor ejecución de las leyes, y expedir además los decretos y las órdenes que para este fin y para cuanto incumba al gobierno y administración del Estado creyere convenientes».[21]

El régimen presidencialista de la Constitución de 1901 tenía importantes déficits democráticos, como los de la mayoría de las constituciones latinoamericanas de entonces. La elección del presidente y de los «colegisladores», senadores y representantes del congreso, era indirecta, a través de un complejo sistema de «compromisarios» o electores, muy parecido al norteamericano. El presidente, además, ejercía un poder unitario que limitaba autonomías locales y provinciales. No solo podía destituir gobernadores sino que podía «suspender acuerdos de las consejos provinciales y de los ayuntamientos», que habían sido acordados por autoridades elegidas directamente por la ciudadanía.[22] Además de afirmar su poder frente al Congreso, los municipios y las provincias, el presidente podía limitar la autonomía del Poder Judicial por medio de un holgado mecanismo de suspensión de garantías constitucionales o instauración de poder emergentes, a través de decreto presidencial.[23]

A pesar ser una Constitución aprobada más de 110 años después de la norteamericana, la Convención Constituyente de 1901 tuvo lugar en una isla del Caribe intervenida por Estados Unidos. La mayoría de los líderes separatistas, que integraron ese foro, admiraban el sistema político norteamericano, como se desprende de una lectura de las constituciones

---

[21] Ibid, p. 147-148.

[22] Ibid, p. 148.

[23] Ibid, p. 141.

en armas, que se redactaron teniendo muy en cuenta el texto de 1787. Un temprano estudio del jurista Nicasio Trelles, que proponía adaptar las leyes fundamentales de Estados Unidos, entre la Declaración de la Independencia y la Constitución de 1787, a las condiciones de la isla, tuvo una importante recepción en aquellos años. Y algunos constitucionalistas e historiadores norteamericanos, como Lucius Q. C. Lamar y Charles E. Chapman, elogiaron la Constitución cubana de 1901.[24]

La historia del constitucionalismo no es, únicamente, la historia de los textos constitucionales: también cuentan los reglamentos, reformas, apéndices, códigos y leyes complementarias que se agregan a la Constitución. La primera Constitución de la República de Cuba, en 1901, fue profusa en ese tipo de apostillas al texto constitucional, empezando por la tristemente célebre Enmienda Platt, que se adicionó como apéndice luego de una reñida votación en la Convención Constituyente. La Enmienda que debía su nombre al senador por Connecticut, Orville Platt, que la introdujo en la Ley de Presupuestos del Congreso de Estados Unidos, establecía que el gobierno cubano no firmaría tratados o pactos con gobiernos extranjeros, que favorecieran la colonización, la deuda o la limitación de la independencia del nuevo país y, a la vez, otorgaba a Washington el derecho de intervenir para preservar la soberanía de la isla y el «sostenimiento de un Gobierno adecuado a la protección de la vida, la propiedad y la libertad individual», además de asegurar la venta o arrendamiento de tierras para la construcción de «estaciones navales y carboneras» en territorio cubano.[25]

No solo la Enmienda Platt, que sería revocada en 1934, al triunfo de una revolución nacionalista contra la dictadura de Gerardo Machado, también la Ley Morúa de 1910, que se agregó al artículo 17 de la Ley Electoral, derivada de la Constitución de 1901, tuvo implicaciones importantes para el orden constitucional cubano, consolidando la matriz republicana de la Carta Magna. Esa enmienda, propuesta por los congresistas Antonio González Pérez, Tomás A. Recio y Martín Morúa Delgado, quien redactó el texto, sostenía «contraria a la Constitución y a la práctica del régimen republicano la existencia de agrupaciones o partidos políticos exclusivos por motivos de raza, nacimiento, riqueza o título profesional».[26] La Ley Morúa no fue retomada en los Estatutos Constitucionales para el gobierno provisional de Cuba, que sucedió a la dictadura de Machado en 1933, ni en

---

[24]   Ibid, p. 531.

[25]   Ibid, p. 157-158.

[26]   Martín Morúa Delgado, *Obras completas. Integración cubana*, La Habana, Edición de la Comisión Nacional del Centenario de Marín Morúa Delgado, 1957, t, III, p. 239-240.

las Leyes Constitucionales de 1934 y 1935, pero sí en la nueva Constitución de 1940, cuyo artículo 102, estipuló que en Cuba «era libre la organización de partidos y asociaciones políticas», pero «no podrían formarse agrupaciones políticas de raza, sexo o clase».[27]

Una reforma constitucional que sí llegó a incorporarse a los textos jurídicos rectores de la República, a partir de la Ley Constitucional de 1934, fue la del sufragio femenino, que defendían las sufragistas de la isla desde la segunda década del siglo. De acuerdo con la Constitución de 1901, el derecho a voto era concedido a «todos los cubanos varones, mayores de veintiún años», con excepción de los «asilados, los incapacitados mentalmente, los inhabilitados judicialmente o los individuos pertenecientes a las Fuerzas de Mar y Tierra».[28] La Ley Constitucional de 1934, en su artículo 39, consagró que «todos los cubanos de uno u otro sexo tenían derechos de sufragio activo y pasivo en las condiciones y con los requisitos y excepciones que determinen las leyes».[29] En la Constitución de 1940 el derecho al voto de las mujeres quedaría comprendido dentro del sufragio universal que el artículo 97 garantizaba a «todos los ciudadanos cubanos».[30]

Decíamos que uno de los componentes distintivos del orden constitucional de 1901, en Cuba, fue el presidencialismo. Un régimen presidencialista, habría que decir, con reelección limitada a dos periodos consecutivos, lo que generó desde las primeras décadas del siglo XX recurrentes guerras civiles por causa de voluntades reeleccionistas en el proceso de sucesión presidencial. En buena medida, la fractura de aquel orden constitucional, a partir de 1928, tuvo que ver con el conflicto sucesorio generado por el deseo de Machado de permanecer en el poder. En aquel año, antes de las elecciones constitucionales, Machado convocó a una Convención Constituyente que reformó varios artículos de la Constitución de 1901, especialmente el 38, el 39, el 40, el 45, el 48, el 56, el 58, el 66, el 72, el 73, el 74, el 75, el 83, el 91 y el 115. En esencia lo que buscaba Machado era extender su mandato presidencial de 1924 a 1931, sin elecciones, ya que la Constitución reformada le permitía otro cuatrienio de gobierno.[31] La Revolución contra el dictador, que estalló en 1930 y que culminaría con su derrocamiento en 1933, dio lugar a un nuevo orden constitucional.

---

[27]   Leonel Antonio de la Cuesta, Op. Cit., p. 262.

[28]   Ibid, p. 141.

[29]   Ibid, p. 187.

[30]   Ibid, p. 261.

[31]   Ibid, p. 159-175.

Entre los Estatutos Constitucionales para el gobierno provisional, en 1933, y la Constitución de 1940, aprobada por una Convención Constituyente instalada el año anterior, se produce el reajuste definitivo del momento republicano en Cuba. La nueva Constitución introducirá cambios notables a las partes orgánicas y doctrinarias de la Carta Magna de 1901, que podrían sintetizarse, desde un punto de vista normativo, con el desplazamiento ideológico del liberalismo clásico a un repertorio de izquierdas moderadas, inscritas en tradiciones populistas, nacionalistas revolucionarias y socialistas de la cultura política latinoamericana. Desde la perspectiva orgánica, el nuevo orden constitucional produjo, ante todo, una compensación del presidencialismo de 1901 por medio de elementos semi-parlamentarios. La Constitución de 1940 introdujo los primeros mecanismos de democracia directa de la historia constitucional cubana al autorizar, en su artículo 98, el dispositivo del referéndum popular y en el 135 la iniciativa de ley a 10 000 ciudadanos, en condición de electores.[32]

Aunque el presidente seguía siendo elegido de manera indirecta, por los Colegios de Compromisarios Provinciales, sus atribuciones sobre el Congreso eran menores y el papel decisivo del Consejo de Ministros y, en especial, del Primer Ministro, limitaba sus potestades ejecutivas. Los «responsables de los actos del gobierno ante la Cámara y el Senado», eran el Primer Ministro y el Consejo de Ministros, no el presidente.[33] Además, el Congreso o «cada cuerpo colegislador» por separado, podía remover parcial o totalmente el gobierno «planteando la cuestión de confianza» o generando «crisis de gabinete».[34] El Código Electoral de 1943 afianzó la elección directa, sobre la base del sufragio universal, igual, directo y secreto del presidente, eliminando los Colegios de Compromisarios Provinciales, pero mantuvo los límites del poder presidencial. Con la Constitución de 1940, el presidente cubano perdió autoridad no solo ante el Congreso sino ante los gobiernos provinciales y locales, que ganaron autonomía. En división de poderes, el texto del 40 es el que más se ha acercado a una lógica de deslinde y equilibrio, como la que describe Bartolomé Clavero en sus «historias constituyentes de la trinidad constitucional».[35]

En cuanto al reparto de derechos, la Constitución de 1940 simplificó y compactó la amplia dotación de garantías individuales que consagraba la

---

[32] Ibid, p. 261 y 272.

[33] Ibid, p. 278.

[34] Ibid, p. 279.

[35] Bartolomé Clavero, *El orden de los poderes. Historias constituyentes de la trinidad constitucional*, Madrid, Editorial Trotta, 2007, p. 17-39.

Constitución de 1901 y centró su articulado en la extensión de derechos sociales. Si en la Constitución de 1901 se contemplaban más de treinta artículos sobre libertades civiles y políticas, en la de 1940 los «derechos individuales» cabían en veinte artículos, mientras que los sociales, referentes a la familia, la cultura, la educación y el trabajo, ocupaban más de cuarenta.[36] En esa exhaustiva oferta de derechos sociales, la Constitución de 1940 garantizaba la protección por parte del Estado de la maternidad y el matrimonio, aunque reconocía el divorcio, las pensiones alimenticias, el seguro y la asistencia social, la instrucción primaria obligatoria y la segunda enseñanza gratuita, la educación laica, la jornada de ocho horas, el salario mínimo y la libre sindicación.[37] En la sección sobre la propiedad, el texto constitucional establecía la «pertenencia del subsuelo al Estado» y la «proscripción del latifundio».[38] En los debates de la Convención Constituyente algunas de las constituciones más citadas, como modelo, fueron la mexicana de 1917, la de la República de Weimar de 1919 y la de la Segunda República Española de 1931.

La Constitución de 1940 rigió hasta 1952, cuando el golpe de Estado del 10 de marzo de ese año, encabezado por Fulgencio Batista y el ejército, interrumpió el ciclo constitucional. El régimen de Batista se legitimó con una Ley Constitucional, conocida como Estatutos del Viernes de Dolores, del 4 de abril de 1952, a un mes del golpe, que, en la práctica, preservó la vigencia del texto constitucional de 1940, aunque con una modificación institucional importante. Las facultades del poder legislativo pasaban del congreso bicameral, desconocido por el régimen *de facto*, a un Consejo Consultivo, que junto con el Presidente y el Consejo Ministros, además de los Tribunales de Justicia, de Cuentas y Electoral, poseía la iniciativa de las leyes.[39] La dictadura de Batista, al igual que otras de la misma época en América Latina, introducía, *de facto*, el estado de emergencia y la suspensión de garantías constitucionales, pero limitando la autoridad del Congreso en la materia.

En la Constitución de 1940, los artículos 281, 282 y 283 concedían al Congreso bicameral la máxima potestad en la suspensión de garantías constitucionales y la concesión de facultades extraordinarias al presidente.[40]

---

[36] Leonel Antonio de la Cuesta, Op. Cit., p. 251-259.

[37] Ibid, p. 255-259.

[38] Ibid, p. 260.

[39] Ibid, p. 360.

[40] Ibid, p. 309.

Pero, además, aquella Constitución garantizaba la existencia de un Consejo de Defensa Social que, junto con el Tribunal Supremo Electoral y otros cuerpos del poder judicial, facilitaba a los actores políticos la impugnación de los actos inconstitucionales del gobierno.[41] Los Estatutos de Dolores, en 1952, se deshicieron de la reglamentación del estado de emergencia pero mantuvieron el Consejo de Defensa Social, provocando una interesante movilización de los partidos políticos opositores, especialmente del Partido Auténtico y el Partido Ortodoxo, en contra del régimen de Batista. En 1955, luego de las elecciones del año anterior, se restauró la Constitución de 1940, pero su vigencia, como sostiene el constitucionalista Leonel de la Cuesta, fue más bien «nominal» o «teórica».[42]

A pesar de que una demanda central de los revolucionarios cubanos de los 50 era el restablecimiento de la Constitución de 1940 —de hecho, era la primera ley revolucionaria contemplada en el programa político, La historia de absolverá (1954), de Fidel Castro—, al mes del triunfo de la Revolución, en febrero de 1959, el gobierno revolucionario promulgó una Ley Fundamental de la República de Cuba, que cumpliría las funciones de texto constitucional por diecisiete años consecutivos, hasta 1976. Como los Estatutos de Dolores de Batista, en 1952, la Ley Fundamental de 1959 trasladaba el poder legislativo a otro órgano, esta vez, no uno nuevo, como el Consejo Consultivo de Batista, sino directamente al Consejo de Ministros. El Primer Ministro, que muy pronto sería el propio Fidel Castro, no solo «despacharía con el Presidente los asuntos de la política general del gobierno», como decía el artículo 161 de la Constitución del 40, sino que «dirigiría la política general del gobierno».[43]

El dilatado espectro de derechos individuales y sociales de los títulos IV, V y VI de la Constitución del 40 se preservaba en la Ley Fundamental de 1959. También el capitulado y el articulado referidos a los derechos a la propiedad, el sufragio y el funcionamiento de los órganos del Estado, incluidas ambas cámaras del Congreso. Sin embargo, las leyes de Reforma Agraria de 1959 y 1963 y de Reforma Urbana de 1961, decretadas por el gobierno revolucionario, alteraron seriamente el orden constitucional en esas materias, así como la postergación indefinida de elecciones legislativas y presidenciales, locales y provinciales, hasta 1976, implicó el abandono de la máxima legislación en cuanto al gobierno representativo y los órganos

---

[41] Ibid, p. 286.

[42] Ibid, p. 65.

[43] Ibid, p. 278 y 432.

del Estado. Buena parte de las leyes revolucionarias decretadas por el gobierno, entre 1959 y 1963, durante la transición al régimen socialista, contravinieron la Ley Fundamental de 1959.

De acuerdo con un estudio promovido por la Comisión Internacional de Juristas de Ginebra, en 1962, la mayoría de los decretos revolucionarios no se tradujo en reformas a la Ley Fundamental. Aun así, dicha Comisión calculaba que entre 1959 y 1961 la Ley Fundamental había sido reformada en dieciséis oportunidades.[44] Esas reformas atribuían al Consejo de Ministros del gobierno revolucionario facultades constituyentes *de facto*. En todo caso, el reforzamiento del mecanismo de estado de emergencia o suspensión de garantías constitucionales, que estipulaba la Ley Fundamental, por medio de la autorización de suprapoderes al Consejo de Ministros en la materia, permitía todo el desmontaje del Estado de Derecho republicano que acompañó la construcción del orden socialista entre 1959 y 1976.

EL MOMENTO SOCIALISTA (1976-2016)

Si la Constitución de 1940 había asimilado desde la isla buena parte de la experiencia constitucional de las revoluciones y los populismos latinoamericanos de la primera mitad del siglo XX, que propusieron un «retorno de lo social», la Constitución de 1976 reflejó nítidamente la inscripción de Cuba en la órbita soviética de los «socialismos reales» de Europa del Este.[45] La primera fue una Constitución que, al decir de Gabriel L. Negretto, operaba un cambio constitucional para «distribuir poder» entre las diversas fuerzas políticas que confluyeron en la Revolución contra la dictadura de Gerardo Machado, en 1933. La segunda, en cambio, destruyó el orden constitucional previo para «consolidar un nuevo poder», surgido de la transición socialista que tuvo lugar en los años 60.[46]

En sintonía con el modelo de la Constitución estalinista de 1936, el Estado cubano estableció el marxismo-leninismo como ideología oficial, desde el «preámbulo» del texto constitucional, y la pertenencia de la isla a la

---

[44] *El imperio de la ley en Cuba*, Ginebra, Comisión Internacional de Juristas, 1962, p. 107-122.

[45] Roberto Gargarella, *Latin American Constitutionalism, 1810-2010. The Engine Room of the Constitution*, New York, Oxford University Press, 2013, p. 105-131. Sobre las constituciones populistas y desarrollistas ver también Antonio Colomer Viadel, *Introducción al constitucionalismo iberoamericano*, Madrid, Trillas, 2009, p. 41-44.

[46] Gabriel L. Negretto, *Making Constitutions. Presidents, Parties, and Institutional Choice in Latin America*, New York, Oxford University Press, 2013, p. 113-137.

comunidad «socialista» liderada por la Unión Soviética.[47] La República de Cuba fue redefinida como un «Estado socialista de obreros y campesinos» y, al igual que en las autodenominadas «democracias populares» de Europa oriental, consagró en su artículo quinto que el «Partido Comunista de Cuba, como vanguardia organizada marxista-leninista de la clase obrera, es la fuerza dirigente de la sociedad y del Estado, que organiza y orienta los esfuerzos comunes hacia los altos fines de la construcción de la sociedad socialista y el avance hacia la sociedad comunista».[48]

De acuerdo con el mismo patrón constitucional del bloque soviético, la economía, la educación, la cultura, los medios de comunicación, los derechos sociales y las formas de asociación, entendidas como «organizaciones sociales y de masas» (comités vecinales, federación de mujeres, de campesinos, de estudiantes, sindicatos, gremios...) se pusieron bajo control del Estado o, directamente, del Partido Comunista. La base jurídica de esa hegemonía del Estado era el régimen de propiedad, definido en el artículo 14 como «propiedad socialista de todo el pueblo sobre los medios de producción en la supresión de la explotación del hombre por el hombre».[49] Esta última frase aludía a la eliminación de toda forma de venta de la fuerza de trabajo que no tuviera al Estado como empleador, ya que cualquier propietario privado, pequeño, mediano o grande, incurriría en la extracción de plusvalía y, por tanto, en la «explotación del hombre por el hombre».

La Constitución de 1976 concedía un amplio margen de derechos sociales en los capítulos dedicados a la familia, la cultura, la educación y la igualdad, pero, ciertamente, no tantos ni tan detallados como en la Constitución del 40.[50] A la vez, el nuevo texto redimensionaba la tradición republicana constitucional de la isla, al combinar derechos y deberes dentro de las garantías constitucionales, comprendiendo dentro de los segundos el trabajo y la defensa del país.[51] Todas las libertades públicas reconocidas por la Constitución socialista del 76 quedaron condicionadas y limitadas por los artículos 52 y 53, que señalaban como único marco autorizado por su ejercicio los medios e instituciones del Estado, y por el artículo 61, que advirtió que «ninguna de las libertades reconocidas a los ciudadanos podía ser ejercida contra lo establecido en la Constitución y las leyes, ni contra

---

[47] Leonel de la Cuesta, *Constituciones cubanas*, Miami, Alexandria Library, 2007, p. 449.
[48] Ibid, p. 450-451.
[49] Ibid, p. 454.
[50] Ibid, p. 451-461.
[51] Ibid, p. 465.

le existencia y fines del Estado socialista, ni contra la decisión del pueblo cubano de construir el socialismo y el comunismo».[52] Y agregaba el artículo 61: «la infracción de este principio es punible».[53]

Las secciones dedicadas a los órganos del Estado, los gobiernos municipales y provinciales, la Asamblea Nacional, el Tribunal Supremo y el sistema electoral se colocaron deliberadamente fuera de los principios de la descentralización, la división de poderes o la tensión entre presidencialismo y parlamentarismo que habían caracterizado a la historia constitucional cubana e iberoamericana hasta entonces. La Constitución cubana de 1976 planteó la ruptura más radical con la matriz liberal y republicana del constitucionalismo atlántico que se haya experimentado nunca en América Latina y el Caribe. No solo por la ausencia de autonomía de la sociedad civil, por la subordinación de todos los órganos y poderes del Estado a un partido político, más que hegemónico, único, o por la postulación de una ideología oficial, sino por algo más: la instalación de un poder legislativo, la Asamblea Nacional, que solo se reúne unos cuantos días al año y está integrada totalmente por diputados partidarios del gobierno.

El proceso de representación política en Cuba, más que al Partido Comunista, está subordinado a las organizaciones sociales y de masas del Estado, que controlan el sistema electoral. La elección de representantes, entre el nivel local y el nacional, es filtrado por «comisiones de candidatura», integradas por líderes de esas organizaciones, que intervienen en la dinámica electoral de una manera más decisiva que las viejas instancias de compromisarios de la Constitución del 40. En términos electorales, el sistema político del 76 restauró la elección indirecta del Jefe del Estado y retrotrajo el constitucionalismo de la isla a una modalidad más autoritaria y arcaica que la que rebasó el Código Electoral de 1943. Sin embargo, por tratarse de una Constitución que codificaba jurídicamente un régimen político construido entre 1959 y 1976, el texto trasmitía una seguridad y una confianza en el nuevo régimen, que se reflejó en la preservación de mecanismos de democracia directa como la iniciativa de ley por diez mil ciudadanos y la posibilidad de reforma parcial y total del documento por las dos terceras partes de la Asamblea Nacional y un referéndum popular.[54]

La Constitución de 1976 funcionó prácticamente sin alteraciones hasta 1992, cuando la nueva coyuntura internacional y regional, abierta por la caída

---

[52]   Ibid.

[53]   Ibid.

[54]   Ibid, p. 482.

del Muro de Berlín en 1989 y la desintegración de la URSS en 1991, obligó a una serie de reformas. El nuevo texto constitucional de 1992 mantuvo el núcleo dogmático y orgánico de 1976, pero introdujo desplazamientos retóricos y mecanismos de inclusión política de relativo impacto simbólico. Algunos de los cambios fundamentales fueron la adición del componente «martiano» a la ideología marxista-leninista de Estado, la redefinición del Partido Comunista como «vanguardia organizada de la nación cubana», el reconocimiento, en el artículo 23, de «la propiedad de las empresas mixtas, sociedades y asociaciones económicas que se constituyen conforme a la ley», la sustitución del principio del Estado ateo por el de Estado laico y la incorporación del concepto de «identidad nacional» a la política cultural y educativa del gobierno.[55]

La Constitución fue poco reformada en los 90, pero con la primera década del siglo XXI debió enfrentarse al desafío de una nueva oposición pacífica, decidida a aprovechar los propios mecanismos constitucionales para ampliar las libertades económicas, civiles y políticas de la ciudadanía. En 2002, el Movimiento Cristiano de Liberación, encabezado por el disidente Oswaldo Payá, se apoyó en el derecho a la iniciativa directa de ley por parte de 10 000 ciudadanos y a la posibilidad de reforma parcial o total de la Constitución, que garantizaba el artículo 137, para proponer a la Asamblea Nacional la convocatoria a una Consulta Popular en la que se sometiera a votación si la ciudadanía estaba de acuerdo con una ampliación de derechos de libertad y asociación, una amnistía de presos políticos, el derecho de los cubanos a formar empresas independientes del Estado y una nueva Ley Electoral.[56]

La reacción del gobierno cubano fue lanzar su propia reforma de la Constitución de 1992, aunque dirigida a hacer irreformables las leyes fundamentales del país. En sesión extraordinaria, en el verano de 2002, la Asamblea Nacional acordó agregar al artículo 3º que «el socialismo y el sistema político y social revolucionario…, es irrevocable».[57] Una segunda reforma agregó al artículo 11, en alusión directa a la Ley Helms-Burton, que penaliza a las empresas extranjeras que comercien con Cuba, la siguiente frase: «las relaciones económicas, diplomáticas y políticas con cualquier otro Estado no podrán ser jamás negociadas bajo agresión, amenaza o coerción de una potencia extranjera».[58] Por último, el artículo 137, que

---

[55] Ibid, p. 485-518.

[56] Ibid, p. 519-524.

[57] Ibid, p. 532.

[58] Ibid, p. 533.

garantizaba la reforma parcial o total de la Constitución se vio constreñido por una nueva oración: «excepto en lo que se refiere al sistema político, económico y social, cuyo carácter irrevocable lo establece el artículo 3 del título I».[59] Tanto la reforma del artículo 3 como la del artículo 137 reiteraban un principio asentado en el artículo 62, en el sentido de que ninguna de las libertades garantizadas por la Constitución podía ejercerse en contra del proyecto socialista-comunista.

A partir de 2012, con el aceleramiento de las reformas económicas emprendidas por el gobierno de Raúl Castro, la aprobación de una serie de leyes, relacionadas con la ampliación del trabajo por cuenta propia, la vivienda, la emigración, el Código del Trabajo, el mercado interno y las inversiones y créditos, han alterado en la práctica buena parte de la Constitución de 1992. Sin embargo, esas reformas económicas, que forman parte de lo que el gobierno llama «actualización del modelo socialista», no han tomado cuerpo en una reforma constitucional que adapte el Estado a la nueva coyuntura de reintegración diplomática y comercial de la isla a la comunidad internacional. En los próximos años será inevitable que la Constitución de 1992 sea revisada y reescrita, con el fin de reflejar la transformación que está experimentando la política económica y social del gobierno cubano en la segunda década del siglo XXI.

Aún así, una plasmación constitucional de las reformas económicas emprendidas por el gobierno de Raúl Castro no reconecta plenamente a la Constitución cubana con el constitucionalismo iberoamericano actual. Fuera de esas reformas, de la agenda legislativa de la Asamblea Nacional y de la propia estrategia del Partido Comunista de Cuba, siguen quedando los temas centrales del constitucionalismo regional, relacionados con la división de poderes, la autonomía de los congresos y las cortes supremas, el autogobierno municipal y provincial, los derechos humanos, el debate presidencialismo-parlamentarismo, la reorganización del sistema de partidos o la dotación de derechos civiles nuevos a las comunidades alternativas del siglo XXI. Una adaptación de la Constitución cubana de 1992 a ese repertorio del constitucionalismo iberoamericano solo podría proceder por medio de una reforma total del texto o de la convocatoria a una nueva asamblea o convención constituyente.

---

[59]   Ibid, p. 533-534.

BIBLIOGRAFÍA:
Beatriz Bernal, *Cuba y sus leyes. Estudios histórico-jurídicos*, México D.F. UNAM, 2002.
Beatriz Bernal, *Cuba y sus constituciones republicanas*, Miami, Instituto Biblioteca de la Libertad, 2003.

Bartolomé Clavero, *El orden de los poderes. Historias constituyentes de la trinidad constitucional*, Madrid, Editorial Trotta, 2007.

Leonel Antonio de la Cuesta, *Constituciones cubanas. Desde 1812 hasta nuestros días*, Miami, Ediciones Exilio, 1974.

Leonel Antonio de la Cuesta, *Constituciones cubanas*, Miami, Alexandria Library, 2007.

Antonio Colomer Viadel, *Introducción al constitucionalismo iberoamericano*, Madrid, Trillas, 2009.

Horst Dippel, «El concepto de Constitución en los orígenes del constitucionalismo norteamericano», en Ignacio Fernández Sarasola y Joaquín Varela Suanzes-Carpegna, *Conceptos de Constitución en la historia*, Oviedo, Junta General del Principado de Asturias, 2010, p. 25-84.

El imperio de la ley en Cuba, Ginebra, Comisión Internacional de Juristas, 1962, p. 107-122.

Roberto Gargarella, *Latin American Constitutionalism, 1810-2010. The Engine Room of the Constitution*, New York, Oxford University Press, 2013.

Enrique Gay-Calbó, *El momento constitucional, las constituciones del Nuevo Mundo y la futura Constitución cubana*, La Habana, Molina y Compañía, 1936.

Ramón Infiesta, *Historia constitucional de Cuba*, La Habana, Cultural S.A., 1942.

José Martí, *Obras completas*, La Habana, Editorial Lex, 1953, t. I.

Martín Morúa Delgado, *Obras completas. Integración cubana*, La Habana, Edición de la Comisión Nacional del Centenario de Marín Morúa Delgado, 1957, t. III.

Gabriel L. Negretto, *Making Constitutions. Presidents, Parties, and Institutional Choice in Latin America*, New York, Oxford University Press, 2013.

José María Portillo Valdés, «La Constitución en el Atlántico hispano, 1808-1824», en Ignacio Fernández Sarasola y Joaquín Varela Suanzes-Carpegna, *Conceptos de Constitución en la historia*, Oviedo, Junta General del Principado de Asturias, 2010, p. 123-178.

José María Portillo Valdés, «Entre la historia y la economía política: orígenes de la cultura del constitucionalismo», en Carlos Garriga, *Historia y Constitución. Trayectos del constitucionalismo hispano*, México D.F., Instituto de Investigaciones Dr. José María Luis Mora, 2010, p. 27-58.

Rafael Rojas, «La soledad constitucional del socialismo cubano», en Adriana Luna, Pablo Mijangos, Rafael Rojas, eds., *De Cádiz al siglo XXI. Doscientos años de constitucionalismo en México e Hispanoamérica*, México D.F., Taurus/ CIDE, 2012.

Ángel Ugarte, *Comentarios a la Constitución de Cuba*, La Habana, Compañía Biográfica, 1918.

Félix Varela, *Escritos políticos*, La Habana, Editorial de Ciencias Sociales, 1977.

COMPILACIÓN DE ARTÍCULOS
PUBLICADOS POR EL CENTRO DE ESTUDIOS
Y REVISTA *CONVIVENCIA*
SOBRE REFORMA CONSTITUCIONAL EN CUBA

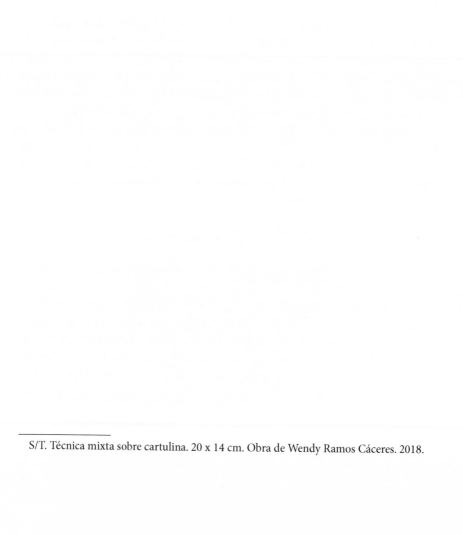

S/T. Técnica mixta sobre cartulina. 20 x 14 cm. Obra de Wendy Ramos Cáceres. 2018.

EDITORIAL 61:
2018: CUBA FRENTE A UNA NUEVA OPORTUNIDAD

Una vez más frente a Cuba, en las manos, la mente y la voluntad de todos los cubanos y de las autoridades del País, se abre una nueva oportunidad histórica de cambios. Se abren nuevas oportunidades para comenzar un nuevo ritmo de transformaciones, con mayor profundidad y consistencia. Sería temerario e irresponsable volver a dejar pasar el tiempo y las circunstancias para una salida honorable, pacífica, gradual y ordenada hacia una sociedad democrática, próspera y feliz.

El año 2018 avanza hacia la conjunción de escenarios internos y externos que interactúan y crean una situación compleja y crítica que puede conducir a Cuba al desastre evitable o a la apertura de transformaciones de su modelo económico y político. He aquí algunos de esos escenarios que son a la vez, peligros, desafíos y oportunidades:

ENCRUCIJADAS INTERNAS

1. El desastre macroeconómico y su impacto en la vida cotidiana de los cubanos alcanza al más amplio horizonte de la sociedad, profundiza la grieta entre la inmensa mayoría que vive en régimen de subsistencia precaria y los pocos que flotan en los desvencijados maderos de la corrupción, los privilegios de las gerencias o los cargos de los que medran. La escasez de alimentos, medicamentos, vivienda, transporte y salarios dignos alcanzan cotas que desesperan.

2. El modelo económico centralizado y estatista no funciona definitivamente tras una década perdida en amagos de «actualizaciones y lineamientos», que ahora las propias autoridades reconocen no han solucionado los problemas fundamentales.

251

3. El sector privado ha demostrado su eficiencia, la capacidad para crear riquezas, el talento emprendedor de los cubanos y el rápido crecimiento potencial que ha transformado profundamente la vida de los empresarios, sus familias e incluso su barrio y municipio. Viñales, Trinidad, Santa Marta y otras localidades son la prueba irrefutable de qué es lo que funciona y qué no, cuál el modelo y el camino y cuán rápida y eficiente pudiera ser la transición de Cuba con su capital humano, con libertad de empresa y diversas formas de propiedad, privada, cooperativa y mixta. Lo que se ha demostrado en estos territorios pudiera ser ya una realidad en gran parte del país y serviría de locomotora para toda la Nación.

4. El modelo político excluyente, que penaliza la discrepancia y obstruye sin tapujos la participación de los ciudadanos que no profesen el credo oficial, paraliza las iniciativas y propuestas ciudadanas, deja en manos de unos pocos y de mucha ineficiencia e incompetencia, las decisiones locales y nacionales, y momifica el ejercicio del civismo en un sistema increíblemente calificado como «democracia de partido único», oxímoron e invento que ofende a la conciencia de la mayoría de los cubanos y a nuestra valiosa tradición cultural e historia cívica.

5. La arbitrariedad jurídica y la indefensión de los ciudadanos es un escenario asfixiante, discriminatorio y excluyente que deja en manos de la policía política, de los corruptos de «cuello blanco» y del tráfico de influencias y favores, la administración de un simulacro de justicia que ya, sin pudor y sin mesura, viola a su misma legislación ordinaria, desconoce preceptos de la propia Constitución socialista y reprime, juzga y condena por supuestos o fabricados delitos comunes a los que discrepan políticamente o prosperan económicamente más allá del sistema de «apartheid» empresarial en que solo los «autorizados», los «confiables» y los «leales», pueden crecer y prosperar… hasta el día en que, como dice nuestro pueblo, «algo» pase y «se les tiran arriba» convirtiendo al emprendedor en «escoria». Violar sus propias leyes, los procedimientos penales, las medidas administrativas, así como manejar con interés político las «regulaciones migratorias», las sanciones y multas, pretextando «defender al socialismo», lo que realmente hace es contradecirlo, desprestigiarlo y crear un clima de inseguridad e indefensión muy peligroso, que quizá, con el tiempo, se vuelva incontrolable.

6. El daño antropológico y el deterioro moral y social, llamado eufemísticamente «pérdida de valores» no es más que el fruto de

la falta de educación ética y cívica, la decadencia e ineficiencia del modelo socio-económico y político y el atrincheramiento de poderes que, en su conjunto, crean una atmósfera de crispación y violencia verbal, física e institucional, irrespirable y gravemente dañina para la salud sicológica, física, moral y espiritual de la Nación.

7. La ineficiencia y anquilosamiento de las instituciones, por el burocratismo genético del modelo, la falta de legitimidad por la forma de designación basada en la lealtad política y no en la competencia profesional, la irresponsabilidad y falta de sentido de pertenencia de aquellos servidores públicos que se han convertido en «caciques» y «mandamases» cubiertos por el manto de una falsa lealtad al sistema político y coronados por un historial momificado que pareciera los hace intocables e inmunes.

8. La violación sistemática de los Derechos Humanos, especialmente de la libertad de expresión, reunión, asociación; de la libertad religiosa y cultural y de la libertad de empresa y de viajar, son solo algunos de los muros y bloqueos internos que son la verdadera causa profunda de nuestra crisis y decadencia orgánica.

9. El fin de la era de la generación histórica en las principales posiciones de poder a partir del 19 de abril, va generando expectativas en los ciudadanos de a pie, e incertidumbres en la cúpula.

Todo esto es vivido, sabido y comprobado por cualquiera que se respete, conviva con el pueblo cubano, observe con honestidad y haga su discernimiento con un mínimo de coherencia ética. Ninguna de estas realidades tiene nada que ver con un sistema verdaderamente socialista, ni con los más básicos criterios de justicia social, ni con el expresado deseo de «actualización» de un «modelo próspero y sustentable». Lo que provoca es el deterioro imparable de la sociedad y la dependencia externa de la economía y de la misma política.

Encrucijadas externas

En el mundo de hoy, ningún país puede vivir aislado. Sería un suicidio económico, político y cultural. Las relaciones internacionales constituyen una variable que impacta sobre la vida de los ciudadanos y condiciona a los factores internos.

Estas son algunas de las realidades que más inciden sobre Cuba:

1. La crisis en Venezuela que ha desplazado a ese país de ser el primer socio comercial de Cuba a ser el tercero.

2. El retroceso en el proceso de normalización de las relaciones con Estados Unidos.
3. Los cambios políticos en América Latina con las pérdidas electorales de gobiernos afines a Cuba como Brasil, Argentina, Ecuador, Chile.
4. El retroceso de las relaciones comerciales con China que la desplazaron al segundo lugar en la lista de socios comerciales.
5. El ascenso de la Unión Europea como el primer socio comercial e inversor en Cuba y las potencialidades positivas que esto pudiera implicar.
6. Las expectativas internacionales ante el anuncio del relevo generacional en la presidencia del Consejo de Estado y de Gobierno y la avalancha de solicitudes o presiones que se verterán, previsiblemente, sobre el nuevo mandatario a partir del 19 de abril de 2018 para que avance más ágil y sustancialmente en las reformas estructurales tanto económicas como políticas y en el respeto de todos los derechos humanos para todos.
7. Una nueva posibilidad de un mayor protagonismo de la sociedad civil que ha sufrido en este último año la mayor represión en décadas y ha abarcado a más sectores sociales: cuentapropistas, artistas, escritores, cineastas, periodistas, opositores, activistas de derechos humanos, aspirantes a candidatos para el cambio, religiosos, centros de pensamiento, entre otros muchos.

Propuestas y proyectos

Como se puede ver, estas son solo algunas de las encrucijadas con las que los cubanos, ciudadanos y mandatarios, nos encontraremos en este año 2018. Nadie puede negar que la sinergia entre todos estos escenarios ponen al País en un momento crítico inédito y complejo como nunca antes, incluyendo el llamado «período especial» que no fue más que las primeras señales de esta perseverante crisis agudizada.

Toda crisis puede ser respondida por lo menos de dos formas:

1. El atrincheramiento y el inmovilismo que conduce al desastre y a la nada, es decir, a la pérdida de todo, o
2. La apertura y las reformas profundas, ágiles y graduales que conducen a nuevos modelos que pudieran conservar las más nobles aspiraciones, los más preciados talentos y los más prometedores proyectos que contribuirán a que Cuba pueda integrarse a la comunidad de naciones normales, democráticas y prósperas.

Una tercera opción podría ser, aplicar reformas superficiales para mantener los modelos ineficientes y excluyentes. Esta acaba de demostrar durante los últimos diez años que no conduce a ninguna actualización, porque es la misma serpiente que se muerde la cola. No se pueden construir ni los capitalismos modernos ni los socialismos democráticos, parapetados en un capitalismo monopolista de Estado, perfil injertado de lo peor de ambos sistemas. Eso no funciona, la tozuda realidad lo sigue demostrando.

Cuba cuenta, gracias a Dios, con un capital humano, con un clima y una posición geográfica envidiables. Y si cambia, contaría con unas crecientes solidaridades internacionales, que serían cimientos y dinamos de una nueva etapa, cuyas propuestas y modelos económicos deberían encontrar la franja movediza que se ubica entre la eficiencia económica y las conquistas sociales. Es decir, entre la creación de riquezas crecientes y sostenibles y la distribución de esas riquezas, materiales, morales y espirituales, con la mayor justicia social posible hacia un desarrollo humano integral y solidario. Ninguna de las dos ilusiones utópicas que han intentado construirse en cualquiera de los dos extremos han dado los resultados esperados, ni han construido un hábitat facilitador de los talentos, valores y virtudes, humanos y cívicos.

Nos toca hacerlo a nosotros, los cubanos todos.

Pinar del Río, 28 de enero de 2018
165º aniversario del nacimiento de José Martí

EDITORIAL 62:
19 DE ABRIL DE 2018: CAMBIO GENERACIONAL EN CUBA

Nadie puede predecir el futuro. Los antiguos profetas bíblicos no eran adivinos. Eran hombres y mujeres de Dios que aprendían del pasado, analizaban el presente y, como consecuencia de las lecciones de la historia y las potencialidades y peligros del tiempo que vivían, anunciaban el futuro para que el pueblo, «que andaba en tinieblas» viera las luces por venir. En Cuba, sea cual sea el futuro que nos espera, con cambios estructurales como esperamos o sin ellos, en abril habrá un cambio generacional.

El 19 de abril de 2018 ha sido el día escogido por la llamada generación histórica, para dejar el cargo de Presidente del Consejo de Estado y de Ministros, y dar paso a una persona nacida ya después de la Revolución de 1959.

Evidentemente, a este nivel, un cambio estructural y profundo no depende solamente de una persona, aunque el líder puede influir grandemente. Depende de que las circunstancias sean tales que favorezcan o presionen el cambio, de que sea visible para muchos una salida viable, pacífica y beneficiosa para la nación, y de que las alternativas de caminos radicales, violentos o mafiosos sean tan costosas y perjudiciales para la gran mayoría, que disuadan de escogerlas. Nadie con uso de razón y con amor a Cuba querría cambios de esta naturaleza o que conduzcan a situaciones peores a las que ya se viven.

La experiencia y la naturaleza humana nos dicen que ninguna persona es igual a otra y que el traspaso de una generación a otra, aún buscando que «todo esté atado y bien atado» y que haya una continuidad, siempre trae cambios de interpretación, de enfoques, de estilos y de criterios propios. Ningún sistema totalitario o autoritario ha continuado idéntico luego de pasar la generación que lo instauró. ¿Por qué Cuba tendría que ser una excepción?

Desde el punto de vista económico la actual situación es insostenible. La eliminación de la doble moneda debe hacerse cuanto antes e implicará un duro golpe a los más vulnerables. La apertura al trabajo por cuenta propia a pesar de los frenazos antiguos y actuales, debe hacerse para fortalecer el sector privado y que este aporte su contribución al presupuesto nacional. La seguridad jurídica para los inversionistas cubanos y extranjeros debe legislarse urgentemente. Debe cesar la represión de banda ancha que cubre a toda la sociedad cubana y no solo a los opositores. La crispación y la violencia por falta de valores y asfixia social deben encontrar serenidad y convivencia civilizada.

El bloqueo interno a los emprendedores y profesionales debe levantarse junto con todos los bloqueos. La falta de proyectos de vida de los jóvenes cubanos, la violación y el irrespeto de las propias leyes y de la actual Constitución, las regulaciones y desregulaciones al antojo de las autoridades, los registros, confiscaciones y limitaciones a la libertad religiosa plena, a la libertad de expresión y reunión, así como una larga lista de violaciones sistemáticas de los derechos de los ciudadanos debe ser garantizada por la ley y con una educación ética y cívica de todos los ciudadanos.

En el plano internacional, Cuba está más aislada que hace unos años. No cuenta ya con el gran subsidio de Venezuela. Por primera vez, el primer socio comercial y el primer inversor es un bloque de países con economía de mercado y sistemas políticos democráticos, hecho inédito en los últimos 60 años. La correlación de fuerzas y elecciones en todo el mundo se inclina al centro y al centro derecha. Las izquierdas beligerantes identificadas con proyectos de socialismo autoritario han perdido espacio político real. Parece que en el turismo, especialmente el norteamericano, se ha sentido negativamente el impacto de las actuales circunstancias con el deterioro de las relaciones entre Cuba y los Estados Unidos.

Después del paso de un huracán devastador por numerosas provincias cubanas que ya estaban en situación de precariedad acumulada por más de seis décadas, el País se encuentra, quizá, en la situación más aguda y compleja de todos los tiempos. Los que hereden la gestión administrativa y política recibirán una Nación empobrecida, fragmentada con la fuga permanente de sus hijos hacia cualquier geografía, una crisis de valores producto del daño antropológico, una falta de esperanzas y de credibilidad en las instituciones. Junto a estas situaciones también influirán todos los demás factores internos del modelo que no funciona, y la presión internacional para la apertura de la Isla, para la democratización de su sistema político y la modernización de su economía con una profunda descentralización y estímulo para los emprendedores. Todo esto será un enorme reto para los que accedan al poder real con una sociedad que, por otra parte, se le ha introyectado una dependencia del Estado paternalista.

No se puede educar para asumir los riesgos y progresos de una libertad personal y de una responsabilidad con derechos y deberes, sin cambiar el sistema centralizado que no ha demostrado la voluntad de ceder espacios, proyectos, y libertades para que los cubanos sean ciudadanos maduros, independientes, libres, responsables y emprendedores que se gestionen con entusiasmo y esperanza sus propias vidas, las de sus familias y la vida de la Nación de la que no querrán escapar.

Estamos seguros de que si el relevo generacional que herede el poder político, comprende, acepta y responde a estos retos, entonces sí mostrará una verdadera voluntad de cambios estructurales, no cosméticos, y podrá contar con la inmensa mayoría de los ciudadanos cubanos que comenzaríamos una nueva vida.

Estamos también convencidos de que, de darse esas señales y llevarlas a la práctica con la razonable gradualidad que evitaría sobresaltos y la nunca deseada violencia, pero sin pausas ni retrocesos, la comunidad internacional en pleno apoyaría con recursos, inversiones, conocimientos y solidaridad política a los nuevos dirigentes que muestren las buenas prácticas de gobierno racional y moderno. Es decir, con un respeto irrestricto y público a todos los derechos humanos de todos los cubanos, un marco jurídico coherente y orgánico que garantice, proteja y ordene este profundo y urgente proceso de tránsito hacia un modelo político participativo y democrático, un modelo de economía social de mercado, una rehabilitación de las instituciones corroídas por la corrupción, un sólido plan de educación ética y cívica y una estimulación legal para que todos los cubanos, donde quiera que vivan o como quiera que piensen puedan emprender, sin peligros de confiscaciones o intervenciones del Estado. Ese gobierno racional y moderno emprendería el camino hacia una nueva etapa en la historia de Cuba en la que podamos edificar en paz y respeto, en pluralismo y legalidad, una convivencia civilizada, libre, responsable, próspera y feliz.

Esto no es nuevo, son aspiraciones de larga data, y además, van acompañadas de pensamiento y propuestas concretas, viables y graduales. Pero decirlo en esta coyuntura histórica nos parece un deber de conciencia, un derecho ciudadano y una forma constructiva de contribuir a la reconstrucción de la Patria de Varela y de Martí, en la que como él mismo proponía «quepamos todos».

Nadie sabe lo que harán las nuevas generaciones que heredan el poder de «cambiar todo lo que deba ser cambiado», pero lo que nadie podrá decir es que los cubanos y cubanas no sabemos lo que queremos, ni hemos pensado lo que esperamos, ni hemos propuesto lo que deseamos construir con nuestro propio esfuerzo, soberanía y creatividad.

Una vez más, en esta encrucijada sin precedentes en más de medio siglo, profesamos públicamente nuestra plena confianza en los talentos y capacidades del pueblo cubano. Y nuestra absoluta seguridad de que si se comienzan a dar estos cambios, con seriedad y sin retrocesos, Cuba podrá contar con el empeño, el capital humano y la ideación en la búsqueda de soluciones viables e incluyentes, de la inmensa mayoría de sus hijos, de los que vivimos y trabajamos en la Isla y de nuestros hermanos que viven y trabajan en la Diáspora demostrando con sus obras y comportamientos lo que de verdad podemos hacer los cubanos por nosotros mismos.

Cambiemos, confiemos y emprendamos este camino de paz, libertad, justicia y amor, tan anhelado por todos los que queremos a Cuba.

Pinar del Río, 25 de marzo de 2018
123º aniversario del Manifiesto de Montecristi

EDITORIAL 63:
CUBA EN UNA VIGILIA ACTIVA, CRÍTICA Y PROPOSITIVA

Los cubanos de la Isla y de la Diáspora, y muchos de los observadores internacionales, nos hacemos hoy una pregunta: ¿Qué pasará en Cuba con Díaz-Canel como presidente? Muchos responden: Hay que esperar. Otras respuestas van de un extremo a otro, como es normal cuando la incertidumbre de la inmediatez del cambio generacional y la diversidad de la opinión pública, abren un complejo abanico de expectativas. Y creemos que nadie, ni en la cúpula ni en la base, tiene la certeza de lo que puede ir ocurriendo en tan crítica situación nacional e internacional.

Entonces consideramos que lo peor es esperar pasivamente a ver qué pasa. Lo mejor sería no tener que esperar y que se anunciaran ya los cambios progresivos que necesita nuestro país. Y lo menos malo sería esperar activamente, es decir: observando, evaluando, con actitud crítica y propositiva, en lo que sería una vigilia proactiva, previendo, sopesando y proponiendo.

Solo los hechos y el tiempo podrán ir destapando el velo de incertidumbre sobre el porvenir de Cuba. El tiempo: porque todos los cambios estructurales y profundos que Cuba necesita no se pueden realizar con éxito en un día, ni de manera violenta o caótica. El tiempo es la opción de los cambios ordenados, graduales y pacíficos. Pero... el tiempo es finito. La paciencia y la crisis agobiante, también. Los hechos: porque en política como la de hoy el discurso suele ir por un lado y los hechos consumados por otro. Los hechos son el rasero de la verdad y de la legitimidad, de la viabilidad y de la eficacia de todo gobierno. Pero... hechos que puedan ser medidos, evaluados y protagonizados, tanto por el gobierno como por el ciudadano, la sociedad civil y la comunidad internacional.

Entre el presente crítico que vivimos en Cuba y el porvenir que anhelamos la inmensa mayoría de los cubanos, están los hechos concretos que pueden abrir a un futuro libre, próspero y feliz o pueden cerrar hasta la más optimista expectativa. La elección está sobre todo en los que siguen ostentando un poder omnímodo y totalitario... aunque decadente y en crisis creciente. Todos sabemos, el gobierno también, que así tal como estamos, es inviable salir de la crisis. Luego, en el caso del poder, no se trata de tener voluntad política, se trata de una necesidad política... Y como dice el refrán popular: «la necesidad hace parir jimaguas aún a los infértiles». La necesidad obliga, y desconocerla, pierde.

Y la elección está también en cada cubano y cubana, sujeto de soberanía ciudadana por derecho natural. Es muy difícil ejercer este derecho en regímenes totalitarios, pero no ha sido imposible. La historia reciente en Europa, África y América Latina lo prueban. Lo que parecía imposible hace solo treinta años, es ya una realidad que no puede soslayarse. Lo que era impensable hace solo diez años en América Latina, es hoy una correlación de fuerzas que actúa unida por todos lados. El mundo ha cambiado, y Cuba debe, tiene y puede cambiar. Lo contrario es empujarla al caos, todos lo sabemos.

Diez «signos vitales» para evaluar el presente

Los hechos necesitan tiempo. El tiempo requiere el ejercicio de una espera crítica y proactiva, y esta vigilia comprometida y actuante necesita evaluar continuamente los «signos vitales» de la gobernabilidad. Para contribuir, modestamente, a este ejercicio ciudadano de vigilia crítica y propositiva, comenzamos por sugerir algunos «signos vitales», entre otros, que pudieran ser útiles para conocer el estado de la nación y los esfuerzos de los actuales mandatarios por responder a esas necesidades vitales e impostergables:

1. Disminución de la represión «de banda ancha» y libertad de presos políticos.
2. Conformación renovada del Consejo de Ministros en julio.
3. Apertura al sector privado: Trabajo por cuenta propia.
4. Modo en que se enfrenten las consecuencias de la unificación de la moneda:
   a. Quiebre de empresas
   b. Desempleo
   c. Crisis social
5. Combinación equilibrada de los caminos para salir de la crisis económica y avanzar hacia el desarrollo:

a. Mayor apertura y seguridad para la inversión extranjera, con participación en los sectores público y privado.

b. Desarrollo de PYMES con capital cubano o extranjero.

6. Educación cívica y política para alcanzar que las reformas económicas sean conducidas por la propia ciudadanía a las reformas políticas necesarias.

7. Creación de espacios que generen propuestas y visiones estratégicas para la nueva República: hacia dónde queremos Cuba cambie.

8. Contenidos de la reforma y posturas ciudadanas frente al referéndum constitucional anunciado.

9. Establecimiento de mecanismos que garanticen la seguridad ciudadana, la no violencia institucional y la no venganza:

a. Procesos para la memoria histórica, la justicia y la paz, la magnanimidad y la reconciliación nacional.

10. Posicionamiento de la comunidad internacional con relación a Cuba:

a. Primacía del respeto y promoción de los Derechos Humanos sobre los intereses económicos.

b. Respuesta proporcional y en correspondencia con el avance de las reformas.

De seguro se podrían agregar otros «signos vitales» o hechos concretos de un proceso gradual de cambios estructurales y reformas. Estos son solo unas sugerencias iniciales para tener algunos criterios para esta etapa de observación, evaluación y propuestas críticas para la gobernabilidad y la gobernanza.

Consideramos que lo más importante es tomar conciencia de la etapa histórica que vivimos, de la oportunidad que se presenta ante este relevo generacional y de la necesidad apremiante de responder con reformas estructurales, orgánicas y profundas a la crisis creciente del modelo que ha vivido Cuba.

Ejercer la soberanía ciudadana es no esperar pasivamente a que los cambios nos sean dados desde arriba y sin nuestra participación activa, consciente, crítica y propositiva.

Esta es una responsabilidad histórica de todos que definirá el futuro de Cuba.

Pinar del Río, 20 de mayo de 2018
116º aniversario de la República de Cuba

EDITORIAL 64:
ANTE UN NUEVO PROYECTO CONSTITUCIONAL:
INCLUSIÓN, PLURALISMO, CONSENSO Y DEMOCRACIA

Cuba se encuentra ante la posibilidad de expresar sus opiniones y de decir sí o no a un nuevo texto constitucional que no ha surgido, como debe ser, de una asamblea constituyente libremente elegida por todo el pueblo, pero que tiene que ser sometido a un referéndum para su definitiva aprobación o rechazo.

Ahora vamos a tener la oportunidad de aprovechar el espacio para que se escuchen todas las enmiendas que cada cubano proponga desde ambos pulmones de la única Nación que somos: Isla y Diáspora, y participar, libre, responsable y creativamente, en el debate para poder aportar nuestra visión y propuestas: modificaciones, adiciones o supresiones. Creemos que participar es más que no cubrir el espacio que tengamos.

No obstante las limitaciones del origen y debate del proyecto de Carta Magna, consideramos, que debemos ejercer el más elemental derecho y deber ciudadanos: expresar nuestros criterios ante este nuevo texto que se nos propone.

Una verdadera Constitución debe ser:

1. Inclusiva, es decir, que no excluya a ningún ciudadano cubano de la Isla y de la Diáspora, incluyendo el voto de los cubanos que viven fuera del País, ni discrimine por razones políticas, raciales, económicas, culturales, sociales, religiosas, de género y orientación sexual, ni otras razones inherentes a la naturaleza y a la dignidad de la persona humana. La inclusión plena es una forma eminente de la justicia social y del humanismo integral. Esto significa que no se puede imponer o declarar irrevocable una ideología u opción política determinada, sea liberal, socialista, demócrata cristiana, o

cualquier otro modelo político, aún cuando fuera preferido por una mayoría, pues dejaría fuera, y pondría en contra de la Constitución de la República a las minorías que piensen diferente. Consagrar un sistema político, sea cual fuere, penalizaría de antemano a una parte de la sociedad y haría punible la discrepancia. Sería como consagrar en la Constitución una confesión religiosa u otra forma de opción personal o grupal.

2. Pluralista, es decir, que reconozca toda la diversidad de la sociedad. Esto significa que la Constitución debe establecer, como ley suprema, el marco institucional y el reconocimiento de la personalidad jurídica que garantice igualdad de oportunidades ante la ley a toda la pluralidad de instituciones pacíficas, religiosas, organizaciones sociales, sindicatos, diversas formas de propiedad, asociaciones de la variopinta sociedad civil y una diversidad de partidos políticos o movimientos cívicos que le permitan, a mayorías y minorías por igual, organizarse libremente, integrarse a la participación plena y grupal en la vida política, económica, cultural, religiosa y social. El pluripartidismo es una manifestación orgánica del pluralismo inherente a la convivencia social. El reconocimiento del pluralismo, indiscutible condición estructural de la persona humana, de la naturaleza y de toda sociedad, es una forma eminente de la justicia social y del humanismo integral. Consagrar en la Carta Magna la existencia de un solo partido, de un solo tipo de institución religiosa, de un solo tipo de organización cívica, siendo todas ellas pacíficas y respetuosas del bien común, es negar de antemano la naturaleza pluralista de la persona y de la sociedad, penalizaría de antemano a una parte de la sociedad y haría punible a otros tipos de organizaciones y partidos que han declarado su propósito de contribuir al bien de toda la Nación. Sería como consagrar en la Constitución, por ejemplo, a un solo ritmo como única expresión de la música cubana.

3. Consensuada, es decir, como un contrato social, como un acuerdo supremo, de un modelo de «república en que quepamos todos» como dijo Martí el 10 de octubre de 1891. Eso supone no solo la posibilidad de la aprobación final o no de la Carta Magna, sino la participación directa o representada en la redacción del anteproyecto. Se trata también de tener los canales libres y efectivos para proponerle modificaciones, y la creación de un marco jurídico, es decir, de un paquete de leyes complementarias, que permitan la aplicación

correcta, coherente y capilar de la Ley de leyes. Una Constitución es el acuerdo por el que toda la sociedad elige libremente los modelos de convivencia pacífica basada en la primera condición del ser humano que es el reconocimiento jurídico de la garantía efectiva de su libertad interior y de sus libertades, para poder alcanzar los mayores grados posibles de humanismo y los más altos grados de convivencia en fraternidad y «amistad cívica», pilares y fundamentos de toda comunidad humana. No respetar este contrato o manipularlo a favor de un grupo social, un partido, una persona o una sola ideología, sería un crimen contra la suprema dignidad de toda persona y los derechos inalienables de cada ciudadano. Nadie ni nada puede colocarse por encima de la Constitución cuando esta se ha elaborado, discutido y aprobado libre y legítimamente. Decir que la Constitución de una República no puede dictar directrices a un partido que estaría por encima de la Ley Suprema no es solo una contradicción de principios, sino un disparate jurídico. Una parte no puede estar constitucionalmente subyugando al todo. Esto no solo sería violar las reglas de la convivencia pacífica, del marco acordado, es también abrir la puerta al caos, la violencia y la muerte. Y no es exagerar teniendo en cuenta que el Artículo No. 3 del Proyecto consagra que la lucha armada puede ser usada para combatir a los que intenten cambiar el orden político que establece esta Constitución. Son múltiples y recientes los ejemplos que lo demuestran. Mirar para otro lado es una ceguera cívica y política voluntaria y una grave responsabilidad.

4. Democrática, es decir, que instituya un marco jurídico general coherente que garantice orgánicamente un Estado de Derecho, con sus propiedades inalienables: el respeto a todos los derechos humanos para todos con la inclusión constitucional de los Pactos Internacionales sobre derechos civiles y políticos, económicos, sociales, culturales y medioambientales que ha aprobado la ONU y que Cuba firmó pero que debe ratificarlos e integrarlos al texto constitucional. El Estado de Derecho también garantiza: el imperio de la ley sobre toda persona, instituciones o poder; la división y mutuo control efectivo de los tres poderes del Estado: legislativo, ejecutivo y judicial; un sistema electoral plural, libre, transparente e internacionalmente verificado; el reconocimiento constitucional de los mecanismos de defensa de los derechos humanos y la transparencia de los poderes y administraciones públicas como

son: el Defensor del Pueblo, el Tribunal de Cuentas, el Tribunal de Garantías Constitucionales y las organizaciones independientes de derechos humanos. La democracia representativa y participativa que busca la mayor y más efectiva participación del ciudadano, sea directa o indirectamente, es una forma eminente de la justicia social y del humanismo integral. No reconocer los estándares que la comunidad internacional considera como calificadores de un sistema verdaderamente democrático, fruto de siglos de pensamiento, luchas y legislaciones de la comunidad de naciones civilizadas, sería negar el desarrollo del género humano. No tener en cuenta ni aprender de miles de eminentes juristas de todas las tendencias políticas y religiosas, sería como negar nuestra propia historia y cultura, riquísima en aportes al derecho constitucional desde nuestros padres fundacionales, como aquellos que propusieron, en su tiempo, José Agustín Caballero, el Padre Félix Varela, la Asamblea de Guáimaro, Jimaguayú y La Yaya, los padres constituyentistas de 1901 y 1940. Todo esto fue tenido en cuenta en la redacción de la Carta Magna surgida de la inclusiva, plural y democrática Asamblea Constituyente de 1939, en la que participaron y fueron constituyentistas, representantes libre y directamente electos por todo el pueblo, incluidos, por supuesto, los delegados del Partido Socialista Popular, partido comunista que participó en su redacción. Eso pasa únicamente cuando el carácter del texto constitucional es lo más inclusivo, pluralista, democrático y de justicia social, posible.

Ojalá que la premura con la que se ha constituido la Comisión redactora, la aprobación del Proyecto y el tiempo de debate de este nuevo texto de la Constitución, además de los fallos de no haberla redactado en una asamblea constituyente plural, no sean limitaciones insalvables para que estos cuatro pilares de toda Carta Magna: consenso, inclusión, pluralismo y democracia, puedan ser reconocidos y consagrados en una nueva Ley de leyes respetando y teniendo en cuenta todos los aportes que se han venido presentando y se presentarán tanto en la Isla como en la Diáspora.

El Centro de Estudios Convivencia (CEC) se adelantó a esta etapa y ha publicado su visión y propuestas, con aportes de la Isla y de la Diáspora, para un Tránsito Constitucional: de la ley a la ley, además ha dado a conocer un marco jurídico con un paquete de 45 leyes complementarias que facilitarían una aplicación concreta del magno texto. (Cf. http://centroconvivencia.org/

category/propuestas/propuestas-marco-juridico). Para el próximo número de nuestra revista publicaremos un estudio comparativo entre el Proyecto presentado por el Estado y nuestras propuestas.

En fin de cuentas, los ciudadanos, todos los cubanos y cubanas, donde quiera que vivamos, como quiera que pensemos, creamos u opinemos, somos los únicos y legítimos soberanos. Nuestro mayor deseo es que esa soberanía pueda expresarse libre y responsablemente. Y nada ni nadie se arrogue el derecho de estar por encima de esa soberanía ciudadana.

Todos tenemos la última palabra. O la deberíamos tener y ejercer.

Pinar del Río, 4 de agosto de 2018

ARTÍCULO 1:
¿QUÉ REPÚBLICA QUEREMOS SER?

Por Dagoberto Valdés Hernández | 20 agosto, 2018

Continuando el debate sobre el nuevo Proyecto de Constitución, quiero referirme hoy al primer artículo que dice así:

> *ARTÍCULO 1. Cuba es un Estado socialista de derecho, democrático, independiente y soberano, organizado con todos y para el bien de todos, como república unitaria e indivisible, fundada en el trabajo, la dignidad y la ética de sus ciudadanos, que tiene como objetivos esenciales el disfrute de la libertad política, la equidad, la justicia e igualdad social, la solidaridad, el humanismo, el bienestar y la prosperidad individual y colectiva.*

Este no es un artículo más de la posible Carta Magna, se trata de la definición que le quieren dar a Cuba en cinco renglones. Fíjese que comienza definiendo: «Cuba es...» Detenerse en esta conceptualización de nuestra Patria es de suma importancia para todos. Esta es mi opinión:

Ponerle el apellido de una sola ideología, en este caso la socialista, a la consagrada internacionalmente definición de Estado de Derecho, es la primera contradicción manifiesta en este artículo. Además es excluyente. Para argumentar esto citamos algunas definiciones complementarias del Estado de Derecho:

> *El Estado de derecho está formado por dos componentes: el Estado (como forma de organización política) y el derecho (como conjunto de las normas que rigen el funcionamiento de una sociedad). En estos casos, por lo tanto, el poder del Estado se encuentra limitado por el derecho. Un Estado de Derecho debe cumplir una*

serie de normas, las mismas son: La Ley debe ser el mandato fundamental: todos los ciudadanos, incluso quienes gobiernen deben someterse a las leyes y ser juzgados en igualdad de condiciones y no se harán excepciones a ningún individuo, por alto que sea el cargo que posea. Como la Ley es hija del Poder Legislativo y éste se encuentra separado del resto de poderes del Estado, el cumplimiento de las normas podría ser más posible. Deben garantizarse todos los Derechos y Libertades: es responsabilidad del Estado que la Ley se cumpla y que en ella se vele por la libertad de todos los individuos que viven bajo su tutela; la norma máxima del Estado es garantizar este principio. La Administración debe encontrarse limitada por la Ley: los directivos del Estado pertenecen a dos cuerpos diferentes: el Gobierno y la Administración, ésta se trata de un elemento no-político y se compone de los funcionarios, y, al igual que el gobierno, se encuentra limitada a las leyes que rijan sobre el territorio. (Copyright © 2008-2018 – Definicion.de).

Otra definición sobre el Estado de Derecho es la que expresó el Secretario General de la ONU en su Informe sobre Estado de Derecho y justicia transicional que dice así:

El estado de derecho puede definirse como «un principio de gobernanza en el que todas las personas, instituciones y entidades, públicas y privadas, incluido el propio Estado, están sometidas a leyes que se promulgan públicamente, se hacen cumplir por igual y se aplican con independencia, además de ser compatibles con las normas y los principios internacionales de derechos humanos. Asimismo, exige que se adopten medidas para garantizar el respeto de los principios de primacía de la ley, igualdad ante la ley, separación de poderes, participación en la adopción de decisiones, legalidad, no arbitrariedad, y transparencia procesal y legal. (Informe del Secretario General sobre el estado de derecho y la justicia de transición en las sociedades que sufren o han sufrido conflictos) (S/2004/616).

En la Constitución de Cuba de 1940 la definición dice textualmente:

ARTÍCULO 1: Cuba es un Estado independiente y soberano organizado como República unitaria y democrática, para el disfrute de la libertad política, la justicia social, el bienestar individual y colectivo y la solidaridad humana.

Como se puede ver no hay mención alguna a una ideología o modelo político que la concrete como única. El actual proyecto incluye textualmente algunos elementos de esta definición.

Por otro lado existen Constituciones de la República, como por ejemplo la de Colombia, que se definen como un Estado social de derecho:

> *Estado social es un concepto propio de la ideología o bagaje cultural político alemán (Sozialstaat y «Sozialrechtsstaat» respectivamente). El concepto se remonta a la formación del Estado alemán y, pasando a través de una serie de transformaciones, en la actualidad forma las bases político-ideológicas del sistema de economía social de mercado. En términos más recientes, incorpora a su propia denominación el concepto de Estado de derecho, dando lugar a la expresión Estado social de derecho, y también, además, el concepto de Estado democrático, dando lugar a la expresión Estado social y democrático de derecho. El Estado social es un sistema que se propone de fortalecer servicios y garantizar derechos considerados esenciales para mantener el nivel de vida necesario para participar como miembro pleno en la sociedad. (Tomado de* Unidad de Manejo y Análisis de Información Colombia. *UMAIC).*

Evidentemente no es lo mismo un Estado social que un Estado socialista. El primero hace referencia como hemos leído al fortalecimiento de los derechos sociales y al nivel de vida para poder ser un ciudadano de pleno derecho, y el segundo es definir el Estado con una ideología particular con un modelo de partido único, hegemónico, con economía estatalizada y centralizada y con la exclusión de las demás formas de organizar la sociedad.

Otra cosa es un Estado de Derecho con una economía social de mercado. Este tipo de definición consagra un modelo económico en el que se combinan el mercado libre y la justicia social, o distribución más equitativa de la riqueza para ofrecer oportunidades para que los menos favorecidos puedan trabajar por su progreso material y su desarrollo humano integral. El Tratado de Lisboa que rige en la Unión Europea dice:

> *Para la Unión Europea (UE) la economía social de mercado también es la meta de la política económica. En el Artículo 3, Párrafo 3 del Tratado de la Unión Europea se habla en el contexto de mercado interior europeo, que la UE «Obrará en pro del desarrollo sostenible de Europa basado en un crecimiento económico equilibrado y en la estabilidad de los precios, en una economía social de mercado altamente competitiva, tendente al pleno empleo y al progreso social, en un nivel elevado de protección y mejora de la calidad del medio ambiente.*

Siguiendo el debate del artículo 1 del actual Proyecto de Constitución de Cuba, debemos señalar otra contradicción del texto: «*república unitaria e indivisible, fundada en el trabajo, la dignidad y la ética de sus ciudadanos, que tiene como objetivos esenciales el disfrute de la libertad política...».*

Esta definición, con la que por supuesto estamos totalmente de acuerdo, entra en contradicción con el artículo 3 y el artículo 5, en que se consagra constitucionalmente la «trinidad» de un sistema hegemónico y excluyente: el carácter irrevocable del socialismo, el partido único por encima de todo, y la lucha armada como recurso de todos los cubanos contra cualquiera que intente cambiar esta triada del poder de una parte sobre la totalidad de la República, e incluso sobre la misma Constitución, que como dijera el presidente de la Comisión de asuntos constitucionales de la Asamblea Nacional de Cuba «no puede trazarle directrices al Partido».

Yo propondría la siguiente redacción:

> *ARTÍCULO 1. Cuba es un Estado de derecho, democrático, independiente y soberano, organizado «con todos y para el bien de todos», como república unitaria e indivisible, fundada en la dignidad de toda persona humana, en el trabajo y la ética de sus ciudadanos, que tiene como objetivos esenciales el disfrute de la libertad política, la equidad, la justicia e igualdad social, la solidaridad, el humanismo, el bienestar y la prosperidad individual y colectiva.*

Considero que así sería más incluyente, más plural, más unitaria en la diversidad, uniendo dos principios varelianos y martianos: «con todos y para el bien de todos» junto a «la dignidad plena del hombre», de toda persona humana, consagrados ambos desde su primer artículo.

Hasta el próximo lunes, si Dios quiere.

271

ARTÍCULO 2:
LA REFORMA CONSTITUCIONAL Y EL USO DE LOS SÍMBOLOS PATRIOS

Por Yoandy Izquierdo Toledo | 30 agosto, 2018

El debate en curso sobre el Proyecto de Constitución de la República de Cuba parece como si solo tratara uno de sus artículos, el número 68, referido al concepto del matrimonio, que abre la puerta a la legalización de la unión civil igualitaria, que en mi opinión es como se debe llamar a la unión de dos personas del mismo sexo, reservando para la pareja de un hombre y una mujer, el concepto de matrimonio.

Sin embargo, una Constitución no es solo para consagrar un derecho, en este caso el relacionado con la diversidad de orientación o preferencia sexual. Una Constitución es el contrato social global y superior a toda otra legislación e institución que garantiza que todos los ciudadanos y el mismo Estado están bajo la ley. Nadie, ni persona ni organización, puede estar por encima de la Constitución, solo el soberano que es la totalidad de la nación, que por ser soberana debería poder reformar, total o parcialmente, todos los artículos de la Constitución que emanó de su voluntad soberana mediante referéndum.

Ningún precepto constitucional, ni ley, ni institución humana alguna puede ser eterna, ni momificarse como irrevocable. Los tiempos, las personas, la educación cívica y política, las ideologías y las diversas formas de pensar y organizarse la sociedad son cambiantes según las mismas leyes de la dialéctica. No se entiende, entonces, porque se reconoce la diversidad sexual y no la diversidad política o ideológica que son inherentes a la naturaleza humana.

El debate sobre el nuevo proyecto de Carta Magna debería pues, abrirse a otros temas, incluso de mayor transcendencia e interés general de la sociedad, como por ejemplo: la definición misma de nuestra república; el uso de la violencia y la lucha armada contra cualquiera que intente cambiar el sistema; la necesaria abolición de la pena de muerte en todos los casos; el pluripartidismo, la división real y efectiva de los tres poderes del Estado; un sistema electoral plural, competitivo, transparente, sometido a escrutinio nacional y observación internacional; la apertura de la economía al mercado con regulación social; la liberación de todas las fuerzas productivas; la creación de un Defensor del Pueblo y de un Tribunal de Cuentas; la elección directa del presidente y los parlamentarios, de los alcaldes y los gobernadores que ahora se vuelve a proponer de forma indirecta, pareciendo que se desconfía de la votación directa del ciudadano para elegir a sus líderes, entre otras muchas. Considero que ese debería ser el contenido de los debates y no solo de un tema puntual.

Y termino con algo que pudiera parecer un detalle al lado de estos temas fundamentales y trascendentes, se trata del logotipo con que se ha divulgado la Reforma Constitucional. He leído la ley que regula, en un texto unificado, el diseño, el uso y la conservación de los símbolos nacionales y los atributos que los identifican. En el proyecto propuesta ahora, esto se trata en el Artículo 4.

Me ha llamado la atención en vallas y carteles, que se ha usado solo la parte superior de nuestro escudo, es decir, las dos líneas superiores de la ojiva, el haz de varas y el gorro frigio, se ha prescindido del resto de este símbolo patrio y se ha puesto en la parte vaciada del escudo las palabras «Reforma Constitucional». Me pregunto, ¿es esto legal? ¿No se ha criticado fuertemente la deformación de la bandera, el escudo y el himno, o su uso inapropiado? ¿Algunos podrían leer en este logo, siguiendo la ciencia de la semiótica, que la reforma constitucional vacía de contenido la identidad de la Patria? ¿O que la reforma constitucional cambiará incluso las esencias de nuestro ser como nación, representadas desde su génesis por los padres fundadores? ¿Esas esencias identitarias, y los símbolos que la representan serán modificadas por esta Reforma?

Quizá, he ido más allá del mensaje que el diseñador del logo tuvo la intención de emitir. Muy probable que así sea. Pero debemos recordar que en las ciencias de la comunicación puede haber una diversidad de descodificaciones del mensaje que distorsionen el mensaje que quiso enviar el emisor, llamémosle a ese contenido «A», y otros muchos pueden leer los receptores, hasta incluso recibir «B».

En momentos cruciales como el que está viviendo la nación cubana, ningún detalle debe ser descuidado, y mucho menos los de las imágenes, lenguaje privilegiado por la juventud y la sociedad de las nuevas tecnologías de las comunicaciones.

Mantengamos la imagen íntegra de nuestros símbolos, al mismo tiempo que renovemos todo lo que sea renovable, que es casi todo, menos las esencias del alma nacional.

EL ARTÍCULO 3:
ABRIR LA PUERTA A LA VIOLENCIA

Por Dagoberto Valdés Hernández | 13 agosto, 2018

Entrando en el articulado del Proyecto de Constitución de la República, propuesto por la Asamblea Nacional, quiero detenerme en el Artículo 3 que dice así:

> *ARTÍCULO 3: 32. La defensa de la patria socialista es el más grande honor y el deber supremo de cada cubano. 33. La traición a la patria es el más grave de los crímenes, quien la comete está sujeto a las más severas sanciones. 34. El socialismo y el sistema político y social revolucionario, establecidos por esta Constitución, son irrevocables. 35. Los ciudadanos tienen el derecho de combatir por todos los medios, incluyendo la lucha armada, cuando no fuera posible otro recurso, contra cualquiera que intente derribar el orden político, social y económico establecido por esta Constitución.»*(El numeral interno corresponde al número consecutivo de párrafos que trae el texto a debatir).

Mi opinión con relación a este artículo:

(Párrafo 32). La defensa de la patria, —la de todos, la de Varela y Martí, la patria cubana— es un deber y un honor de todos los cubanos, de cada uno de nosotros. Considero que redactado así incluiría a todos. Opino que la defensa de la Patria es un deber y un honor. Sin embargo, la patria no puede tener un apellido ideológico partidista porque dejaría fuera y discriminaría a los que no profesen una determinada ideología, en este caso la ideología socialista que conceptualizan los que la profesan.

(Párrafo 33). La traición a la Patria debería definirse con la máxima precisión, porque a lo largo de las últimas décadas el uso y abuso de este término por las más diversas interpretaciones, puede considerar traidor a la patria a un deportista que deserta, a un artista que disiente, a un opositor que tiene otras creencias políticas, a un activista de la sociedad civil o a un humorista que transgrede un parámetro con su arte.

(Párrafo 34). Declarar irrevocable a una ideología (el socialismo) y a un sistema político y social determinado, proscribe, discrimina y penaliza la discrepancia, la diversidad política, económica y social. Todos los cubanos que no compartieran esta ideología o que discreparan del sistema con que se aplica serían criminalizados y excluidos por la Constitución, que es un pacto social consensuado para incluir a todos y no solo a una parte.

(Párrafo 35). Este párrafo, en mi opinión, debería ser eliminado. Por reconocer la legitimidad constitucional de «la lucha armada cuando no fuere posible otro recurso» y por admitir el uso de las armas como un recurso «contra cualquiera que intente derribar el orden político, social y económico establecido por esta Constitución». Este párrafo abre la puerta a la violencia entre hermanos. Fijémonos que no dice una invasión, no dice una potencia extranjera, dice «cualquiera que intente»; esto incluye a los mismos cubanos que compartimos este suelo y la misma Patria. Si la lucha armada contra cualquiera se legaliza, cualquier «otro recurso» violento, por ejemplo: los actos de repudio, la represión, la tortura, la cárcel y otros, quedan igualmente validados. No solo para el que intente cambiar el sistema político, sino también el modelo económico y social. Este es un fallido mensaje a la ciudadanía cubana y a la comunidad internacional. Desde el punto de vista del humanismo de Varela y de Martí, y, en mi opinión, desde el punto de vista de los que en Cuba cultivamos y profesamos los valores cristianos, este párrafo no debería estar en nuestra Constitución. Al contrario, la Carta Magna debería consagrar la no violencia, la paz, la convivencia justa y civilizada, la unidad respetuosa de la diversidad entre todos los cubanos sin excepción, la abolición total de la pena de muerte… y no la eliminación del oponente.

Por lo expresado, considero que este artículo no se corresponde con las más justas, magnánimas y pacíficas tradiciones de los fundadores de la Nación cubana, ni responde a nuestra cultura de la virtud y del amor varelianos y martianos, ni con ese deseo aún pendiente de edificar una nación, unida en la diversidad y defensora de la vida de todos sus hijos.

Ojalá no sea aprobado de esta forma. Para bien de Cuba, es decir, de todos los cubanos.

Hasta el próximo lunes, si Dios quiere.

ARTÍCULO 5:
EL PLURIPARTIDISMO Y LA DEMOCRACIA

Por Dagoberto Valdés Hernández | 27 agosto, 2018

Cumpliendo el derecho y el deber cívico de participar en los debates sobre la reforma del texto constitucional, deseo dar mi opinión sobre el artículo 5 del Proyecto que se nos propone y que dice así:

> *ARTÍCULO 5. El Partido Comunista de Cuba, único, martiano, fidelista y marxista-leninista, vanguardia organizada de la nación cubana, sustentado en su carácter democrático y la permanente vinculación con el pueblo, es la fuerza dirigente superior de la sociedad y del Estado.*
>
> *Organiza y orienta los esfuerzos comunes hacia la construcción del socialismo. Trabaja por preservar y fortalecer la unidad patriótica de los cubanos y por desarrollar valores éticos, morales y cívicos.*

Este artículo, junto con el número 3 que convierte a una ideología como irrevocable, constituyen los dos pilares del blindaje de un poder hegemónico y excluyente.

Por su parte, el artículo 1 del proyecto de Carta Magna, ya comentado en estas columnas, define a Cuba como *«un Estado democrático, independiente y soberano, organizado con todos y para el bien de todos»* y como una *«república... () que tiene como objetivos esenciales el disfrute de la libertad política...».*

Existe una contradicción conceptual entre estos dos artículos:

Si Cuba es *«un Estado democrático»*, entonces las diferentes tendencias políticas deben ser reconocidas por la Constitución y ese reconocimiento no debe reducirse a la libertad de conciencia y opinión, sino a la libertad de organizarse como partido político para participar y competir en igualdad de condiciones con los demás, incluido el Partido Comunista. El pluripartidismo es una expresión genuina y estructural de la equidad en la participación democrática. Es también expresión organizada del pluralismo inherente a toda sociedad sin exclusión. No ha existido, ni existirá una sociedad en el mundo que no sea pluralista, es decir, diversa. Después de décadas y siglos de discriminación injusta Cuba ha reconocido la diversidad racial, religiosa y de preferencias sexuales, es inconcebible e incoherente que no se reconozca la diversidad política e ideológica, y la personalidad jurídica y social que le corresponde por derecho natural.

Si Cuba es un Estado «organizado con todos y para el bien de todos», a este principio fundacional martiano le resulta totalmente contradictorio que una parte, en este caso el Partido Comunista, esté por encima de todos, y se erija en «la fuerza dirigente superior de la sociedad y del Estado.» La parte no puede estar por encima del todo y si lo está es una fuerza hegemónica y excluyente. El Partido único se eleva a sí mismo como el soberano. A contrapelo del artículo 10 que dice: «En la República de Cuba la soberanía reside intransferiblemente en el pueblo, del cual dimana todo el poder del Estado.» Si hay una fuerza superior que los dirige, entonces su soberanía ha sido usurpada por un grupo reducido de la sociedad.

Por tanto, es también contradictorio con el espíritu, la vocación y la visión martianas de la república, expresadas de muchas maneras por el Apóstol de nuestra independencia, como la muy conocida y citada aquí y otras muchas referencias. Solo citaré tres de ellas:

> Los actos políticos de las repúblicas reales son el resultado compuesto de elementos del carácter nacional, de las necesidades económicas, de las necesidades de los partidos, de las necesidades de los políticos directores.» (Conferencia Monetaria de las Repúblicas de América. La Revista Ilustrada. New York. 1891, mayo. Tomo 6. p. 158).
>
> Ni reconoce, ni reconocerá, el Partido Revolucionario bandos, ni castas, ni exclusiones entre los cubanos que habitan en Cuba. (Los emigrados, las expediciones y la revolución. Patria. New York. 1893, abril 1. Tomo 2. p. 274).
>
> La república, en Puerto Rico como en Cuba, no será el predominio injusto de una clase de cubanos sobre los demás, sino el equilibrio abierto y sincero de todas las fuerzas reales del país, y del pensamiento y deseo libre de los cubanos todos. No queremos rendirnos de una tiranía para entrar en otra. (¡Vengo a darte patria! Patria. New York. 1893, marzo 14. Tomo 2. p. 255).

Aceptar que las ideologías de Martí, Marx y Engels, Lenin y Fidel son una misma o pueden conciliarse sin contradicciones fundamentales entre cada una de ellas es ignorar la formación histórica de los cubanos. Puede haber coincidencia entre algunas de ellas, y eso es válido, porque el derecho a seguir y practicar una ideología, cuyo origen sea nacional o foráneo, es un derecho ciudadano, pero mixtificar ideologías esencialmente diferentes, como la martiana y la leninista, es consagrar en una Carta Magna un error histórico y conceptual. Los más competentes historiadores cubanos de todos los tiempos reconocen que la identidad nacional cubana nace y se fundamenta en dos esencias raigales: Varela y Martí. Incluso, pensadores que han optado por el marxismo lo reconocen explícitamente. Este proyecto vareliano y martiano es suficiente para fundamentar nuestra República. Debemos salvaguardar el debido respeto a las diversas opciones e incluso a las síntesis ideo-estéticas, políticas, culturales, pero esto no significa omitir o manipular sus contenidos primigenios. Las síntesis no pueden obviar las esencias, que deben ser reconocidas y respetadas por todos.

Por otra parte, la letra de la Ley de leyes propuesta se contradice no solo con el proyecto martiano, sino con la realidad. El Partido Comunista —dice el texto propuesto— es «único», pero la realidad que cualquiera puede comprobar es que existen otros grupos, partidos, movimientos de la sociedad civil que piensan diferentes y no se ven representados en este partido único. La representación en las democracias no es impuesta por un artículo de la ley, sino ejercida por la soberanía ciudadana y elegida en elecciones libres, plurales y transparentes. Los males y corrupciones que opacaron la democracia representativa deben servir como experiencia para que no se repitan, pero no para abolir el pluripartidismo. Sería como si los errores de algunos médicos fueran razón válida para abolir la medicina.

Otro pensamiento martiano reafirma este principio:

De los derechos y opiniones de sus hijos todos está hecho un pueblo, y no de los derechos y opiniones de una clase sola de sus hijos. (Los pobres de la tierra. Patria. New York. 1894, octubre 24. Tomo 3. p. 304).

Otro argumento es que el pluripartidismo existe de hecho en Cuba, aunque este artículo lo proscribe de derecho. Y un Estado existe para garantizar el marco jurídico de todos los derechos para todos en plena democracia. No existe «una democracia de partido único». Esa es una entelequia absurda. Por otro lado, el número de los miembros de los partidos o movimien-

279

tos diversos en Cuba no debe ser un requisito para proscribirlos. Las leyes electorales en la inmensa mayoría de los países fijan un número mínimo de miembros, y en base a ese número son de representación territorial o nacional, pero este artículo los excluye a todos sin tener en cuenta la cantidad de miembros. Por su parte, el Partido Comunista no llega al millón de miembros en una nación que tiene 11 millones en la Isla y cerca de dos en la Diáspora. Es decir, que apenas el 8% de la población se erige en la fuerza dirigente de toda la sociedad y de todo el Estado.

Opino que el Artículo 5 no debe estar en la nueva Constitución, que debería reconocer la diversidad política e ideológica de todos los cubanos, y el derecho inalienable de organizarse para su participación política pluralista.

Hasta el lunes próximo, si Dios quiere.

ARTÍCULO 13:
EL ESTADO Y LA PRIMACÍA DE LA DIGNIDAD DE LA PERSONA HUMANA

Por Dagoberto Valdés Hernández | 10 septiembre, 2018

La estructura y la redacción de una Constitución, expresa o debe expresar de forma directa y clara los principios, la escala de valores y prioridades, sobre los que se propone edificar la República para la cual se adopta esa Carta Magna. En la propuesta presentada por el Gobierno para el debate público, se deja para el artículo 13 nada más, y nada menos, que la definición de los fines esenciales del Estado. Sobre estos fines deseo opinar y proponer hoy. El mencionado artículo dice así:

ARTÍCULO 13. El Estado tiene como fines esenciales los siguientes:

a.   encauzar los esfuerzos de la nación en la construcción del socialismo y fortalecer la unidad nacional;

b.   mantener y defender la independencia, la integridad y la soberanía de la patria;

c.   preservar la seguridad nacional;

d.   garantizar la igualdad en el disfrute y ejercicio de los derechos, y el cumplimiento de los deberes consagrados en la Constitución;

e.   promover un desarrollo sostenible que asegure la prosperidad individual y colectiva, y trabajar por alcanzar mayores niveles de equidad y justicia social, así como preservar y multiplicar los logros alcanzados por la Revolución;

f.   garantizar la dignidad plena de las personas y su desarrollo integral;

g.   afianzar la ideología y la ética inherentes a nuestra sociedad socialista;

h.   proteger el patrimonio natural, histórico y cultural de la nación, y

i.   asegurar el desarrollo educacional, científico, técnico y cultural del país.

Mi opinión:

Considero que la definición de los fines del Estado debería estar mucho antes en el articulado de la Constitución, primero que la definición del papel de un Partido y de una organización juvenil, que son solo una parte de la nación a la que sirve ese Estado. Antes también que la declaración de una ideología y sistema político particular como irrevocable.

Discrepo con el orden de prioridades que se le otorga en esta propuesta a los fines del Estado:

Porque se deja para un sexto lugar entre nueve fines: «garantizar la dignidad plena de las personas y su desarrollo integral».

Antes que reconocer y garantizar la dignidad plena de la persona humana, que es y debe ser el sujeto, el centro y el fin de toda organización social, se priorizan en esta escala de valores:

- «la construcción del socialismo y fortalecer la unidad nacional;»
- «la independencia, la integridad y la soberanía de la patria»;
- «la seguridad nacional»;
- «la igualdad en el disfrute y ejercicio de los derechos, y el cumplimiento de los deberes consagrados en la Constitución»;
- «un desarrollo sostenible que asegure la prosperidad individual y colectiva, y trabajar por alcanzar mayores niveles de equidad y justicia social, así como preservar y multiplicar los logros alcanzados por la Revolución»;

La dignidad plena de la persona humana, que Martí quiso priorizar cuando expresó «Yo quiero que la primera ley de la República sea el culto de los cubanos a la dignidad plena del hombre», en este proyecto que se llama martiano, solo se coloca después de otras cinco prioridades en los fines del Estado; en las que, por cierto, la independencia, la integridad, la soberanía, la igualdad de derechos y deberes y el desarrollo sostenible, están después de «la construcción del socialismo».

Por cierto, y como un dato importante, que refleja el fin fundamental de esta propuesta de Constitución: En el texto se repite el calificativo «socialista» 22 veces y la palabra «socialismo» se repite 9 veces. Esta redundancia pertinaz no deja lugar a duda alguna. Hace tendencioso a lo que debería ser un texto de consenso. Hace partidista a lo que debería ser un pacto social incluyente. Hace singular a un texto que debería ser plural. Hace único lo que debería reflejar la diversidad natural, antropológica y social. Solo por esta reiteración parcializadora se podría invalidar la esencia de un texto constitutivo que desee edificar una nación libre, plural, inclusiva y democrática.

Considero que en esta redacción están trastocados los principios fundacionales de la República de Cuba, se ha invertido su escala de valores y se ha colocado como el primer fin de un Estado «la construcción del socialismo», es decir de una ideología y un sistema, profesados solo por una parte de la nación, y se ha dejado para después, en los fines del Estado, lo que este tiene como razón de ser prioritaria: la dignidad de la persona humana y la búsqueda del bien común.

Ninguna ideología por sí sola, lo demuestra la historia, logra alcanzar la dignidad plena de la persona humana, ni el bien común de toda la sociedad. Esto se comienza a alcanzar, siempre con limitaciones, cuando se logra un consenso nacional, un pacto social en que todas las ideologías que respeten la dignidad de la persona y la paz, puedan participar mancomunadamente en la obtención del bien común, en la política, en la economía, en el desarrollo del tejido de la sociedad civil, en el progreso, en el desarrollo humano integral y en la búsqueda de la felicidad.

Es por ello que propondría que este artículo, colocado en un lugar anterior, expresara algo como esto:

Los fines del Estado de la República de Cuba, siguiendo las enseñanzas de Varela y de Martí son:

- Reconocer, respetar y garantizar la dignidad plena de toda persona humana.
- Procurar el bien común, mediante la acción ciudadana en la política, en la economía, en el desarrollo del tejido de la sociedad civil, con un marco jurídico que garantice la participación democrática de todos sin distinción.
- Favorecer la búsqueda de la libertad y la responsabilidad, de la igualdad de oportunidades y ante la ley, de la fraternidad y la convivencia pacífica, de la virtud y de la justicia social, del progreso material, moral y espiritual de la nación, del desarrollo humano integral y de la consecución de la felicidad.
- Preservar la unidad en la diversidad de toda la nación cubana, su soberanía, su independencia, su integridad territorial y ética, su seguridad y su integración en la comunidad internacional.
- Custodiar y preservar para las futuras generaciones el patrimonio cultural: natural y edilicio, histórico, espiritual y moral de la nación cubana.

Como se puede observar, no se menciona ninguna ideología o sistema político para dar cabida a todos dentro de estos fines que se refieren, solamente, a un marco jurídico que tenga como centro y fin al ser humano y a la convivencia entre los ciudadanos de una nación libre, democrática y próspera.

Considero que la redacción y el espíritu de un texto constitucional cercano a estos principios, seguramente atraerían mucho más apoyo, lograrían un mayor consenso para alcanzar la deseada unidad en la diversidad entre los hijos de Cuba, en la Isla y en la Diáspora.

Hasta el próximo lunes, si Dios quiere.

EL ARTÍCULO 16 (N)
Y LA IGUALDAD DE CUBANOS Y EXTRANJEROS

Por Yoandy Izquierdo Toledo | 16 agosto, 2018

En el Proyecto de Constitución existe un doble rasero que quisiera considerar hoy para dar otro aporte al debate. Se trata del Artículo 16 (n) que dice refiriéndose a las relaciones internacionales de Cuba:

> *n) mantiene relaciones de amistad con los países que, teniendo un régimen político, social y económico diferente, respetan su soberanía, observan las normas de convivencia entre los Estados, se atienen a los principios de mutuas conveniencias y adoptan una actitud recíproca con nuestro país...*

Este principio de amistad, respeto y convivencia con la comunidad internacional es correcto y laudable si se cumpliera íntegramente. Es un principio laudable y moderno.

Sin embargo, esas mismas categorías no se aplican en la actualidad ni se reflejan en el nuevo texto a debatir, con relación a los propios cubanos que compartimos un mismo origen, una misma tierra y un mismo amor a Cuba.

En realidad, varios de los artículos propuestos favorecen todo lo contrario. Por ejemplo: la irrevocabilidad de un solo modelo socioeconómico y político, y la legalización del uso de la lucha armada contra cualquiera que intente cambiarlo que se propone en el Artículo 3, consagra el uso de la violencia fratricida entre cubanos y eso se opone a las «relaciones de amistad» que se proclaman en el Artículo 16 (n) con regímenes diferentes en lo político, lo social y lo económico. La pregunta es: ¿Por qué se usa un doble rasero para las relaciones del Estado cubano promoviendo amistad con los extranjeros diferentes y violencia con los hijos de un mismo pueblo?

Por otro lado, el Artículo 5 coloca a un único partido por encima de toda la sociedad y hasta del mismo Estado cubano, consagrando el dominio hegemónico de una parte sobre la totalidad de la Nación, sin respetar la soberanía ciudadana que reside según el mismo texto en el pueblo como expresa así:

> *Artículo 10. En la República de Cuba la soberanía reside intransferiblemente en el pueblo, del cual dimana todo el poder del Estado...*

La pregunta sería: ¿Si el poder del Estado dimana de la soberanía intransferible del pueblo, cómo puede colocarse como «fuerza dirigente superior de la sociedad y del Estado» la soberanía de un partido?

¿Cómo el pueblo, que es el soberano, puede modificar toda la Constitución y no puede reformar el carácter socialista de la Nación, que es un solo artículo de ella y una ideología que excluye a todos los demás que, siendo cubanos, piensan diferente?

Si me preguntaran qué propongo, pues diría que haya un trato por lo menos igual con los nacionales que con la comunidad internacional, luego quizá propondría un artículo que dijera:

«El Estado cubano garantiza, mediante un marco legal justo e igualitario, las relaciones de amistad entre todos los cubanos que, aun queriendo un régimen político, social y económico diferente, respetan la soberanía nacional y ciudadana, observan las normas de convivencia entre todos los cubanos, se atienen a los principios de la independencia y del derecho a la libre determinación, expresado en la libertad de elegir su sistema político, económico, social y cultural, como condición esencial para asegurar la convivencia pacífica».

Así lo expresa el mismo Proyecto de Constitución en su Artículo 16 (a) pero refiriéndose a todos los demás países de la tierra. ¿Por qué desea esto para los demás y lo niega a sus compatriotas?

Los principios y valores fundamentales de la convivencia pacífica son indisolubles y universales y proclamarlos con un doble rasero para nacionales y extranjeros es, por lo menos, una incoherencia que debemos subsanar.

ARTÍCULO 20 Y 27:
EL MISMO SISTEMA ECONÓMICO PARA CUBA

Por Dagoberto Valdés Hernández | 3 septiembre, 2018

En columnas anteriores hemos considerado que la propuesta de modelo político de partido único y socialismo irrevocable que nos presenta el Proyecto de Constitución no presenta cambio alguno. Al contrario, propone el mismo sistema político sin ninguna apertura al reconocimiento de la diversidad propia de toda sociedad, e introduce la legalización de la lucha armada contra «cualquiera» que intente cambiarlo.

Continuando en la expresión de mi opinión sobre el texto constitucional a debate, quiero hoy comentar el artículo 20 que dice:

> *ARTÍCULO 20. En la República de Cuba rige el sistema de economía basado en la propiedad socialista de todo el pueblo sobre los medios fundamentales de producción, como forma de propiedad principal, y la dirección planificada de la economía, que considera y regula el mercado, en función de los intereses de la sociedad.*

Este es el primer artículo del Título II que trata de los «Fundamentos económicos» de la República. Como podemos apreciar, tampoco se introducen cambios sustanciales o medulares en cuanto al modelo que ha demostrado durante 60 años que «no funciona ni para nosotros mismos», ni en ningún otro país, tal como lo proponen mantener en Cuba.

En efecto, comencemos por la llamada «propiedad socialista de todo el pueblo». ¿Cómo se concreta este modelo? Pues hasta hoy, esto se ha implementado como «la propiedad del Estado», que de forma vertical y centralizada decide y dirige

287

todo el proceso macroeconómico y controla, restringe, reprime a las «demás formas de propiedad» que ahora, por primera vez en la Constitución, propone reconocer legalmente. Pero este será el tema de la próxima semana, sobre el reconocimiento y las libertades de las «otras» formas de propiedad.

Si el Estado sigue siendo el dueño principal sobre los medios fundamentales de producción, es el mismo modelo económico con ciertas actualizaciones cosméticas, es decir, no sustanciales, por lo que las demás propiedades se convierten en marginales, subsidiarias y siempre pendientes de «nuevas» regulaciones, provocando una inestabilidad y precariedad de los negocios y propiedades privadas, mixtas o cooperativas. El vaivén de los últimos diez años lo demuestra sin lugar a dudas.

Y la segunda parte de este artículo que atribuye, también al Estado, «la dirección planificada de la economía, que considera y regula el mercado, en función de los intereses de la sociedad.» Cierra el modelo y lo blinda contra cualquier proceso de apertura gradual. Todos los cubanos y los observadores y organismos internacionales saben perfectamente a dónde ha conducido la dirección estatal de toda la economía.

El estatismo económico quedaría totalmente consagrado no solo sobre los medios fundamentales que crean riqueza, sino en dos artículos relacionados con el número 20 que tratamos aquí y que no sabemos por qué no aparecen a continuación de esta definición del modelo, porque forman parte de su conceptualización. Sin embargo, aparecen en los números 22, 26 y 27 para que no quede duda ni resquicio alguno acerca de qué tipo de reforma económica se intenta consagrar en la nueva Carta Magna.

En el No. 22 se «regula la concentración de la propiedad». Pero no se refiere ni menciona que sea para evitar los monopolios, algo deseable en toda economía sana, sino que dice que es para preservar los «límites» compatibles con los «valores socialistas»:

> ARTÍCULO 22. El Estado regula que no exista concentración de la propiedad en personas naturales o jurídicas no estatales, a fin de preservar los límites compatibles con los valores socialistas de equidad y justicia social. La ley establece las regulaciones que garantizan su efectivo cumplimiento.

En el No. 26 se establece que la empresa estatal socialista es el sujeto principal de la economía nacional:

> ARTÍCULO 26. La empresa estatal socialista es el sujeto principal de la economía nacional. Dispone de autonomía en la administración y gestión,

así como desempeña el papel principal en la producción de bienes y servicios. La ley regula los principios de organización y funcionamiento de la empresa estatal socialista.

Esto vuelve a establecerse, a pesar de que por seis décadas y en otros muchos lugares, la empresa estatal socialista ha sido un verdadero desastre desde el punto de vista económico. La irrentabilidad, la inflación de plantillas, el desvío de recursos, la falta de autonomía real y de participación en la gestión, la falta de suministros, repuestos y mantenimientos, la corrupción, las reconocidas «pérdidas planificadas» en los balances oficiales de esas empresas, son solo un botón de muestra que todos hemos visto, vivido y sufrido.

Los esfuerzos del Estado en la última década para extender a las empresas civiles algunos estilos de administración de empresas militares, demuestran la actualidad de aquella famosa frase de Martí a Máximo Gómez: «General, un país no se dirige como se manda a un campamento». Sustituir los mecanismos del mercado por el «ordeno y mando» es extrapolar y confundir métodos, mecanismos y, aún más, los mismos conceptos.

Por fin, y por si quedara alguna duda, el Artículo 27 vuelve sobre lo mismo del No. 20. La economía cubana, toda ella, incluidos los sectores privados, mixtos, cooperativos y las inversiones extranjeras, están dirigidos y controlados por el Estado:

ARTÍCULO 27. El Estado dirige, regula y controla la actividad económica nacional.

La planificación socialista constituye el elemento central del sistema de dirección del desarrollo económico y social. Su función esencial es proyectar el desarrollo estratégico y armonizar la actividad económica en beneficio de la sociedad, conciliando los intereses nacionales, territoriales y de los ciudadanos. Los trabajadores participan activa y conscientemente en estos procesos, conforme a lo establecido.

Esto no lleva comentario adicional, queda claro que es el mismo modelo económico junto al mismo sistema político que, por otra parte, parece que se quisieran actualizar y lo que sale de este texto es que se mantiene sustancialmente apegado a aquellas estructuras y mecanismos que no han dado resultados. Es más, que no han funcionado durante décadas de experimentos, rectificaciones, invenciones y actualizaciones. Luego nos lamentaremos de que hemos dejado pasar esta oportunidad de cambios reales y estructurales por miedo al cambio o por ignorar las experiencias reiteradas en el pasado. No aprender de las lecciones de la historia es uno de los errores que provocan perseverar en el error, como decían los clásicos antiguos.

Una propuesta podría ser:

Un nuevo modelo económico en Cuba:

- Estimula la creación de la riqueza sin la que no podrá haber la deseada redistribución, ni el progreso material y espiritual hacia el necesario desarrollo humano integral.
- Reconoce las diferentes formas de propiedad, respeta a todas por igual y prohíbe el monopolio.
- Reconoce la libertad de empresa, de importación, de exportación y de inversiones por cubanos y extranjeros.
- Reconoce la libertad de mercado con la necesaria regulación social.
- El Estado creará un marco legal para todas las formas de propiedad en el que se garantice las libertades económicas y se establezcan regulaciones sociales para la redistribución de la riqueza con la mayor justicia social posible.

Para ampliar en estas propuestas, y un conjunto de 45 leyes complementarias para su aplicación concreta, recomiendo la consulta del II Informe de Estudios del Centro de Estudios Convivencia: «Tránsito Constitucional y Marco Jurídico: de la ley a la ley» (http://centroconvivencia.org/category/propuestas/propuestas-marco-juridico).

Hasta el próximo lunes, si Dios quiere.

ARTÍCULO 22:
RIQUEZA VS. PROPIEDAD EN LA CONSTITUCIÓN

Por Karina Gálvez Chiú | 28 agosto, 2018

El artículo 22 del Proyecto de Constitución que actualmente es sometido a consulta popular, expresa que «El Estado regula que no exista concentración de la propiedad en personas naturales o jurídicas no estatales, a fin de preservar los límites compatibles con los valores socialistas de equidad y justicia social».

Dentro de las explicaciones más escuchadas sobre el texto constitucional, de parte de diputados y periodistas de la televisión nacional, está la que aclara que no se prohíbe la concentración de la riqueza, sino solo la concentración de la propiedad.

Algunos esgrimen esta característica como una fortaleza del texto propuesto. Otros consideran innecesario prohibir la concentración de riqueza habiendo prohibido la concentración de propiedad pues, según ellos, sin una no hay la otra.

La prohibición de la concentración de la propiedad en manos de particulares, es una violación del derecho de propiedad y a la iniciativa privada, pero combinada con la permisión de concentrar riqueza es, además, una contradicción en sí misma y puede provocar un serio cuestionamiento al sistema socialista.

Sería oportuno que la comisión que redactó el texto original explique en algún momento el concepto de riqueza que se utilizó porque, para los que entendemos la riqueza como los activos que posee una persona o familia, es difícil separar los conceptos de riqueza y propiedad.

La riqueza es la diferencia entre los activos que posee una persona o familia, y sus deudas. Los bienes (casa, auto, joyas) que posee una familia forman parte de su riqueza, y también su efectivo, sus cuentas de ahorro, bonos o acciones. ¿Qué significa entonces que se puede concentrar riqueza y no se puede concentrar propiedad? Tanta propiedad es la vivienda, como el efectivo que posee una persona o una familia. Y tanta riqueza es la vivienda como la cuenta de ahorro.

¿Se refiere el artículo 22 a que solo se puede concentrar riqueza en efectivo? ¿Sería legal tener una cuenta de ahorro de 10 millones de pesos o es esa cuenta concentración de propiedad? ¿Es legal tener 10 millones de pesos y no lo es tener dos restaurantes valorados en esa cantidad? ¿El efectivo no es considerado propiedad?

¿Se refiere el artículo 22 a que solo puede usarse el efectivo para bienes personales pero no para invertirlo en bienes de capital? Este razonamiento nos lleva a pensar en lo poco socialista que resulta una normativa que promueve la concentración de riqueza en efectivo y no su inversión en bienes y servicios que contribuyan a la satisfacción de necesidades del pueblo. De ninguna manera es más socializador guardar un millón de pesos en efectivo, que invertirlo en un restaurante o una peluquería que cumplan su función social.

¿Se refiere el artículo 22 a una forma de evitar los monopolios? Los monopolios deben ser evitados a fin de salvaguardar el espacio para la mayor cantidad posible de inversionistas, pero no tiene sentido evitar la mayor cantidad posible de inversionistas, esgrimiendo como argumento evitar los monopolios… Por otra parte, la prohibición de la concentración de la propiedad es solo para personas naturales y jurídicas no estatales. No así para el Estado, quien goza del privilegio de poder concentrar en sus manos toda la propiedad. El monopolio estatal, dado que se establece bajo la coacción de los demás actores del mercado, tiene una carga especial de injusticia económica. Y produce los mismos costes que los monopolios privados.

Las propiedades son riqueza. El efectivo es una propiedad. La riqueza financiera también puede estar concentrada. ¿Qué regulará la legislación que emane de este artículo?

ARTÍCULO 40:
¿IGUALES ANTE LA LEY?

Por Yoandy Izquierdo Toledo | 6 septiembre, 2018

Continuando en el análisis del texto del Proyecto de Constitución para la República de Cuba, deseo comentar hoy el Artículo 40, del Título IV sobre Deberes, Derechos y Garantías, que en su Capítulo I establece las disposiciones generales.
Así dice:

> *ARTÍCULO 40. Todas las personas son iguales ante la ley, están sujetas a iguales deberes, reciben la misma protección y trato por las autoridades y gozan de los mismos derechos, libertades y oportunidades, sin ninguna discriminación por razones de sexo, género, orientación sexual, identidad de género, origen étnico, color de la piel, creencia religiosa, discapacidad, origen nacional o cualquier otra distinción lesiva a la dignidad humana.*

Mis preguntas iniciales, derivadas de desmenuzar cada sintaxis del artículo, son las de cualquier cubano que ve el enunciado como las normas ideales para una sociedad perfecta, pero que vive y sufre, en muchas ocasiones, una sociedad donde no se cumplen estas. En primer lugar ¿todos somos iguales ante la ley? Me gustaría hacer énfasis aquí, y comparar este artículo con el Artículo 3, que establece, en uno de sus incisos que «los ciudadanos tienen l derecho de combatir por todos los medios, incluyendo la lucha armada,… contra cualquiera que intente derribar el orden político, social y económico…» ¿Quién definiría si una propuesta de cualquier tipo, incluso a este propio Proyecto de Constitución, atenta o no contra el orden nacional? Es sabido que en Cuba la manipulación de disímiles situaciones, con el objetivo de politizarlo todo, es una práctica frecuente.

Para gozar de los mismos derechos, unos y otros, debemos ser considerados en esa igualdad que se proclama, sin distingos de ninguna índole. Si justo desde la dirección del propio Estado cubano ha salido la decisión de una Consulta Popular, ¿será porque todos los criterios, incluso aquellos con los que no estemos de acuerdo, serán tenidos en cuenta? O sucede que será como esa especie de «debate inducido» o provocado a la fuerza, porque toca comentar el documento en este momento histórico de Cuba, pero sin profundidad y propuesta de cambio real sobre «todo aquello que debe ser cambiado»? He escuchado muchas opiniones al respecto que, la verdad, me desaniman bastante. Unos, estudiantes convocados a cubrir un turno de reflexión y debate con el texto en mano, dicen no «estar para eso», porque se trata de «más de lo mismo». Otros, ciudadanos todos, como parte del barrio deciden no asistir porque «¿qué me va a resolver a mí comentar algo que en las cadenas de representación existentes se diluirá por el camino?

Entiendo que cuando se refiere a «ninguna discriminación... por cualquier otra distinción lesiva a la dignidad humana» quepan en esta categoría todas aquellas personas que piensen diferente o que, en consecuencia de su fe, viven el Evangelio de Cristo en la cotidianidad, optando por priorizar la libertad, la justicia y la equidad por sobre todas. Realmente no tengo objeción ante la redacción de este artículo, salvo que se le agregara no ser discriminados «por sus diferencias políticas». Solo quisiera que en la práctica, no suceda como muchas cosas que solo quedan escritas en un papel. Las vivencias hasta ahora han demostrado todo lo contrario, sobre todo en los últimos tiempos donde es visible un nuevo tipo de represión solapada hacia lo diferente, en cualquier ámbito de producción de pensamiento o creación artística o emprendedurismo.

Algunas situaciones de esta «nueva era» demuestran todo lo contrario a lo que dice este Artículo 40, porque la ley funciona para unos y no para otros. Sobran los ejemplos tales como lo que sucede con la ley migratoria. No conozco casos de personas que salen al exterior con mucha mayor frecuencia que representantes de la disidencia y la oposición, y con fines diferentes (comerciales) que son citadas a las oficinas de inmigración de sus respectivas zonas al regreso de cada viaje; incluso previamente anunciado de que esa «entrevista posterior» no se eliminará porque la ley lo permite. No he visto, y es muy difícil en Cuba no contar con ejemplos para todo, a personas cuya casa haya sido confiscada, habiendo pagado los impuestos acorde al proceso de compraventa legal de viviendas, establecidos en el país. Es más, se cometen muchos delitos de donaciones, para encubrir otros actos y no es la práctica común la usurpación del bien mueble, cuando más se aplican multas o procesos legales que pueden quedar en el ámbito administrativo. No tengo conocimiento de ningún país donde se considere a la persona humana «culpable hasta que se demuestre lo contrario», e incluso se busque, constantemente criminalizar a la persona, a través de una búsqueda continúa incluso en elementos del pasado, para encubrir a través de un delito común, las verdaderas causas: «pensar y hablar sin hipocresía».

Corresponde a cada cubano velar por el cumplimiento de este y todos los artículos establecidos en la Carta Magna. El Estado existe para garantizar nuestros derechos y el orden social; por tanto el Estado está al servicio de la persona. Tal como suelen suceder las cosas en Cuba, pareciera como si la relación estuviera invertida: para la persona el Estado siempre es malo, y para el Estado, la persona se ubica muy por debajo en la escala de prioridades, cuenta con ellas para garantizar el voto y manipula su pensamiento a través de los medios de comunicación social.

Si esto es respeto a la dignidad humana, que alguien me lo explique.

ARTÍCULOS 59 Y 60:
¿YA PODEMOS COEXISTIR COMO MEDIO INDEPENDIENTE?

Por Yoandy Izquierdo Toledo | 13 septiembre, 2018

Continuando en el pertinente debate del Proyecto de Constitución de la República de Cuba, quisiera comentar el párrafo 177 del Artículo 59 y el Artículo 60, ambos del Capítulo II, relativo a los Derechos Individuales, que dicen así:

> *ARTÍCULO 59. El Estado reconoce, respeta y garantiza la libertad de pensamiento, conciencia y expresión...*
> *ARTÍCULO 60. Se reconoce a los ciudadanos la libertad de prensa. Este derecho se ejerce de conformidad con la ley.*

Si se trata de un capítulo sobre los derechos intrínsecos de la persona humana, obviamente estarían la salud, la educación, la paz, la cultura y estos mencionados, relativos a libertades que tienen que ver con la comunicación y la generación de opinión ciudadana. Ahora bien, enunciarlos en una Constitución, que intenta estar a tono con la contemporaneidad, pero que en muchas partes de su articulado no lo logra, está muy bien. Otra cosa sería la dura realidad que se ha vivido, se vive y parece perpetuarse, a juzgar por otros artículos de la propia Constitución, que a decir de algunos expertos se contradice en algunos puntos de su articulado.

Me imagino a un ciudadano libre y responsable invocando la Constitución para justificar su derecho humano de transmitir su opinión con toda libertad; pero recuerdo la oración final de la mayoría de los artículos que dice «Este derecho se ejerce de conformidad con la ley».

Y entonces estaríamos hablando de un marco jurídico que coarta esos derechos al impedir, por ejemplo, lo que se enuncia en el Artículo 60: el reconocimiento de la libertad de prensa. Es decir, por un lado lo establezco en la Constitución, y por otro creo una nueva ley de prensa, o de los medios de comunicación en general, donde se garantice la exclusión de lo diferente, de lo que disienta, de lo que no esté «a tono» con el perfil oficial.

Pareciera como si se fuera a resolver el viejo entuerto de la diversidad de criterios en Cuba, un país donde los únicos diarios que pueden circular libremente son los órganos oficiales de organizaciones políticas o de masas, que responden a los intereses de una minoría que tiene a su cargo el monopolio de la información. ¿En qué lugar del mundo se ve que lo único que puede circular como prensa sea el órgano oficial del único Partido (Comunista) que existe en el país; o de la Unión de Jóvenes Comunistas; o de la Central de Trabajadores de Cuba, por solo referirnos a los periódicos de alcance nacional? Otras preguntas que nos podríamos hacer serían: ¿Cómo podrán sustentarse los nuevos medios de prensa? ¿Será aceptada la diversidad de fuentes de financiamiento, que podrá incluir fondos privados, el ingreso por la venta de noticias a otros medios, o el propio ingreso devenido por las suscripciones; sin tener que llegar siempre a catalogar a todo lo que no sea «órgano oficial» como «entidad al servicio del enemigo»? ¿Se dará crédito a un medio que, siendo responsable, veraz, sin ataques ni descalificaciones, lleve la noticia real al lector y preserve sus fuentes, pero trabaje con objetividad en el terreno?

Los Medios de Comunicación Social son considerados por muchos expertos como el cuarto poder. Al aceptar la libertad de expresión, concretada en libertad de prensa ¿aceptamos también, de una vez y para siempre, que pueden existir ciudadanos que no estén de acuerdo con cuestiones sociales, políticas y económicas del país? ¿Qué organismo sería el encargado de «controlar» la función de los medios? ¿Será un institución con cariz político, será considerado un asunto de seguridad del Estado, o de verdad habrá independencia en los medios? Estas otras preguntas son preocupantes, dado que existen en la misma Constitución, que dice avanzar por un lado y se retrasa mucho por otros, artículos como el No. 3 que establecen hasta la lucha armada para combatir a «cualquiera que intente derribar el orden político, social y económico». Y a juzgar por los comportamientos actuales del gobierno contra los medios independientes que existen en Cuba, de todos los colores, con diversos perfiles y desde hace mucho tiempo, debemos decir que la realidad es muy distinta a ese ideal que se plantea sobre el respeto a las libertades más inalienables de la persona humana.

Otra cuestión sería ¿quiénes pueden ejercer su libertad de expresión o quiénes pueden trabajar en los medios? Hasta hoy hemos visto que se establece como delito el «intrusismo profesional»; es decir, ejercer el derecho humano de opinar y comunicar a los demás a través de las distintas vías de comunicación. El nombre de periodistas independientes o la categoría de periodismo ciudadano son asuntos que incomodan al gobierno.

El establecimiento de estos dos artículos en la Constitución, de los que se habla poco, como suele suceder con otros tantos ¿garantizará la coexistencia pacífica de los medios de comunicación oficiales e independientes en Cuba?

ARTÍCULOS 59, 60 Y 61:
EL RESPETO A LAS LIBERTADES Y SU REGULACIÓN

Por Dagoberto Valdés Hernández | 1 octubre, 2018

Siguiendo el hilo de los comentarios y propuestas relacionados con el Proyecto de Constitución que se ha abierto al debate ciudadano, deseo comentar hoy una triada de artículos que guardan relación entre sí en cuanto se refieren a varias de las libertades y derechos fundamentales que le permiten a la persona ser coherente entre lo que piensa, lo que cree, lo que dice, lo que publica y lo que hace. Me refiero a la libertad de pensamiento, de conciencia, de expresión, de prensa, de reunión, manifestación y asociación. Estas son las «siete maravillas» de la libertad. No puede evaluarse a una nación como soberana, libre y democrática, si no garantiza un respeto irrestricto, universal y práctico a estos siete pilares de la vida en sociedad.

El texto a debate da un tratamiento diferenciado y regulatorio a estas siete libertades. Esa diferenciación y dejar para que las leyes regulen un derecho universal, indivisible y sinérgicos entre sí, constituye una grave contradicción de esta redacción. Ninguna ley debería coartar a ninguna de estas siete libertades fundamentales. Las leyes complementarias deben ser para implementar el cumplimiento cotidiano del derecho constitucional y no para restringir o manipular esas libertades. La única regulación posible y éticamente aceptable sería aquella que consagra que el ejercicio de una libertad por un ciudadano no puede lesionar o desconocer los derechos y libertades de los demás.

Analicemos estos artículos cuya redacción es visiblemente diferente:

ARTÍCULO 59. El Estado reconoce, respeta y garantiza la libertad de pensamiento, conciencia y expresión.

La objeción de conciencia no puede invocarse con el propósito de evadir el cumplimiento de la ley o impedir a otro su cumplimiento o el ejercicio de sus derechos.

Este postulado no pone ninguna regulación por ley subsidiaria a las libertades de pensamiento, conciencia y expresión. Es evidente que se trata de libertades que son en gran medida de la «vida interior», o espiritual del ciudadano. ¿Cómo regular el pensar, la conciencia y la expresión personal de lo que se piensa y se cree? Eso, a la par que sería imposible en la práctica porque pertenece al fuero interno, sería una manipulación intrusiva de la subjetividad personal. Sin embargo, se restringe la objeción de conciencia en una contradicción conceptual con el término en sí mismo.

Veamos la definición de Objeción de conciencia: «*Razón o argumento de carácter ético o religioso que una persona aduce para incumplir u oponerse a disposiciones oficiales como cumplir el servicio militar, practicar un aborto, etc. En muchos países las leyes fijan las obligaciones militares de sus ciudadanos y regulan, con las debidas garantías, la objeción de conciencia, así como las demás causas de exención del servicio militar*».

Por tanto, es una contradicción invencible decir que «la objeción de conciencia no puede invocarse con el propósito de evadir el cumplimiento de la ley» cuando precisamente la garantía se crea para legalizar la negativa de cumplir una ley por razones de conciencia, es decir, razones éticas o religiosas. Esta regulación invalida el concepto de objeción de conciencia e impide ejercer ese derecho cuando una ley se oponga a uno de tus principios de conciencia. Ese vaciamiento del concepto de objeción de conciencia debe desaparecer.

ARTÍCULO 60. *Se reconoce a los ciudadanos la libertad de prensa. Este derecho se ejerce de conformidad con la ley.*
Los medios fundamentales de comunicación social, en cualquiera de sus soportes, son de propiedad socialista de todo el pueblo, lo que asegura su uso al servicio de toda la sociedad.
El Estado establece los principios de organización y funcionamiento para todos los medios de comunicación social.

Este artículo va más allá y es completamente contradictorio e invalida lo que dice reconocer, es decir, cómo reconocer a los ciudadanos la libertad de prensa cuando a renglón seguido se declara que los medios fundamentales de comunicación social, en cualquiera de sus soportes, son de propiedad socialista de todo el pueblo. Esto significa que son propiedad del Estado o de un solo Partido. Así no puede ejercerse legalmente el periodismo ciudadano, ni la libertad de prensa, cuando no se reconoce la propiedad privada o cooperativa, como en el caso de las demás empresas, pero no sobre los medios de prensa. La regulación va más allá, cuando dice de forma clarísima que el Estado establece la organización y el funcionamiento de «todos» los medios. Es tan absoluto que no cabe comentario. Esos dos párrafos restrictivos deben desaparecer. La única regulación permisible en prensa es el respeto a la verdad, a la intimidad y la moral de las personas, y la censura de las expresiones violentas, discriminatorias, racistas, sexistas o que ofendan las creencias y principios de los demás.

> *ARTÍCULO 61. Los derechos de reunión, manifestación y asociación, con fines lícitos y pacíficos, se reconocen por el Estado siempre que se ejerzan con respeto al orden público y el acatamiento a las preceptivas establecidas en la ley.*

Este artículo está condicionado al «siempre que... se garantice el acatamiento a las preceptivas establecidas en la ley». ¿Qué ley? ¿Las preceptivas serán las típicas de una ley «mordaza»? En este artículo debería desaparecer todo lo que se refiera al acatamiento de unas preceptivas que no se conocen y que no debería contradecir estas libertades que solo deben ser reguladas cuando afecten el orden público. No se necesita conocer mucho de leyes para darse cuenta que mientras en el artículo 59 no hay alusión a regulación alguna sobre las libertades de pensamiento, conciencia y expresión, solo el vaciamiento a la objeción de conciencia, las restricciones van aumentando en la medida que las libertades vayan teniendo un impacto más social, menos intimista, más público.

Una propuesta concreta podría ser:

> *ARTÍCULO 59. El Estado reconoce, respeta y garantiza la libertad de pensamiento, conciencia y expresión.*
> *La objeción de conciencia está garantizada por la ley en los casos que corresponda.*
> *ARTÍCULO 60. Se reconoce a los ciudadanos la libertad de prensa. Este derecho se ejerce de conformidad con la ley para garantizar el respeto a la verdad y a la eticidad. A los derechos a la fama, la intimidad y para evitar la difusión de todo tipo de violencia, de las discriminaciones y de la integridad física, moral y espiritual de los ciudadanos. Los tribunales independientes decidirán en cada caso.*

Los medios de comunicación social, en cualquiera de sus soportes, pueden ser de propiedad estatal, privada, mixta y cooperativa.

ARTÍCULO 61. Los derechos de reunión, manifestación y asociación, con fines pacíficos, se reconocen por el Estado siempre que se ejerzan con respeto al orden público y a las libertades y derechos de los demás ciudadanos y grupos sociales.

Hasta el próximo lunes, si Dios quiere.

ARTÍCULO 62:
RELIGIÓN Y CONSTITUCIÓN

Por Dagoberto Valdés Hernández | 16 julio, 2018

Continuamos con las propuestas relacionadas con la próxima discusión de un nuevo texto constitucional en Cuba. Esta vez quiero considerar el tema de la religión y la libertad religiosa en nuestra Carta Magna. Lo primero de todo es preguntarse por qué este tema debe ser incluido en toda Constitución. La respuesta es que la relación del ser humano con las diversas creencias religiosas forma parte de la cultura de los pueblos, de los derechos humanos y, aún más, es uno de los elementos constitutivos de la condición humana: sea porque cada persona tiene una dimensión espiritual, sea porque vive y practica una religión específica, o sea porque cada ciudadano puede y debe tener la libertad de tener o no tener una fe y practicarla. Dicho esto, pasemos a las aristas del tema.

La libertad religiosa, no es solo la libertad de culto, es decir, no se puede reducir a poder practicar dentro de los templos o fuera de ellos una liturgia, unas ceremonias de forma intimista y privada. La religión es un asunto personal no individualista, pero además tiene inseparablemente una dimensión comunitaria y social. La libertad religiosa plena, que emana como todos los demás derechos de la libertad de conciencia, incluye poder anunciar, proponer y vivir la fe y el impacto, las consecuencias y las propuestas concretas de la fe en la vida personal, familiar, económica, política, cultural, social e internacional.

La «privatización» absoluta e individualista de la fe y el culto está constitutivamente contra la esencia de la religión que promueve no solo la relación del ser humano con Dios o la Trascendencia, sino que supone encarnar esa fe en la convivencia, el servicio, la promoción, la liberación y el desarrollo integral de toda persona como un hermano solo por compartir la condición humana. Significa que cada ciudadano pueda tener ante sí la posibilidad de escoger, asumir, rechazar o permanecer indiferente, ante una fe, la práctica de una religión, y las tres dimensiones de toda religión: culto, educación y servicios, no solo para sus miembros sino también poder proponerlos a toda la sociedad. Proponer la concepción de la vida, la visión antropológica, las formas de convivencia, que se deriva de una fe religiosa, no significa ni imponerlos pero tampoco tener que silenciarlos en los espacios públicos, o ser excluido, reprimido, perseguido o discriminado por ello.

El Estado debe ser laico y debe estar separado de la Iglesia. La laicidad del Estado no significa la contraposición o el enfrentamiento del Estado o sus leyes con la fe, los creyentes, las manifestaciones sociales de la fe o las Iglesias, ni la confrontación o apoyo al agnosticismo o el ateísmo. Un Estado laico es aquel que crea un marco jurídico que garantice la plena convivencia y libertad de los religiosos, los ateos y los agnósticos por igual.

Ese marco jurídico no debe menoscabar, coartar, ni limitar ninguna de las dimensiones de la fe, el ateísmo o el agnosticismo a no ser que esa dimensión vaya contra la búsqueda del bien común que es la misión y el fin del Estado y de la política. La laicidad del estado se basa en los principios de la autonomía de lo temporal, es decir, de lo político, lo cívico, lo económico, lo cultural. Esa autonomía es sana cuando para ejercerla no se lesiona ninguna manifestación pacífica, fraterna y libre de creyentes, ateos y agnósticos.

Por otra parte, un Estado laico no significa necesariamente ni un relativismo moral del «todo vale», ni mucho menos la ausencia de valores en una cultura nihilista. Un Estado laico, como busca el bien común, debe garantizar la salvaguarda y la garantía de valores morales fundados en la dignidad y primacía de la persona humana. Laicidad del Estado no es asumir un materialismo o secularismo como filosofía estatal, así como la separación de la Iglesia y el Estado no puede ser ni anticlericalismo, ni separación de la ética y la política ni de los laicos creyentes y las expresiones públicas de su fe.

La separación de la Iglesia del Estado no significa la separación de la Iglesia de la sociedad, ni su exclusión del ámbito público, ni el derecho de participar con los ateos y los agnósticos en el debate y los aportes a la vida social, política, económica y cultural de la nación en igualdad de oportunidades y derechos.

Un Estado laico «*nos permite vivir juntos, a pesar de nuestras diferencias de opinión y de creencia. Por eso es bueno. Por eso es necesario.*

No es lo contrario de la religión. Es, indisociablemente, lo contrario del clericalismo (que querría someter el Estado a la Iglesia) y del totalitarismo (que pretendería someter las Iglesias al Estado)» (A. Comte-Sponville. Diccionario Filosófico). Así lo expresa el Concilio Vaticano II convocado por la Iglesia católica celebrado de 1962 a 1965.

La libertad religiosa no puede usarse contra la vida, ni para la guerra, ni contra el bien común. La búsqueda del bien común, mediante un marco jurídico y una buena administración, es la única razón de ser del Estado. Los griegos llamaban «*koinonía*» al principio según el cual el ejercicio de la ciudadanía debía tener como único referente el bien común («*koinon*»). El desarrollo de la conciencia humana y de la convivencia social han llevado a la sociedad contemporánea a una sensibilidad especial a favor de la vida y la calidad de la vida, a favor de la paz y el destierro de toda violencia, sicológica, verbal, física, mediática. Es por ello que un marco jurídico constitucional debe consagrar esos derechos universales y prohibir el uso del nombre de Dios, de la religión o de sus dimensiones sociales cuando se contrapongan a la vida, la paz, el bien común y la dignidad plena del hombre.

Así lo expresa solemnemente la Iglesia católica:

> *La sociedad civil tiene derecho a protegerse contra los abusos que puedan darse bajo pretexto de libertad religiosa, corresponde principalmente a la autoridad civil prestar esta protección. Sin embargo, esto no debe hacerse de forma arbitraria, o favoreciendo injustamente a una parte, sino según normas jurídicas conformes con el orden moral objetivo. Normas que son requeridas por la tutela eficaz de estos derechos en favor de todos los ciudadanos y por la pacífica composición de tales derechos, por la adecuada promoción de esta honesta paz pública, que es la ordenada convivencia en la verdadera justicia, y por la debida custodia de la moralidad pública. Todo esto constituye una parte fundamental del bien común y está comprendido en la noción de orden público. Por lo demás, se debe observar en la sociedad la norma de la libertad íntegra, según la cual, la libertad debe reconocerse al hombre lo más ampliamente posible y no debe restringirse sino cuando es necesario y en la medida en que lo sea. (Concilio Vaticano II. Declaración* Dignitatis Humanae *sobre la libertad religiosa. No. 7).*

La invocación de Dios en los preámbulos de las constituciones cubanas. No debe confundirse este elemento puntual con lo anteriormente dicho. Una vez reconocida y consagrada la libertad religiosa, la laicidad del Estado y su separación de la Iglesia, y la igualdad de derechos y oportunidades de creyentes, ateos, agnósticos e indiferentes, la tradición constitucional cubana ha tratado en sus debates constituyentistas y ha plasmado en varios de sus cartas magnas, la mención del nombre de Dios en el Preámbulo de nuestras Constituciones.

Destaco que es en el preámbulo y no en el capítulo de los derechos y libertades. Es un elemento cultural de nuestra matriz cristiana así como de otros muchos países tanto de la cultura occidental como de la oriental, por ejemplo de la cultura judía, la islámica o la cristiana. Esa tradición fue introducida desde la primera Constitución después de nuestra independencia en 1901 cuyo preámbulo decía:

> Constitución de la República de Cuba. 21 de febrero de 1901
> Preámbulo
> *Nosotros, los Delegados del pueblo de Cuba, reunidos en Convención Constituyente, a fin de redactar y adoptar la Ley fundamental de su organización, como Estado independiente y soberano, estableciendo un gobierno capaz de cumplir sus obligaciones internacionales, mantener el orden, asegurar la libertad, la justicia y promover el bienestar general, acordarnos y adoptamos, invocando el favor de Dios, la siguiente Constitución:*

En la más completa y apreciada de nuestras constituciones:

> Constitución de la República de Cuba. 1 de julio de 1940
> Preámbulo
> *Nosotros, los Delegados del pueblo de Cuba, reunidos en Convención Constituyente a fin de dotarlo de una nueva Ley Fundamental que consolide su organización como Estado independiente y soberano, apto para asegurar la libertad y la justicia, mantener el orden y promover el bienestar general, acordamos, invocando el favor de Dios, la siguiente Constitución:*

Luego vino la Constitución socialista de 1976 con sus modificaciones y se consagró un Estado confesional ateo hasta 1992 y luego un Estado laico. Y los preámbulos respondieron a su matriz ideológica.

Expreso mi opinión de que invocar «el favor de Dios» no va contra la libertad religiosa ni contra la laicidad del Estado como lo demostraron los debates de las dos más importantes y plurales asambleas constituyentes de la historia de Cuba. Si reconocer la matriz cristiana de nuestra cultura no significa la imposición de esa fe ni la discriminación de otras en los más serios estudios antropológicos de la academia, en coherencia con eso considero que se debe seguir la tradición de 1901 y 1940 invocando el favor de Dios en el Preámbulo de una nueva Constitución cubana y que esto es un asunto cultural que hace honor a nuestros fundadores, al útero cristiano que parió una república laica y que no lesiona para nada la separación de la Iglesia y del Estado ni el ejercicio pleno de la libertad de conciencia y de los derechos de ateos, agnósticos y creyentes en inclusiva y fraterna convivencia.

Recomendamos nuevamente el II Informe de Estudios del Centro de Estudios Convivencia sobre «Tránsito Constitucional y Marco Jurídico: de ley a la ley», con aportes de cubanos de la Isla y de la Diáspora, donde se tratan más ampliamente estos aspectos y que puede encontrar, bajar e imprimir en nuestro sitio web: www.centroconvivencia.org en «Propuestas» y en la página principal.

Hasta el próximo lunes, si Dios quiere.

ARTÍCULO 68:
EL CONCEPTO DE FAMILIA Y LOS DERECHOS IGUALITARIOS

Por Dagoberto Valdés Hernández | 24 septiembre, 2018

Hoy comentaré el Artículo 68 del Proyecto de Constitución presentado por el Gobierno y que, ha provocado quizá, el más grande número de opiniones diversas. Considero que así mismo debería ser, quizá con mucho más interés, en temas medulares que afectan de otras maneras a toda la sociedad y que son tratados en esta Propuesta de Reforma Constitucional: por ejemplo, la imposición de una sola ideología, de un solo partido, del recurso a la lucha armada contra cualquiera que intente cambiarlo, que no se mencione la abolición total de la pena de muerte, que el presidente de la República no pueda ser elegido directamente por todos los ciudadanos, entre otros.

El polémico artículo dice:

> *ARTÍCULO 68. El matrimonio es la unión voluntariamente concertada entre dos personas con aptitud legal para ello, a fin de hacer vida en común. Descansa en la igualdad absoluta de derechos y deberes de los cónyuges, los que están obligados al mantenimiento del hogar y a la formación integral de los hijos mediante el esfuerzo común, de modo que este resulte compatible con el desarrollo de sus actividades sociales.*
>
> *La ley regula la formalización, reconocimiento, disolución del matrimonio y los derechos y obligaciones que de dichos actos se derivan.*

Varias denominaciones religiosas y algunos obispos de la Iglesia católica se han pronunciado contra este artículo. En no pocas asambleas ha provocado la discusión. Otras personas y grupos de la sociedad civil lo han defendido. La discusión también pudiera reflejar un cierto déficit de formación ética y cívica y una mixtura de roles, conceptos y derechos. La polémica tiene varias aristas y considero que no se deben obviar ninguna de ellas. Trataré de dar mi opinión lo más directa y clara posible, sin simplificaciones ni ingenuidades:

1. Al Estado solo le corresponde la misión de crear y defender un marco legal que reconozca y garantice la igualdad de derechos y deberes de todos los ciudadanos sin distinción ni discriminación. Ninguna persona o grupo de personas puede ser discriminada por ninguna razón: ni racial, ni sexual, ni política, ni económica, ni cultural, etc. Por tanto, le corresponde al Estado reconocer y proteger los derechos y deberes de sus ciudadanos, que acuerden libremente convivir establemente formalizando una «unión civil» permanente y jurídicamente reconocida, sean de diferente o del mismo sexo.

2. A ningún Estado le corresponde definir o cambiar la conceptualización filosófica, ética o religiosa de la familia y el matrimonio, implantando su definición obligatoria para todos. El campo de trabajo del Estado es lo jurídico, lo político; lo demás es facultad y derecho de elección y discernimiento de las personas, de las mismas familias, de las instituciones religiosas y del resto de la sociedad civil. Esto vale para decir que no le corresponde al Estado imponer una ideología, un partido, una religión, una expresión artística, o una definición de familia y matrimonio.

3. La concepción religiosa de la familia y el matrimonio, así como la visión ética-moral de la política, de la economía, del trabajo, de la cultura, de la justicia, de la libertad, de la democracia y de tantos otros asuntos sociales, pueden ser presentadas, enseñadas según la doctrina social de las iglesias, y también deberían contar con el marco legal y la personalidad jurídica que les garantice los espacios de libertad para promover esas enseñanzas. Esto último es lo que debe reconocer el Estado a las Iglesias y a otras instituciones de la sociedad civil como las asociaciones fraternales, pero dichas concepciones religiosas no pueden ser impuestas por ley a toda la sociedad, ni tampoco negadas por ley. En esto radica la separación de la Iglesia y el Estado, y la misma concepción de un Estado laico. Aplicando esta separación de fines, campos y derechos, podríamos encontrar un pacto social legal que, aunque no satisfaga totalmente a todos, pudiera alcanzar un consenso mínimo admisible, respetando las diferencias.

De estos tres principios cívicos se desprende este análisis sobre el Artículo 68:

1.   Se debe eliminar la definición de matrimonio en general y solo definir las uniones civiles de pleno derecho y sus correspondientes deberes. Esto es lo que le corresponde al Estado y a una Constitución.

2.   El Estado debe reconocer, ante la ley, la diversidad existente entre las distintas uniones civiles. Así mismo debe expresar claramente que el Estado reconoce y garantiza plenos derechos y deberes a todas las diversas formas de unión civil, de forma igualitaria y sin discriminaciones por razón del sexo o la orientación sexual o identidad sexual. Como se nota, no se usa la palabra matrimonio para no caer en interpretaciones semánticas, culturales o religiosas.

3.   Esto evitaría imponer una sola forma de unión civil, lesionando las concepciones y preferencias de otras, ya sea por parte del Estado o por parte de otros actores sociales. A la Constitución solo le corresponde garantizar los derechos y deberes de todos de forma igualitaria.

Una propuesta concreta que respetara a todos y pudiera llegar a un consenso o pacto social, que es la esencia de una Constitución, sería:

> *ARTÍCULO 68. El Estado reconoce la diversidad existente entre las diferentes uniones civiles ante la ley. El Estado reconoce y garantiza plenos derechos y deberes a las diversas formas de unión civil con aptitud legal para ello a fin de hacer vida en común, de forma igualitaria y sin discriminaciones por razón del sexo o la orientación sexual o identidad sexual. Estas uniones civiles ante la ley descansan en la igualdad y capacidad de los contrayentes, los que están obligados al mantenimiento del hogar y a la formación integral de los hijos mediante el esfuerzo común, con una adecuada educación ética y cívica.*
>
> *La ley regula la formalización, reconocimiento y disolución de las uniones civiles y los derechos y obligaciones que de dichos actos se derivan.*

Respetando todos los criterios, considero que esta formulación podría incluir a todos, sin que nadie sintiera que se le está excluyendo o que se le está juzgando por sus concepciones filosóficas, semánticas o religiosas, ni por su orientación o identidad sexual. Un Estado laico debe responder a los desafíos que ya existen en la sociedad proporcionando un marco legal que resuelva esos retos, pero no entrando en disquisiciones religiosas o filosóficas. Las Iglesias y otros grupos de la sociedad civil deben contar con la libertad y el respeto para presentar sus concepciones en temas que afectan a toda la sociedad pero no pueden pretender imponer esas concepciones a todos por ley.

De todos modos, ha sido muy bueno el debate; se ha hecho, en general, con mucho respeto, y considero que debe proseguir con más respeto y libertad aún, ampliándose a la diversidad cultural y artística, a la diversidad política, ideológica, filosófica y religiosa, porque esto ayudaría a que se abran, cada vez más, las mentalidades, la inclusión, el respeto a la diversidad, la primacía de la plena dignidad de toda persona humana, sin condenar ni reprimir a nadie, y así poder avanzar hacia superiores formas de convivencia civilizada y pacífica. Cuba se lo merece.

Hasta el próximo lunes, si Dios quiere.

ARTÍCULO 71:
NO A LA VIOLENCIA DE CUALQUIER TIPO

Por Yoandy Izquierdo Toledo | 20 septiembre, 2018

El Artículo 71 del Proyecto de Constitución de la República de Cuba dice:

> *Artículo 71. La violencia familiar, en cualquiera de sus manifestaciones, se considera destructiva de la armonía y unidad de las familias y resulta punible.*

Es loable que se enuncien en la propia Constitución los efectos lesivos de este flagelo a la dignidad humana. Me gustaría, obviamente, que en este nuevo texto que se nos presenta a referendo popular, apareciera también esclarecido que se considera igual de destructivo y lesionador todo tipo de violencia, no solo la familiar.

La violencia doméstica, más frecuente entre padres e hijos y miembros de la pareja, que en ocasiones destruye las familias a través del divorcio, genera trastornos psicológicos en los niños y es muy criticada; sobre todo cuando se asocia este fenómeno a la igualdad de género. Pero existen otras situaciones que provocan iguales o peores daños a pequeña y gran escala en la persona, y de esa también quisiera comentar.

Hemos sufrido durante muchos años un tipo de violencia más solapada, latente, que hiere no solo físicamente, sino y de modo más esencial, el espíritu humano y la armonía de la sociedad toda. La violencia verbal, las actitudes que denotan el poder de unos sobre otros, el combate de todo pensamiento a través de las redes sociales y todos los medios de comunicación, la convocatoria a los actos de repudio y la institución de estos como una función normal de los comités de vecinos, centros de estudio y trabajo y pueblo en general, constituyen una aberración de la dignidad humana. Sería muy positivo que estas otras expresiones de violencia estuvieran comprendidas, además, en el articulado de la nueva Ley de leyes que regirá el destino cubano.

Me preocupa mucho, como he mencionado en reiteradas ocasiones, el famoso Artículo 3 que autoriza a «combatir por todos los medios», incluso a través de la «lucha armada», la discrepancia. ¿Acaso no es este el mayor acto de violencia? ¿Estamos dispuestos a hacer constitucional este ejercicio violento que sobrepasa a la familia para escalar a toda la sociedad?

El término violencia aparece referido en la propuesta de texto constitucional en cuatro de sus artículos:

1. En primer lugar en el Título I, Fundamentos Políticos, Capítulo II, sobre las Relaciones Internacionales, Artículo 16, inciso g, cuando dice:

> ARTÍCULO 16. *La República de Cuba basa las relaciones internacionales en el ejercicio de su soberanía y los principios antiimperialistas e internacionalistas, en función de los intereses del pueblo y, en consecuencia:*
> *g) condena la intervención directa o indirecta en los asuntos internos o externos de cualquier Estado y, por tanto... la violencia física contra personas residentes en otros países...*

La República de Cuba también debe basar sus relaciones con los ciudadanos nacionales en el respeto a la diversidad, la dignidad humana, los principios de libertad, igualdad, fraternidad, y el ejercicio de los derechos humanos todos. Ya lo hemos dicho: es importante restablecer relaciones con otros países para insertarnos en la comunidad de naciones civilizadas; pero más importante es el restablecimiento de las relaciones entre un Estado que ha sido totalitario y debe cambiar, y un «hombre nuevo» dañado moralmente que necesita y tiene el derecho de vivir su libertad con responsabilidad.

2. En segundo lugar en el Capítulo I, Disposiciones Generales, del Título IV sobre Derechos y Deberes Constitucionales, Artículo 45, cuando dice:

> ARTÍCULO 45. *La mujer y el hombre gozan de iguales derechos y responsabilidades en lo económico, político, cultural, social y familiar...*
> *El Estado propicia la plena participación de la mujer en el desarrollo del país y la protege ante cualquier tipo de violencia.*

El Estado debe proteger a sus ciudadanos contra cualquier tipo de violencia, sea femenina, infantil, o de cualquier tipo. A juzgar por los debates que se han generado en algunas asambleas de vecinos, centros laborales, y algunas Iglesias, los temas de igualdad de género y unión civil igualitaria parecen más cómodos para el debate. Debemos estar atentos para no diluirnos en algunos artículos y analizar el texto en su totalidad.

3.   En tercer lugar en el mismo Capítulo I, Disposiciones Generales, del Título IV sobre Derechos y Deberes Constitucionales, Artículo 49, cuando dice:

ARTÍCULO 49. En proceso penal no se ejercerá violencia ni coacción de clase alguna sobre las personas para forzarlas a declarar.

En todos los procesos penales, de investigación, de instrucción, etc. debe omitirse no solo la violencia, sino también la asociación del verdadero motivo del delito a la ideología del implicado. No coaccionar a la persona a mi entender significa también la transparencia en los procesos, y la garantía de que somos inocentes hasta que se demuestre lo contrario.

En cuarto lugar en el Capítulo III, Derechos Económicos, Sociales y Culturales, del Título IV sobre Derechos y Deberes Constitucionales, en su Artículo 71, que ha dado pie a esta reflexión.

La violencia, al igual que la pena de muerte (un tema que, por cierto, no es abordado en este Proyecto Constitucional) debe ser desterrada de la cultura del cubano. Asimismo, la violencia, sin apellidos para que sea toda ella, desde la que sea considerada una mínima muestra hasta esa que concluye con quitarle la vida a un ser humano, o condenarlo a vivir para siempre con la cruz que ni Dios impone por pensar y hablar diferente.

La convivencia pacífica entre los grupos diferentes exige diálogo cívico y el compromiso de resolver los conflictos a través del diálogo, y no por medio de la violencia. La violencia desata una espiral de resentimientos y venganzas que destruye la convivencia. Y, puesto que los conflictos de intereses y los malentendidos son inevitables en la vida cotidiana, el diálogo se convierte en el instrumento idóneo para llevar a cabo el proceso de reconstrucción de la convivencia pacífica. Una convivencia que merezca ese nombre no puede existir si no se toman en serio, como mínimo, los valores propios de la ética cívica básica: la libertad responsable, la igualdad, la solidaridad, el respeto activo y la actitud de diálogo. Esos valores básicos forman en conjunto una peculiar idea del valor justicia. La justicia social puede entenderse como el valor resultante del compromiso con esos otros valores más básicos, de manera que la sociedad será más o menos justa en la medida en que no descuide ninguno de tales valores sino que los refuerce en la práctica cotidiana.

Aportar ideas concretas al debate que se ha abierto es un deber, y ser escuchados todos, sin distinción, es un derecho. Luego no digamos que no tuvimos la oportunidad, al menos, de expresar nuestro criterio. ¡Yo digo NO a todo tipo de violencia!

ARTÍCULOS 90 Y 95:
¿CULTURA Y CREACIÓN ARTÍSTICA LIBRES?

Por Dagoberto Valdés Hernández | 17 septiembre, 2018

Este tema de la libertad de creación artística y de las demás expresiones de nuestra cultura, entendida como la forma de ser, de vivir, de sentir, de creer, de todos los cubanos; entendida también como las costumbres, las tradiciones, las raíces fundacionales, la apertura al mundo y a la globalización, es uno de los asuntos más polémicos hoy mismo en Cuba. Esto abarca también el rechazo de no pocos artistas e intelectuales al Decreto 349 que somete y controla todo acto cultural público a la aprobación del Estado.

El Proyecto de Constitución que se debate sienta las bases jurídicas para estas restricciones en los artículos 90 y 95h que dicen así:

> *ARTÍCULO 90. Todas las personas tienen derecho a participar en la vida cultural y artística de la nación. El Estado promueve la cultura y las distintas manifestaciones artísticas, de conformidad con la política cultural y la ley.*
> *ARTÍCULO 95. El Estado orienta, fomenta y promueve la educación, las ciencias y la cultura en todas sus manifestaciones… h) la creación artística es libre y en su contenido respeta los valores de la sociedad socialista cubana. Las formas de expresión en el arte son libres.*

Como se puede apreciar tanto el artículo 90 como el 95 contienen esa especie de paradoja o contradicción intrínseca: por un lado dice que «participar en la vida cultural y artística de la nación» es un derecho de toda persona y por otro lado establece que el Estado promueve esas manifestaciones «de conformidad con la política cultural y la ley». Esto supone que si un artista, o un intelectual, o un promotor cultural, no se ajusta a la «política cultural del Estado» o a una ley que no se conoce aún, o al Decreto 349 que sí se conoce, entonces esa persona, grupo o institución quedaría al margen de la sociedad porque viola este precepto constitucional.

En el artículo 95 la contradicción es más explícita: Por un lado declara que «el Estado orienta la educación, las ciencias y la cultura en todas sus manifestaciones». ¿Qué significa «orienta»? Los ciudadanos, los grupos artísticos, los creadores, los pensadores, no tienen capacidad ni soberanía para orientarse por ellos mismos. Si la orientación elegida por el artista o el escritor no coincide con la orientación del Estado ¿quedaría fuera de la Ley? Orientar significa «marcar el rumbo», «escoger la dirección y el sentido», «reorientar a los descarriados». ¿Dónde quedaría la libertad de elegir el rumbo y la dirección de las obras culturales? «La soberanía… reside intransferiblemente en el pueblo», según dice el artículo 10 de este mismo Proyecto, ¿en el caso de los artistas, creadores, escritores y promotores culturales, esa soberanía se vería restringida, menoscabada u «orientada» por la política cultural del Estado?

El inciso 95h continúa y amplía la insoslayable contradicción entre sus partes: por un lado se reconoce que la «creación artística y las formas de expresión en el arte son libres» y en medio de estas dos «libertades» coloca el yugo político a la cultura, al establecer una sola ideología con una sola interpretación, cuando expresa: «en su contenido respeta los valores de la sociedad socialista cubana».

En la práctica ¿qué significa que mientras la forma es libre, el contenido debe respetar un solo tipo de valores en la sociedad: los socialistas? ¿Este precepto supone que en otro tipo de sistema o ideología o expresión religiosa no existen también valores tan respetables como los socialistas? Me refiero a los valores cristianos, o budistas, por ejemplo. ¿O las demás ideologías, como por ejemplo, la socialdemócrata, demócrata cristiana, liberal, no contienen ningún valor cultivable? ¿Acaso son absolutamente perversas? Como todos sabemos, todas las ideologías, filosofías, sistemas políticos, incluso prácticas religiosas, precisamente por ser concebidas, practicadas y difundidas por seres humanos llevan en sí mismas valores y virtudes, inseparablemente unidos a defectos y limitaciones. El mismo Jesucristo enseña que el trigo y la cizaña crecen juntos en el mismo campo, y le indica a sus apóstoles que no traten de separar trigo y cizaña en la historia intrahumana, porque eso destrozaría todo el campo de la convivencia civilizada y pacífica.

Mi opinión es que los artículos 90 y 95, ante el Decreto 349 y cualquier otra ley que tenga como fin censurar, controlar o restringir a una sola ideología, opción política y a la decisión del Estado, las creaciones artísticas, literarias, culturales de todo tipo, van contra la naturaleza humana, contra la libertad de conciencia, de pensamiento y de creación. Bloquean el espíritu ciudadano y empobrecen la cultura de los pueblos.

En ese sentido el artículo 90 debería decir:

> *ARTÍCULO 90. Todas las personas tienen derecho a participar en la vida cultural y artística de la nación. El Estado promueve la cultura y las distintas manifestaciones artísticas, respetando la libertad de conciencia, pensamiento y creación y crea un marco jurídico que salvaguarde tanto la libertad personal como la responsabilidad de respetar la diversidad y los derechos de los demás.*

Mientras que el artículo 95 debería modificarse en su totalidad en una redacción cercana a esta sugerencia:

> *ARTÍCULO 95. El Estado fomenta y promueve la educación, las ciencias y la cultura en todas sus manifestaciones… h) la creación artística es libre tanto en su forma como en su contenido, siempre que respete los valores humanos universales, la diversidad y los derechos de los demás.*

Hasta el próximo lunes, si Dios quiere.

PARTICIPAR O NO EN EL DEBATE CONSTITUCIONAL

Por Dagoberto Valdés Hernández | 6 agosto, 2018

Hace algunos días el gobierno cubano anunció que todos los cubanos que viven en la Diáspora podrían participar en el debate de un nuevo texto constitucional. La polémica se ha producido y eso es bueno. Y es un ejercicio de la libertad de expresión y de opinión. Es propio de las personas democráticas. El ataque y la descalificación no lo son.

Expreso mi opinión: Participar como ciudadanos cubanos vivan donde vivan es un derecho inalienable y no una concesión de ningún Estado. En nuestro caso no es un permiso, es el reconocimiento en la práctica de ese derecho que creo ha conquistado la Diáspora misma, exigiendo la igualdad de derechos y deberes en el intercambio pueblo a pueblo que ha sido, con mucha frecuencia, de un solo lado y siempre selectivo por parte de las autoridades cubanas. Y también ha sido una conquista de los cubanos que vivimos en la Isla, pero que siempre hemos sostenido la verdad de la única e indivisible nación cubana: somos una nación que respira con dos pulmones, como lo hemos demostrado tanto en Vitral (1994-2007) y después en el Centro de Estudios Convivencia (CEC) (2008-hasta la fecha) www.centroconvivencia.org). Los estudios y propuestas del CEC que hace tiempo estamos realizando se han organizado siempre entre ambos pulmones. Así lo demuestran las listas de personas que hemos publicado al final de cada informe, que puede ser descargado en Pdf libremente en nuestro sitio.

Si un pulmón no puede respirar libremente y conjuntamente con el otro, al cuerpo nacional le falta el aire, se agota. De hecho, hace muchas décadas, una parte de nuestra nación ha estado sosteniendo a una parte de la otra. Y los lazos familiares han prevalecido por encima de las más diferentes opciones políticas. Para los que creemos que la familia es lo primero y principal en la vida de los ciudadanos y de las naciones, este es un triunfo irrefutable.

Por otro lado, reconocer otra parte del derecho de los cubanos, que es participar en un debate constitucional, es otro logro de los que hemos luchado toda la vida porque Cuba es y debe ser una sola con todos sus hijos, estén donde estén y piensen como piensen. Pero además crea un precedente y un nuevo espacio para proponer, participar, expresar nuestras discrepancias en asuntos cotidianos y en asuntos estructurales que son la causa de los primeros.

Aun suponiendo que no seamos escuchados ni los de aquí, ni los de allá, es una oportunidad para expresar en lo que coincidimos y en lo que no coincidimos. Y si las autoridades cubanas no publican los aportes, los publicamos los que proponemos en donde podamos, para que el mundo vea que existe un número no pequeño de cubanos que no nos hemos cansado de proponer, de discrepar, de debatir.

Pero el hecho de considerar este reconocimiento de un derecho inalienable de cada cubano, no significa que no sigamos reclamando que la participación de todos los compatriotas, Isla y Diáspora, se extienda y reconozca en todos los ámbitos de la vida: económica, política, social, cultural, internacional de la Nación. Recuerdo aquella memorable enseñanza del Papa san Juan Pablo II en su visita a Cuba: «Ustedes son y deben ser los protagonistas de su propia historia personal y nacional». En este sentido, debemos seguir reclamando que seamos todos los cubanos los que decidamos sobre nuestro futuro, que Cuba decida con el voto libre, secreto y directo, tanto de los que vivimos en la Isla como con el voto de los que viven en la Diáspora y deseen ejercer ese derecho que es connatural, como todos los demás, con nuestra naturaleza humana, independientemente del gobierno que esté en el poder y de los criterios políticos de cada cubano. Como en todos los países civilizados, los ciudadanos cubanos que vivan en cualquier latitud deberían gozar de los mismos derechos de los que vivimos en la Isla. Esa es todavía una asignatura pendiente y coherente con este paso que se limita a opinar y proponer, en esta ocasión sobre un texto constitucional, pero que se debería extender a todos los asuntos nacionales.

Además, esta sería una buena oportunidad para consensuar criterios, respetando la natural diversidad del pluralismo político, y que cada grupo o concertación de grupos puedan expresar, publicar, argumentar, sus razones y propuestas concretas, tanto a favor como en contra del texto que se redactó sin contar con una asamblea constituyente, que conocimos después del debate parlamentario, pero que no debería ser aprobado o rechazado sin contar y reconocer el voto de todos los cubanos.

Aun cuando estas propuestas y opiniones no fueran tenidas en cuenta públicamente, servirían de termómetro para que los que sí se enterarán de cómo está la temperatura y la opinión mayoritaria de toda la nación cubana. Señal y mensaje que tratamos, y seguiremos expresando, para que les llegue en todo momento y a través de todos los medios pacíficos y las redes sociales, pero que tendría una connotación especial para cuantos les interesa de verdad el futuro libre, próspero y feliz de Cuba. Publicar por parte de quienes participen, de forma independiente y respetuosa, cuantas sugerencias y opiniones tengamos, pondría a disposición de todos los cubanos lo que la terca realidad pone cada día de manifiesto.

Ahora queda a la libertad de conciencia de cada cubano, participar o no participar: esa es la cuestión de estos tiempos cruciales.

Hasta el próximo lunes, si Dios quiere.

LA CONSTITUCIÓN Y LOS TRES PODERES

Por Dagoberto Valdés Hernández | 30 julio, 2018

Toda Constitución moderna que se respete debe establecer la división y el mutuo control de los tres poderes del Estado: legislativo, ejecutivo y judicial. Este es el mecanismo que garantiza que no se instaure una dictadura, ni un autoritarismo o totalitarismo, porque gracias a esta estructura orgánica del Estado, se reparten cuotas de poder y se establecen frenos a la tentación de una persona o un partido de apropiarse de la soberanía de los ciudadanos de la cual debe brotar todo poder en las sociedades modernas. A esto se le denomina mutuo control de los poderes del Estado.

Para muchas personas en Cuba que aún no tienen una adecuada educación cívica esto le resulta complicado y preguntan con una ingenuidad peligrosa: ¿Entonces, quien manda de verdad? Detrás de esa interrogante subyace el modelo autoritario provocado por un paternalismo de Estado que usurpa la libertad de decisión y la responsabilidad del ciudadano, dejándolo en una total indefensión.

En los países democráticos se reconoce el pluripartidismo y cada partido trabaja y compite por obtener puestos en los tres poderes presentando su programa político, económico y social con el que intentarían server a la nación desde la presidencia del gobierno (poder ejecutivo) o tratando de que los ciudadanos elijan a los miembros de su partido para ocupar un puesto de senador o diputado en el parlamento (poder legislativo) y así poder influir en la aprobación o no de las leyes o tratando de que sean elegidos miembros de su partido para ocupar un cargo en los Tribunales de justicia, encargados de impartirla imparcialmente y sin manipulaciones o tráfico de influencias políticas.

En los países totalitarios, solo se reconoce en la Constitución a un partido único, como es el caso de Cuba. Esto destruye por la base todo Estado democrático porque una sola parte de la sociedad, sea grande o pequeña con relación a los habitantes de la Nación, se apodera de todo el poder, de ahí su denominación de totalitarismo. No hay competencia, ni diversas formas de presentar soluciones para la búsqueda del bien común. Entonces, aunque existan las estructuras visibles de los tres poderes, como ocurre aquí, la Asamblea Nacional, el Consejo de Ministros y los Tribunales están compuestos, los tres, y todos sus puestos por personas que militan en un mismo partido o que son fieles incondicionales a ese único partido. La discrepancia es penalizada y la unanimidad se entroniza sistemáticamente. Es más importante la aparente unidad que la necesaria libertad. Es más importante convencer o reprimir que competir en buena lid y que gane el mejor.

¿Y quién debería decidir quién gana? Pues deben ser los ciudadanos en elecciones libres, secretas, competitivas, pluralistas y transparentes en su transmisión y cómputo de los datos que emanen de los comicios. Esto solo es posible cuando el poder electoral o Consejo Nacional Electoral es también elegido democráticamente.

En el aprobado Proyecto de nueva Constitución que será sometido a un referéndum ciudadano, no se ha propuesto ni el pluripartidismo ni un tipo de proceso electoral independiente. Los cargos en los tres poderes han sido elegidos desde el partido único, que vuelve a proponerse no solo como único sino como la fuerza superior de la sociedad y del Estado. Es un modelo ya muy raro y escaso en el mundo y deja nada más y nada menos que a los tres poderes del Estado bajo el mando único de un Partido. Si una parte se impone a la mayoría no hay forma de explicar que la soberanía la tiene todo el pueblo, porque también la sociedad en pleno está bajo el mando de ese pequeño grupo.

En una palabra, se invierten los roles del desempeño cívico, se ordena la sociedad como una pirámide en que toda la soberanía de la ancha base ciudadana cae bajo el ordeno y mando del vértice superior. Del que bajan los anteproyectos, al que suben las propuestas que sean afines a ese Proyecto y al final se presenta para ser aprobado, o no, un texto constitucional con algunas novedades en las ramas y con el viejo modelo de la dictadura de un partido y una ideología.

Entonces es necesario que Cuba, es decir, cada cubano con capacidad electoral, se informe y se forme bien su criterio personal, decida en lo hondo de su conciencia, y ejerza su voto en una consulta organizada y controlada por el mismo Estado-Partido que se propone como fuerza superior de todo lo demás. Por lo menos enviará hacia el vértice superior un mensaje, ojalá claro y rotundo, de lo que aprueba o desaprueba. Estoy seguro que habrá ojos y oídos tratando de medirle el pulso a la situación y midiendo la presión de la sociedad enterándose de las cifras reales.

Hasta el próximo lunes, si Dios quiere.

¿DEBATE CONSTITUCIONAL, ACLARACIÓN DE DUDAS O CONFUSIÓN?

Por Dagoberto Valdés Hernández | 23 julio, 2018

Ayer concluyó la sesión de la Asamblea Nacional de Cuba en la que se aprobó el nuevo Consejo de Ministros y se realizó el debate de los parlamentarios cubanos, que según la vieja Constitución, son también constituyentistas, de un anteproyecto de nueva Constitución de la República.

Comparto mis primeras impresiones con una mezcla de pena y dolor por Cuba:

La Asamblea parecía más bien una «escuelita» en que una buena parte pedía «aclaración de dudas». En una asamblea con función constituyente, como es el caso, los que se declaran representantes del pueblo deben proponer y defender con sus razones propias, las adiciones, supresiones, modificaciones, que consideren necesarias para el bien de la Nación y que respondan a lo que sus electores esperan de una nueva Ley de leyes. No hubo referencias explícitas que expresarán: «mis electores me han pedido que traiga esta propuesta». No podía ser porque el texto aún no lo conocen sus electores.

No he escuchado muchos comentarios en «la calle» sobre este debate, es mucho el agobio por la supervivencia de la mayoría de los cubanos para estar pendientes de unas sesiones monótonas, monocordes, sin debate real y apasionado, sin discrepancias notorias o sustanciales. Todo transcurrió como una liturgia: una larga letanía a dos coros en que se invocaba una duda o una opinión y se recibía una explicación o una aclaración de parte del claustro formado por la Comisión redactora ante lo cual no hubo ninguna réplica firme y argumentada en que se mantuviera lo sugerido o preguntado. Las nuevas modificaciones se remitieron a la consideración de la misma Comisión. No pocos renunciaron al uso de la palabra ya solicitada porque sus dudas habían sido aclaradas anteriormente. Probablemente haya sido el debate constituyentista más desabrido del mundo.

Frente al televisor, los ciudadanos cubanos que nos decidimos a sacrificar un largo tiempo, fuimos durante este fin de semana espectadores del debate de un anteproyecto de Constitución cuyo texto provisional no conocemos porque no se ha publicado. Por momentos tuve la impresión de que era el «debate» de un anteproyecto de Carta Magna de otro país porque no podía tener una visión íntegra de un texto desconocido en su totalidad. La impresión se desvanecía inmediatamente al comprobar que la casi totalidad de las intervenciones y las respuestas eran las mismas y en el mismo tono de los últimos 60 años.

Los titulares de la prensa extranjera e independiente destacaban, casi unánimemente, la eliminación de la palabra «comunismo» de la nueva carta magna. Y el diario Granma del sábado mostraba un gran titular que rezaba: «Cuba no volverá jamás al capitalismo». La confusión cunde. Entonces si no vamos hacia el capitalismo ni al comunismo, ¿hacia dónde vamos? La respuesta oficial dice: «hacia la construcción de un socialismo próspero y sostenible». Pienso: ¿Sesenta años después? Otra pregunta: ¿Cuba tendrá un partido, por cierto que dice el novísimo anteproyecto que continuará siendo único, que llevará el nombre de comunista cuando la construcción de ese modelo, meta de la formación partidista, ha sido abolido del Proyecto de Constitución o se cambiará el nombre por «socialista»? ¿Qué socialismo?

Un diputado miembro de la Comisión redactora y presidente de la Comisión de Asuntos Constitucionales y Jurídicos de la Asamblea, contestó a una duda que «al ser el partido fuerza superior, la Constitución no puede trazarle directrices» (Granma 21 julio 2018. Suplemento Especial, p.1). Otra duda: ¿Está el Partido por encima de la Constitución de tal forma que esta no podrá trazarle directrices a esa parte de la nación cubana y a todas las demás sí?

El reconocimiento de la propiedad privada, personal, mixta y cooperativa, y la eliminación de prohibir «la acumulación de la riqueza» que los lineamientos más actualizados habían proscrito hace muy poco, junto a la acumulación de la propiedad, parecen ser, entre otras, las concesiones de necesidad insoslayable para salir de la crisis de «un modelo económico que no funciona ni para nosotros mismos». Parecería como si el modelo vietnamita con visos tropicales fuera el horizonte al que se espera llegar.

Se ha introducido, también según dice la prensa, un término nuevo, igualmente hecho de retazos: el «Estado Socialista de Derecho». Así como se lee. Es como si el Estado y el Derecho, que ya escarmentamos que no podían ser ni confesionales ni ateos, persistieran en la confesionalidad política e ideológica, discriminando y excluyendo a los que no profesen esa creencia política.

Si el Estado sirve a todos, entonces no puede preferir una ideología, eso es propio de los partidos. Si el Derecho se rige por el principio de que «la ley es igual para todos», entonces la legalidad no puede tampoco profesar un credo político porque no sería igual para los que libremente sean políticamente diversos. La aceptación de la diversidad en Cuba tiene todavía descartes de algunos tipos de diversidad.

La unanimidad no se hizo esperar. Como siempre, la Asamblea votó, sin un solo voto en contra, ni abstenciones, que el anteproyecto se convierta en Proyecto, sea debatido en los centros de trabajo y estudio estatales y en las organizaciones de masa hasta mediados de noviembre, sin decir la fecha del referéndum en el que los ciudadanos podremos dar nuestro sí o nuestro no, de acuerdo a lo que nos dicte nuestra conciencia.

Ante esta sesión de la Asamblea Nacional de Cuba viene a mi mente aquella famosa enseñanza de Jesucristo cuando dijo: «Nadie remienda ropa vieja con un pedazo de tela nueva, porque el pedazo nuevo agrandará la rotura. A vinos nuevos, vasijas nuevas» (Mateo 9, 16-17).

Hasta el próximo lunes, si Dios quiere.

LIBERTAD Y LIBERTADES EN LA NUEVA CONSTITUCIÓN

Por Dagoberto Valdés Hernández | 9 julio, 2018

Seguimos en estos días el debate en las redes sobre el nuevo texto constitucional que aún no se ha publicado. Sin embargo, en cada ciudadano y en la convivencia social existen presupuestos y capacidades propias de la naturaleza humana que no pueden desconocerse so peligro de dañar gravemente la dignidad de las personas y de sus relaciones. Una de esas capacidades innatas a todo ser humano es la libertad. Por tanto, en cualquier redacción de un texto constitucional debe ser consagrada como derecho inalienable, a la par que la vida, la libertad.

La libertad es esa capacidad constitutiva del género humano de poder elegir su ser, su quehacer, su proyecto de vida, sus preferencias, sus creencias, sus opciones políticas y económicas, entre otras muchas escogencias, sin lesionar la libertad y los derechos de los demás. Es ser capaz de escoger el bien para sí y para los otros. Es la capacidad de ser dueño de sí mismo, con una libertad autónoma y trascendente.

Ahora bien, debemos diferenciar e igualmente respetar y promover, «la libertad para» de las «libertades de». La libertad para ser uno mismo y para amar, hacer el bien, vivir en la verdad y cultivar la belleza; y para servir, para relacionarse fraternalmente y acceder a la plenitud de la vida (que otros llaman auto-realización) y a la felicidad. Esta «libertad para» o positiva se diferencia de las «libertades de» o libertad negativa, es decir, la que necesita eliminar las imposiciones, discriminaciones o restricciones al ejercicio responsable y libre de la religión, de conciencia, de expresión, de reunión, de asociación, de migración, de todos aquellos derechos de los que Dios dota a todo ser humano sin diferencia ni distinción.

Nadie puede ejercer esas libertades si no es primariamente libre, es decir, sin ser libre «por dentro», libre de espíritu. Ser educado para la libertad es primero y principal que ser educado para reclamar y ejercer las libertades civiles y políticas, económicas, sociales y culturales y aquellas de tercera generación que son los derechos de los pueblos y del cuidado de la naturaleza. Una educación para el desarrollo humano integral incluye ambas dimensiones de la libertad y no las contrapone en principio. La madurez humana es lograr el sano equilibrio y la complementariedad entre la libertad interior autónoma trascendente y las libertades de primera, segunda y tercera generación.

En otra dimensión, la libertad es inseparable de la responsabilidad. Y a cada libertad corresponde una responsabilidad personal e intransferible, como a cada derecho le es inherente un deber personal, familiar o ciudadano.

De este modo y bajando al contexto jurídico, todo texto constitucional debería reconocer y «consagrar», es decir, ungir como sagrado, tanto la libertad de toda persona como las libertades y derechos que emanan de su condición humana. Ningún sistema político, ninguna ideología, ningún modelo económico, incluso ningún precepto verdaderamente religioso puede ir contra la dignidad y la libertad fundamental de todo ser humano.

Por tanto, la libertad fundamental, los derechos y los deberes, todas las libertades consagradas en los Pactos Internacionales de la ONU y, primaria y complementariamente, en las enseñanzas de la Iglesia, no podrán ser condicionadas, ni limitadas, ni mucho menos castigadas por oponerse a una ideología, o a un sistema político o económico. Supeditar la libertad y los derechos primarios del hombre y la mujer a realidades que son por su naturaleza plurales, contingentes y provisorias es, además de un error político, un gravísimo daño antropológico porque invierte la escala de valores y restringe la libertad a ideologías o modelos históricos y por tanto, cambiantes.

Una vez más, se trata de la suprema dignidad de la persona humana. El lunes pasado daba fundamento al carácter sagrado de toda vida humana y esta vez, sirve igualmente de cimiento antropológico y trascendente de la libertad y las libertades de todo ciudadano no porque lo decrete nadie, ni porque lo reconozca un Estado o una Iglesia, sino porque la libertad y las libertades en todo su desarrollo y plenitud forman parte del ser constitutivo de todo hombre y mujer. Volvemos a recomendar el II Informe realizado por el Centro de Estudios Convivencia (CEC) sobre «Tránsito Constitucional y Marco Jurídico: de ley a la ley», con aportes de cubanos de la Isla y de la Diáspora, que puede encontrar, bajar e imprimir en nuestro sitio web: www.centroconvivencia.org en «Propuestas» y en la página principal.

Espero, deseo y ruego para que el nuevo texto constitucional cubano no niegue o restrinja, en el capítulo de los derechos, lo que parece que será el exergo martiano de su preámbulo: «*Yo quiero que la ley primera de la República sea al culto de la cubanos a la dignidad plena del hombre*».

Es un deber de coherencia.

Hasta el próximo lunes, si Dios quiere.

NO A LA PENA DE MUERTE

Por Dagoberto Valdés Hernández | 2 julio, 2018

Ante la propuesta de una nueva Constitución para Cuba considero de suma importancia real y simbólica consagrar en el venidero texto constitucional la definitiva y absoluta abolición de la pena de muerte en nuestro País. Sería la entrada de la Isla del Caribe en la ya mayoritaria y civilizada comunidad de las naciones que han erradicado este flagelo heredado de los tiempos de la barbarie, el «ojo por ojo» y la falta de confianza en que la educación y la corrección proporcionada pueden alcanzar penar el delito, rehabilitar al penado y facilitar su reinserción social por muy grave que sea el crimen cometido.

Abolir la pena de muerte en todos los casos y circunstancias es señal de que ese país ha alcanzado ciertos grados de desarrollo humano y de convivencia cívica, como son, entre otros:

- El reconocimiento ético y jurídico de la primacía de la dignidad de la persona humana por encima de cualquier otra institución y circunstancia.
- El carácter sagrado de toda vida y, de manera suprema e inalienable, la sacralidad de la vida humana, sobre la cual nadie puede ni debe disponer, lesionar de ninguna forma y bajo ningún contexto.
- La unidad, estabilidad y formación de la familia, como primer santuario de vida, de amor y de educación pro vida.
- La asunción de un proyecto educativo, de acceso universal y calidad probada que se estructure como complemento de la educación familiar y que tenga como objetivo principal el desarrollo humano integral, la defensa de la vida, la siembra sistemática de valores y el cultivo orgánico de virtudes y talentos.

Un modelo económico humano, eficiente y solidario que cree y distribuya la riqueza y las oportunidades con justicia, equidad y subsidiariedad para que la pobreza, la marginalidad y el descarte de seres humanos por cualquier razón no lesionen la vida, ni sea fuente de criminalidad.

Un modelo de convivencia social, que fomente la amistad cívica, es decir, la fraternidad, ese tercer valor de la modernidad que ha sido tan olvidado o preterido por la pretendida igualdad que se ha prostituido en un igualitarismo descendente y por la pretendida libertad que también se ha prostituido en el libertinaje y el relativismo moral. La criminalidad crece cuando decrece la convivencia fraterna y con ella la calidad de vida.

Un modelo político basado en un Estado de Derecho en el que se respete y promueva de tal forma la dignidad y la primacía de toda persona humana a cuyo servicio y desarrollo se creen, y pongan a su servicio, instituciones transparentes, incluyentes, democráticas, diligentes y humanizada, hábitat de participación y búsqueda del bien común. La criminalidad crece cuando se impone un sistema político excluyente, injusto, violatorio de cualquier derecho humano, populista y autoritario. Ninguna circunstancia política o bélica puede violar el carácter sagrado de todo ser humano y el modelo político debe crear un marco jurídico que salvaguarde y de plenitud y calidad a la vida.

El número 7 es muy simbólico en la Biblia y otros libros sagrados. Estos pudieran ser los siete pilares paradigmáticos para una sociedad que se libere definitiva y absolutamente del inhumano castigo de la pena de muerte. No es posible lograrlos plenamente en esa dialéctica del «ya pero todavía no» de la edificación de una civilización del Amor, pero las naciones y las personas que las asumen como desafíos y compromisos deberíamos ser, desde ahora mismo, defensores de la erradicación de la cultura de la muerte en cualquiera de sus formas, desde la concepción hasta la muerte natural y promotores de la cultura de la vida.

Citas de celebridades políticas abundan, el magisterio de la jerarquía religiosa es contundente, los estudios académicos más serios lo certifican y la mentalidad contemporánea lo exige crecientemente, pero ni es el lugar, ni valdría ningún «*magister dixit*», si no trabajamos primero y personalmente, para educarnos, es decir, concienciarnos, «*educere*», «sacar fuera» esa convicción del valor de la vida y comprometernos a acompañar a otros, y a nuestra sociedad, para que pueda dar, coherentemente, este paso en su crecimiento ético y cívico.

Espero, deseo y ruego a Dios, único Señor de la Vida y de la Historia, que en la nueva Carta Magna de Cuba podamos consagrar para siempre la sacralidad y primacía de la vida humana y, por tanto, la abolición de la pena de muerte para siempre y en todos los casos.

Cuba y todas las naciones del mundo deben acceder a tal alto grado de dignificación y desarrollo.

Hasta el próximo lunes, si Dios quiere.

¿ES POSIBLE QUE EL PUEBLO VOTE NO A LA NUEVA CONSTITUCIÓN?

Por Karina Gálvez Chiú | 21 agosto, 2018

Es difícil, pero... ¿no es posible que el pueblo cubano vote NO a la nueva Constitución?

¿Qué va a pasar si la Constitución no es aprobada tal y como sea redactada después de la consulta popular?

¿Cuál es la alternativa a la aprobación del Proyecto de Constitución propuesto?

Las discusiones en los centros de trabajo o estudio, en las organizaciones de masas o políticas, no conducen a votaciones. Bajo la máxima de «todo se incluye», se reflejarán en las actas, y en el informe final a la comisión encargada de la redacción del nuevo texto todas las opiniones, incluyendo las de los cubanos que viven fuera de la isla.

Esta es una buena estrategia para documentos de estudio. Quizás para documentos que nadie tiene que aprobar y solo tienen la finalidad de ser utilizados como información sobre determinado tema. Documentos que, por supuesto, no determinarán la vida de una nación.

Pero, tratándose de una propuesta de Constitución, que regirá la vida en Cuba, y que necesita una aprobación final por parte del pueblo, es una estrategia, por lo menos, incompleta.

¿Puede la Comisión valorar las propuestas de la población? ¿Qué pasará después de una propuesta que la comisión considere inoportuna o no digna de someterse a discusión en la Asamblea Nacional del Poder Popular? ¿O serán todas sometidas a discusión en la Asamblea? ¿Se producirá una verdadera discusión del texto o solo se aclararán las dudas?

Si, como se ha afirmado (en una evidente negación de la eficacia de la democracia representativa), «todo el pueblo es constituyente», ¿podremos participar en directo en las discusiones, a través de Internet, dada las nuevas posibilidades de acceso? ¿Votar, artículo por artículo? Discusiones amenas, buenas polémicas alrededor de un tema, votaciones divididas, mejorarían la imagen de nuestro Parlamento erigido Asamblea Constituyente.

En todo caso, debe tenerse en cuenta que entre los diputados al Parlamento cubano, no existe representación de los cubanos que viven fuera de Cuba…

Creo que será oportuno escuchar qué alternativas tenemos al actual proyecto de modificación de la Constitución. ¿El mantenimiento tal cual de la Constitución de 1976? ¿La posibilidad de una nueva propuesta?

Que no exista alternativa para un No de la población, es preocupante y signo de falta de democracia. La democracia verdadera tiene que contar con esa posibilidad.

Los cubanos que no están de acuerdo con el nuevo texto deben tener en los medios las mismas posibilidades de argumentar su inconformidad que los que sí lo estén, para ganar en grados de democracia. O, por lo menos alguna posibilidad. Si esto sucedió en medio de una dictadura militar como la de Augusto Pinochet en Chile en 1988, donde los opositores tuvieron 5 minutos de televisión cada día, ¿por qué no puede suceder en Cuba, donde no se trata de decidir si el gobierno actual continúa o no en el poder, sino de aprobar la Carta Magna?

El pueblo, haciendo uso de su poder soberano, acudirá luego a las urnas para respaldar con su voto la nueva Constitución; (…) Diario Granma, martes 14 de agosto 2018.

¿Respaldar, o expresar si aprueba o no la nueva Constitución?

Es posible que esta sensación de que con seguridad el pueblo aprobará la Constitución, sea cosa de los periodistas.

EL DERECHO A OPINAR CONLLEVA EL DEBER DE ESCUCHAR

Por Karina Gálvez Chiú | 14 agosto, 2018

La polémica alrededor del anuncio del gobierno cubano de que cualquier ciudadano cubano puede aportar sus opiniones al Proyecto de Constitución sin importar en qué lugar del mundo se encuentre es ya un resultado positivo. Es salir de la monotonía de criticar la falta de libertad de expresión y el reclamo del reconocimiento del derecho a opinar y pasar a discutir si debe ejercerse o no.

Es comprensible que algunos duden de la buena voluntad del gobierno y se resistan a participar en el ejercicio con más imagen de democracia que se realiza desde 1959. Era algo impensable hasta hace pocos días. Por mucho tiempo los cubanos de la diáspora solo eran tratados como «no personas».

Sin discutir sobre la bondad o no, de la voluntad gubernamental (porque no es importante), el hecho es que ahora, con el reconocimiento de este derecho, parece que el gobierno cubano ha aceptado que las opiniones en contra no solo proceden de «gobiernos extranjeros que se inmiscuyen en los asuntos internos», sino que, sin estar al servicio de ellos, hay cubanos que tiene opiniones diferentes a la oficial y que merecen ser escuchadas.

Al reconocer que las opiniones de la parte de los cubanos que vive fuera de la isla son válidas, el gobierno no hace ningún favor, sino que reconoce un derecho. Y debemos considerar que no solo reconoce un derecho, sino que también asume un importante deber: el deber de escuchar las opiniones diferentes y argumentar.

Escuchar no significa acatar, pero sí significa argumentar a favor y ofrecer la oportunidad real de argumentar en contra sin despreciar ninguna opinión. Escuchar ideas implica no atacar a los que las emiten, sin que se manifieste una actitud de intolerancia injustificable.

Por otra parte, aunque esto ya sucede gracias a Internet y el periodismo ciudadano, el gobierno deberá propiciar que el pueblo escuche las discrepancias y participe conociendo las opiniones diferentes. Esta podría ser una oportunidad para legitimar las discrepancias en Cuba. No es ingenuidad política, es estrategia.

¿Qué sucederá si, ante esta posibilidad, nos resistimos y guardamos silencio? Para decir que los jueces de un juego son injustos, es necesario jugar, jugar bien. Luego protestemos, denunciemos, pero no dejemos que pueda decirse que no hay alternativas, ideas ricas, bien concebidas, y que persiguen el bien de Cuba como meta, distintas a las del gobierno cubano actual, para una nueva Constitución en Cuba.

Participar expresando abiertamente lo que se piensa, sin complacencias, no es legitimar el sistema totalitario de gobierno. Es aceptar de una vez por todas que, en esta época de la historia de la humanidad, gracias a Dios, el camino es el diálogo. Hemos tenido ejemplos recientes, de conflictos aparentemente insalvables que se han resuelto con conversaciones.

Por último una pregunta: si pueden participar con opiniones esencialmente diversas los cubanos en la diáspora, ¿serán escuchadas también las opiniones de cubanos que vivimos dentro y pensamos diferente? ¿Dejarán de ser invisibles o inexistentes las ideas de disonantes, disidentes y opositores?

Cerrarse a un diálogo, cuando los que se han mantenido cerrados se abren, es alimentar un círculo vicioso que nos daña. Tener una actitud de apertura es estar siempre abiertos a dialogar, y esperar una oportunidad como esta para hacerlo. Que no quede por nosotros.

Si no funciona, por lo menos será otra oportunidad de evidenciar la falta de democracia.

LO ECONÓMICO EN LA NUEVA CONSTITUCIÓN

Por Karina Gálvez Chiú | 24 julio, 2018

Entre las novedades del Proyecto de Constitución para Cuba, en cuanto a los fundamentos económicos, se encuentra el reconocimiento de la propiedad privada, de la obtención legítima de riqueza, y del derecho de asociación entre privados o de estos con formas estatales.

Después del primer impacto que provoca la aparición en el texto constitucional de un concepto que, según estudiamos en las escuelas cubanas, «era el causante de todos los males de la sociedad», surgen algunas inquietudes, que no fueron expuestas por los diputados:

¿Cuál será el alcance que definirá la ley para la propiedad privada? Si es reconocida como un derecho humano fundamental, la ley no debe limitar su alcance, más que a la práctica de otras personas de ese derecho. De manera que si, la propiedad ha sido adquirida legalmente, y con el fruto del trabajo, debe poder ampliarse hasta que el capital permita, sin afectar las normas de convivencia.

Otra buena noticia es que no se prohíbe constitucionalmente, ni se limita la obtención legítima de riqueza. ¿Podemos entonces dejar atrás la mentalidad de que los que tienen más deben «hacerse perdonar»? La riqueza obtenida como fruto del trabajo honrado o de la inversión oportuna e inteligente y de la disposición al riesgo, debe ser respetada en la ley. No debemos escuchar nuevamente el cuestionamiento de la riqueza obtenida, sin que se hayan realizado acciones que atenten contra el bien común o el bien ajeno.

Si se acepta la imposibilidad de controlar la obtención de riqueza, ¿por qué en las nuevas disposiciones para el trabajo por cuenta propia se limita a uno el número de patentes a autorizar por persona y la cantidad de negocios por domicilio? ¿Cómo puede crearse y hacer crecer la riqueza si solo puedes tener un negocio? Lo que aceptamos para deportistas o artistas debe ser una oportunidad para todo el que trabaje bien en cualquier oficio o profesión.

También es una apertura la posibilidad de asociación legal entre empresas de las distintas formas de propiedad. Las asociaciones permiten unir capital, ampliar los negocios y por tanto, los servicios a la población así como su calidad. Pero además enriquece el tejido de la sociedad civil, lo que redundará en menos nivel de indefensión del empresario ante la estructura del Estado.

Ahora, es de esperar que al someter el texto a una consulta popular, se escuchen las opiniones expresadas por los ciudadanos directamente o a través de diferentes medios. No solo para aclarar dudas (como fue en su presentación ante los diputados a la Asamblea Nacional del Poder Popular), sino para tenerlas en cuenta y someter el texto a modificaciones que satisfagan las necesidades de los nuevos tiempos, pero a la luz de la opinión de los que los vivimos.

RESPETO A LA DIVERSIDAD... ¿SOLO DE PREFERENCIA SEXUAL?

Por Karina Gálvez Chiú | 18 septiembre, 2018

Unos amigos me comentaron su preocupación por un video mostrado a sus hijos en la escuela sobre la diversidad de preferencia sexual, mostrando expresiones amorosas entre homosexuales, suicidio provocado por bulling, con el objetivo, según los profesores, de educar en contra de la homofobia.

Y es justa su preocupación, porque una cosa es educar en la diversidad sexual y otra muy distinta hacer consumir a estudiantes de 13 y 14 años, audiovisuales que normalmente están clasificados para mayores de 16.

En estos momentos, es prioridad para la enseñanza escolar, sin escatimar en medios cualesquiera, eliminar siglos de machismo y de educación homofóbica, no solo por parte de la escuela, sino de toda la sociedad. Aceptar la diversidad en la preferencia sexual se ha utilizado, por una parte, como una muestra de avance en la mentalidad oficial, y por otra, como una conquista. Y, aunque es cierto que el actual Proyecto de Constitución no cambia en esencia, la falta de democracia en Cuba, se busca cierto margen de apoyo popular para que esta aceptación sea plasmada en la Constitución.

¿Cómo acelerar el proceso de educación popular para el respeto a la diversidad de preferencias sexuales, en un país donde predomina la cultura machista, y en su oposición, el feminismo?

Es muy difícil, pero lo sería menos si la escuela en Cuba educara para la diversidad en todos sus órdenes.

La dificultad para educar en el respeto a la diversidad de preferencia sexual tiene una base en la falta de educación para la diversidad y la pluralidad.

340

¿Cómo convencer de que la diversidad debe ser aceptada y respetada, a un joven que escucha que la unidad de la nación depende de que todos pensemos igual, de que tengamos un partido único o de que todos pertenezcamos a la mismas organizaciones? ¿Cómo convencer a un joven que solo sabe de votaciones unánimes, de que ser distinto no es malo? ¿Cómo decir que la diferencia debe ser respetada, a jóvenes que no pueden llevar el cabello como quieren porque les dicen que la uniformidad en el vestir y en el lucir es lo que hace bien a la escuela? ¿Cómo pretender que lo jóvenes no discriminen por sexo o preferencia sexual si, por reglamento, los varones no pueden llevar aretes o pelo largo a la escuela y sí las hembras? ¿Cómo educar para el respeto a la diversidad si han llamado la atención a padres, porque sus hijos visten con ropa y zapatos muy costosos y eso los hace diferenciarse de los demás (evidentemente con un criterio de valoración muy alta para el aspecto personal)? ¿Cómo educar para la pluralidad con sobrados ejemplos de jóvenes expulsados de universidades o impedidos de estudiar una carrera por su falta de «integralidad» o «incondicionalidad»? Si no se puede ser distinto en el pensar y en el hablar, es difícil que sea aceptado quien sea distinto en cualquier aspecto de la vida.

La diversidad es una realidad humana. El mundo es plural y eso es bueno. Pero es muy difícil transmitir lo necesario del respeto a la diversidad sexual en medio de un ambiente de intolerancia con la diversidad de pensamiento y de comportamiento.

No basta con que la educación sea laica. Es necesario que sea plural y diversa. De manera que los padres puedan escoger la educación que quieren brindar a sus hijos. Es su derecho tal y como es su responsabilidad.

En el otro extremo, una sociedad mal educada en la diversidad y la pluralidad, tiende también a confundir el derecho a ser diferente, con permiso para hacer lo que se quiere sin pensar en los demás o el bien común. Expresar la diversidad necesita de libertades. Educar para la diversidad necesita de respeto a la misma en todas sus manifestaciones. Esto debe estar plasmado en la Constitución de cualquier país democrático.

DESAFÍOS FRENTE A LA NUEVA CONSTITUCIÓN

Por Jorge Ignacio Guillén Martínez | 12 septiembre, 2018

Al poner la mirada en el discurso oficial en las últimas semanas y luego contrastar lo que se dice con la realidad que se vive y la propia actuación del gobierno, fácilmente nos podemos percatar de algunas contradicciones entre objetivos que se declaran y las estrategias que se trazan para alcanzar los mismos. Tal es el caso en la propuesta de Constitución, donde se declara en varios artículos una intención del Estado de garantizar igualdad y progreso económico, mientras que por otro se plantea el predominio de la propiedad estatal sobre los medios de producción y de la empresa estatal socialista frente al sector privado y cooperativo.

La coyuntura actual de la economía cubana es propicia para que pongamos nuestra mirada sobre temas fundamentales como la pobreza, la creación de riquezas y la equidad; también me parece apropiado que en la nueva Constitución sean tenidos en cuenta como aspectos fundamentales, aunque hasta ahora el anteproyecto no hace referencia alguna al tema de la pobreza. Al mirar la realidad, por un lado vemos una economía estancada, que no es un secreto para nadie, y por otro las reformas iniciadas por Raúl Castro una década atrás, que a pesar de ir en la dirección correcta (aunque lenta y superficialmente) imprimen retos ineludibles a la situación actual: unificación monetaria, reforma salarial, sistema de pensiones y asistencia social, el problema de la productividad, problemas poblacionales con un marcado envejecimiento, etc.

Afrontar estos y otros desafíos que existen o irán surgiendo en el camino, implica en primer lugar algunos principios básicos que apuntalen el éxito de las reformas, específicamente en términos de alcance y profundidad.

En este momento que vive nuestro país necesitamos de políticas públicas coherentes con la realidad en que se vive, y no promesas que intenten sostener una ideología a toda costa, ni una Constitución en la que se limitan los medios y opciones de los cubanos para hacer frente a la pobreza, propiciar un despegue económico, y garantizar la equidad.

Teniendo en cuenta lo anterior, algunas acciones que se deben implementar y además deberían quedar muy claras en nuestra Constitución pueden ser: 1. Respeto y promoción —con mayores grados de protagonismo— de la propiedad privada, pues históricamente y en distintas realidades alrededor del mundo se ha probado su efectividad como uno de los medios más efectivos para generar progreso económico y combatir la pobreza; 2. Verdadera legalización de la riqueza, y no una legislación que por un lado dice reconocerla y aceptarla, y por otro restringe la empresa privada con una lista ridícula de actividades que pueden ser desarrolladas, habiéndose demostrado, además, que el pequeño sector privado es la forma de gestión más efectiva para la generación de riqueza en la Cuba de hoy; 3. Combatir la pobreza y avanzar en la equidad, implica también preocuparse por aquellos que por sí solos no son capaces de generar o acceder a los medios que necesitan para llevar una vida digna, es cuando la acción subsidiaria del Estado y sus instituciones debe hacerse valer.

PAPEL DEL ESTADO: RETOS EN LA NUEVA CONSTITUCIÓN

Por Jorge Ignacio Guillén Martínez | 22 agosto, 2018

La regulación de la actividad económica ejercida por el Estado en todos los países del mundo, en unos casos más y en otros menos, es una de las variables más importantes a tener en cuenta para el buen funcionamiento de una economía. Variable que siempre es necesaria, aunque sea mínimamente. Sin embargo, su excesivo protagonismo puede acarrear consecuencias nefastas para cualquier economía, en todo caso la receta más acertada debería ser un balance que no anule ni otorgue demasiado poder al Estado.

En Cuba, el problema que se sufre en este sentido es el excesivo control del Estado sobre la actividad económica, por lo que mencionaré algunas de las consecuencias que provoca:

—Centralización excesiva de los procesos productivos que se traduce automáticamente en ineficiencia, al impedir el flujo horizontal de la información que crea y facilita las transacciones económicas y el progreso en sentido general. El control del Estado lleva a la excesiva centralización que impide el protagonismo de la sociedad civil, es decir, el control ciudadano sobre la acción del mismo; lo que también atenta contra el desarrollo económico y social de un país.

—Anula los incentivos de los agentes económicos. Un excesivo control estatal genera propiedad estatal de la mayoría de los medios de producción, poca productividad, salarios bajos, mínimo poder de decisión y autonomía para los empresarios, incluso ideologización en algunos casos como el cubano donde políticas de Estado y de gobierno son lo mismo; y por otro lado genera trabajadores que no les interesa hacer bien su trabajo, que no se preocupan por el progreso de su institución y que no tienen sentido de pertenencia, pues no existen incentivos para ello.

La coyuntura actual de nuestra sociedad, en la que se debate el proyecto de la que será la nueva Constitución, es propicia para reflexionar sobre el papel del Estado y la regulación que este debe ejercer en la economía y en la sociedad en sentido general. Luego de mencionar algunas de las consecuencias que provoca un excesivo control estatal me animo también a proponer algunas ideas para que el mismo sea impulsor y no freno del desarrollo económico.

- El Estado debe ser subsidiario: ejercer el control del mercado sin ahogar el potencial de los agentes económicos o impedirles su propio desarrollo. Su papel debe centrarse en intervenir solamente en los casos en los que se ponga en juego la seguridad de los ciudadanos, la soberanía de la patria, o cuando sea necesario por razones estratégicas. Debe acompañar el desarrollo económico, pero no es el protagonista del mismo, velar por el bienestar social, pero sin limitar la creación de riquezas y el progreso.
- El Estado es más que un gobierno: en el Proyecto de Constitución que se está discutiendo en Cuba, claramente se propone la hegemonía de un gobierno sobre el Estado y toda la sociedad. El Estado va más allá de un gobierno determinado, y eso debe dejarse claro en la Constitución. De este modo se garantiza que las políticas de control estatal vayan más allá de los intereses de un partido o gobierno determinado, y en el caso de Cuba solo entonces estas podrían convertirse en un incentivo para la actividad económica.
- El control del Estado pasa por el control de la sociedad civil y la ciudadanía. Como bien lo expresa la Constitución «el poder del Estado dimana de la soberanía del pueblo», y el pueblo ejerce su soberanía sobre el mismo mediante las organizaciones de una sociedad civil diversa, madura y totalmente independiente del poder/control de organizaciones políticas o ideologías. Sin estas dinámicas de relaciones entre sociedad civil y Estado, también se dificulta el desarrollo económico de la nación, entendiendo este último no solo como crecimiento de la economía.

EMPRESA ESTATAL: MENOS PROTAGONISMO Y MÁS DESCENTRALIZACIÓN

Por Jorge Ignacio Guillén Martínez | 15 agosto, 2018

El Proyecto de Constitución que recientemente ha sido publicado para ser consultado, debatido y criticado por los ciudadanos cubanos, incluye en los fundamentos económicos el papel fundamental de la empresa estatal socialista como sujeto central de la economía y agente principal para la generación de riqueza en el país. Se trata de un argumento que en muchas ocasiones ha sido defendido por el gobierno cubano en los últimos años, dejando claro que las empresas privadas o cooperativas, sean pequeñas, medianas o grandes, no son más que un complemento a veces no deseado, y que el progreso de la economía cubana se logrará —supuestamente— con la empresa estatal socialista como eje y motor fundamental de la economía.

Al escuchar este tipo de argumentos, y luego contrastarlo con la realidad cubana de los últimos años, no dejo de sorprenderme. Si bien no estoy en contra de la gestión estatal de la propiedad, y además reconozco que puede ser beneficioso en determinados sectores estratégicos; discrepo totalmente con la idea de que debe ser el elemento que mueva y dinamice la economía, pues las dinámicas propias de este tipo de gestión con frecuencia frenan el progreso y la generación de riquezas, sin los cuales la economía no avanza.

De cara al futuro, considero oportuno una verdadera apertura a la micro, pequeña, y mediana empresa privada como agente central de la economía para la generación de riquezas y la consecución de objetivos sociales acordes con el Desarrollo Humano Integral (DHI); y en cuanto a la gestión estatal de la propiedad, un verdadero proceso de descentralización, que garantice —en primer lugar— autonomía, eficiencia y eficacia, principales enemigos de la gestión estatal en Cuba. Enemigos que en diversas ocasiones han sido reconocidos como problemas graves de la economía incluso por el gobierno, hablándose de ellos como elementos a reformar en diferentes ocasiones, sin embargo, muy pocos y superficiales han sido los cambios en ese sentido.

Específicamente, una mayor descentralización y autonomía de la empresa estatal facilitaría los flujos de información y las transacciones, garantizando mediante métodos horizontales y democratizadores de la gestión, crear y responder a los incentivos de los diferentes agentes económicos. Del mismo modo una mayor descentralización, influye directa y proporcionalmente en los niveles de innovación, factor determinante para el desarrollo económico. Por otro lado, incluso cuando la propiedad es estatal, las empresas requieren de poder institucional para la toma de decisiones, de lo contrario funcionarían en contra de su propia naturaleza y sin llegar a su potencial, como en muchas ocasiones sucede con las empresas estatales cubanas ante el predominio de la planificación centralizada.

Después de sesenta años de ineficiencia, de probada incapacidad para progresar y avanzar hacia el desarrollo económico, constituye un error histórico —no solo económico— seguir aferrados a un modelo de gestión fracasado e incapaz de revertir la situación de la economía si antes no se somete a reformas profundas y más orientadas al mercado. Si se mira bien la balanza y se sacan conclusiones racionales sobre la situación de nuestra economía en las últimas décadas, creo que muy pocos cubanos estarían de acuerdo con que se consagre en nuestra Constitución (como propone el proyecto en discusión), que la fracasada empresa estatal socialista —tal y como la conocemos— debe ser el agente fundamental, dinamizador y generador de riquezas de la economía, de modo que mi propuesta es: otorgarle menos protagonismo, y mayores niveles de descentralización.

RETOS PARA UNA APERTURA A LA INVERSIÓN EN CUBA

Por Jorge Ignacio Guillén Martínez | 8 agosto, 2018

En los últimos días el tema de la necesidad de aumentar los flujos de Inversión Extranjera Directa (IED) en Cuba ha estado presente en los medios nuevamente, específicamente luego de los cambios normativos anunciados la pasada semana respecto a los procesos de negociación para la aprobación de proyectos de IED. El objetivo de estos es lograr potenciar la inversión, necesidad vital para la economía cubana como requisito para su despegue y progreso, al menos 2500 millones de dólares anuales según fuentes oficiales.

En nuestro país las legislaciones para la IED han atravesado por dos momentos importantes en los últimos años, una primera apertura en los años 90s y la más reciente hace cuatro años, en 2014, cuando muchos cubanos alimentaron en su interior las expectativas de que finalmente se daría una verdadera apertura que haría despegar la economía. Sin embargo, ambas aperturas fueron una respuesta a la situación de crisis, para intentar al menos en teoría, aumentar los niveles de inversión, pero que en la práctica no fueron más que reformas cosméticas y superficiales, incapaces de generar el salto que se necesita en términos de IED. Con las flexibilizaciones de la semana pasada, que eliminan los estudios de factibilidad como requisito obligatorio previo para la presentación de proyectos de inversión, sucede lo mismo que con las anteriores reformas, sigue siendo un incentivo demasiado débil para potenciar las inversiones a los niveles que se necesitan.

En este sentido, algunos de los principales retos a los que se debe hacer frente, para lograr los objetivos de inversión que garanticen romper el círculo vicioso baja productividad-bajos salarios y otras distorsiones de la economía cubana son:

En primer lugar, lograr que las propuestas de todos los cubanos para enriquecer las normativas para la IED sean tenidas en cuenta. A pesar de que en 2014 se realizó un proceso de discusión del proyecto de ley con los diputados de la Asamblea Nacional, la actual ley es parcializada y no recoge el sentir y las aspiraciones de muchos cubanos, pues los diputados del PCC no representan los intereses de la mayoría de los cubanos, sino, los de una parte de ellos.

Garantizar la libre contratación de la mano de obra por parte de los inversionistas extranjeros. Primero que todo, la libre contratación de la mano de obra debería ser un derecho respetado. El hecho de que aún sea a través de las agencias empleadoras, la «selección, capacitación y contratación» de la mano de obra, genera algunos fenómenos negativos como: explotación de la mano de obra, corrupción y discriminación; lo que ha estado funcionando como un fuerte desincentivo para los inversionistas extranjeros.

Más que una ley para la IED, necesitamos una ley de inversiones que incluya a los cubanos. La inversión extranjera directamente con cubanos, y la libre inversión de cubanos de dentro y fuera de la Isla siguen siendo retos ineludibles al respecto, además de requisitos para el desarrollo económico y social del país. Abundan los trabajos académicos que justifican esta tesis, y existen también experiencias internacionales que muestran lo beneficioso que puede llegar a ser una ley más inclusiva.

Eliminar el predominio de criterios políticos e ideológicos sobre leyes básicas y naturales de la economía. Sigue establecida la intervención del Estado en todas las negociaciones a realizar para la inversión foránea. El Estado no tiene por qué intervenir en las negociaciones y menos tener potestad para tomar decisiones, a no ser que sea una de las partes (dígase inversionista o receptor de la inversión), o que la inversión en cuestión sea estratégica para el interés social.

En resumen, se necesita un marco regulatorio para la inversión que respete la libertad de los cubanos y su papel como centro y fin de la actividad económica. Eliminar las restricciones a libertades básicas, se traduce casi automáticamente en una potenciación de las capacidades y del poder de decisión de los ciudadanos sobre nuestro futuro y el de nuestro país. Y esto, indudablemente, es beneficioso para que se avance hacia el desarrollo de las personas y del país.

JÓVENES, CONSTITUCIÓN Y CAMBIO EN CUBA

Por Yoandy Izquierdo Toledo | 23 agosto, 2018

No es nuevo referirnos a la juventud cubana como una «generación desconectada». La mayoría de los jóvenes nacidos en las décadas del 80, 90 y posteriores no se encuentra identificada con este proyecto de «hombre nuevo». Los discursos, repetidos hasta el cansancio, la imposición de una ideología sin derecho a la discrepancia haciendo alarde de todo lo contrario, la falta de libertad para escoger un proyecto de vida, han provocado que una gran parte de la población cubana, y me atrevo a decir que no son solo los jóvenes, haya dejado de confiar en las promesas de la Revolución.

Hace muchos años el pueblo exige entre sus demandas, desde diferentes grupos y formas, una serie de cuestiones relacionadas con la vida política, económica y cultural del país. Una de las primeras, esenciales y repetidas, ha sido el reclamo de unas elecciones libres y democráticas. Claro está que para ello otros derechos tendrían que estar ya satisfechos, como el permiso para asociarse o fundar partidos políticos que coexistan con el Partido Comunista y que representen verdaderamente los intereses de los ciudadanos. Luego del «proceso eleccionario cubano» vivido en el último período, vimos cómo no tuvimos participación en la elección de nuestros máximos representantes, que las decisiones informadas a la Asamblea Nacional fueron acatadas, como suele suceder, tras el voto unánime de los participantes, y se expresó continuar con el legado de los máximos representantes del gobierno.

Sin embargo, hace mucho escuchamos que «el modelo no funciona ni para nosotros mismos». ¿Cómo aferrarse a la continuidad? ¿Cómo perpetuar «algo» que no tiene vida, o le falta oxígeno, o ha demostrado, por todas partes, que no encuentra una salida viable? Lo demuestran los indicadores económicos, los planes de inversión, la calidad de la salud, el sistema de educación y muchas esferas de la vida económica, política y social del país. Prefiero entender que es un viejo discurso que hay que mantener, a la vez que hacia lo interno, crece la conciencia de que hay que cambiar, sí o sí, y se trazan otras estrategias para mantenerse en el poder.

El establecimiento de límites de mandato para gobernar, propuesto por el expresidente Raúl Castro Ruz, denota que «algo no estaba bien» con la perpetuidad para gobernar. Prefiero dar el beneficio de la duda y creer que, no sé si por presión interna y externa (que la hay), o por mostrar solo señales de un ligero cambio, que tiene que ser más profundo, abarcador y con la participación de todos, a los máximos dirigentes de Cuba también les parece bastante clara la idea de que la situación, tal y cómo está, es insostenible. No creo tanto así como que se vaya a «cambiar todo lo que debe ser cambiado». Los principales titulares que hemos leído desde que vio la luz el Proyecto de Constitución de la República de Cuba han tratado sobre la eliminación de la palabra comunismo del nuevo texto constitucional. Si no es comunismo, y se reafirma también que no transitaremos nunca hacia el capitalismo, ¿hacia dónde vamos? Es una gran confusión que, pienso para seguir dejando el beneficio de la duda, podamos esclarecer en lo adelante, porque hasta en las repetidas consignas se habla del comunismo como la fase superior del socialismo y es el modelo político por el que se han sacrificado muchos cubanos a lo largo de estos 60 años.

Deben incluirse, para que no vuelva a ser la reforma constitucional una maniobra impopular o cosmética, las peticiones y propuestas de todos los ciudadanos libres que estamos dispuestos a proponer nuevos caminos de coexistencia próspera, pacífica democrática y civilizada para Cuba. Deben ser tenidas en cuenta las propuestas de los dos pulmones de la única Nación cubana: la Isla y la Diáspora, que durante muchos años han tenido como punto de encuentro y consenso la redacción de una nueva Constitución que sea incluyente, pluralista y respete la verdadera libertad de los cubanos.

Confiemos en que así sea.

NUEVA CONSTITUCIÓN: ¿CONSULTA POPULAR?

Por Yoandy Izquierdo Toledo | 2 agosto, 2018

Al fin ha visto la luz para toda la población el tan esperado «Proyecto de Constitución de la República de Cuba» el 31 de julio de 2018. La red de Correos de Cuba lo pondrá a disposición de todos a través de la venta en forma de Tabloide en los estanquillos del país. Toca a cada cubano ejercer la responsabilidad de estudiar, debatir y proponer sobre la que será la nueva ley principal de la República y que regirá el futuro de la Nación.

Dicho Proyecto será sometido a consulta popular entre el 13 de agosto y el 15 de noviembre del 2018. Este mecanismo (la consulta popular) es aquel que se usa para posibilitar la participación ciudadana en un proceso de toma de decisiones, sirviendo para ejercer el derecho constitucional de aportar en torno a temáticas de trascendencia nacional, de forma tal que la voluntad de cada uno de los ciudadanos pueda incidir realmente en el debate y el conjunto de decisiones que posteriormente adopten los órganos representativos del Estado.

¿La consulta popular es un verdadero signo de democracia en Cuba? Sería bueno hacernos esta pregunta muchas veces y generar muchas respuestas, que sean todas escuchadas y canalizadas las peticiones que de ellas se deriven. Ya el proceso de confección de un Anteproyecto de Constitución, elaborado por una comisión elegida «a dedo», no es un buen comienzo para asegurar una democracia real desde la base; pero debemos ejercer al menos estas cuotas de derecho a opinar que tenemos a través de la consulta popular y luego en el referendo. Ahora bien, el asunto está en ser lo verdaderamente críticos y propositivos y para ello se requiere de un estudio detallado del proyecto que se nos presenta.

Conocemos de la falta de educación cívica que sufrimos los ciudadanos cubanos. En muchos casos no se conoce nada de la historia constitucional del país; cuando más las modificaciones últimas de 2002, para introducir pequeños cambios que, a la larga, no cambiaron mucho en beneficio de la ciudadanía. En el proyecto que ahora nos presentan, 16 años después del último toque que se le dio a la Constitución de la República de Cuba, aparecen 87 artículos más que en la vigente, para un total de 224. De la actual Constitución se mantienen 11 artículos, se modifican 113 y se eliminan 13. La pregunta es: ¿conocemos los cubanos que vamos a hacer el análisis dónde fueron introducidos los cambios, qué era lo que estaba establecido antes y qué se propone ahora? ¿Tenemos propuestas concretas, peticiones reales, derechos que queremos ver reflejados en la nueva Carta Magna? ¿Podemos tener la certeza de que nuestras peticiones serán escuchadas? ¿Serán escuchadas las propuestas que tenemos muchos grupos de la sociedad civil que hemos trabajado el tema de reforma constitucional?

Recuerdo cuando hubo un exhaustivo análisis de los «Lineamientos de la Política Económica y Social del Partido y la Revolución para el período 2016-2021» en cada una de nuestras escuelas, universidades, centros de trabajo, etc. Nunca supimos si el debate y las propuestas que emanaron de aquel tiempo fueron tenidos en cuenta, máxime cuando escuchamos en voz de nuestros dirigentes que el proceso de actualización ha sido complejo y sabemos que en la práctica se ha cumplido un bajo porcentaje de lo que fue planteado en aquellas directrices de país. Espero y deseo que este proceso entorno a la nueva Constitución sea transparente, que cada cubano pueda verse reflejado en su texto, que sean escuchadas las opiniones; pero sobre todo, que existan opiniones, que no se convierta en un simple análisis porque es una «orientación de arriba».

A la pregunta de qué esperan los cubanos de la nueva Constitución nos encontraremos disímiles respuestas: la de los que no esperan nada, los pesimistas de siempre que no participan en el proceso y desinflan a los demás; la de los que tienen una buena educación ética, cívica y política y piden cambios estructurales asentados en los derechos civiles, económicos, políticos y culturales; y la de los amplios sectores populares que tan solo piensa que mejore la vida, y ya eso es bastante.

Creo que debemos participar en la consulta popular con propuestas que reflejen nuestras expectativas y luego votar, según nuestra conciencia, en el referendo que aprobará o no la nueva Constitución.

¿IMPOSIBLE CUBA? EL ARTE Y LAS TRAMPAS DE LA DISONANCIA

Por Yvon Grenier | 12 agosto, 2018

Entre la lealtad total a un régimen autoritario y la disidencia abierta, se encuentra la disonancia, un término utilizado a menudo en psicología (la «disonancia cognitiva») pero definido aquí, desde una perspectiva política, como un uso innovador de la expresión pública que prueba la tolerancia del gobierno para la inortodoxia.

El método utilizado por la disonancia se puede resumir de la siguiente manera: busca ampliar el vocabulario utilizado para reflexionar y discutir sobre cultura y asuntos públicos, sin desafiar directamente la narración maestra (*master narrative*) o metapolítica. El resultado es un tipo peligroso de expresión y actividad que explora las fronteras de lo permisible, sin cruzar un punto de no retorno fuera del juego.

Los grupos disonantes de hoy son acosados por el Estado y atacados por una falange de blogueros oficiales, que insisten en exponerlos como disidentes de buena fe y agentes plattistas de la contrarrevolución. Son algo tolerados, sin ser reconocidos como organizaciones públicas legítimas, por lo que sobreviven como empresas semiclandestinas. Muchas son visibles en el extranjero (de hecho más visibles que en casa), donde sus líderes pueden (aunque no siempre) viajar y participar en foros y conferencias, auspiciados por entidades extranjeras, en su mayoría universidades y *think tanks* u ONGs con agendas políticas, como la de Soros. Como fue ilustrado abundantemente el año pasado durante la campaña oficial contra el «centrismo» en Cuba, aceptar cualquier tipo de apoyo desde el extranjero, incluso como una invitación a participar en una conferencia (es decir, no como salario o donación a sus organizaciones), inmediatamente proporciona al gobierno la prueba incriminatoria de ser quinto columnista.

La conclusión natural de la disidencia es la cárcel o el exilio. La disonancia puede también llevar a los mismos resultados, pero también al «exilio interno» (insilio), lo cual puede ser más o menos permanente o de gran alcance. Los actores disonantes saben jugar un juego de gato y ratón con los censores, un juego que puede dar frutos, incluso para el régimen. En otras palabras, un desafío clave para todos los gobiernos autoritarios, incluyendo los más totalitarios, es la gestión de la disonancia.

Las líneas que separan la disonancia de la ortodoxia y la disidencia son elusivas y pueden cambiar, hasta un punto. Bajo cualquier régimen autoritario, los actores saben donde hay una línea roja absoluta en el caso de Cuba, por ejemplo, la naturaleza socialista del régimen es constitucionalmente «irrevocable» y no se puede cuestionar públicamente la asociación oficial y metonímica con la nación y la ubicua Revolución.

DISTANCIA FRENTE AL IRREALISMO SOCIALISTA

Es bastante típico de cualquier régimen autoritario tener una línea oficial fácilmente reconocible, caracterizada por una celebración absurdamente boyante de sus jefes políticos. Sin embargo, mientras Granma o la Mesa Redonda son ejemplos de kitsch propagandísticos, revistas culturales como La Gaceta de Cuba o la revista de ciencias sociales Temas disfrutan de un espacio cerrado para apartarse de las narrativas oficiales de corte irrealista socialista, para a veces acercarse a la disonancia.

A lo largo de los años, líderes de la Revolución han retado a periodistas a ser más críticos, invitándoles a explorar el límite de la tolerancia oficial a la disonancia. Los periodistas (en medios oficiales) saben muy bien: buscar esa «línea» que no causa más que problemas. Así que prefieren no apartarse del irrealismo socialista, sabiendo muy bien qué es exactamente lo que se espera de ellos. Si bien los líderes demócratas pueden celebrar la prensa libre y reconocer ocasionalmente el valor de los medios críticos, ninguno de ellos siente la necesidad de pedir más críticas a los medios de comunicación. Solo bajo dictaduras encontramos líderes políticos lamentando la timidez de los periodistas.

Fui testigo de un buen ejemplo de esta aversión al riesgo durante la pasada reunión de la *Latin American Studies Association* (LASA) en Barcelona, una asociación académica históricamente muy simpática al régimen cubano. Un panel de estudiosos cubanos, incluyendo intelectuales con capacidad crítica como Juan Jorge Valdés Paz, Rafael Acosta de Arriba y Julio César Guanche Zaldívar, presentó reflexiones sobre el tema «Cómo investigar en Cuba» sin jamás mencionar el problema central y determinante de la investigación en la Isla: la ausencia casi total de libertad académica. La compañera que les atendía hizo un buen trabajo.

La evolución de la disonancia en Cuba desde la revolución 1959 sigue la evolución de la censura en general. A través de varios períodos de «apertura» y «cierre» del espacio político, individuos y grupos disonantes han sido tolerados (o no). Bajo el gobierno de Fidel, tres notorios «golpes» sacudieron a la disonancia: *El Caimán Barbudo* bajo la dirección de Jesús Díaz (1966-1967), *Pensamiento Crítico* (febrero 1967 a junio de 1971), y el Centro de Estudios sobre América (1976-1996). A pesar de la mitología sobre lo poco ortodoxos que eran estos grupos (especialmente *Pensamiento Crítico*), su nivel de disonancia era mínimo. Simplemente perdieron la competencia por el reconocimiento por el poder en estos momentos particulares.

DISONANCIA COMO ESPADA DE DOBLE FILO

La disonancia es experimental para sus practicantes, pero también para el régimen. La apertura a la disonancia presenta riesgos: ¿Qué pasa si los actores desarrollan una ambición de expresarse siempre más libremente? Cerrar el espacio para la expresión pública también presenta riesgos: eliminar la disonancia por completo, con altisonante represión, solo alimenta la disidencia y devasta la creatividad. Gobiernos auto-llamados revolucionarios necesitan un campo cultural dócil pero activo. En resumen, el juego de la disonancia puede ser rentable pero también riesgoso tanto para los actores como para el mismo régimen.

Si bien los disidentes solo pueden encontrarse en países no democráticos, también se encuentran actores disonantes en las democracias. Siempre hay paradigmas y ortodoxias dominantes para desafiar, bajo cualquier sistema: mitos nacionales, rectitud política, paradigmas culturales y artísticos. Mientras que en los países democráticos la disonancia puede ser un motor para la creatividad, el cambio y el progreso, su efecto en los países no democráticos es ambiguo porque puede cortar de ambos lados: nutriendo los enclaves de libertad y fomentando el cambio, o proporcionando una «válvula de puerta» útil para el sistema. La famosa cita de Lampedusa encapsula bien esta aparente paradoja: «para que las cosas permanezcan igual,» dice uno de sus personajes en su novela Il Gatopardo, «las cosas tendrán que cambiar». Cambiar, o «abrir» el campo cultural para mejor controlar y desactivar la oposición verdadera, recompensar (o no castigar) la crítica tímida, tantas estrategias muy en sincronías con el nuevo autoritarismo del siglo XXI.

Algunos consideran a *Temas* y *Último Jueves* como un grupo disonante, pero aunque ocasionalmente ofrecen una tribuna a voces disonantes (sobre todo la socióloga Mayra Espina), algunas de las cuales también contribuyen a Cuba posible (ej. Julio César Guanche), es sobre todo una publicación oficial dirigida por una persona de confianza del poder, el científico social Rafael Hernández. Muchos de los colaboradores de *Temas* (y de hecho su director) fueron «supervivientes» de *El Caimán Barbudo* (época Díaz), Pensamiento crítico y CEA. Esto sugiere continuidad en la disonancia. Y, sin embargo, esta continuidad de las disposiciones es eclipsada por una discontinuidad de los contextos. Si la alabanza de Díaz para la Nueva Política Económica de Lenin resultó ser disonante en su único artículo publicado en Pensamiento crítico, probablemente no habría sido considerada así en los últimos veinticinco años. Lo que pasa como disonante hoy podría haber sido fácilmente interpretado como una disidencia a secas en la década de 1970.

Los grupos disonantes en la Cuba de hoy tienen en común que se comprometan a «cambiar», pero como se apresuran a señalar, un cambio pacífico y de consenso, sin una contestación explícita de la ideología dominante y sin confrontación abierta con el régimen. Todos anclan su búsqueda de la aspiración en el legado de José Martí y el *Etre Suprême* «La Revolución», a lo mejor, con niveles variables de convicción. Ninguno son públicamente conservadores, derechistas o liberales, ya sea por convicciones o por táctica (estas opciones ideológicas no están permitidas públicamente en Cuba). De hecho, el espectro ideológico de la disonancia en Cuba va más o menos de la democracia cristiana, al estilo latinoamericano (es decir, el centro o la izquierda del centro), a la economía socialista de mercado al estilo de Vietnam, con el populismo izquierdista y los residuos de la socialdemocracia en el medio. Uno sospecha que muchos acogerían con agrado una liberalización más profunda de la economía y la democratización política, pero abogar explícitamente por esas opciones constituye un desafío directo y explícito al régimen. En otras palabras, para permanecer en el juego, la disonancia bien puede ser disidencia en modo de supervivencia, un modo que es su propio fin, hasta que las reglas del juego cambien. (Suena como el título de un libro de Tomás Borges: La paciente impaciencia).

La crítica verdadera «dentro de la revolución» es en última instancia imposible, porque «oposición leal» no existe en la nueva lengua cubana. O como un historiador cubano lo puso en *Cubadebate* (5 de junio) durante el agotador «debate» sobre «centrismo», durante el verano de 2017: «no debemos tenerle miedo al debate. Además, no podemos ni debemos temerle a la llamada 'oposición cubana, la cual no existe…'» Paciencia impaciente, imposible posibilidad, convivencia con enemigos de la convivencia; parece que la rica lengua castellana no alcanza para capturar la ambigüedad y la mezcla de lucidez y de esperanza ciega que anima la disonancia en la Cuba de hoy.

APUNTES PARA UNA REFORMA CONSTITUCIONAL

Por Ángel María Mesa Rodríguez | 12 agosto, 2018

La redacción de la Constitución de un Estado puede resultar la expresión de la clase dominante como instrumento garante de sus intereses dentro de la sociedad, o puede ser la concreción de los mejores anhelos de un pueblo manifestado como su Ley Fundamental. Las modificaciones a este importantísimo documento van ajustadas a la realidad que vive la nación en ese momento y su proyección hacia el futuro inminente.

Cuba tiene abundancia en su historia constitucional. Comienza en 1812 con la proclamación por las Cortes Generales de España de la Constitución de Cádiz, desde entonces las autoridades españolas asignadas a la Isla pretendían regir su quehacer político, económico y social. A la de Cádiz le sustituyó el Estatuto Real de 1834 que tuvo su revisión en 1837. En 1876 el rey Alfonso XII declaró una que estuvo vigente hasta 1897, fecha en que se promulgó la Constitución Autonómica.

Tempranamente, los criollos fueron gestando un pensamiento sobre derechos propios, cuya génesis es el pensamiento y proyectos de Francisco de Arango y Parreño (1811), le secundaron el abogado Joaquín Infante (1812), el Presbítero José Agustín Caballero (1812), el Padre Félix Varela (1822) y Narciso López (1850), quienes por separado elaboraron documentos de perfil autonomista. Este pensamiento evolucionó hasta encarnarse en las constituciones independentistas de Guáimaro (1869), de Baraguá (1878), de Jimaguayú (1895) y La Yaya (1897). Mientras que en la etapa republicana se redactaron la de 1901 revisada por Gerardo Machado (1928) y la de 1940. Luego en el periodo revolucionario se escribieron la Ley Fundamental (1959), la Constitución Socialista de 1976, esta última reformada en 1992 y posteriormente en el 2002.

Prontamente, los cubanos conoceremos una nueva reforma a la ya reformada Constitución Socialista de 1976. Esta reformulación es consecuencia del nuevo escenario político, económico y social que vive la nación. La culminación del liderazgo de la generación histórica y la transición hacia una nueva generación de gobernantes, el retroceso de la izquierda latinoamericana y la mutación económica del socialismo en Asia marcan pauta en el escenario político. La poca de credibilidad financiera, el lastre sobre las empresas estatales y el estancamiento del sector no estatal, la creciente corrupción, el aumento del costo de la vida, el descontento popular producto del retorno a un nuevo periodo especial no anunciado y la falta de compromiso de las nuevas generaciones, son consideraciones de peso económico y social.

La necesidad de cambios es urgente. Realizar cambios tan significativos requiere primero reconocer que lo establecido está mal o que no es lo mejor, por lo que merece ser transformado; segundo hacer lo necesario para cambiarlo y tercero, en qué dirección orientar dichas transformaciones. Este es un momento crucial para la generación histórica, que será recordada en su ocaso por las generaciones emergentes más por lo que hagan hoy que por lo que hicieron anteriormente pues los de hoy no conocen lo que hicieron ayer porque no lo vivieron. Esta reforma constitucional puede ser su último legado, su testamento político; o es significativamente buena para ser heredada por las generaciones presentes y futuras o será reformulada y olvidada posteriormente. Mas la trascendencia de esta reforma será expresión no de quien o quienes la realicen, sino de cómo encarnará la Magna Ley y las justas necesidades y los nobles deseos del pueblo cubano.

Guiados por el ideario de José Martí, como dice en la propia Constitución Socialista de 1976 en su preámbulo, resulta oportuno decir: «Yo quiero que la ley primera de nuestra república sea el culto de todos los cubanos a la dignidad plena del hombre». Se entiende como dignidad plena del hombre, no solo el reconocimiento de los derechos sino también el disfrute y custodia; no de unos, sino de todos los derechos; no para algunas, sino para todas las personas; no algunas veces, sino siempre. Porque indivisible es la persona humana y por tanto indivisibles son sus derechos, inadmisible resulta dignificarla refrendando unos derechos a cambio de irrespetar los otros.

Al adentrarse uno en el estudio de nuestra Constitución, resulta difícil hacer propuestas específicas sobre cada artículo en particular, por lo que resultaría más provechoso redactar una nueva que modificarla. En su redacción deberían participar activamente representantes de todas las formas de pensamiento y asociación de la sociedad cubana de hoy y no solamente militantes del Partido Comunista de Cuba. Tenemos por referente la Constitución de 1940, orgullo de los cubanos, cuyo texto fue espíritu para constituciones de otras naciones y de la Declaración Universal de los Derechos Humanos (1948) de las Naciones Unidas. En aquel momento el dictador Fulgencio Batista legalizó al Partido Comunista para que participara en su Asamblea Constituyente (1939) junto a otras ocho organizaciones políticas y en la que sus militantes tuvieron destacada participación. Esta es una deuda histórica del PCC con el constitucionalismo y con la pluralidad de pensamiento político y de asociaciones en nuestra Cuba de hoy.

Es imprescindible que en la Constitución de la República de Cuba, como en toda ley, se correspondan su letra y su espíritu. Esto es que su texto diga lo que realmente quiere confirmar su pueblo, de manera clara y concisa para que tenga sin dudas una única y sencilla interpretación, que se siembre en la mente y en el corazón de los cubanos como manifestación de su cultura y arraigo de sus principios. Que sea realmente Ley de las demás leyes, lo que significa que no podrá redactarse otra ley o decreto para los cubanos que la contradiga o será declarada anticonstitucional y por tanto nula; que inspire, promueva y defienda toda la legalidad de la nación. Por tanto no podrá ser ni olvidada, ni manipulada, ni violada, pues su creación y funcionamiento implica deberes y derechos para la vida de sus conciudadanos, pero no privilegios sino responsabilidades en el desempeño de las autoridades.

Para superar la situación interna presente, será necesario realizar cambios profundos que dinamicen la sociedad cubana dotándola de oportunidades viables e inmediatas para que Cuba y sus ciudadanos puedan insertarse exitosamente en el contexto económico y político nacional e internacional. Para esto resulta imprescindible en materia económica, reconocer la importancia de la propiedad privada y potenciarla, reafirmar el derecho de los cubanos a formar sus propias empresas y dotar de autonomía a las empresas estatales. En materia política, precisa valorar el derecho a la libre expresión y la libertad para fundar asociaciones independientes del Estado, así como el reconocimiento al libre flujo de la información y establecer un nuevo código electoral.

Este acontecimiento tiene ya un reproche: el de haber esperado tanto y no haberlo realizado antes. Tiene ya un mérito: reconocer la necesidad de transformaciones más radicales y de un nuevo planteamiento en el orden nacional. Tiene ya una experiencia positiva y una sugerencia: se puede cambiar la ley desde la ley misma y desde las mismas estructuras. Tiene ya una incógnita: ¿Se pueden cambiar las estructuras desde las mismas estructuras y con respeto a la Ley? Tiene ya un reto: no es suficiente cambiar leyes y estructuras, se necesita cambiar los métodos.

No obstante quienes trabajen en la recopilación de los aportes a este proyecto de reforma constitucional y su aprobación, tienen ante sí mismos y ante el pueblo de Cuba, un grandísimo y sagrado compromiso. Oremos todos para que Dios los bendiga y los haga conscientes de la importancia de este proyecto para los cubanos de hoy y del mañana. Que los dote del conocimiento universal y de nuestra patria en este tema, para que puedan identificar y plasmar las necesidades y deseos de este pueblo. Que les dé sabiduría para que puedan tomar las mejores decisiones. Que Dios los consagre con la paciencia y la entereza para que lleguen a encontrar la frase oportuna, la palabra precisa y que derrame sobre ellos mucho valor y humildad para entender que las aspiraciones y decisiones de nuestra patria están por encima de cualquier ideología y de cualquier partido.

En sus manos y en las nuestras está la posibilidad de que esta reforma constitucional no sea la expresión que garantice los intereses de un centro de poder sobre la sociedad cubana sino la concreción de los más nobles y mejores anhelos del pueblo cubano.

ALGUNOS CAMBIOS QUE CUBA NECESITA

Por Jorge Ignacio Guillén Martínez | 12 agosto, 2018

En los últimos meses he tenido la posibilidad de intercambiar ideas con más de una decena de personas de China, siempre he repetido a cada uno la misma pregunta: ¿Cómo se sienten con el sistema político-económico imperante en China en estos momentos? Todos sin excepción me han dado la misma respuesta: a pesar de que no tengan plenas libertades políticas, a pesar de que no exista una democracia y de que aún haya mucha desigualdad, corrupción y pobreza en el país, se sienten satisfechos con el hecho de que China tiene una «economía de mercado» y, por ende, oportunidades y libertades desde el punto de vista económico. Muchos de ellos coincidieron también en otra respuesta: «mientras no te metas con el gobierno, no tienes problemas y puedes prosperar y hacer lo que quieras», por lo que no les interesa cambiar el sistema político o no quieren protagonizar ese cambio.

Sé que el número de personas con las que he conversado no son representativas en un país tan grande y diverso, pero no deja de llamarme la atención esta sencilla coincidencia, especialmente cuando trato de pensar en Cuba y en los cambios que de una forma u otra han de darse en nuestra sociedad, y por supuesto no dejo de pensar en la postura que estamos asumiendo los cubanos y la que asumiremos ante el futuro que se avecina. El contexto y la cultura también son totalmente diferentes en China y en Cuba, pero, ¿acaso no estamos los cubanos, como los chinos con los que he intercambiado, más interesados por el progreso económico que el progreso en términos políticos, sociales y lo que es peor, el progreso en términos espirituales y humanos?

La respuesta a esta pregunta obviamente requiere de un profundo estudio, sin embargo, se puede intuir en nuestros ambientes que muchas veces lo «económico» predomina sobre lo demás, algo que de cierta manera es entendible por las precarias condiciones de vida en las que a menudo vivimos los cubanos. De cara al futuro, este es un gran reto que se presenta y al cual hemos de hacer frente con astucia, para que Cuba pueda avanzar hacia un verdadero Desarrollo Humano Integral (DHI).

Cuba necesita mucho más que cambios económicos entender esto no se hace difícil si se estudian otras experiencias internacionales donde los cambios económicos por sí solos no han podido generar progreso y desarrollo en términos generales. También muchos estudiosos del tema del desarrollo señalan la importancia de cambios políticos y sociales que acompañen el progreso en materia económica. Incluso el propio caso de China o Vietnam no son buenos ejemplos a seguir (a pesar de su apertura económica) en términos de progreso social y democratización. En Cuba, al contrario de cómo algunos profesionales proponen, no será la apertura al mercado por sí sola la que generará cambios encaminados al DHI, necesitamos una secuencia de cambios que incluya, entre otros:

Cambios económicos como la libre empresa, la propiedad privada y la liberación de las fuerzas productivas, para que la gente pueda invertir, hacer negocios y prosperar sin miedo a perder lo que tienen, comerciar nacional e internacionalmente. Por supuesto este proceso ha de ser gradual, desde cambios inmediatos como la solución a la dualidad cambiaria y monetaria, y la generación de un ambiente legal apropiado para promover el sector privado, por ejemplo, incluyendo a los profesionales en esa forma de gestión, hasta cambios más profundos como los anteriormente mencionados que permitan avanzar hacia una economía de mercado. Economía de mercado que lejos de abrir totalmente las puertas del país hacia grandes empresas transnacionales, debe estar enfocada y encaminada hacia un mayor desarrollo de la micro, pequeña y mediana empresa como motor dinamizador de la economía.

Cambios políticos que promuevan el respeto al pluripartidismo, a la libertad de expresión, de asociación y de prensa, entre otros derechos humanos, cívicos y políticos. Que garanticen un sistema electoral con verdadera representación democrática, cambios que promuevan la participación y la diversidad política como elementos sanos y necesarios para el buen funcionamiento de la sociedad. En resumen, cambios que hagan avanzar a Cuba hacia la construcción de una verdadera democracia, y una República libre y soberana.

Cambios sociales que garanticen servicios públicos de calidad, de manera subsidiaria y no asistencialista o paternalista. Que promuevan el desarrollo de una sociedad civil madura capaz de regular y balancear la libertad del mercado y la intervención del Estado, de manera que no haya gente con impedimentos para ejercer su libertad y alcanzar su pleno desarrollo, al mismo tiempo que exista un soporte de calidad y eficiente para quien no pueda agenciarse su desarrollo pleno.

Cambios encaminados a sanar el daño antropológico. Si bien Cuba es uno de los países del mundo en los que más se presume de la existencia de brillantes profesionales, cosa que no pongo en duda, hay mucho camino por andar en términos de verdadera educación y formación humana. Como muchas veces se ha repetido en el Centro de Estudios Convivencia (CEC), sanar el daño antropológico es y será el mayor de los retos en la Cuba que se avecina. Construir una sociedad en la que sus ciudadanos se preocupen y participen activamente en la agenda social, política, económica, cultural, etc.; una sociedad con ciudadanos capaces de pensar con cabeza propia, tomar sus propias decisiones y conducir sus vidas con libertad y responsabilidad hacia la búsqueda del bien común, son algunos de los cambios que demanda Cuba. Para ello se necesita ante todo una reforma profunda del sistema educativo, en la que se despoje el sistema educativo de toda influencia ideológica o cualquier manifestación de adoctrinamiento.

Si bien la voz popular a veces parece más inclinada o atraída por cambios económicos que por otros como los mencionados anteriormente, también existen personas dentro y fuera de Cuba que se han dedicado y se dedican a proponer soluciones integrales para la Cuba futura, soluciones que pasan por lo económico, pero también por lo político, social, cultural, y espiritual. En este sentido uno de los ejemplos que no puedo dejar de mencionar es el esfuerzo que desde el CEC se viene realizando en un itinerario de pensamiento y propuestas para el futuro de Cuba, en el que se viene estudiando de manera integral diferentes facetas de la vida nacional, con propuestas de cambio claros para el futuro las que pueden ser consultadas en los distintos informes de estudio que se han estado publicando en el sitio (www.centroconvivencia.org) del CEC.

REFORMA SIN SOBERANÍA POPULAR ES IGUAL A FRACASO

Por Dimas Cecilio Castellanos Martí | 12 agosto, 2018

Entre las principales causas de la crisis de Cuba se encuentra la ausencia de las libertades fundamentales: de conciencia, información, expresión, reunión, asociación, sufragio y *habeas corpus*, que constituyen la base de la comunicación, intercambio de opiniones, concertación de conductas y toma de decisiones. La subordinación constitucional de esas libertades a un partido político condujo a la desaparición de la soberanía popular y de su portador, el ciudadano.

Sin el concepto de soberanía popular, surgido en la lucha contra las monarquías en los nacientes estados nacionales de Europa e incorporado a los textos constitucionales modernos, no puede explicarse el desarrollo de los pueblos ni de la democracia. Ese concepto es prácticamente desconocido por los cubanos de hoy, quienes, inmersos en la sobrevivencia, les resulta alejado de sus necesidades inmediatas.

Por la importancia del mismo, el presente trabajo señala los aportes al concepto de soberanía de cinco de sus principales exponentes, su presencia en la historia constitucional cubana hasta 1952, las críticas a la ruptura del orden constitucional ocasionada por el Golpe de Estado de 1952 y la necesidad de recuperar su verdadero significado.

Aportes de cinco de sus exponentes:

1. El francés Jean Bodin, en Los seis libros de la república (1576), definió la soberanía como el poder máximo que tiene el soberano; un poder absoluto, indivisible e irrestricto para imponer leyes, que reside en el monarca, quien se somete únicamente a la ley divina o natural.

2. El alemán Juan Altusio, en Análisis Sistemático de la Política (1603), introdujo el concepto de soberanía popular, al que definió como patrimonio colectivo que reside en el pueblo y no puede ser enajenado ni transferido, pero sí representado por un gobernante designado para una función pública, quien puede ser destituido por el pueblo.

3. El inglés Thomas Hobbes, en su Leviatán (1651), planteó la existencia de un estado de naturaleza originario del cual la humanidad sale a través de un contrato que da nacimiento a la sociedad civil. Mediante ese contrato los hombres, para su seguridad, renuncian a sus derechos y libertades y transfieren la soberanía al monarca instituido para que los gobierne.

4. El francés Carlos Luis de Secondat barón de Montesquieu, en El espíritu de las leyes (1748), definió al gobierno republicano como aquel en que el pueblo, o una parte del pueblo, tiene el poder soberano y expuso la teoría liberal de la división de poderes: el Legislativo para la elaboración de las leyes; el Ejecutivo para su cumplimiento; y el Judicial para su aplicación y observancia. Con la división tripartita, base de las modernas repúblicas y de las democracias, Montesquieu complementó el concepto de soberanía que tomó cuerpo en la Declaración de Independencia del Congreso de Filadelfia de 1776, en la Declaración de los Derechos del Hombre y del Ciudadano de 1789 y en los posteriores textos constitucionales de Europa y América y sentó los cimientos de la sociedad civil con la siguiente tesis: «El pueblo que goza del poder soberano, debe hacer por sí mismo todo lo que él puede hacer; y lo que materialmente no puede hacer por sí mismo y hacerlo bien, es menester que lo haga por delegación en sus ministros».[1]

5. El francés Jean-Jacques Rousseau en el Contrato Social o principios del derecho político (1762), enriqueció el concepto al definir la soberanía como poder del pueblo. Según su teoría el contrato —que convierte a los contratantes en una persona pública para defender y proteger los bienes de cada asociado— toma el nombre de República o Cuerpo Político, en la cual reside la soberanía. En ese cuerpo, cada uno, uniéndose a todos, no obedece sino a sí mismo y permanece tan libre como antes.[2] Los asociados colectivamente toman el nombre de Pueblo y particularmente el de ciudadanos.[3]

---

[1] Montesquieu. *El Espíritu de las leyes*. La Habana, Editorial de Ciencias Sociales, p. 50.

[2] J, J, Rousseau. *Obras Escogidas*. La Habana, Editorial de Ciencias Sociales, 1973, p. 612.

[3] Idem. p. 613.

Sin la presencia de esas ideas es imposible entender y explicar la evolución política, económica y social de Cuba entre principios del siglo XIX y mediados del siglo XX.

El Proyecto de Gobierno Autonómico para Cuba (1811) del padre José Agustín Caballero, contemplaba la creación de una Asamblea de Diputados del Pueblo, designados mediante sufragio, con poder para dictar leyes.

El Proyecto de Constitución (1812) del bayamés Joaquín Infante, de carácter independentista, contemplaba la división entre los poderes Legislativo, Ejecutivo, Judicial y Militar, recogía la observancia de los derechos y deberes sociales dirigidos a la igualdad, a la libertad, a la propiedad y a la seguridad.

El Proyecto de Instrucción para el Gobierno Autonómico Económico y Político de las Provincias de Ultramar (1823) del Padre Félix Varela —considerado padre del constitucionalismo cubano— introdujo la ética como portadora del principio de la igualdad de todos los seres humanos y fundamento de los derechos sobre los cuales se erigen la dignidad y la participación ciudadana.

La Constitución de Guáimaro (1969) refrendó la separación de los poderes Legislativo, Ejecutivo y Judicial, así como las libertades de culto, imprenta, reunión pacífica, enseñanza y petición.

Con el Pacto del Zanjón (1878), firmado al concluir la Guerra de los Diez Años, a cambio de la independencia Cuba obtuvo las libertades de reunión, asociación y de prensa que dieron nacimiento a la sociedad civil en plena colonia. Surgieron de ellas los primeros partidos políticos, asociaciones gremiales, fraternales, órganos de prensa y otras.

La Constitución de Jimaguayú (1895), depositó la soberanía en un Consejo de Gobierno. El Poder Ejecutivo recayó en el Presidente, el Legislativo quedó en las manos del Consejo de Gobierno y el Judicial, organizado por el Consejo pero con funcionamiento independiente.

La Constitución de La Yaya (1897), la más completa de las constituciones mambisas incluyó una parte dogmática —dedicada a los derechos individuales y políticos— donde reza que nadie puede ser detenido, procesado ni condenado sino en virtud de hechos penados en leyes anteriores a su ejecución y en la forma que la misma determinen; todos los habitantes del país quedan amparados en sus opiniones religiosas y en el ejercicio de sus respectivos cultos; todos los cubanos tienen derecho a emitir con libertad sus ideas y a reunirse y asociarse para los fines lícitos de la vida.

La Constitución de 1901, en su primer artículo declaró que «El pueblo de Cuba se constituye en Estado independiente y soberano, y adoptó la forma de gobierno republicana»[4] y la división tripartita de los poderes públicos. En el artículo 43 refrendó: «La soberanía reside en el pueblo de Cuba, y de este dimanan todos los Poderes Públicos».[5]

La Constitución de 1940 amplió los derechos y libertades contemplados en la de 1901; ratificó la división de poderes; confirmó la residencia de la soberanía en el pueblo; extendió el sufragio universal hasta las féminas; y legitimó la resistencia adecuada para la protección de los derechos individuales.

Esas libertades refrendadas constitucionalmente a lo largo de nuestra historia sin acotamientos partidistas o ideológicos, abrieron el proceso de liberación de las colonias españolas en América, cuyo último eslabón fue Cuba. En esta filosofía –dijo Fidel Castro– se alimentó nuestro pensamiento político y constitucional que fue desarrollándose desde la primera Constitución de Guáimaro hasta la de 1940.[6]

CRÍTICAS A LA RUPTURA CONSTITUCIONAL OCASIONADA POR EL GOLPE DE ESTADO DE 1952

En su alegato *La historia me absolverá*, Fidel Castro expresó: «Os voy a referir una historia. Había una vez una República. Tenía sus leyes, sus libertades; Presidente, Congreso, Tribunales; todo el mundo podía reunirse, asociarse, hablar y escribir con entera libertad. El gobierno no satisfacía al pueblo, pero el pueblo podía cambiarlo y ya solo faltaban unos días para hacerlo. Existía una opinión pública respetada y acatada, y todos los problemas de interés colectivo eran discutidos libremente. Había partidos políticos, horas doctrinales de radio, programas polémicos de televisión, actos públicos y en el pueblo palpitaba el entusiasmo».[7]

Más adelante, al referirse a la interrupción del orden constitucional por el Golpe de Estado de 1953, expresó: Es un principio elemental de derecho público que no existe la constitucionalidad allí donde el Poder Constituyente y el Poder Legislativo residen en el mismo organismo.[8] Y anunció, que de las cinco leyes revolucionarias que serían proclamadas

---

[4] H. Pichardo. *Documentos para la historia de Cuba*. Tomo II, p. 75.

[5] Idem. p., 82.

[6] F. Castro. *La historia me absolverá*. Edición anotada. La Habana, Oficina de Publicaciones del Consejo de Estado, 2008, p. 85.

[7] Idem, p. 72.

[8] Idem, p. 81.

después de tomar el cuartel Moncada, la primera: devolvería al pueblo la soberanía y proclamaría la Constitución de 1940 como la verdadera ley suprema del Estado, en tanto el pueblo decidiese modificarla o cambiarla».[9]

Una vez en el poder, el 7 de febrero de 1959, sin mediar consulta popular la Constitución del 40 fue sustituida por los estatutos denominados Ley Fundamental de la República de Cuba, violándose un atributo esencial de la soberanía popular que sería restituida: la facultad de reformar la ley suprema de la nación. Una sustitución que rigió durante 17 años hasta que en 1976, en medio de la Guerra Fría, se aprobó la primera Constitución de la revolución «en sintonía con el constitucionalismo comunista del siglo XX, el texto del 76 hizo del Estado el principal sujeto de derecho y subordinó las libertades y garantías individuales a una nueva estructura jurídica y política construida a partir de 1959».[10]

En ella las libertades fundamentales perdieron su esencia al quedar subordinadas al artículo cinco, que «reconoce al Partido Comunista como la fuerza superior dirigente del Estado y de la sociedad para construir el socialismo y avanzar hacia el comunismo».

Mientras que los artículos seis y siete definieron a las asociaciones que reconoce, protege y estimula dicho partido, con lo cual la sociedad civil existente quedó erradicada legalmente. Fue, por tanto, un retroceso respecto a las constituciones precedentes.

LA RECUPERACIÓN DE SU SIGNIFICADO

Las reformas a las que la Constitución de 1976 ha sido sometida no lograron ni lograrán colocar la sociedad cubana a la altura de los tiempos hasta tanto no se restituyan las libertades fundamentales, la división de poderes y la soberanía popular. Su desfase con la realidad, interna y externa es de tal magnitud que la misma requiere ser sustituida. Para ello habrá que tener en cuenta propuestas surgidas de la sociedad civil alternativa, como es el caso del Segundo Informe elaborado por el Centro de Estudios Convivencia bajo el título: «Resultados de los estudios sobre Tránsito Constitucional y Marco Jurídico en Cuba. De la ley a la ley» (www.centroconvivencia.org/Propuestas).

De espalda a esa realidad, el Gobierno, subordinando las necesidades del país a una ideología y a la conservación del poder ha optado por una

---

[9] Idem. p. 46.

[10] R. Rojas. Velia Cecilia Bobes y Armando Chaguaceda (coordinadores) *El cambio constitucional en Cuba*. México, Centro de Estudios Constitucionales Iberoamericanos A.C. Fondo de Cultura Económica, 2017.

reforma; un propósito posible por la inexistencia de un Estado de derecho, de una sociedad civil autónoma y de ciudadanos, lo que permite al poder constituido, es decir a las autoridades actuales, proceder a una reforma en lugar de convocar a un poder constituyente elegido por el pueblo. Sin embargo, si se insiste en desconocer las causas fundamentales del estancamiento social —como parece indicar— la reforma anunciada será un nuevo fracaso, porque la solución a la profunda crisis en que Cuba se encuentra resulta y resultará imposible sin la participación de los cubanos como verdaderos sujetos del cambio. Aquí radica el quid del problema.

En la Constitución de 1976 la soberanía formalmente continuó residiendo en el pueblo. Su artículo 3 reza: En la República de Cuba la soberanía reside en el pueblo, del cual dimana todo el poder del Estado[11]. Digo formalmente porque resulta imposible que, desconociendo la división de poderes, la ausencia de sufragio universal libre para elegir a los representantes y en ausencia de otros partidos políticos, la soberanía pueda residir en el pueblo. Para que no quede duda el artículo 62 expresa nítidamente que: Ninguna de las libertades reconocidas a los ciudadanos puede ser ejercida contra lo establecido en la Constitución y las leyes, ni contra la existencia y fines del Estado socialista, ni contra la decisión del pueblo cubano de construir el socialismo y el comunismo.

La residencia de la soberanía en el pueblo, además de una necesidad, constituye una deuda pendiente con la historia constitucional del mundo y de Cuba, y con los delegados a las asambleas constituyentes de Guáimaro, Jimaguayú, La Yaya, la de 1901 y la de 1940; pues, una Constitución legítima es aquella que emana directamente del pueblo soberano.[12]

Todo intento de ignorar o limitar las libertades fundamentales como derecho trascendental e inherente a la persona humana, como ha ocurrido en Cuba, además de constituir la causa fundamental de nuestro estancamiento, está y estará condenada al fracaso, pues la participación pública en los destinos del país es vital y ello requiere de la existencia del ciudadano y de la soberanía.

---

[11] Ministerio de Justicia. *Constitución de la República de Cuba* (actualizada), 2004, La Habana.

[12] F. Castro. *La historia me absolverá*. Edición anotada. La Habana, Oficina de Publicaciones del Consejo de Estado, 2008, p. 32.

¿LOS CAMBIOS ESPERADOS?

Por Yoandy Izquierdo Toledo | 12 agosto, 2018

En tiempos donde el tema de reforma constitucional cobra vida, es válido fomentar el debate ciudadano y estar atentos a los cambios que pueden ser introducidos en una nueva Carta Magna para la República de Cuba. La historia constitucional del país es bastante rica, y está dividida en tres periodos fundamentales: 1. Las constituciones de la época colonial (Guáimaro, 1869; Jimaguayú, 1895 y La Yaya, 1897); 2. Las constituciones de la época republicana (1901 y 1940); y 3. La Constitución Socialista de 1976, con su reforma en 1992. Sin embargo la educación ciudadana en torno a tan importante cuestión es escasa y no existen canales de información efectivos para potenciar el conocimiento en la población.

Cualquier graduado universitario, que no sea afín a las carreras de Derecho, Historia o Filosofía, puede concluir sus estudios superiores sin conocer, por ejemplo, las partes esenciales que componen una Constitución. Estas son:

1. Fundamento: Establece los principios en que se basa la legalidad y la organización del Estado. En esta parte se recoge la tradición histórica, cultural, política y social de la Nación. Puede escribirse en forma de Preámbulo o puede incluirse en el Articulado.

2. Derechos de las personas y Garantías constitucionales: Se incluyen en el Articulado y declara la aplicación de los Derechos Humanos contenidos en los pactos principales de las Naciones Unidas: el Pacto Internacional de Derechos Civiles y Políticos y el Pacto Internacional de Derechos Económicos, Sociales y Culturales, aprobados el 16 de diciembre de 1966 y aquellas garantías que la Ley establece para que se puedan aplicar y salvaguardar estos Pactos que Cuba firmó. En Constituciones de inspiración personalista estos son los primeros capítulos. En Constituciones de carácter más colectivista se colocan en segundo lugar, después de otros preceptos más Estatales o sociales.

3. Parte Orgánica: Es aquella en que se establece la organización, funcionamiento, control y duración de los Órganos del Poder del Estado, es decir, Legislativo, Ejecutivo y Judicial, así como algunos principios del Sistema Electoral que regirá en el país.

4. Cláusulas de Reforma: en esta parte se incluyen los Artículos que establecen los mecanismos que garantizan una necesaria Reforma Constitucional con el fin de no dejarla en manos de alguno de los poderes o de grupos de personas seleccionadas arbitrariamente. Para diferentes tipos de reformas atendiendo a su profundidad y extensión se establecen mecanismos cada vez más severos de consulta popular obligatoria. Por ejemplo: si las reformas son de «forma» o «cosméticas», se decide en el Parlamento; pero si se refiere a algún principio o derecho o reforma profunda de alguno de los Poderes, se somete a Referéndum. (Cf. Libro de texto «Ética y Cívica: Aprendiendo a ser persona y a vivir en sociedad». Curso 3: «Vivimos en sociedad». Tema 8: «La Constitución de la República». 2014. Ediciones Convivencia. p. 131).

Todo contenido de la Constitución debe responder a la identidad nacional y a las verdaderas necesidades del pueblo. Es por ello que aún sin saber exhaustivamente sobre los mecanismos, apreciamos que existe una preocupación sobre qué contenidos cambiarán en la Ley de Leyes cubana. Los cubanos estamos necesitados de cambios que conduzcan hacia una verdadera libertad personal. Por hablar solo de algunos: una reforma en la ley electoral que propicie unas elecciones reales en Cuba, donde no deleguemos nuestros derechos en intermediarios que nos «representan» y ejercen el voto por nosotros en instancias superiores; una nueva Ley de Asociaciones que respete la libertad de organización de la ciudadanía en organizaciones intermedias entre la persona humana y el Estado como servidor público, que evite las exclusiones y la división en sociedad civil independiente y organizaciones que, aún llamándose de la sociedad civil, tienen programa y amparo oficial; la fundamentación de un Estado laico en sentido estricto, donde se trate por igual a las diferentes creencias y religiones.

Un tema recurrente y polémico, incluso entre quienes abogan por más libertades políticas, económicas y sociales en general, es la cuestión de si se debe o no invocar al nombre de Dios en la Constitución. Algunos son más radicales en este asunto como si de cuestiones de libertad de expresión o asociación se tratase. Las leyes, como en toda sociedad, dan orden y propósito al universo y ofrecen a los humanos la oportunidad de progresar y ser felices. En esta medida, es necesario entender la naturaleza de la ley, su origen, los medios por los cuales podemos saber si las leyes son verdaderas, el resultado de su aplicación o lo que se puede alcanzar invocando el favor de Dios, que se traduce en el deseo de obtener los mayores beneficios para la vida humana.

Cuba es una nación con matriz cristiana, con un arraigo patrio en la religión y las costumbres de la fe católica iniciadas con los procesos de conquista y colonización. Fueron personas de fe y la propia Iglesia como institución, quienes forjaron a través de figuras clave como Fray Bartolomé de las Casas y el Presbítero Félix Varela, nuestra nacionalidad y nación cubanas. Sin embargo, habrá que tener en cuenta que la Constitución es un documento escrito y no un cúmulo de tradiciones. No conducirá nunca a ambigüedades, ni a interpretaciones erróneas. En medio de una reforma constitucional, debemos ser fieles a la historia Patria y evitar en todos los sentidos, que el nuevo producto conduzca hacia alguna forma de segregacionismo.

El segregacionismo tiene muchas formas de manifestación; no solo en el acceso a los recursos básicos como son la propiedad privada, el trabajo, la sanidad, la educación y el sufragio político; así como en otras facetas como la exclusión de grupos, las minorías raciales, la comunidad LGBTI, las minorías religiosas, las personas con capacidades especiales, basadas en planteamientos principalmente de tipo racial, sexual, religioso o ideológico.

Cuidar de estos ejes temáticos fundamentales, escribir un documento rector de la vida del país, basado en sus necesidades urgentes y necesarias, sería lo más prudente. Confiemos en que los encargados del Anteproyecto y Reforma Constitucional representen los verdaderos intereses de la ciudadanía. Esperemos que en esta coyuntura histórica predomine el respeto a la «dignidad plena del hombre» y se coloque en el meollo del asunto aquello que nos alertaba uno de los constituyentistas de 1940, el pinareño José Manuel Cortina: «¡La Patria dentro! ¡Los Partidos fuera!»

NOTA

La anterior «Compilación de artículos sobre el Proyecto de Reforma Constitucional» se corresponde con los trabajos publicados por miembros del Consejo Editorial de la revista sociocultural *Convivencia* en sus secciones de «Columnas diarias» en la web www.centroconvivencia.org; así como con artículos de varios colaboradores que aparecen en las secciones de Sociedad Civil, Derechos Humanos, Debate Público y Educación. Las fichas de los autores son las siguientes:

Ángel María Mesa Rodríguez (Guanajay, 1966). Ingeniero Mecánico. Laico católico. Miembro del Consejo de Redacción de *El Pensador*.

Dimas Cecilio Castellanos Martí (Jiguaní, 1943). Licenciado en Ciencias Políticas en la Universidad de La Habana (1975). Diplomado en Ciencias de la Información (1983-1985), Licenciado en Estudios Bíblicos y Teológicos en el (2006). Miembro del Consejo Académico del Centro de Estudios Convivencia.

Yvon Grenier. Profesor del Departamento de Ciencias Políticas. Facultad de Artes. St. Francis Xavier University, Nova Scotia, Canadá.

Dagoberto Valdés Hernández (Pinar del Río, 1955). Ingeniero agrónomo. Dirigió el Centro Cívico y la revista *Vitral*, 1993-2007. Miembro del Pontificio Consejo «Justicia y Paz», 1999-2006. Miembro fundador del Centro de Estudios y revista *Convivencia* y su Director. Columnista de *Convivencia* en «Lunes de Dagoberto».

Karina Gálvez Chiú (Pinar del Río, 1968). Licenciada en Economía. Fue responsable del Grupo de Economistas del Centro Cívico. Miembro fundador del Consejo de Redacción de *Convivencia*. Miembro del Consejo Académico del Centro de Estudios Convivencia. Columnista de *Convivencia* en «Martes de Karina».

Jorge Ignacio Guillén Martínez (Candelaria, 1993). Laico católico. Licenciado en Economía. Columnista de *Convivencia* en «Miércoles de Jorge».

Yoandy Izquierdo Toledo (Pinar del Río, 1987). Licenciado en Microbiología. Máster en Bioética. Miembro del Consejo de Redacción de la revista *Convivencia*. Responsable de Ediciones Convivencia. Columnista de *Convivencia* en «Jueves de Yoandy».

III INFORME

«LA CULTURA EN EL FUTURO DE CUBA: VISIÓN Y PROPUESTAS»

S/T. Técnica mixta sobre cartulina. 15,5 x 15 cm. Obra de Wendy Ramos Cáceres. 2018.

El Centro de Estudios Convivencia realizó la tercera etapa del Itinerario de Pensamiento y Propuestas para Cuba entre noviembre de 2016 y enero de 2017. Culminando con dos sesiones de estudio, una en la Isla y otra en la Diáspora. El Encuentro de la Isla fue suspendido por las autoridades y tuvimos que hacerlo de modo no presencial (vía digital y en pequeños equipos). El Encuentro en la Diáspora se celebró los días 28 y 29 de enero de 2017 en la Universidad Internacional de la Florida (FIU), EE.UU. El tema escogido para esta tercera etapa del Itinerario de Pensamiento y Propuestas para Cuba fue: «La cultura y la educación en el futuro de Cuba». Para su mejor estudio y sistematización esta temática general se dividió en dos subtemas: cultura y educación.

1. Concepto de Cultura y Culturas

Para abordar el trascendental, tema de la cultura y las culturas, es indispensable identificar y distinguir conceptos a fin de saber de qué estamos hablando, que estamos estudiando y que deseamos proponer para el futuro de Cuba.

Cultura: Es la forma de vivir y convivir de una persona o de un grupo humano. Es el conjunto de costumbres, formas de comunicación, conocimientos, creencias, valores morales, expresiones artísticas, y otras capacidades adquiridas y cultivadas por el hombre y la mujer, como miembros de la sociedad. La cultura constituye el estilo de vida común transmitido como patrimonio de generación en generación, enriqueciéndolo en cada momento con el continuo cultivo de esas formas de convivencia y creación.

Culturas: Las personas y el mundo son diversos. Y aunque compartimos, por igual, la dignidad humana, los derechos y los deberes, cada persona y la entera familia humana, manifiestan esa igualdad primigenia en una diversidad que enriquece y plenifica la convivencia. La unidad en la diversidad es la dinámica de la convivencia de las diferentes culturas. De esa pluralidad de estilos de vida, de manifestaciones artísticas, de formas de creer, pensar y convivir, surgen las diversas culturas que no dividen, ni separan, ni discriminan a las otras, sino que contribuyen a un desarrollo de la comunidad universal en comunión con la manifiesta diversidad de la naturaleza.

NACIONALIDAD: Es el conjunto de características sociales y culturales que distinguen a un grupo de personas que comparten la conciencia, las costumbres y el proyecto de avanzar hacia la autonomía política, económica y cultural. La nacionalidad puede existir sin Estado o Nación institucionalizada. Puede haber un Estado institucionalizado con varias nacionalidades dentro de sí. Pueden existir varias culturas dentro de una misma nacionalidad.

NACIÓN: Es aquel grupo humano que se constituye a partir de un patrimonio histórico, social y cultural, se institucionaliza en una comunidad geográfica y política soberana y sus miembros se unen para trabajar en un proyecto común a fin de consolidar su identidad y crecer como sociedad civil. Nación es una nacionalidad que ha alcanzado su soberanía.

ESTADO: Es el conjunto de instituciones que organiza y representa la voluntad soberana de la Nación y está dotada de estructuras políticas y jurídicas que tutelan el bien común. Puede haber Estados multinacionales. El Estado puede cambiar sin afectar substancialmente a la Nación, la nacionalidad y la cultura de un pueblo, pues lo que cambia son las estructuras. Para cambiar las estructuras del Estado es estrictamente necesario hacer una consulta ciudadana, un referéndum constitucional. Esto no debe hacerse ni frecuentemente, ni para perpetuar a una persona o partido en el poder, ni para restar libertades y derechos a los ciudadanos.

2. LA CULTURA: FUNDAMENTO, ALMA Y FECUNDIDAD DE LA NACIÓN

La eticidad, es decir el *ethos* de lo cubano, nuestras escuelas de pensamiento, los proyectos educativos, la creación artístico-literaria, las vivencias, expresiones y referencias religiosas, las formas de convivencia, el tejido de la sociedad civil, sus dinámicas propias y métodos de relacionarse, son componentes esenciales, vivos y dinámicos, en constante evolución de esa forma de vivir y de desarrollarse de la nación cubana que llamamos *cultura*.

Consideramos que la cultura, en su sentido más profundo y abarcador, es de trascendental impacto en los estilos de vida y formas de organización de la sociedad cubana en el presente y en el futuro. Creemos importante destacar que la cultura es el fundamento y el alma de la nación. Este *ethos*, carácter nacional y aliento vital, informa transversalmente, identifica en profundidad y fecunda en diversidad, a todos los demás sectores de la vida nacional: familia, educación, religión, economía, política, formas de organización de la sociedad civil, relaciones internacionales, entre otros.

3. Raíces históricas: personas, instituciones y procesos referenciales para el futuro de la cultura cubana

La dimensión histórica de la cultura cubana no es solo una memoria y herencia, no debe ser tratada solo como historia, paleontología, sino también y, sobre todo, debe servir como teleología, como inspiración, referente y visión para el presente y el futuro de la nación.

Entendemos en este estudio que «raíces» debe evocar memoria viva, hecha de «fidelidad creadora» y no «origen orgánico» invariable, sujeto a un «culto anacrónico», incluso idolátrico, o «principio necesario» que coarte discernimiento, libertad, iniciativa. Las raíces son también semillas. Asumir explícitamente que «todo pasado se re-interpreta» como «re-memoración y no con-memoración». Asumir la «dialéctica» entre «cultura y culturas» cubanas en tiempo y contenidos.

La cultura y las culturas se van sedimentando sobre un *humus* histórico identitario donde ellas hunden sus raíces para dar autenticidad y respuestas coherentes a los desafíos que les presentan las siempre complejas mezclas y renovaciones que le presentan la globalización, la llamada posmodernidad y los intercambios culturales. Consideramos que la apertura a estos retos contemporáneos, y a otros, no necesariamente diluyen la identidad cultural de las naciones. Por el contrario, pueden ser un acicate para identificar lo que nos distingue, para ofrecer lo que aportamos al enriquecimiento cultural universal y para recibir en nuevas síntesis los aportes de esas transculturaciones. Estos procesos de análisis y síntesis culturales solo son sanos y constructivos si se alimentan de lo mejor de sus raíces históricas.

Lo primero es superar el arcaico y maniqueo concepto de «cultura» como una sucesión de personalidades, instituciones, hechos, etc., que históricamente nos ha lastrado. Cultura, en su concepción más genérica, es una construcción simbólica que sintetiza la conjunción de experiencias, conocimientos, intereses, prácticas, costumbres, tradiciones, creencias, valores y aspiraciones de los seres humanos. Es un proceso evolutivo espontáneo y natural que se deriva de las relaciones humanas en circunstancias particulares y que da lugar a una matriz espiritual básica que identifica a un grupo, sociedad o nación, distinguiéndola de otro/as, más allá de los marcos históricos y geográficos que le dieron origen. Por otra parte, debe evitarse toda reminiscencia de ingeniería social.

Se espera llegar a una lectura integral de nuestra historia cultural, integrando, en vez de cortar o yuxtaponer, en una nueva y rica periodicidad, sin eufemismos ni tabúes, tanto el aporte pre-colombino, como el del período colonial —en particular el siglo XIX— y una interpretación de la cultura cubana en el período revolucionario. Todo para proponer, salvando lo bueno, superando lo deficiente, integrando una nueva síntesis.

Es por ello que para generar nuestra visión cultural para el futuro de Cuba, sus objetivos, estrategias y acciones es estrictamente necesario identificar nuestro *ethos* histórico, para conectar con esas raíces primigenias de modo que la savia de nuestra génesis como nación alimente el desarrollo, purificación e innovación, de la cultura cubana con su correspondiente apertura e inserción en el mundo, sin enquistamientos ni dilución.

Consideramos, sin embargo, que esas raíces históricas de la cultura cubana están compuestas por unas síntesis dinámicas e incluyentes, en la que han intervenido personas paradigmáticas, instituciones fundacionales y procesos referenciales. Aunque la cultura no sea una suma mecánica de estos componentes, es siempre evocador y educativo, destacar esas matrices gestantes. Se trata de protagonistas de cultura que vivieron, trabajaron y crearon como miembros de la comunidad nacional; también los hechos, procesos y proyectos, todos ellos son «santo y seña» de nuestra identidad y refieren a las nuevas generaciones: legitimidad, continuidad y renovación en el presente y el futuro de la cultura cubana.

A continuación reseñamos un breve perfil de algunos de esos protagonistas.

3.1. Personas paradigmáticas

La cultura es proceso que se gesta en comunidad, sin embargo, es necesario reconocer el papel que desempeñan los protagonismos y liderazgos de personas fundacionales y paradigmáticas que no solo impactan con huellas indelebles ese proceso cívico, sino que pueden ser consideradas como representativas de ese devenir, arquetipos y referencias que pueden servir de inspiración para las generaciones que le sucedieron, sin tener necesariamente que calcar, ni seguir a ciegas todas sus opciones personales o propuesta sociales.

Toda nación tiene un panteón de patricios que abrieron surcos de convivencia, señalaron caminos éticos en los más variados ámbitos de la vida nacional y sirvieron de amalgama y cohesión a la plural comunidad nacional. A continuación hemos escogido, entre una muchedumbre, algunas de las figuras indispensables de la cultura cubana en todo su devenir histórico de cinco siglos. Se trata de referentes que hayan aportado, sobre todo, y principalmente al mundo de la cultura, no es una lista de patricios que fueron paradigmas en otros campos como las guerras de independencia, las sublevaciones de esclavos, las conspiraciones, etc. Aunque, sin dudas, algunos de los referentes culturales lo fueron también en estos campos. Evidentemente, esta relación está incompleta, siempre podrá ser mejorada y completada; se trata solo de sugerir unos referentes para que se evoquen otros muchos, de una comunidad cultural imposible de abarcar:

- *Fray Bartolomé de las Casas (1474-1566):* Protector Universal de los Indios y de los Derechos Humanos. Sacerdote misionero de la Orden de los padres dominicos. «Creía que él era el culpable de toda la crueldad porque no la remediaba; sintió como que se iluminaba y crecía y como que eran sus hijos todos los indios americanos» (José Martí). «Caballero de la libertad de conciencia, su figura tiene luminosidades de redentor de propios y ajenos pecados» (Fernando Ortiz). Intentó fundar en 1521, en Cumaná del Orinoco a Maracaibo de una de una cooperativa agrícola sin esclavos ni siervos. Fue Obispo de Chiapas, México, en 1545.

- *El obispo Pedro Agustín Morell de Santa Cruz y de Lora (1694-1768):* Considerado el primer historiador de Cuba. Licenciado en derecho canónico. En 1762 se produjo la ocupación de La Habana por los ingleses, a los que Morell se opuso y se negó a pagar las contribuciones de guerra que exigían los ingleses y ordenó al clero que no colaborase con los invasores. El 3 de noviembre de 1762 Morell fue obligado a exiliarse por el gobernador británico, que le envió a San Agustín de Florida hasta abril de 1763. Durante la estancia de Morell en Florida, este se dio cuenta de la importancia económica de la cría de abejas para la producción de cera y miel, y a su regreso a Cuba introdujo esta práctica en la isla. Su obra más importante es «Historia de la Isla y Catedral de Cuba». Fue el mejor cronista de su época.

- *El Padre Esteban Salas Montes de Oca (1725-1803):* Padre de la música cubana. Sacerdote. Compositor, instrumentista, cantor, poeta. Considerado el primero y mayor músico clásico cubano. Siendo muy joven estudió violín, órgano, canto llano, contrapunto y composición, en la Iglesia Parroquial Mayor de La Habana. En el Seminario de San Carlos y San Ambrosio, cursa filosofía, teología y derecho canónico. En 1763, es designado por el obispo Pedro Agustín Morell de Santa Cruz como Maestro de Capilla de la Catedral de Santiago de Cuba, ciudad donde trabajó como profesor de música, filosofía y moral en el Seminario San Basilio Magno. En marzo de 1790, fue ordenado sacerdote. Es creador de música litúrgica: salmos, letanías, secuencias, misas y composiciones no litúrgicas: villancicos, cantatas y pastorelas. Según Alejo Carpentier la figura de Salas está rodeada de «angélica pureza», porque las pocas tribulaciones y quebrantos que parece haber padecido en su vida, revelan la existencia de «un alma ingenua, incapaz de soportar una mácula».

- *Nicolás de la Escalera Tamariz (1734-1804):* Padre la las artes plásticas cubanas. El primero que pintó a un afrodescendiente en una obra de arte y en una iglesia: la Parroquia de Nuestra Señora del Rosario, considerada «la catedral de los campos cubanos» por su riqueza arquitectónica, artística e histórica. Pintó su autorretrato que aparece en la composición de una de las pechinas de la Iglesia Parroquial de Nuestra Señora del Rosario, titulada «Santo Domingo y la Noble Familia de Casa Bayona».

- *El obispo Fray Jerónimo Valdés (1646-1729):* Fundador de las primeras universidades de Cuba, el Seminario San Basilio Magno de Santiago de Cuba en 1722, primer centro de educación superior en Cuba y la Real y Pontificia Universidad de San Jerónimo de La Habana (1728). De la Orden de los frailes dominicos como Bartolomé de Las Casas, fue defensor de los derechos de los más oprimidos y abandonados, promotor de muchas obras de seguridad social entre las que se destaca la primera Casa Cuna de Cuba (1710) en la que dio protección y el apellido Valdés a todos los niños desamparados que eran entregados en aquella Casa de Beneficencia. Fue un incansable defensor de los vegueros y de la libertad del comercio.

- *Francisco de Arango y Parreño (1765 1837):* Fundador de la industria moderna cubana. Defensor incansable del libre comercial mundial y el desestanco del tabaco. Primer estadista y político cubano, abogado, escritor y reformador. Fue el primer industrial y empresario cubano en introducir los modernos métodos de las fábricas de azúcar con la fundación de «El Consulado». Abogado, comerciante y economista cubano. Uno de los promotores de la creación de la Sociedad Económica de Amigos del País, y con posterioridad ocupó el cargo de Director. Baluarte del reformismo, quien combinó con gran acierto en su discurso político la aplicación de la ciencia a la economía, una muestra de lo cual fue su famoso discurso sobre la Agricultura de La Habana y medios de fomentarla. En 1794 se le nombró síndico perpetuo del Real Consulado de Agricultura y Comercio, instalado en 1795 y creado a instancia suya. Recorre Europa para hacer estudios de economía. Fue uno de los promotores de la creación de la Sociedad Económica de Amigos del País, en 1791, donde ocupó el cargo de Director. Primer síndico del Real Consulado (1793), y como asesor del Tribunal de Alzadas. En 1812 resultó electo Diputado a Cortes, y Ministro de la Junta Central, por la Diputación Provincial. En 1825 se le dio la comisión de redactar el plan de estudios que debía regir en la Isla.

- *El obispo Juan José Díaz de Espada y Landa (1756-1832):* Fundador de la primera Escuela Normal de Maestros y de la primera Cátedra de Constitución y Derechos Humanos, junto con Varela, en el Seminario. Fundador de las primeras escuelas gratuitas y de la primera circular prohibiendo a los maestros los castigos corporales a sus alumnos. Promotor de la salud pública, fundó el primer cementerio fuera de las iglesias y extendió por su diócesis el uso de las vacunas contra la fiebre amarilla y la viruela. Promotor de la Sociedad Económica de Amigos del País y del Seminario San Carlos y San Ambrosio, las dos más importantes instituciones para la cultura y la nacionalidad cubanas. Obispo de La Habana desde 1804 a 1828. Envió a un sacerdote a España para que aprendiera y trajera a Cuba el método moderno de educación del maestro suizo Pestalozzi. La raíz ética de la guerra de independencia tuvo su origen y alumbramiento en las aulas del Seminario San Carlos y San Ambrosio, bajo su auspicio. Martí lo llamó el más cubano de todos los españoles.

- *Padre José Agustín Caballero (1762-1835):* Fundador de la filosofía y cofundador de la ciencia en Cuba. Sacerdote que realizó el primer intento de adecuar la Isla al pensamiento moderno; elaboró el primer plan para crear escuelas públicas gratuitas y para impartir enseñanza a las mujeres; elaboró un proyecto de gobierno autonómico inspirado en el derecho público inglés. Su actividad cultural abarcó a todas las instituciones de su época y se diseminó desde las páginas del Papel Periódico de La Habana. De quien Martí dijo que era «el padre de los pobres y de nuestra filosofía».

- *Padre Félix Varela y Morales (1788-1853):* Padre de la cultura cubana. Fundador de nuestra nacionalidad. Sacerdote que nos enseñó a pensar y a pensar como cubanos (lo dijo José de la Luz y Caballero). A quien Martí llamó «santo cubano» y «patriota entero». Su lema fue «educar», educar para liberar a las personas de la mentira y el error, primer y necesario escalón para entender la realidad y empezar a transformarla. Fue formador e innovador en el Seminario de San Carlos y San Ambrosio y mentor en la Sociedad de Amigos del País de los patricios fundadores de nuestra nacionalidad entre los que se encontraban: José de la Luz y Caballero, Rafael María de Mendive, el maestro de Martí, Felipe Poey, José Antonio Saco, Domingo del Monte, Nicolás Escovedo. Fundador de la primera Cátedra de Constitución, Cívica y Derechos Humanos en Cuba. Sacerdote, periodista, legislador, músico, filósofo, pedagogo, traductor, latinista. El primero que habló en Cuba de patria con el concepto abarcador de todo el territorio nacional e inclusivo de todos sus habitantes; fue diputado a las Cortes de Cádiz, evolucionó de la autonomía al independentismo e inició una labor dirigida a preparar los sujetos para ese propósito; eligió la educación como camino de la liberación y reformó la pedagogía cubana; introdujo los estudios científicos, sociales y políticos y los primeros laboratorios en Cuba; le trazó un rumbo propio al pensamiento cubano, se empeñó en enseñarnos a pensar e insistió en la idea vital de ejercitar la virtud como medio de reafirmar un ideal moral capaz de generar hombres y mujeres capaces de mirar alto y lejos. Su obra «Cartas a Elpidio» está considerada como el primer fundamento de la eticidad cubana.

- *José de la Luz y Caballero (1800-1862):* Educador y continuador de la escuela del Padre Félix Varela. Grabó para siempre el paradigma que debe guiar la vida de todo educador, al vivir él mismo y proclamar que: «Instruir puede cualquiera, educar solo quien sea un Evangelio vivo». Consideró la enseñanza como un ministerio sagrado; ocupó la Cátedra de Filosofía del Seminario San Carlos; fue Miembro de la Sociedad Patriótica de Amigos del País y colaboró con la Revista Bimestre. En el Colegio San Cristóbal (Carraguao) introdujo el método explicativo, contrario al uso y abuso de la memoria; en el colegio El Salvador de La Habana fue maestro de Rafael María de Mendive, el maestro de José Martí; comprendió que los procesos para fundar pueblos tienen como premisa la preparación de los sujetos históricos y de los cimientos morales básicos para su realización; situó la revolución y la independencia antes que la educación. Llamó a la esclavitud «nuestro veneno, nuestra lepra social, nuestro pecado original».
- *Felipe Poey y Aloy (1799-1891):* Padre de la ciencia cubana. Su excepcional obra científica, investigativa y bibliográfica lo colocan

como el iniciador de una etapa de lanzamiento y desarrollo de las ciencias en Cuba. Fue un destacado discípulo de Félix Varela, en el Seminario de San Carlos. Profesor de Ciencias Naturales. Fundador de la Real Academia de Ciencias Médicas, Físicas y Naturales de La Habana. Presidente de la Sociedad Antropológica de la Isla de Cuba. Fue notable en los estudios ictiológicos. Co-fundó la Sociedad Entomológica de París, en 1832. Maestro del Colegio de San Cristóbal de Carraguao, de Geografía de Cuba y Geografía Moderna, además de la de Lengua Francesa y Latina. Miembro de la Sociedad Económica de Amigos del País. En 1839 publicó además el Compendio de Geografía de la Isla de Cuba, primera obra de su tipo escrita e impresa en el país. Fue miembro de honor de la Sociedad de Amigos de la Historia Natural Berlinesa, de la Sociedad Española de Historia Natural y de la Real Sociedad Científica de Londres. Fue Corresponsal del Liceo de Historia Natural de Nueva York; Miembro de Honor de la Sociedad de Ciencias de Búffalo; de la Sociedad Entomológica de Filadelfia, de la Sociedad de Historia Natural de Boston; de la Sociedad de Historia Natural y Horticultura de Massachusetts y de la Academia de Ciencias de Filadelfia. Dedicó una buena parte de su quehacer literario, lingüístico, artístico e histórico a los Liceos habaneros.

- *José Antonio Saco (1797-1897):* Historiador. Profesor de Filosofía en el Seminario de San Carlos, heredó la cátedra del Padre Varela de quien siempre se consideró discípulo y amigo y de quien dijo: «el santo sacerdote es el hombre más virtuoso que he conocido en la tierra». Parte de la existencia y la defensa de un concepto, avanzado pero insuficiente, de nacionalidad cubana diferenciándola del concepto territorial de patria. Director de la *Revista Bimestre Cubana*. Antianexionista y antiesclavista, sus obras cumbres fueron «Memoria sobre la vagancia en la isla de Cuba», obra clásica de literatura social y su monumental «Historia de la esclavitud» que según José Silverio Jorrín «coloca a Saco a la cabeza de cuantos historiadores han escrito en la lengua de Cervantes».

- *Carlos Manuel de Céspedes (1819-1874):* Padre de la Patria. Iniciador de las guerras de Independencia. Liberó a sus esclavos. Fue el primer presidente de la República en Armas. Y el primero en ser destituido por el poder legislativo. Es recordado y venerado además, por su postura ante el chantaje de la metrópoli al tomar prisionero a su hijo. Creyó siempre en la fuerza de lo pequeño y la grandeza de los proyectos éticos, especialmente cuando dijo aquella memorable frase: «Con solo doce hombres... es suficiente para lograr la independencia de Cuba». También tuvo una convencida fe cristiana y devoción a la Virgen de la Caridad demostrada al ir expresamente a su Santuario de «El Cobre» para como un caballero «presentarle sus armas». Del dosel del altar familiar a la Virgen su esposa confeccionó la primera bandera cubana. Produjo una sólida obra intelectual, producto de una amplia, refinada y profunda educación. Sufrió la soledad y el abandono de propios y ajenos y murió valientemente en San Lorenzo, Sierra Maestra.

- *Ignacio Agramonte y Loynaz (1841-1873):* El padre de la corriente civilista en Cuba. Abogado, político y militar. Se opuso a la primacía del poder militar. La pureza de sus ideales y virtudes, su alegato por la democracia y contra los totalitarismos y su alto sentido de la supremacía de la ley sobre todos los ciudadanos, permiten considerarlo como el padre de la jurisprudencia cubana.

- *José Julián Martí y Pérez (1853-1895):* El Apóstol de nuestra Independencia. El más grande pensador que ha dado Cuba. Hombre de unidad en la diversidad y el consenso. Poeta, periodista, abogado, maestro, diplomático, ensayista, orador insigne, unió a los pinos nuevos con los pinos viejos. Fundador de una república incluyente y moderna, «en la que quepamos todos». Heredero y continuador, por conducto de Luz y de Mendive, del espíritu y la escuela ética del Padre de nuestra cultura, puso el amor y la virtud como pilares fundacionales de nuestra República, unitaria, civilista, cordial, humanista y abierta a la universalidad: «Patria es humanidad». Retomó el proceso de conformación de la nación para conducirla hasta una república moderna, a la que consideraba forma y estación de destino, defendió siempre la opción cívica y pluralista, aún con la guerra necesaria que organizó y del partido que fundó, guerra sin odio y partido «sin exclusiones ni banderías»: concebidos como eslabones mediadores para arribar a ella. Su obra, el Manifiesto de Montecristi (25 de marzo de 1895) está considerado como el segundo pilar de la eticidad cubana, junto a las «Cartas a Elpidio» de Félix Varela. Su concepto de República, era estado de igualdad de derecho de todo el que haya nacido en Cuba y aún del español bueno y laborioso que la respetara; espacio de libertad para la expresión del pensamiento; de muchos pequeños propietarios; su ideario lo remató con un ideal devenido hoy puro formalismo: «yo quiero que la ley primera de nuestra república sea el culto de los cubanos a la dignidad plena del hombre».

- *José María Heredia (1842-1905):* Primer poeta independentista, considerado nuestro poeta nacional. Que junto con Plácido, Zenea, Gertrudis Gómez de Avellaneda, Cirilo Villaverde y otros hombres y mujeres de letras, fueron fundadores de una literatura de carácter abolicionista e independentista.
- *Claudio José Domingo Brindis de Salas y Garrido (1852-1911):* Músico y violinista cubano. Conocido como el «Paganini negro», fue considerado el mejor violinista de su época, también llamado «El rey de las octavas». En 1869 matriculó en el Conservatorio de Música de París, y allí brilló como ninguno. Dos años más tarde logró graduarse en la prestigiosa academia y comenzó una meteórica carrera colocándose en la vanguardia musical del momento. Se presentó en las salas de concierto más prestigiosas: en París, Berlín, Londres, Madrid, Florencia, Viena, México, Buenos Aires y San Petersburgo, en 1880. Es el primer ciudadano cubano en subir a un escenario en la capital de los zares. En Prusia fue condecorado con la Orden de la Cruz del Águila Negra y en Francia con la Legión de Honor. El káiser Guillermo II lo nombró Barón de Salas. Después de mucho tiempo viviendo fuera Cuba, comenzó a sufrir ataques de depresión y nostalgia que lo llevaron a abandonarlo todo. Murió en 1911 en Buenos Aires, pobre y olvidado, enterrado en una fosa común. Más tarde sus restos fueron trasladados a La Habana y colocados en la Necrópolis de Colón. Hoy se encuentran en una urna de bronce en la Iglesia de Paula, en el litoral de la bahía habanera.
- *Juan Gualberto Gómez (1854-1933):* Político, representante de Martí y el Partido Revolucionario Cubano (PRC) en Cuba, mambí, senador, miembro de la Sociedad Económica Amigos del País (SEAP) y de la Academia de la Historia de Cuba; fundó la Sociedad «El Siglo XIX» y el periódico La Fraternidad, donde expuso principios similares a los expuestos por Martin Luther King en Estados Unidos a mediados del siglo XX; en 1992 fundó el Directorio Central de Sociedades de Color, donde agrupó a todas las instituciones de negros del país. En la República se distinguió de la gran mayoría de los políticos por su ética y responsabilidad. Como Representante a la Cámara y Senador se destacó en la defensa de la soberanía nacional. Se opuso a la Enmienda Platt. Proclamó a la Virgen de la Caridad como «Emblema patrio».
- *Enrique José Varona (1849-1933):* Pedagogo insigne. Heredero de la escuela pedagógica de Agustín Caballero, Varela, Luz y Martí. Dirigió la *Revista Cubana*; en 1895 asumió la dirección

del periódico Patria, órgano del Partido Revolucionario Cubano. Opositor radical de la violencia, decía: «nada será bueno ni perfecto, mientras los hombres no sean buenos y perfectos». En «Mis consejos», escribió: «La República ha entrado en crisis, porque gran número de ciudadanos han creído que podían desentenderse de los asuntos públicos...» Participó en la reorganización del sistema de enseñanza y destacó la importancia del proceso educativo en la formación de ciudadanos autónomos. Al frente de la Secretaría de Instrucción Pública implantó una reforma integral desde la enseñanza primaria hasta la universidad. En dicho plan incluyó la Ciudad Universitaria, la que describió como la base geográfica del Estado Universitario, con sus ciudadanos, sus leyes, y su organización jurídica. Fue secretario (ministro de educación) y vicepresidente de la República.

- *Cosme de la Torriente y Peraza (1872-1956):* Promotor del dialogo cívico. Fundador y director de La Revista de La Habana y fundador y presidente de la Sociedad Amigos de la República (SAR). Su actuación cívica y ética constituye una síntesis rara de virtudes en Cuba; transitó desde la guerra hasta la conciliación, la gradualidad y el diálogo, como cimientos ético-culturales de la acción política. En los años cincuenta encabezó el Diálogo Cívico dirigido a retomar el camino de la constitucionalidad, contra la disyuntiva entre dictadura militar y respuesta revolucionaria.

- *Manuel Márquez Sterling (1872-1934):* Escritor, diplomático, político, periodista, escritor, ajedrecista. Fue presidente provisional de Cuba, durante seis horas en 1934. Conoce a José Martí, y en 1895 declara en España: «Estoy por la independencia de Cuba». Trabajó como secretario de Gonzalo de Quesada y Aróstegui cuando este era comisionado de Cuba en Washington, regresa a Cuba cuando la intervención norteamericana y colabora en varios periódicos como *La Verdad, El Fígaro,* en 1901 funda el periódico *El Mundo* junto a varios colegas y después colabora en *La Lucha* (1905). Funda *El Heraldo de Cuba* (1913) y *La Nación* (1916). Escribe alrededor de 15 libros ya por esa época sobre temas muy diversos, política, ajedrez, historia. Cuando el presidente Carlos Hevia se vio forzado por Fulgencio Batista a dimitir, un vacío de poder se instaló en palacio, para evitarlo Márquez Sterling que era Secretario de Estado, acepto la presidencia desde las seis de la mañana hasta las doce del mediodía en que traslada el poder a Carlos Mendieta. El 29 de mayo de 1934 como embajador cubano en Washington firma el tratado que deroga el tan rechazado texto, después de haber firmado dijo a su secretario personal: «Ya puedo morir tranquilo». En 1943, la Escuela Profesional de Periodismo la primera de Cuba adopta su nombre. Falleció en el exilio. Su hijo Carlos Márquez Sterling es también un referente en la vida cultural y constitucional de la era republicana.

- *Medardo Vitier (1886-1960):* Nuestro mejor filósofo del siglo XX. Estudió como nadie la fuente inagotable de fundacional nuestro siglo XIX «siglo fundacional, cuyos gérmenes están aún por desenvolverse». Acuñó el término de «las minorías guiadoras» para referirse a líderes y pequeños grupos que lograron gran impacto en el siglo XIX. Pensador cubano que destacó por sus ensayos sobre la vida intelectual en el siglo XIX y por sus estudios —canónicos dentro de la cultura de la isla— como «La filosofía en Cuba» (1948). En 1911 fue premiado por sus ensayos Martí, su obra política y literaria. En 1918 se graduó de doctor en pedagogía en la Universidad de La Habana y escribió para periódicos como Cuba Contemporánea. En su volumen «Las ideas en Cuba» (1937) exploró el desarrollo del pensamiento insular desde sus albores hasta ese momento, lo cual significó el primer estudio completo sobre el tema. Lo mismo realizó en «La filosofía en Cuba» (1948), explicando la evolución de esta disciplina en el país. Entre sus análisis destacan los realizados sobre el pensador y figura política Enrique José Varona, como «La lección de Varona» (1945). También estudió la obra y figura de José Martí y José Ortega y Gasset.

- *Jorge Mañach Robato (1898-1961):* Escritor, ensayista y periodista. Consideraba que el negocio más serio que Cuba tenía en sus manos era la mejora de su material humano, de lo cual todo lo demás depende. Definió la alta cultura como el conjunto organizado de manifestaciones superiores del entendimiento y a la instrucción pública como una función extensa, de índole democrática. Afirmaba que por la instrucción los pueblos se organizan, pero solo logran revelar su potencialidad espiritual mediante la alta cultura. De la interrelación entre una y otra brota la cultura nacional. En 1955 fundó el Movimiento de la Nación; fue moderador del programa televisivo «Ante la Prensa», colaborador de Social, y director del periódico Acción, órgano de la organización ABC. Aseguraba que «cuantos males sufre nuestra democracia no son sino el fruto de nuestra ignorancia». Esa fue la idea central que llevó a la práctica en el proyecto de la Universidad del Aire. Por la profundidad de sus análisis, como intelectual del siglo XX cubano, constituye una obligada referencia para la comprensión del presente y futuro cubano.

- *Emeterio Santovenia Echaide (1889-1968):* Padre de Consensos y del Desarrollo Humano Integral. Hombre de los campos pinareños. Historiador, periodista, parlamentario, estadista. Ministro de Estado, Presidente y cofundador del BANFAIC, Presidente de la Academia Cubana de Historia, Vicepresidente del Banco Nacional, Miembro de Número de la Academia Cubana de la Lengua, Presidente del Instituto Martiano de Cuba, Académico de Número de la Academia Nacional de Artes y Letras. Hombre de consensos, su autoridad moral era tan respetada que en 1941 es nominado a Senador por cuatro partidos de ideologías diferentes: ABC, Partido Demócrata, Partido Liberal y Partido Socialista Popular, siendo reelecto por otro período de cuatro años más. Hizo posible: la creación del actual edificio de la Biblioteca Nacional de Cuba con un impuesto de 0,5 centavos a cada saco de azúcar exportado; creó la celebración del Día del Idioma: 23 de abril; el monumento a José Martí en Nueva York; la construcción del edificio del Museo Nacional. Repatrió a cientos de cubanos que deseaban regresar y no podían económicamente hacerlo. Recibió 50 condecoraciones entre ellas: Orden Nacional al Mérito Mambí; Orden Nacional de Mérito Carlos Manuel de Céspedes; Socio de Mérito de la Sociedad Económica de Amigos del País; Profesor y Doctor Honoris Causa de la Universidad de la Florida; Comendador de la Legión de Honor de Francia; Gran Cordón de la Orden del Libertador de Venezuela; Banda de Primera Clase de la Orden Mexicana del Águila Azteca; Gran Cruz de Mérito de Chile. Emeterio Santovenia partió al exilio en 1959 y falleció en 1968 en la Diáspora, considerado en ese momento el mejor escritor cubano vivo.

- *José Manuel Cortina (1880-1970):* Llamado «El Príncipe de la Palabra» y el «Padre del parlamentarismo cubano». En la Universidad de La Habana fue Presidente de la primera Federación de Estudiantes. Fue un agudo polemista, defendió los valores que sustentan toda sociedad democrática, siendo un enemigo jurado de los caudillismos. Elaboró un proyecto de reformas constitucionales, sabiendo las lagunas que existían en la Constitución de 1901. Representante a la Cámara, Senador, Secretario de la Presidencia y Presidente de la Delegación de Cuba a la Liga de las Naciones, Secretario de Relaciones Exteriores y Ministro de Estado, todo ello en diferentes administraciones. Gran orador político. Fue nombrado

Presidente de la Comisión Coordinadora de la Asamblea Constituyente que redactó la Carta Magna de 1940. Arquetipo de estadista que supo poner los supremos intereses de la Patria por encima de los programas partidistas. Es paradigmática y vigente su audaz alocución el primer día de los debates constituyentistas, cuando cada grupo político intentaba imponer sus demandas partidistas, el civilista pinareño dijo: «*Aquí debemos apagar pasiones egoístas y estar hermanados en este sagrado propósito de trascendente creación social; y para ello es imperiosa la solidaridad nacional. ¡Los partidos, fuera! ¡La patria, dentro! Llamo la atención, señores, que esta es una Constituyente; que una Constituyente es como un altar de creación, es un templo, y en los templos cada uno está obligado a reprimir sus pasiones. Todos tenemos pasiones en el corazón; todos tenemos fanatismos pero, señores, en momentos peligrosos como estos, no es el fanatismo ni la pasión lo que salva al país; a la Patria solo la salva la compresión*». Murió en el exilio en 1970.

- *Fernando Ortiz Fernández (1881-1969):* Padre de la etnología cubana. Por su obra se le considera nuestro tercer descubridor. Miembro de la SEAP, colaborador de la Revista Bimestre Cubano, profesor de la Universidad de La Habana y fundador de instituciones como el Instituto Hispano Cubano de Cultura, la Sociedad de Estudios Afrocubanos y las revistas literarias Surco y Ultra. Fue el primer cubano en realizar un estudio íntegro del negro como ser humano. Definió el concepto de cubanidad como la calidad de lo cubano, su manera de ser, su carácter, su índole, su condición distintiva, como la peculiaridad adjetiva del sustantivo cubano. Definió también al cubanismo como el modo de hablar propio de los cubanos, como todo carácter propio de los cubanos y como tendencia a imitar lo cubano. Introdujo en Cuba el concepto de transculturación. Su obra contiene datos y análisis de gran importancia para comprender la psicología de los cubanos. Su rechazo a los cambios bruscos está recogido en la siguiente cita: «Mientras la Patria y el Sentido Común, que emigraron el día 20 de mayo de 1902, no regresen a sus lares, la voluntad pública se manifestará a machetazos o a golpes de tolete; nuestras elecciones se harán en la manigua o en la Gobernación, o a bordo de un acorazado americano».

- *Emilio Roig de Leuchsenring (1889-1964):* Historiador cubano. Miembro de la Academia de la Historia desde 1938, estudió, entre otros temas, las guerras de independencia, la historia de La Habana y la vida de Martí. Es autor de «La enmienda Platt, una interpretación de la realidad cubana» (1935), «Martí en España» (1938), «La guerra libertadora cubana de los 30 años: 1868-1898» (1958).

- *José Lezama Lima (1912-1976):* Poeta, ensayista y novelista cubano considerado, junto a Alejo Carpentier, una de las más grandes figuras que ha dado la literatura insular. Fundó la revista Verbum y estuvo al frente de la tribuna literaria cubana más importante de entonces, Orígenes, de la que fue fundador, con J. Rodríguez Feo, en 1944. Los principales amigos y compañeros de ruta de Lezama por entonces fueron C. Vitier, E. Diego, V. Piñera y O. Smith, además del también poeta y sacerdote español Á. Gaztelú, que influyó enormemente en su formación espiritual. Por lo que respecta a su poesía, no se alteró especialmente en la forma ni el fondo con la llegada de la Revolución y se mantuvo como una suerte de monumento solitario difícilmente catalogable. Su libro de poemas inicial fue «Muerte de Narciso» (1937) al que siguieron «Enemigo rumor» (1941), «Aventuras sigilosas» (1945), «La fijeza» (1949) y «Dador» (1960), entregas que son otros tantos hitos de la poesía continental en la línea hermética y barroca de la expresión lírica. La obra que consagró a Lezama dentro de las letras hispanoamericanas fue la novela «Paradiso» (1966), en la que se ha querido ver una doble alusión a la inocencia bíblica anterior al pecado original y a la culminación del ciclo dantesco. Al mismo tiempo, en «Paradiso» se refleja la tradición y la esencia de lo cubano en una vertiginosa proliferación de imágenes que protagonizan la obra: un mundo de sensaciones, de recuerdos y de lecturas familiares que conforman y determinan la cosmovisión del novelista.

- *Dulce María Loynaz y Muñoz (1903-1997):* Poetisa y narradora cubana. Por la pureza de su voz lírica y su cautivadora expresividad, se la considera una de las representantes femeninas más ilustres de la poesía latinoamericana. Su persona siempre fue recibida con honores, y fue galardonada en diversas ocasiones por su talento poético. En 1947 recibió la Cruz de Alfonso X el Sabio, en 1951 fue elegida Miembro Correspondiente de la Academia Nacional de Arte y Letras. Un año más tarde, Gabriela Mistral la propuso como candidata al Premio Nobel de Literatura. En 1953 la Universidad de Salamanca le otorgó a modo de homenaje la cátedra Fray Luis de León, y el mismo año asistió como delegada al Segundo Congreso de Poesía, presidido por Azorín. Dos años después fue nombrada académica de la Real Academia de Bellas Artes de San Telmo. También en Cuba se reconoció su valía, y se la tuvo en gran estima, siendo elegida miembro de número de la Academia Cubana de la Lengua en 1959, condecorada con la Distinción Por la Cultura Nacional por el Ministerio de Cultura de Cuba y la Orden Félix Varela de primer grado, en 1981. Recibió el Premio de la Crítica en Cuba de 1992. Este mismo año se le otorgó el Premio Miguel de Cervantes de Literatura en España.

- *Alejo Carpentier (1904-1980) y Guillermo Cabrera Infante (1929-2005):* Recibieron ambos el Premio Cervantes, considerado el nobel de la literatura en castellano, entre otros destacados cultores que dieron a las letras cubanas del siglo XX, un esplendor singular en América Latina.
- *Ernesto Lecuona (1896-1963)* y destacadísimos músicos, compositores, directores de orquesta e intérpretes como: Manuel Saumell, Ignacio Cervantes, José White, Amadeo Roldán, Alejandro García Caturla, Gonzalo Roig, Pérez Prado, Celia Cruz, Esther Borja, Luis Carbonell, Bola de Nieve, Bebo y Chucho Valdés, Leo Brouwer, entre otros.
- *Wifredo Lam (1902-1982),* y muchos otros pintores, escultores, fundadores de escuelas de arte plásticas, Víctor Manuel, Carlos Enríquez, Rita Longa, Amelia Peláez, Fidelio Ponce de León, Antonia Eiriz, Jilma Madera, Mariano Rodríguez, Tiburcio Lorenzo, Pedro Pablo Oliva, entre otros.

3.2. Instituciones fundacionales e inspiradoras de tiempos nuevos en cada etapa

- Seminario de San Carlos y San Ambrosio de La Habana (1773).
- Sociedad Económica de Amigos del País (1793).
- Real y Pontificia Universidad de San Jerónimo de La Habana por los padres dominicos (1728).
- Los colegios privados en los niveles primario y secundario como el Colegio de San Cristóbal o Carraguao en 1829, la Academia Calasancia o Escuelas Pías en 1830, Colegio El Salvador, de José de la Luz y Caballero (1848) y el San Pablo, de Rafael María de Mendive, en el que se formó José Martí. En 1854, abrió sus puertas el Colegio de Belén de los jesuitas y fundan el primer Observatorio Meteorológico de Cuba, nacimiento de esta ciencia en la Isla. También fundaron escuelas los hermanos de La Salle, las teresianas, los maristas y los salesianos. Al separar la Iglesia del Estado en la nueva Constitución de 1901, la educación quedó como «laica» con lo cual no era posible ninguna enseñanza

religiosa en las escuelas estatales. Se confundió el carácter laico que debe tener el Estado separado de las Iglesias con un laicismo a ultranza que intentó e intenta reducir a la religión al plano intimista e individual. Como todo grupo de la sociedad civil las Iglesias deben tener la libertad y los medios para expresar en las familias, en la educación y en el ámbito público sus propias vivencias y propuestas. Por ello, y por vocación propia estas congregaciones y otras muchas continuaron su obra educativa, aumentando aún más el número de sus escuelas.

- Surgimiento de la prensa: *Gaceta de La Habana* (1764), *El Papel Periódico* (1790), *El Habanero* (1824), *El cubano libre* (1868), *Patria* (1891).
- Escuela Nacional de Bellas Artes «San Alejandro» (1818).
- Primera Escuela Normal de Maestros de Cuba fundada en Guanabacoa por los padres escolapios (1857).
- Biblioteca Nacional (1901).
- Los centros españoles, como el Centro Gallego, Asturiano, etc., tienen un aporte singular al legado nacional desde los inmigrantes a Cuba. El aporte de las logias masónicas. Otras sociedades como el Club de Leones, Sociedad de Color, Acción Católica, entre otros. En el siglo XX la presencia de una comunidad judía.
- Academia Católica de Ciencias Sociales (1919).
- *Revista de Avance* (1927).
- Revista *Orígenes* (1944).
- La escuela cubana de ballet fundada por la familia Fernando, Alberto y Alicia Alonso en 1948, cuando el *American Ballet Theatre* tuvo que cancelar su temporada por razones económicas y los Alonso lograron formar una agrupación de 40 integrantes, 16 de ellos cubanos, para presentarse en La Habana con el nombre de Ballet Alicia Alonso, que desde 1955 se llamó Ballet Nacional de Cuba.
- Centros de estudios, revistas, diarios y agencias independientes, publicaciones de las iglesias en la etapa 1959-2017.

3.3. Procesos referenciales

- Cultura precolombina.
- Conquista y evangelización (encuentro de culturas).
- Inserción de los negros y su cultura en nuestra Isla.
- Transculturación española, africana, etc. Mestizaje y sincretismo.
- Sublevación de los esclavos de «El Cobre».

- Hallazgo de la Virgen de la Caridad del Cobre (1612). La presencia de la Virgen de la Caridad en la historia cubana: hallazgo de la imagen, presente en las luchas por la independencia, petición de los mambises para que se proclamara Patrona de Cuba. Juan Gualberto Gómez la proclamó «Emblema patrio».
- Inicio de la literatura criolla: «Espejo de Paciencia» de Silvestre de Balboa.
- Sublevación de los vegueros contra el estanco del comercio del tabaco por parte de España.
- Formación de la conciencia nacional.
- Formación de una escuela filosófica cubana de carácter abierto y ecléctico: Caballero, Varela, Vitier.
- Procesos educacionales en escuelas públicas y colegios privados (religiosos y laicos).
- Cultivo y cultura de la caña de azúcar.
- Culturas tabacalera y cafetalera.
- Desarrollo de la Cuba colonial (Económico, Arquitectónico y Cultural).
- Guerras de Independencia.
- Procesos éticos: Desde las «Cartas a Elpidio», el civilismo de Agramonte y el Manifiesto de Montecristi, hasta el Camino ético de la Sociedad Civil.
- Intervención norteamericana: la presencia de la ocupación y la influencia cultural norteamericana deja huellas en lo nacional.
- Rescate de la conciencia nacional en el siglo XX.
- Desarrollo económico de la Cuba republicana.
- Progreso y esplendor de la sociedad civil en la Cuba republicana.
- Movimientos estudiantiles en la República.
- Procesos políticos, jurídicos y sociales que condujeron a la Constitución de la República de 1940.
- Revolución democrática-popular de 1952-1959. Sus variados enfoques culturales.
- Giro inducido hacia el marxismo-leninismo y el totalitarismo.
- Impacto en Cuba de la caída del socialismo europeo: El llamado «Período especial» y su impacto en la cultura cubana.
- La cultura de la emigración y el escape. las formas culturales del exilio y el «insilio». La transnacionalización de la cultura cubana vivida y protagonizada por la Diáspora alrededor del mundo.
- Las formas culturales de adolescentes y jóvenes que nacieron en la era de las tecnologías de la informática y las comunicaciones, entre los que se encuentran las llamadas «tribus urbanas», y los comúnmente llamados «*millennials*».

Propuestas:

- Rescatar y afianzar que Cuba pertenece a la cultura occidental y que esta no puede ni debe ser suplantada por culturas ajenas sin un daño antropológico y cultural sistémico. Esto no quita que Cuba esté abierta a todas las culturas, pero desde la suya propia.
- Reescribir la historia de Cuba que se ha silenciado, desde muchas otras voces, generar la conciencia de que la historia nunca es objetiva. Hacer una historia de Cuba desde la sociedad civil, los acontecimientos pacíficos y los héroes cívicos, sin obviar los elementos épicos que también constituyen parte de nuestra historia, pero no la única parte. Reescribirla no solo a nivel académico, sino recogiendo testimonios de personas (la historia no oficial).
- Profundizar en la historia no contada de nuestro país, e insertarla en el conocimiento de la historia regional y universal.

4. Perfiles antropológicos de la cultura en el futuro de Cuba: Humanismo, valores y virtudes. Debilidades y daño antropológico

Proponemos contribuir a una sana pluralidad de antropologías, de sus dimensiones fenomenológicas (descriptivas en términos cualitativos), analíticas (apelando a las «ciencias humanas» personales y sociales), hermenéuticas (interpretación integral de lo humano, sin «reduccionismos») y metafísico-existenciales (origen y fin «radicales», sentido y valor de la existencia personal y colectiva, la «esperanza» como dimensión de todo existir y obrar). Son como «semillas», «polen» fecundante.

4.1. Identidad y humanismo en la cultura cubana

La cultura cubana tiene, en su génesis, en su identidad y en lo mejor de su desarrollo, a la persona humana como centro, sujeto y fin de sus instituciones, procesos y manifestaciones. Este humanismo de inspiración cristiana mezclada y sincrética, fue expresado en esa aspiración y visión de José Martí: «Yo quiero que la ley suprema de la República sea el culto a la dignidad plena del hombre».

Este humanismo pleno, que está y debe estar en las bases de la República y del alma de la Nación, levanta el edificio de la convivencia civilizada, pacífica, próspera y feliz en el cultivo de los valores y virtudes que garantizan la dignidad de cada ciudadano, así como la búsqueda del bien común entendido como el conjunto de condiciones económicas, políticas, sociales, éticas y espirituales que permiten a la persona humana su pleno desarrollo integral, «pasar de condiciones menos humanas a condiciones más humanas».

La búsqueda del bien común, el bien de la polis, es otro modo de denominar el desarrollo cultural de una nación basado en un humanismo integral, es decir:

—crear condiciones materiales o socioeconómicas mínimas para un respeto efectivo de la dignidad humana; crear condiciones educacionales y culturales que favorezcan el desarrollo de la inteligencia, la imaginación y la sensibilidad de las personas;

—crear condiciones morales, un ambiente valorativo de la eticidad para que la persona supere su egoísmo, pueda elegir su propio proyecto de vida, y se realice en el respeto a sí mismo y a los demás y busque la verdad y la justicia;

—crear condiciones espirituales que favorezcan la libre apertura de los ciudadanos a la trascendencia, a la entrega generosa y a las relaciones de fraternidad universal con la debida libertad de conciencia;

—crear condiciones políticas para que todos los Derechos Humanos para todos no se queden en normas teóricas y sean reconocidos, educados, promovidos en las personas y los grupos humanos, y

—crear las condiciones jurídicas que protejan eficazmente estos derechos y todas las demás condiciones que identifican el bien común, el humanismo integral.

Este conjunto de condiciones o hábitat social, como «mediaciones históricas», juegan un papel de primer orden para respetar y promover o, por el contrario, irrespetar y denigrar tanto la dignidad personal como la concreción del bien común. En la integralidad de ese hábitat vivencial se deben articular la legalidad, la legitimidad y la eticidad de la sociedad.

En la cultura cubana, proponemos asumir con toda apertura, pero también conciencia de límites, lo relativo a la estética, en concreto la literatura, como articulación y promesa de realidad, pero que debe conjugarse con la filosofía (ámbito de la verdad de la realidad en términos de sentido y juicio) y con la acción (regida por lalibertad no solo como libre albedrío, sino como orientación al bien, principio de valor, instauradora de realidad «pública» y no tanto de «contemplación»).

El conservar y promover nuestro perfil cultural supone también trabajar pacíficamente para superar lo que hemos definido como daño antropológico, especialmente el genocidio cultural provocado por la colonización, los totalitarismos, los autoritarismos, la masificación despersonalizadora, los procesos inducidos de ingeniería social y los caudillismos y populismos de todo signo, amenazas y factores desintegradores de nuestro proceso de crecimiento cultural.

4.2. Esencias constitutivas y rasgos identitarios de la cultura cubana

Para establecer los «perfiles humanos a los que aspiramos» es preciso tener en cuenta que, si bien la cultura es una sola a lo largo del tiempo, lo cierto es que cada época y generación aporta su propio perfil cultural. Luego, si de sujetos o procesos modélicos se tratase, habría que pensar a la vez en una propuesta general lo suficientemente incluyente y flexible, que permita incorporar eventualmente las nuevas experiencias y valores culturales que puedan surgir a lo largo del tiempo, siempre que estos sean compatibles con la matriz esencial de la cultura, en lugar de imponer una camisa de fuerza o un esquema imaginado desde el hoy por el que deban regirse los perfiles humanos en el porvenir. Se trataría, entonces, de proponer una visión evolutiva e incluyente.

Esto es particularmente importante, por ejemplo, si se quiere proponer un *ethos* nacional, ya que los principios éticos no son coto particular de un grupo social en un momento dado, sino un patrimonio de todos los individuos que comparten la misma cultura. La visión ética del cubano del siglo XXI ha evolucionado respecto de la de los padres originarios de la Nación, aunque pertenezcamos a la misma cultura. Esto no es necesariamente «bueno» o «malo», sino, sencillamente una enunciación de la realidad que demuestra que lo que era éticamente reprobable en el pasado no siempre lo es en la actualidad. Esto es así porque son los sujetos los que hacen la cultura y no a la inversa, por eso hay que evitar «plantillas» (en su momento el fallido «Hombre Nuevo» fue un ensayo de «perfil» impuesto desde el poder). En cualquier caso, toda propuesta perfilista de un homo cubensis cultural debe estar estrictamente apegada al derecho cultural de todos, sin que el derecho individual afecte al de la totalidad, y viceversa.

Somos mezcla de españoles, africanos chinos y, en cierta forma, también de los rápidamente extinguidos aborígenes cubanos, a esa mezcla le hemos llamado «criollos» y «rellollos» que refleja una identidad que nos caracteriza por ser muy diversos, profundos de pensamiento, laboriosos y capaces de adaptarnos y progresar en situaciones difíciles. Sabemos conservar y disfrutar nuestras tradiciones familiares y sociales. Tenemos una matriz religiosa diversa y esencialmente católica. Tenemos también un legado fruto de una condición geográfica, como habitantes de una cálida isla, somos «isleños», es decir, a veces nos sentimos el «ombligo del mundo», y también sentimos profundamente nuestra independencia y respetamos celosamente las relaciones con los países vecinos y el resto del mundo, somos cálidos y pacíficos, independientes y seguros de sí mismos, de nuestro origen y capaces constructores de paz.

Se deben tener también en cuenta los aportes de la Diáspora. En más de cinco décadas ha habido una producción fuera de Cuba que ha aportado a la cultura cubana. Ha habido personalidades e instituciones que se han dedicado a conservar, promover y divulgar nuestros rasgos identitarios.

Respetando esa diversidad incluyente y siempre en gestación, parece ser que a lo largo de estos procesos constitutivos del *ethos* cubano se han ido sedimentando algunos rasgos de esa matriz cultural con la que deben ser compatibles los perfiles antropológicos por venir. Teniendo esta visión evolutiva y evitando toda máscara momificada e impuesta, los más importantes etnólogos cubanos han ido identificando, entre otros, los siguientes rasgos identitarios de la cultura cubana:

1. *Es mestiza,* desde el punto de vista racial, religioso, en las formas de ver el mundo, en el estilo de vida y de pensamiento.

2. *Es de matriz cristiana,* por su origen y su devenir. «una huella profunda y radical, es innegable, en la inspiración de aquellas décadas germinales de nuestra nacionalidad, de nuestra cultura: la huella de Cristo, el soplo de su voz...» (Cintio Vitier, Velada ENEC, 1986). Cristianismo mezclado, pero presente en la memoria del pueblo con perseverante sustrato que subsiste hasta hoy a pesar de más de cinco décadas de ateísmo. También capaz de convivir con otras expresiones religiosas que encuentran acogida en lo cubano. Desde sus mismas raíces hubo manifestaciones religiosas ligadas a la liberación integral del hombre que continúan hoy.

3. *Es humanista,* desde sus mismas raíces, siempre ligadas a la liberación y el desarrollo integral del hombre y de la sociedad. Su profundo humanismo tiene su columna vertebral, tiene su médula y articulación, en la eticidad de Varela y Martí, cuyos dos pilares trascendentes son la virtud y el amor. Esta eticidad tiene máximos exponentes en las Cartas a Elpidio, el Manifiesto de Montecristi y todo el magisterio vareliano y martiano.

4. *Es pluralista,* porque siempre dio cabida a diversas formas de opción política, diversas formas de creer, diversas formas de pensar, aunando, atrayendo, no dispersando, «con todos y para el bien de todos», por lo que la síntesis de unidad en la diversidad predomina sobre caudillismos, sectarismos y dogmatismos que la deformaron.

5. Tiene un gran poder de recuperación, después de fuertes períodos de descomposición moral o desintegración social. Los períodos en que hemos sufrido influencias foráneas o advenedizas así lo comprueban, de ellos hemos salido y vamos saliendo.

6. Es emprendedor. El cubano, en general, «sabe abrirse camino en la vida». Trabaja y emprende nuevos proyectos de vida. Tiene carisma de empresario. Le gusta innovar y «adelantarse». Es capaz de sacrificar mucho por progresar y disfrutar él y su familia de los resultados de su trabajo. Demostró ese carácter emprendedor en la Isla mientras tuvo libertad y aún en medio del totalitarismo tratando de «levantar cabeza» por cualquier resquicio. Lo ha demostrado también en la Diáspora, aún en su condición de inmigrante: Miami y otras comunidades cubanas lo confirman. Hasta un presidente ha reconocido que en los Estados Unidos existe «un claro monumento a lo que el pueblo cubano es capaz de construir... aquí en La Habana, vemos ese mismo talento en los cuentapropistas, las cooperativas, los autos antiguos que todavía ruedan. «El cubano inventa en el aire». (Obama. La Habana, 22 marzo de 2016).

7. Tiene un carácter abierto y acogedor, lo que Martí llamó un alma universal, señalando que Patria es humanidad, sin perder el sentido de pertenencia y amor a su tierra y su cultura, que se ha potenciado en los diferentes destierros, exilios y migraciones sufridos por siglos. Lo que demuestra que la cultura es la que sobrevive, aglutina y recupera a la Nación, aún cuando la patria estuviera lejos, los gobiernos cambien, y hasta el Estado desapareciera de los mapas por un tiempo. Por eso es importante tener una visión seminal, estructural y trascendente de la cultura para salvar el alma de la Nación, la identidad de sus hijos en la Isla y en la Diáspora, y fortalecer la integridad de la Patria cubana.

8. Tiene «alma latinoamericana y caribeña» y, por tanto, forma parte de la cultura occidental, sin la cual perderíamos nuestra propia identidad: color, idioma, religión, origen común, similares vicisitudes históricas, repúblicas subdesarrolladas, protagonistas de lo real-maravilloso en la naturaleza y en los hombres y mujeres de nuestros pueblos. Esa parte en común con lo latinoamericano, no niega otra parte en que reconocemos nuestra tendencia histórica y cultural hacia el norte, hacia lo europeo. Somos, quizás, el más «español» de todos los países latinoamericanos. No hay que olvidar que fuimos la última «perla de la corona» que perdió la metrópoli y que Fernando Ortiz lo decía en Carta a Unamuno: «es que Cuba, en no pocos aspectos, es más española que España» (Entre Cubanos, p. 13). La apertura a lo universal ha sido reforzada por la transnacionalización de la cultura, en parte por causa de las continuas olas migratorias que han constituido una Diáspora cosmopolita.

En 1895, al escribir el Manifiesto de Montecristi, uno de los dos pilares de la eticidad cubana, junto con las «Cartas a Elpidio» del Padre Félix Varela, José Martí hace una de las descripciones más detalladas del perfil de los valores y virtudes del cubano. Citamos este fragmento, documento indispensable para estudiar el carácter y la forma de vida de los cubanos al finalizar el siglo XIX, valioso paradigma para cultivar nuestra cultura en las futuras generaciones: «Cuba vuelve a la guerra con un pueblo democrático y culto, conocedor celoso de su derecho y del ajeno; o de cultura mucho mayor, en lo más humilde de él, que las masas llaneras o indias con que, a la voz de los héroes primados de la emancipación, se mudaron de hatos en naciones las silenciosas colonias de América; y en el crucero del mundo, al servicio de la guerra, y a la fundación de la nacionalidad le vienen a Cuba, del trabajo creador y conservador en los pueblos más hábiles del orbe, y del propio esfuerzo en la persecución y miseria del país, los hijos lúcidos, magnates o siervos, que de la época primera de acomodo, ya vencida, entre los componentes heterogéneos de la nación cubana, salieron a preparar, o en la misma Isla continuaron preparando, con su propio perfeccionamiento, el de la nacionalidad a que concurren hoy con la firmeza de sus personas laboriosas, y el seguro de su educación republicana».

Y continua Martí en el citado Manifiesto de Montecristi, describiendo las virtudes de los diferentes sectores sociales que componen la nacionalidad cubana:

> *El civismo de sus guerreros; la pericia práctica de sus pensadores, la aspiración y la cultura, el cultivo y benignidad de sus artesanos; y sus hábitos políticos, el empleo real y moderno de un número vasto de sus inteligencias y riquezas; la peculiar moderación del campesino sazonado en el destierro y en la guerra; el trato íntimo y diario, y rápida e inevitable unificación de las diversas secciones del país; la admiración recíproca de las virtudes iguales entre los cubanos que de las diferencias de la esclavitud pasaron a la hermandad del sacrificio; y la benevolencia y aptitud crecientes del liberto, superiores a los raros ejemplos de su desvío o encono, –aseguran a Cuba, sin ilícita ilusión, un porvenir en que las condiciones de asiento, y del trabajo inmediato de un pueblo feraz en la república justa, excederán a las de disociación y parcialidad provenientes de la pereza o arrogancia que la guerra a veces cría, del rencor ofensivo de una minoría de amos caída de sus privilegios; de la censurable premura con que una minoría aún invisible de libertos descontentos pudiera aspirar, con violación funesta del*

albedrío y naturaleza humanos, al respeto social que sola y ha de venirles de la igualdad probada en las virtudes y talentos; y de la súbita desposesión, en gran parte de los pobladores letrados de las ciudades, de la suntuosidad o abundancia relativa que hoy les viene de las gabelas inmorales y fáciles de la colonia, y de los oficios que habrán de desaparecer con la libertad. (José Martí y Máximo Gómez. Manifiesto de Montecristi. Obras Completas, Tomo 4, *Editorial de Ciencias Sociales, La Habana 1975, páginas 93-101).*

4.3. Algunos rasgos que, en algunos períodos de nuestra historia (no reducibles a un momento histórico) pudieron constituir debilidades del ser y el quehacer de los cubanos y cubanas y que estamos invitados a superar:

- el miedo
- la doblez
- la fragilidad personal
- la superficialidad
- la violencia
- las revanchas, ajenas a nuestra idiosincrasia
- los radicalismos extremos en cualquier sentido
- el burocratismo
- el caudillismo
- la corrupción administrativa
- las injusticias y desigualdades sociales
- las lacras de un racismo no plenamente superado
- el choteo, en su dimensión negativa de superficialidad
- la falta de seriedad
- la carencia de disciplina
- la falta de unidad en la diversidad
- la indiferencia del frustrado
- la ligereza en el actuar
- la falta de tenacidad en la prosecución de los objetivos individuales y nacionales
- la irresponsabilidad, grado mayor de la indiferencia
- la incultura o incivilidad
- el complejo de subalternidad, de servidumbre
- la desilusión, el desaliento y la frustración
- la política como industria jugosa, como modo de vivir y no como servicio
- cierta pérdida del sentido patrio

- la autosuficiencia colectiva
- la trasnochada recurrencia a glorias pasadas
- la falta de energía constante: nuestras energías son intermitentes
- la indefensión aprehendida, por falta de una fuerte institucionalización para la democracia
- la amoralidad: falta de un proyecto ético y una opción fundamental en la vida
- nuestra susceptibilidad intolerante de la crítica
- la puerilidad en nuestro orgullo insensato
- el atosigamiento por falta de capacidad de sacrificio.

4.4. Impactos de las debilidades y rasgos negativos de la cultura cubana en nuestra convivencia

Todos estos contravalores y las estructuras socio-políticas y económicas han impactado de alguna forma, no debe generalizarse, en diferentes grados de profundidad y amplitud, en nuestro ser y convivir. Pudiera decirse que han dado origen a diversos estragos culturales y sociales que es necesario sanar y reconstruir, entre todos, por medio de un proceso paciente de educación. A saber, entre otros:

- el daño antropológico que produce incoherencias éticas y anomia social
- el analfabetismo cívico y político
- la ruptura de la continuidad histórico-cultural del proyecto cultural de Varela-Martí
- el desarraigo: buscar fuera lo que se tiene o puede buscar dentro de sí y de la nación
- el deterioro de la nación detenida: una nación mentalmente aletargada
- apagaron la ética
- secaron las motivaciones sanas y profundas
- mataron la creatividad
- disecaron el humor bueno
- fomentaron el paternalismo
- afianzaron el autoritarismo
- impusieron el monolitismo ideológico y político
- desordenaron la economía, violando las leyes del mercado y experimentando un modelo que va contra la naturaleza humana
- provocaron la «cultura del pichón»: la dependencia y falta de responsabilidad personal y social

- prometieron la cantidad sin cuidar la calidad
- prometieron el crecimiento material
- postergaron el crecimiento espiritual
- dieron al ateísmo la categoría de dogma científico
- calificaron las creencias como «problema, una debilidad o un divisionismo ideológico».

(Cf. *Documento Final del Encuentro Nacional Eclesial Cubano* (ENEC). 1986. p. 5).

4.5. Valores, virtudes y actitudes para superar estas, y otras, debilidades y contravalores de nuestra cultura cubana

Para sanar estos estragos antropológicos proponemos introducir en nuestro sistema educacional un programa universal e integral de educación ética y cívica, para la libertad y la responsabilidad, evitando todo método de ingeniería social, y especialmente fundamentados en los siguientes valores, virtudes y actitudes, entre otros:
- la fortaleza interior: ser virtuosos
- la libertad interior y las libertades
- una espiritualidad recia y amorosa
- la audacia y el valor sereno
- la honestidad y probidad
- la transparencia
- el perdón
- la misericordia
- la alegría interior
- la fraternidad
- la convivencia pacífica
- el equilibrio psíquico y la educación emocional
- la justicia y la igualdad de oportunidades
- la tolerancia en las relaciones interpersonales e internacionales
- una cultura de paz
- fomentar la fe en nuestras propias capacidades y talentos
- ser más adultos cívicamente
- ser ricos de savia sana en los brotes intelectuales
- el carácter pluralista, inclusivo y abierto, participativo y democrático
- la disciplina en la vida y el trabajo
- la búsqueda de consensos, de unidad en la diversidad
- el compromiso ético, cívico y político

- la tenacidad y la perseverancia
- la capacidad de sacrificio y abnegación
- la modestia personal y colectiva
- la moderación y la gradualidad
- la virtud y la agilidad en el servicio público
- aprender a trabajar en equipo para evitar caudillismos
- aprender a someterse al escrutinio público como servidores
- ser realistas y objetivos
- aprender de las lecciones de la historia
- aprender a ser críticos y autocríticos y a aceptar la crítica sin rencores ni susceptibilidades
- aprender a hacernos un proyecto de vida personal, familiar y social
- la valoración de las instituciones: sin instituciones no hay país
- el arraigo, permanencia y amor a nuestra cultura, nación y patria
- la constancia en el trabajo: aprender a realizar obras largas
- el saber realizar ideales que requieren gran suma de trabajos en colaboración, ocultos, modestos y sanos
- fortalecer nuestra constitución psico-social como base de nuestra autonomía
- salvaguardar las conquistas sociales más auténticamente humanas, sin volver atrás
- discernir una nueva síntesis cultural identificando y promoviendo valores que hay que conservar siempre.

5. Visión de la cultura en el futuro de Cuba

En este estudio, entendemos que visión no se trata de un «sueño» intimista, individualista y meramente subjetivo. Visión es concebida aquí como: la meta histórica, limitada y perfectible siempre, que se construye desde la intersubjetividad, la mediación de las estructuras y las circunstancias históricas concretas y cambiables. Es una utopía «inacabada y perfectible», que nos convoca y nos hace levantar la vista, tener luz larga, y sana tensión hacia adelante.

Proponemos esta visión para la promoción de la cultura en el futuro de Cuba. Así la deseamos ver y vivir entre todos:

Las esencias constitutivas plurales y los genuinos rasgos identitarios de la cultura cubana, según el proyecto fundacional de Nación propuesto por Varela y Martí, especialmente aquellos cinco pilares sobre los que se debe levantar nuestro estilo de vida personal y nacional, a saber: la virtud, el amor, la bondad, la verdad y la belleza, son cultivados y renovados, con la libre participación de todos, ejercitando una dinámica dialógica entre continuidad y renovación, mediante una educación pluralista y liberadora, una creación artística, literaria, artesanal y científica libre y el desarrollo de una espiritualidad humanista y abierta al mundo, para poder responder, de este modo, a los desafíos del mañana e inspirar el nacimiento de los tiempos nuevos en Cuba, y para favorecer el aporte de la cultura cubana a la cultura universal.

6. OBJETIVOS Y ESTRATEGIAS DE SOCIALIZACIÓN DE LA CULTURA EN EL FUTURO DE CUBA

6.1. Líneas estratégicas para cultivar la cultura cubana

El devenir histórico reabre para Cuba un nuevo período en su cultura y vivencia nacional. Esa nueva etapa que nos sobreviene, que ya está aquí incipientemente, requiere tener en cuenta una visión general de la cultura cubana (o varias visiones) en diálogo edificador y comunión integradora y diversificadora, así como unas líneas estratégicas para responder a los nuevos retos que nos presenta la fundación de tiempos nuevos y, según nos enseña nuestra herencia cultural, ser fieles a ese patrimonio espiritual de Varela y Martí, promoviendo activamente, entre otras, las siguientes:

- Superar el analfabetismo cívico y político con un programa de educación ética y cívica, para la libertad y la responsabilidad.
- Los ciudadanos deberán tener el derecho de crear y aportar a la espiritualidad de la nación sin encorsetamientos de índole ideológica ni de otra naturaleza, siempre que esos aportes no vulneren los principios culturales esenciales que son patrimonio de todos.
- La libertad, en su concepción más prístina, incluye tanto el derecho de crear como de consumir la cultura en todas sus manifestaciones, sin censuras injustificadas y sin sujeciones a normativas de un grupo de poder, cualquiera que este sea.
- Urge establecer las condiciones materiales y espirituales necesarias para el desarrollo cultural de los ciudadanos y/o grupos, a todos los niveles de la sociedad, así como crear las vías —institucionales, legales etc.— que lo favorezcan, y las oportunidades de desarrollo cultural para los grupos sociales económicamente menos favorecidos.
- La cultura, su salvaguarda y construcción deben ser derecho y obligación de toda la sociedad por igual y no puede ser coto exclusivo y excluyente del Estado, ni de ningún grupo social.
- Sanar el daño antropológico que produce incoherencias éticas y anomia social.

- Es el propio desarrollo cultural el que deberá ir pautando las políticas necesarias para su continuidad y garantías, y no a la inversa.
- Buscar siempre la continuidad histórico-cultural del proyecto cultural de Varela-Martí, referencia obligada para poder construir cualquier otro período histórico y para seguir siendo cubanos y cubanas, sin momificarlos, ni convertirlos en bloqueadores de lo nuevo. Un ejemplo, la cultura de la guerra, del héroe militar, de lo violento, no se corresponde a los actuales paradigmas culturales. Debe ser renovado por una cultura de la paz, del protagonismo civilista y comunitario, de la no violencia y la gradualidad.
- Aprender a discernir, en el imbricado tejido social de hoy, una nueva síntesis cultural identificando y promoviendo aquellos valores que hay que conservar siempre e introduciendo los nuevos aportes del devenir ético, cívico e histórico, haciendo énfasis en el significado, respeto y buen uso de los símbolos patrios y nacionales.
- Promover una visión del hombre y la mujer al que aspiramos: un pueblo que se desenvuelva en una cultura de participación, diálogo, negociación y transacción, con vistas a llegar a soluciones de consenso o a decisiones mayoritarias, respetando todas las posiciones; promover la cultura de que «el respeto al derecho ajeno es la paz» (Benito Juárez).
- Promover y respetar la autonomía de la familia en la toma de decisiones. Fortalecer su función en la formación de valores.
- Una nueva Constitución futura debe hacer referencia a que sus leyes están basadas en los Pactos Internacionales de Derechos Humanos: civiles y políticos, económicos, sociales y culturales y de tercera generación.
- Promover proyectos sociales para acompañar la realización de proyectos de vida que hagan opción por Cuba, por su transformación.
- Impulsar el estudio de los aportes de la intelectualidad en la época republicana y en la etapa del socialismo real, incluyendo a aquellas personas e instituciones que fueron marginadas antes y después de 1959.
- Discernir para superarlos, aquellos contravalores que se oponen a nuestra identidad, y que corrompieron al cubano, lo desarraigaron, lo desalentaron, lo hicieron frágil en su persona y en sus relaciones, apagaron la ética, secaron las motivaciones sanas y profundas, mataron la creatividad, disecaron el humor bueno, fomentaron el paternalismo.
- Superar la correspondiente «cultura del pichón»: dependencia y falta de responsabilidad personal y social, que entronizaron el autoritarismo y el

409

monolitismo ideológico y político, desordenaron la economía, prometieron la cantidad sin cuidar la calidad, prometieron el crecimiento material y postergaron el crecimiento espiritual, los que dieron al ateísmo la categoría de dogma científico y calificaron las creencias como «problema, una debilidad o un divisionismo ideológico» (ENEC p. 5), como opio de los pueblos.

- Evitar la confusión en lo que es la cultura cubana, más visible en la relación entre cultura y turismo. El turista viene a tomar de Cuba una imagen cliché. Superar el reduccionismo de lo cultural a lo folklórico.
- Profundizar en la historia no contada de Cuba. Rescatar la memoria histórica. Es importante para esto promover el perdón y la reconciliación. Revisar los programas de estudio sobre la enseñanza de la Historia de Cuba. Debe ser una revisión académica, no ideologizada, ni manipulada en ningún sentido. Debe distinguirse bien la historia de la contemporaneidad para evitar convertir en historia los procesos aún en marcha y las personas vivas.
- Promover la cultura del trabajo, del sentido de pertenencia, de la autogestión y la gestión cooperativa y empresarial. Esto formó y forma parte de nuestra cultura. En general, los cubanos y cubanas somos emprendedores.
- Profundizar en cómo el aspecto económico ha incidido en la transformación de la cultura cubana. Reconocer cómo influye en las formas de vida y expresiones culturales el ejercicio de la libertad de empresa en un Estado de Derecho que tenga una orientación de justicia social.
- Salvaguardar las conquistas sociales y culturales más auténticamente humanas, sin volver atrás.
- Desterrar las revanchas, ajenas a nuestra idiosincrasia.
- Evitar los radicalismos extremos en cualquier sentido.
- Proponer estrategias para superar el escapismo cubano, hacia afuera (emigración) y hacia adentro (individualismo) que fragmentan el sentimiento de «destino común» de la nación.
- Favorecer la apertura a las nuevas tecnologías para la interacción de los cubanos de la diáspora con los procesos nacionales.
- Desarrollar políticas que favorezcan la convocatoria del capital humano en la diáspora para el desarrollo de la nación.

Todos estos contravalores y las estructuras socio-políticas y económicas que le dieron origen, y que causaron lo que hemos descrito como daño antropológico y analfabetismo ético y cívico, desfiguran nuestra cultura y deben ser corregidos, o definitivamente superados. Se puede completar esta relación con características positivas y también negativas de nuestra cultura o identidad cubana, con vistas a superarlas en lo adelante. Toda cultura tiene valores y desvalores. Toda cultura es memoria y proyecto. Todo es un proceso de mezcla y gestación. Por eso es necesario que cada cubano recupere:

- frente a la doblez...... la transparencia del vitral.
- frente al miedo...... la expresividad y la valentía del gallo.
- frente a la fragilidad personal y la superficialidad...... la dignidad y la fortaleza de la palma real.
- frente al caudillismo...... la valoración de las instituciones.
- frente a la desintegración y la violencia...... la convivencia pacífica.

6.2. Objetivos y estrategias familiares, vecinales, sociales, institucionales e internacionales (globales) para las dinámicas socializadoras de la cultura cubana

Todas las dimensiones culturales, desde las familiares hasta las más universales, deben promover las dinámicas personalizadoras, y tienen que gozar en primer lugar de las libertades y autonomías correspondientes. Entre ellas la libertad de asociación para que los ciudadanos, asociados por sus intereses mutuos, puedan participar como sujetos activos en la asimilación, desarrollo y trasmisión de la cultura.

La enseñanza de la Historia de Cuba constituye una herramienta determinante en los procesos de renovación cultural. En ella están los pilares básicos que conforman la diversidad de pensamiento y las libertades de conciencia y de expresión. La historia, definida y escrita por los vencedores obstaculiza la consolidación de las virtudes morales, por cuanto la virtud requiere de la verdad. Si la historia se tergiversa, como ocurre en la actualidad, los acontecimientos no pueden ser comprendidos ni pueden servir para formar virtudes morales. Debemos buscar, entre todos, una visión de la historia que sin negar los episodios y las figuras de la guerra, priorice los hechos y figuras de la paz, es decir, los que construyeron, inventaron y desarrollaron toda la creación material y espiritual, artística, literaria, científica y productiva que tuvimos y la que aún queda. Esa historia debe destacar el papel desarrollado por la libertad de asociación, sin la cual no hubiéramos contado con ese valioso instrumento de la diversidad y la autonomía para la creación en todos los campos que abarca la actividad humana.

En cuanto a iniciativas e instituciones culturales existentes, muchas de ellas deben permanecer, pero reformadas mediante una nueva política cultural que coloque las necesidades de la nación y de la sociedad por encima de las ideologías y la política y al hombre como lo primario en cualquier proyecto social. Las familias y las modalidades educativas ya sean escolares o complementarias deben considerar dentro de sus objetivos y estrategias de promoción cultural:

- Promover una cultura de la interioridad, del cultivo de una espiritualidad elegida.
- Promover una cultura de la contemplación: del ser humano, de la creación y del Creador, en caso de ser creyentes.
- Promover una cultura del silencio y la escucha, del respeto ante la diversidad.
- Promover una cultura del pensar primero, del pensar con lógica, del pensar proactivo, del pensar para discernir y ejercer el criterio propio, rechazar las máscaras y simulaciones de la llamada «doble moral».
- Promover una cultura del sentido de la vida. Dando las herramientas a sus hijos para que se ejerciten en dar sentido a sus vidas, es decir, discernir, elegir y vivir, libre y responsablemente, su propio proyecto de vida personal y social. Proyectos de vida que hagan opción por Cuba, por la permanencia aquí, por su transformación.
- Promover una cultura de virtudes y valores: la verdad, la valoración del trabajo, la responsabilidad, la participación, el respeto a la discrepancia, el rol de la familia, la tolerancia, la inclusión, la cultura de la paz, y la capacidad crítica o ejercicio del criterio propio.
- Promover una cultura de la igualdad y la diversidad del hombre y la mujer, desde su relacionalidad e interioridad, rescatando la dignidad de cada persona, que se realiza en comunidad.
- Promover una cultura de la persona que se construye desde el encuentro, en una dinámica de liberación consciente, en un complejo proceso de personalización-socialización.
- Promover una cultura de la amistad como ámbito de crecimiento, generadora de energía positiva, de vida y realización. El proceso de encuentro le permite a la persona conocerse en su verdad más honda, desarrollar lo mejor de sí y capacitarse como sujeto activo en la historia.
- Promover la cultura del amor, de las cuatro dimensiones del amor, a saber: sexualidad, filia, eros y ágape. Reconociendo que el sentirse y saberse amado(a) incondicionalmente, libera a la persona y le descubre el sentido de su vida, posibilita la confianza en sí misma y la autoestima, principio de su autonomía y raíz profunda del respeto y de una moralidad, libremente discernida, asumida, autónoma y trascendente.

- Promover una cultura de las religiones según aquel criterio de que: «Las religiones no anuncian solamente prédicas, ellas enseñan prácticas. Las religiones son fuentes de éticas» (Leonardo Boff). Responsabilidad de las iglesias para que se viva una religión liberadora, profética, encarnada en Cuba.
- Promover la aplicación del principio de subsidiaridad en su proyección social y política.
- Promover las diferentes manifestaciones artísticas, independientemente de la ideología o credo de sus exponentes.
- Promover, desde las escuelas, el conocimiento de las raíces culturales y artísticas cubanas así como de la historia y el arte universales. Pasar de presentar el folklor como espectáculo del sincretismo afro-cubano para turistas ingenuos, al respeto y plena promoción de un proceso que es mucho más amplio, profundo y humanizador.
- Promover la interacción de los artistas cubanos en diferentes escenarios, no como premio, o regalo por buen comportamiento, sino por necesidad propia del creador.
- Promover prácticas liberadoras y transformadoras en la sociedad civil. Responsabilidad de las instituciones confesionales.
- Ayudar a construir una sociedad democrática, donde la voz de todos sea escuchada.
- Ayudar a reconstruir el tejido social de la relación vecinal, creando nuevas dinámicas en las relaciones en el barrio. Promover programas educativos, culturales, talleres formativos y otras actividades que fortalezcan las relaciones vecinales del barrio y la comunidad, sin la intervención de organizaciones gubernamentales.
- Cultivar la apertura al arte mundial, sin censura y sin sectarismos o nacionalismos trasnochados.
- Educar a los ciudadanos en el compromiso con la libertad, partiendo de la libertad del individuo, hacia la libertad colectiva y de creación.
- Trabajar para romper con los viejos patrones de creación «comprometida» (sometida), para saltar a una creación artística verdaderamente independiente, sin entidades rectoras y fiscalizadoras que coarten la libertad de los artistas.
- Garantizar que el ciudadano goce plenamente de la garantía de su derecho a profesar, practicar y promover cualquiera que fuere su creencia y/o religión, sin que esto perjudique su desempeño, o el de sus familiares, como ciudadanos que enriquecen el patrimonio cultural de la nación.

7. Dinámicas de la cultura cubana: memoria, apertura y renovación

7.1. Del vacío existencial a proyectos de vida dignos

Una de las principales estrategias para cultivar la cultura cubana y sanar el daño antropológico causado por largos períodos de colonialismo primero y de totalitarismo después, es superar el vacío existencial, la falta de sentido vital, es decir, de proyectos de vida coherentes, por una educación ética y cívica que provea las herramientas para que cada cubano y cubana aprendamos a discernir, elegir y vivir un proyecto de vida que de sentido, coherencia y esperanza a nuestras existencias cotidianas. Viktor Frankl, psicólogo vienés, autor de «El hombre en busca de sentido» recuerda aquella frase de Nietzsche, que nada tiene que ver con la náusea de vivir: «El que tiene un *por qué* para vivir, puede soportar casi cualquier *cómo*...»

Ante el vacío existencial que provocan esquemas culturales vacíos de sentido, el Papa san Juan Pablo II en su visita a Cuba (enero de 1998) proponía a los jóvenes cubanos superar la vaciedad, el relativismo moral y la desesperanza:

> *Actualmente, por desgracia, para muchos es fácil caer en un relativismo moral y en una falta de identidad que sufren tantos jóvenes, víctimas de esquemas culturales vacíos de sentido o de algún tipo de ideología que no ofrece normas morales altas y precisas. Ese relativismo moral genera egoísmo, división, marginación, discriminación, miedo y desconfianza hacia los otros. Más aún, cuando un joven vive «a su forma», idealiza lo extranjero, se deja seducir por el materialismo desenfrenado, pierde las propias raíces y anhela la evasión. Por eso, el vacío que producen estos comportamientos explica muchos males que rondan a la juventud: el alcohol, la sexualidad mal vivida, el uso de drogas, la prostitución que se esconde bajo diversas razones -cuyas causas no son siempre solo personales-, las motivaciones fundadas en el gusto o las actitudes egoístas, el oportunismo, la falta de un proyecto serio de vida en el que no hay lugar para el matrimonio estable, además del rechazo a toda autoridad legítima, el anhelo de la evasión y de la emigración, huyendo del compromiso y de la responsabilidad para refugiarse en un mundo falso cuya base es la alienación y el desarraigo» (Juan Pablo II,* Homilía a los jóvenes en Camagüey, *enero 1998).*

Por el conocimiento que demostró de las fortalezas y debilidades de nuestra forma de vivir y la vigencia de estas propuestas éticas y culturales, ten-

414

gamos en cuenta, seamos creyentes o no, la invitación que hizo el Papa Juan Pablo II a superar los rasgos negativos de la cultura cubana cultivando estas actitudes:

Queridos jóvenes, el testimonio cristiano, la «vida digna» a los ojos de Dios tiene ese precio. Si no están dispuestos a pagarlo, vendrá el vacío existencial y la falta de un proyecto de vida digno y responsablemente asumido con todas sus consecuencias. La Iglesia tiene el deber de dar una formación moral, cívica y religiosa, que ayude a los jóvenes cubanos a crecer en los valores humanos y cristianos, sin miedo y con la perseverancia de una obra educativa que necesita el tiempo, los medios y las instituciones que son propios de esa siembra de virtud y espiritualidad para bien de la Iglesia y de la Nación... Queridos jóvenes, sean creyentes o no, acojan el llamado a ser virtuosos. Ello quiere decir que sean fuertes por dentro, grandes de alma, ricos en los mejores sentimientos, valientes en la verdad, audaces en la libertad, constantes en la responsabilidad, generosos en el amor, invencibles en la esperanza. La felicidad se alcanza desde el sacrificio. No busquen fuera lo que pueden encontrar dentro. No esperen de los otros lo que Ustedes son capaces y están llamados a ser y a hacer. No dejen para mañana el construir una sociedad nueva, donde los sueños más nobles no se frustren y donde Ustedes puedan ser los protagonistas de su historia. Recuerden que la persona humana y el respeto por la misma son el camino de un mundo nuevo» (Ibídem).

7.2. Dialógica cultural entre memoria, apertura y renovación

Las dinámicas personalistas y personalizadoras nos enseñan, en primer lugar a «pensar con cabeza propia», lo que equivale a decir a educarnos en el ejercicio del criterio y el discernimiento ético ante cada opción de nuestras vidas. Al mismo tiempo, la promoción cultural debe proveernos de los instrumentos y habilidades para pasar de una vida sin visión ni perspectivas a ser capaces de pensar, discernir y elegir, proyectos de vida dignos y coherentes.

Sin embargo, esta dinámica personalizadora debe ser complementada con dinámicas socializadoras como aprender a trabajar en equipo, aprender a vivir en comunidad, aprender a crear un hábitat ambiental y cultural que propicie la vida personal y comunitaria, en fin, empoderarnos para ser capaces de establecer un diálogo proactivo que nos libere del anclaje en el pasado, de la nostalgia de que cualquier tiempo pasado fue mejor, nos abra a los nuevos retos de la posmodernidad y nos eduque para poder responder a los desafíos del mañana con nuevas síntesis culturales. A tiempos nuevos y culturas globalizadoras y mundializadoras, corresponden nuevos perfiles y modelos plurales, inclusivos y abiertos a una dialógica entre la memoria del *ethos* que nos distingue como cubanos y cubanas, la apertura a las mejores solicitaciones del presente y el porvenir, y a la renovación de los rasgos culturales que no desfiguren el rostro de la cubanidad sino que lo perfilen con nuevas luces, nuevos códigos de comunicación y nuevas expresiones de bondad, verdad y belleza.

En una sociedad cambiante, donde la desigualdad social se acentúa y en la cual se ha ido perdiendo la identidad nacional, por desconocimiento, como rebeldía, o como respuesta a un largo periodo de imposiciones culturales pre-fabricadas, o importadas desde patrones ajenos a nuestra idiosincrasia; será necesario trabajar en el rescate de las tradiciones más autóctonas, sin perder la conexión con la gran aldea-mundo, sin divorciarnos de la velocidad a la que se mueve el resto de la humanidad, evitando cualquier aislamiento de la realidad cambiante y mutante. Será imprescindible hacerlo tratando de resaltar el gran valor de la familia y el papel que esta juega en la formación del individuo y la inserción del mismo en la sociedad.

8. Creación y manifestaciones culturales: libertad, diversidad, sostenibilidad y globalización

- La garantía jurídica para la libertad de creación, de pensamiento, de religión y de expresión en relación con la cultura.
- Promoción de espacios y marco jurídico para la libertad, diversidad, sostenibilidad y apertura al mundo de todas las manifestaciones artísticas: literatura, música, teatro, danza, artes plásticas, artesanía, cine, radio, televisión, nuevas tecnologías de la información y las comunicaciones (TICs) y nuestro folklor.
- Dinámicas de apertura de nuestra cultura al mundo: dialéctica y dialógica entre globalización e identidad. La apertura fortalece la identidad, la cerrazón la ahoga.

9. Leyes, estructuras y políticas culturales para el futuro de Cuba

Propuesta de una Ley de Cultura y Educación que garantice las libertades de creación, de expresión, de comunicación, de asociación, así como los espacios, la educación artística especializada, la promoción y los intercambios culturales, los derechos de autor, las casas de cultura de nuevo tipo, las bibliotecas públicas y privadas, las academias y escuelas de arte, públicas y privadas, las futuras estructuras (Ministerio de Cultura o Dirección de Cultura en un Ministerio de Educación y Cultura).

Si bien las leyes culturales deberán establecer un cuerpo reglamentario que deben observar todos los actores sociales y las instituciones, la gestión cultural deberá ser tanto estatal como privada. Esto significa que las instituciones culturales y su manejo dejarán de ser patrimonio absoluto del Estado, que ha dado lugar al adoctrinamiento a través del sistema cultural nacional –casas de cultura, escuelas de arte, organizaciones culturales, etc.– al privilegio de individuos y sectores artísticos «fieles» a la ideología en el poder, a la exclusión de talentos y a la mediocrización general de la cultura.

El sector privado, junto a un Estado instaurado sobre bases democráticas, jugarán un papel fundamental en el desarrollo de nuevas estrategias culturales.

El principio básico de toda estrategia cultural, ya sea estatal o privada, deberá ser la libertad de creación, de pensamiento y de expresión. A este principio se deberá subordinar todo programa o ley encaminada al fomento y protección de la cultura nacional.

La sociedad civil, los *think tanks*, las iglesias, las asociaciones fraternales, entre otras, deben estudiar y proponer políticas públicas relacionadas con la cultura e iniciativas privadas. Educación artística pública y privada. Políticas culturales estratégicas. Fomento para espacios independientes socioculturales, asociaciones culturales, así como la legalización de diversas formas de financiamiento y políticas fiscales adecuadas.

El financiamiento será tanto estatal como privado. Coexistirán los espacios gratuitos –como las bibliotecas públicas, algunas academias y escuelas de arte, entre otros– con las instituciones de cultura de capital privado. Se deberá facilitar un sector económico y empresarial en el campo de la creación cultural, científica y afines.

Estas son otras propuestas que no coinciden con algunas de las anteriores, pero como en este Centro de pensamiento caben todas las mociones pacíficas, las relacionamos a continuación para su debate:

- Posible disolución o no del Ministerio de Cultura.
- Incorporar una Dirección Nacional de Cultura a un Ministerio de Cultura y Educación.
- Posible disolución del Fondo Cubano de Bienes Culturales.
- Refundación de una Asociación libre de escritores y artistas.
- Desaparición de todas aquellas entidades que bajo el título de ONG vinculan al gobierno con los artistas, con el fin de trazarles normas, métodos de comercialización y acceso a las materias primas.

- Eliminar la facultad expresa del Registro Nacional de Creadores de autorizar, o respaldar a los artistas para comercializar, para superarse, o para viajar, etc. (No el Registro de Derechos de Autor, que debe mantenerse).
- Dictar una ley para el desarrollo y la garantía de las libertades artísticas y de creadores.
- Garantizar jurídicamente que los artistas, artesanos y creadores en general, se puedan aglutinar en aquellas asociaciones que libremente escojan y creen. Sin que esto sea rectorado por el Estado o entidad estatal alguna. Siempre basados en un código de respeto y tolerancia.
- Validar la existencia legal de los colectivos de creación, o los talleres de creación; garantizando a los artistas subcontratar mano de obra.
- Dictar leyes que permitan a los artistas utilizar, o pedir fondos con tasas de interés para la creación y promoción de su obra.
- Liberar los medios de comunicación y las TICs fomentando la correspondiente responsabilidad ética de su uso.
- Garantizar la libre promoción cultural.
- Garantizar el acceso a la enseñanza artística y la libertad de cátedra y expresión.
- Garantizar la coexistencia de espacios artísticos públicos y privados.
- Promover a jóvenes talentos en concursos, eventos y talleres organizados por instituciones culturales públicas y privadas.
- Garantizar a las Iglesias, Organizaciones fraternales y verdaderas ONGs interesadas en el movimiento cultural, sus colegios y obras culturales, el acceso a los medios de comunicación (privados, o no), a los centros educacionales y a las comunidades, barrios, o localidades con la correspondiente personalidad jurídica.

IV INFORME

«LA EDUCACIÓN EN EL FUTURO DE CUBA:
VISIÓN Y PROPUESTAS»

S/T. Técnica mixta sobre cartulina. 15 x 11,5 cm. Obra de Wendy Ramos Cáceres. 2018.

El Centro de Estudios Convivencia realizó la tercera etapa del Itinerario de Pensamiento y Propuestas para Cuba entre noviembre de 2016 y enero de 2017. Culminando con dos sesiones de estudio, una en la Isla y otra en la Diáspora. El Encuentro de la Isla fue suspendido por las autoridades y tuvimos que hacerlo de modo no presencial (vía digital y en pequeños equipos). El Encuentro en la Diáspora se celebró los días 28 y 29 de enero de 2017 en la Universidad Internacional de la Florida (FIU). El tema escogido para esta tercera etapa del Itinerario de Pensamiento y Propuestas para Cuba fue: «La cultura y la educación en el futuro de Cuba: visión y propuestas». Para su mejor estudio y sistematización esta temática general se dividió en dos subtemas: cultura y educación.

1. Conceptos de Educación e Instrucción

La educación, en su sentido más profundo y actual, es un proceso interactivo entre el educando, el educador, la familia y la sociedad, para aprender a vivir en plenitud y desarrollar virtudes, talentos y capacidades. La educación consiste en formar conciencias, sentimientos, voluntades, convivencias y trascendencias. Es lo que significan los verbos latinos: *E-ducere* y *E-ducare*. *E-ducere*: «Extraer-Sacar fuera», desarrollar talentos y capacidades para pensar con cabeza propia, hacer su propio proyecto de vida, cultivar virtudes y valores. *E-ducare*: Conducir de un lugar a otro. Es el proceso de acompañar en el camino de la vida. La educación no debe responder a ningún modelo socio-político y partidista, porque ella es superior a todos y debe estar en la base de todo modelo socio-político. Educar es facilitar un proceso personal y comunitario para la libertad y la responsabilidad.

La instrucción es solo una parte de la educación. Instruir es el proceso de enseñanza-aprendizaje por medio del cual se transmiten conocimientos y habilidades: *aprender a conocer-aprender a hacer*. Pero la base, el modo y el fin de todo el proceso educativo es aprender a vivir: *aprender a ser-aprender a convivir*. Ambas dimensiones se complementan y potencian mutuamente. Esta diferencia e interrelación es expresada magistralmente por José de la Luz y Caballero, uno de los más grandes educadores cubanos: «Instruir puede cualquiera, educar solo quien sea un Evangelio vivo».

Educar es, por tanto, en este orden: Aprender a ser - Aprender a convivir - Aprender a conocer - Aprender a hacer. Proceso integral que transcurre en interacción y acompañamiento de la persona con la familia, la escuela, las iglesias y los demás espacios de la sociedad. Como bien afirma Roselló: «La educación tiene una finalidad edificante, no solo en el plano del espíritu, sino también en el plano de lo corpóreo, lo social, lo cultural y lo religioso. Educar es edificar, construir». Las finalidades de la acción educativa se pueden resumir en dos: la construcción de la persona y la transformación del mundo. Además, dicho autor afirma que «solo a través de la acción educativa se puede construir a la persona y se puede, aunque muy lentamente, transformar el mundo».

Toda educación es pública: Es una vocación, una misión y un servicio a la persona y a la sociedad, a la convivencia, a la fraternidad. Asumimos también el concepto de que toda educación es pública, (referida a la *polis*, a la *civitas*) lo que no significa que sea dirigida por el Estado. Significa que los procesos educativos en las familias, en la sociedad civil y en todos los niveles de la enseñanza escolar, y también en la complementaria, constituyen un servicio público, al menos por dos razones: 1. Todos son procesos de personalización-socialización, y 2. Porque ellos son una responsabilidad moral de todos y todas, y un servicio de la *polis*, formada por las familias, las comunidades educativas, los grupos de la sociedad civil, la nación, y de manera subsidiaria, el Estado. Incluso la educación familiar, que tiene prioridad y preeminencia sobre todas las demás, debe ser acompañada, sin manipularla ni suplantarla, para evitar deformaciones educativas como: la violencia familiar, las disfuncionalidades en la convivencia, la falta de educación emocional, la falta de educación ética y cívica, entre otras. Este acompañamiento debe comenzar desde la familia y la escuela, que serán complementadas por las demás instituciones y grupos de la sociedad civil, las iglesias y el Estado, que tendrán, en diverso grado, una labor supletoria y subsidiaria en el acompañamiento, asesoramiento, escuelas de padres, atención sicológica, cívica y espiritual de la familia. El Estado vela por el acceso universal a la educación pública, por su calidad y humanidad y porque siga las visiones y los modelos pedagógicos asumidos y aceptados por los ciudadanos y las familias de forma libre y responsable, y además, que sean coherentes con la cultura y la sociedad en que se desarrollan siempre estando abiertos al mundo y a la renovación, pero cerrados a modelos educacionales deshumanizantes, violentos, autoritarios, excluyentes, racistas, sexistas, fanáticos, sectarios, fundamentalistas.

Variantes de la escuela pública: Si todo proceso educacional es público en el sentido del servicio a la comunidad y la responsabilidad de todos en ella, asumimos en estas propuestas que deben considerarse conceptualmente e incluirse jurídicamente todas estas variantes: la escuela pública estatal, la escuela privada y dentro de esta: las escuelas públicas privadas laicas y las escuelas públicas religiosas, sean estas últimas confesionales o no. Estas dos últimas variantes pueden ser «concertadas», es decir, con subvención, total o parcial, del erario público, asignada por el Estado; o sostenerse totalmente con subvenciones privadas.

La educación complementaria: Existen y deben ser reconocidas conceptual y jurídicamente, las iniciativas educativas complementarias, llamadas, extracurriculares o también, erróneamente, vías no formales o educación informal, que brindan los grupos e instituciones autónomas de la sociedad civil, entre ellas las iglesias, las asociaciones fraternales, etc. Sin embargo todas estas iniciativas deben acogerse a los modelos educativos coherentes con nuestra cultura y a los controles de calidad, humanidad y eticidad que debe ejercer la sociedad a través de las instituciones elegidas para prestar este servicio público, a saber, Ministerio de Educación y de Cultura, etc.

2. Raíces culturales/antropológicas de la educación en Cuba

Todo proceso educativo tiene una relación biunívoca con las culturas en que se desenvuelve. La cultura es fuente, raíz e inspiración para la educación y esta forma personas que son sujetos creadores de cultura. Las culturas son el *humus* donde hunden sus raíces, y se deben alimentar, todos los auténticos procesos de Desarrollo Humano Integral (DHI). La cultura es el corazón de la educación y viceversa.

Al mismo tiempo, las raíces culturales nos presentan unos modelos antropológicos que son arquetipos humanísticos a los que los procesos educativos deben tender y empoderar a los ciudadanos para que se esfuercen por alcanzarlos con sus propios carismas y proyectos de vida autónomos para llegar a las metas de un Desarrollo Humano Integral. En este camino, la cultura cubana tiene como rasgos fundacionales: la primacía de la persona, de su dignidad plena, sus DD.HH. y sus deberes cívicos.

Por esta inseparable relación Cultura-Educación-Desarrollo Humano Integral debemos considerar que forma parte importante de este tema de la

Educación en el futuro de Cuba todo el Tercer Informe del CEC: «La Cultura en el futuro de Cuba: Visión y Propuestas», especialmente los Epígrafes I, II, III y IV.

No obstante podemos destacar las siguientes interrelaciones cultura-educación:

No hay ser humano virtuoso sin una escuela capaz de formarlo; no hay escuela buena sin una economía saludable; no hay economía fuerte sin libertades ciudadanas. De ahí el pensamiento del Apóstol: «Ser bueno es el único modo de ser dichoso. Ser culto es el único modo de ser libre». Pero, en lo común de la naturaleza humana –dijo–, se necesita ser próspero para ser bueno. La escuela formadora de ciudadanos virtuosos que hagan su proceso de formación con plena autonomía, y sin ningún asomo de «ingeniería social o antropológica», requiere de los derechos y libertades ciudadanos. Cualquier intento de educación en ausencia de ese requisito está condenado al fracaso.

La cultura es creada y transmitida por los hombres. Tiene, por ello, una dimensión histórica en la cual el creador y trasmisor se afirma como ser humano. La cultura es creación, conservación y trasmisión mediante la educación, pero no se limita ni subordina a la educación. La cultura se manifiesta tanto en los resultados materiales e intelectuales de la actividad humana como en las normas sociales y en sus instituciones.

El hombre y la cultura son inseparables. La persona humana es el creador de la cultura. El hombre plasma en la cultura sus capacidades y fuerzas creadoras, a la vez que toma de ella su propio perfeccionamiento. Ambos, hombre y cultura conforman un complejo proceso de causas y efectos que se trasmite mediante la educación.

Podemos destacar, por cierto, la dimensión espiritual de los ciudadanos, tan preterida durante medio siglo. Existe y debe cultivarse una espiritualidad trascendente que no necesariamente, aunque frecuentemente, se relaciona con expresiones religiosas. Se trata de lo que los místicos llaman la «inhabitación de la persona» («no estamos huecos por dentro»). Por eso debemos atender esa interioridad, esa subjetividad, sin la cual se vacía de sentido nuestra existencia.

El otro aspecto es que debemos cultivar la dimensión dialógica de la persona: Estamos «hechos» para vivir en relación interpersonal, grupal, comunitaria, social, internacional. El individualismo, el sectarismo, los nacionalismos van contra la naturaleza y la cultura humanas.

Para incorporar los valores culturales cubanos creados y atesorados por la Diáspora debemos tener en cuenta los fondos bibliográficos y artísticos a la hora de analizar y comprender la Historia de Cuba y la dignidad plena del cubano. Es preciso contar con la diversidad de instituciones culturales que durante décadas han realizado paciente y perseverantemente esta labor, como por ejemplo: *Cuban Heritage Collection* de la Universidad de Miami y *Editorial Cubana*, entre otras muchas en diversas partes del mundo. Otras líneas serían: fomentar la colaboración y el intercambio entre estos fondos y los de la Isla, habida cuenta del carácter transnacional (abierta a lo universal) de la cultura cubana; y favorecer también los libres intercambios entre profesores y estudiantes de la Isla y la Diáspora.

3. Proyectos educativos para Cuba

3.1. Proceso para la formación de nuevos proyectos educativos para Cuba

Se llama *proyecto educativo* al proceso que va desde una nueva visión educativa hasta las obras y servicios concretos, animados por cada comunidad educativa. Aunque se presente en singular, consideramos que debe existir una pluralidad de proyectos educativos siempre que sean coherentes con la cultura cubana, los valores universalmente reconocidos y la convivencia pacífica y fraterna. Los especialistas nos presentan este proceso, esquemáticamente, de esta forma:

1. Elegir una nueva *visión* educativa.
2. Convertir esa la visión en *proyecto* educativo.
3. Formar una *comunidad* educativa que acompañe y anime el proceso.
4. «Traducir» el proyecto educativo a una *escuela pedagógica* que aplique técnicamente los grandes objetivos del proyecto y busque métodos, medios, etc.
5. Fundar o refundar *centros de formación*, escuelas y otras alternativas educativas según ese proyecto y con los métodos, medios y estilo de esa escuela pedagógica.
6. *Evaluar* sistemáticamente este proceso, visión, proyecto, escuela pedagógica y centros de formación, por parte de toda la comunidad educativa.
7. *Abrir e interrelacionar* la comunidad y sus obras con el resto de la sociedad, intercambiar con otras visiones educativas, proyectos y escuelas pedagógicas para la crítica y el enriquecimiento mutuo.

No creemos que haya que esperar otras condiciones para comenzar en este trabajo. Los cuatro primeros pasos del proceso son posibles y realizables sin esperar más. Con esto podemos y debemos comenzar a trabajar ya. Sin intentar imponer nada, pero convocando a todos. Respetando las peculiaridades de cada persona, Iglesia y de cada proyecto, como es deseable en una sociedad pluralista. Buscando consensos e intercambios, no uniformidad. Con los espacios diversos que se han alcanzado podemos comenzar «creyendo en la fuerza de lo pequeño».

El problema y el desafío son:

- ¿Con qué referencias culturales lo vamos a hacer?
- ¿Con qué visión educativa que ofrezca un horizonte a ese proyecto?
- ¿Con qué modelos pedagógicos que concreten esa visión?
- ¿Con qué métodos pedagógicos que pongan en práctica esos modelos pedagógicos?
- ¿Con qué protagonistas vamos a llevar adelante todos estos procesos?

De este modo, podríamos ayudar a la creación de una nueva escuela cubana que tome de sus raíces, todavía sin desarrollar plenamente, aquella herencia de Varela, Luz, Mendive y Martí, y avance hacia esa nueva visión educativa que procura integrar lo mejor de la pedagogía liberadora y participativa de la contemporaneidad.

Cada uno de los ciudadanos puede y debe servir de animador y facilitador de este proceso. Cada uno de nosotros, padres, maestros, profesores, directores de centros de formación de las iglesias, dedicados al carisma de la educación, puede presentar en su ambiente estas propuestas sugestivas y convocantes. Se trata de presentar sin imponer.

Se trata de una amplia reflexión sin exclusiones ni prejuicios. Se trata de pasar de la reflexión a la ejecución. Se trata de pasar de la vieja concepción pedagógica a la nueva visión educativa y de ella a los nuevos proyectos de formación integral. Respetando los carismas y ritmos de cada uno. Respetando y coordinando los acentos, matices y perfiles educativos de cada centro y de cada instituto. Lo importante es asumir la visión general, diseñar un proyecto tan abarcador y pluralista de modo que quepan las actuales obras educativas que han costado tanto esfuerzo, sacrificio y riesgo.

A continuación presentamos nuestras propuestas para cada uno de los pasos que hemos enumerado para la formación de proyectos educativos.

4. Visión educativa para el futuro de Cuba

Para mover hacia delante los diversos modelos pedagógicos.

4.1. ¿Qué se debe esperar de un renovado proceso educativo en Cuba en cuanto a la persona y a la sociedad?

Para sumir una nueva visión educativa para Cuba es imprescindible, en primer lugar, superar la constante vuelta al pasado como modelo si queremos proyectarnos al futuro. El pasado, con sus luces y sus sombras, forma parte de nuestro acervo cultural, pero es una referencia, no una meta. La educación actual y futura de los cubanos requiere de manera priorizada un descomunal esfuerzo para ponernos a la altura de los tiempos actuales.

La acelerada informatización global permite un acceso superior y más eficiente al conocimiento de la humanidad, por tanto, toda visión estratégico-pedagógica para Cuba deberá incluir la incorporación de la cultura informática en la formación e inserción de los cubanos en la realidad mundial actual, sin desdoro de las cuestiones tradicionales, los fundamentos éticos y cívicos, etc.

No se concibe en la actualidad una sociedad culta e instruida al margen del desarrollo informático global. El conocimiento y dominio de las tecnologías –unido a la formación de valores ético-cívicos y culturales– constituye al día de hoy no solo una herramienta imprescindible para la instrucción y la cultura individual y social, sino que resulta esencial para el desarrollo del talento y las capacidades, así como para facilitar la convivencia entre cubanos, y entre estos y el conjunto de la humanidad.

4.2. Un proceso de empoderamiento, eticidad e inculturación

Una nueva visión sobre la misión de los diferentes agentes educativos se va abriendo paso en la contemporaneidad.

No se trata de algunas técnicas innovadoras que renuevan los sistemas educativos y los actualizan. No se trata de complementar, o redimensionar a escala social, el proceso docente educativo que hemos recibido de nuestros padres y demás educadores. Mucho menos se trata de una coordinación entre los «factores» que intervienen en el acto de enseñanza-aprendizaje. Incluso, estas actualizaciones, que en nuestro país están siendo revaloradas, siguen siendo cambios cosméticos si los comparamos con ese estado de gestación que se debate en el mundo de hoy y que, por cierto, no acaba de dar a luz. Incluso parece que lo mismo avanza que retrocede, tanto en la enseñanza estatal, como en la pública-comunitaria, ya sea en la enseñanza laica o en la religiosa.

Lo que se va gestando es una verdadera «revolución» educativa, en el sentido de la creación de un proyecto «nuevo» desde sus raíces, concepciones, estilos, objetivos generales, métodos, medios, protagonistas y destinatarios. Debemos aclarar que no nos estamos refiriendo a una «revolución cultural» como la que hemos conocido y sufrido, en la que se ha intentado barrer con la cultura de los pueblos, se le intenta imponer una cultura ajena o foránea, se ha despreciado y desprestigiado lo mejor del acervo pedagógico y se ha intentado, incluso, partir de cero. Esto además de ser un genocidio cultural, es un absurdo histórico. Nada en este mundo parte de cero, nada es totalmente nuevo, nada debe ser impuesto desde arriba y desde fuera de la persona y de sus culturas.

Se trata más bien de gestar lo nuevo desde otra perspectiva, más profunda, más humanista, más trascendente, más autónoma y autogestionada, más solidaria, más integral, de modo que al concebir esa otra perspectiva se asume e integra todo lo que la tradición educativa y las culturas tienen en sí de este talante, pero al mismo tiempo se accede, por la vía del proceso, a una realidad formadora de un carácter cualitativamente superior y de una profundidad y horizontalidad más integradoras hacia: la coherencia de la persona y la cohesión de la sociedad.

Hemos de destacar que es y debe ser por la vía del proceso, no del suceso, ni del retroceso, ni del receso de la tradición pedagógica, ni del violento acceso a una utopía totalizadora, mesiánica y arrasadora de la cultura de los pueblos. No se trata de un reformismo timorato, ni una desarticulación de la memoria histórica.

4.3. Visión educativa que proponemos para el futuro de Cuba

La educación en Cuba tiene como fines los siguientes procesos interrelacionados entre sí:

—un proceso de cambios hacia delante en la dignificación y «empoderamiento» (*empowerment*) del ser humano hasta que, él mismo, pueda descubrir y cultivar su total dignidad y su carácter trascendente;

—un proceso de cambios hacia la profundidad ética de la persona y de las dinámicas sociales en las que la persona vive, de modo que pueda comprometerse consciente, libre y responsablemente, asumir un proyecto de vida y cooperar en un proyecto social en que la dignidad, los derechos y el carácter trascendente de la persona humana sean respetados y promovidos;

—y un proceso de cambios hacia arriba, en los objetivos y metas de la inculturación y trascendencia de las personas, de los grupos sociales y de los mismos procesos pedagógicos, de modo que las diferentes culturas no se vean absorbidas y desmanteladas por los procesos de globalización o de genocidio cultural, sino que esas culturas puedan trascenderse, abrirse, al intercambio con las demás, a su propia purificación y fecundación plenificante para el desarrollo, como toda realidad viva.

De este modo, la nueva visión educativa tendría tres dimensiones íntimamente relacionadas y complementarias, aplicables a todos los objetivos y métodos del proceso pedagógico:

—el empoderamiento ... Dignificación, autoestima y protagonismo autónomo.

—la eticidad... Proyecto de vida: de la moral formulada a la moral vivida.

—la inculturación... Transmisión, respeto, purificación y fecundación-desarrollo de las culturas.

La dimensión trascendente no es una cuarta dimensión añadida que pudiera darse o no, sino una meta intrínseca a cada una de estas tres dimensiones del proceso en las que se integran esas otras dimensiones de la persona humana, a saber: el *empowerment* trabaja más, aunque no exclusivamente, sobre los sentimientos: «yo siento que puedo». En la eticidad se trabaja más, aunque no exclusivamente, en la voluntad: «yo quiero hacerlo». En la inculturación se trabaja más en el plano del cultivo de la inteligencia y las costumbres: «yo puedo y quiero hacerlo y me preparo para hacerlo con los demás y en un contexto cultural que debo aprender y asumir». Estas dimensiones, y su trascendencia, garantizan una coherencia mayor en la persona y una lógica de desarrollo pleno en el proceso. La trascendencia hacia los demás y hacia Dios debe partir de estas realidades humanas, abriéndolas, purificándolas, fecundándolas y plenificándolas.

Trascender es pasar el umbral, la puerta, el límite que nos reduce. Trascender es apertura, salida y liberación. Es apertura-salida-liberación del yo-egoísta. Es apertura-salida-liberación del tú-colectivista. Es apertura-salida-liberación del nosotros-inmanentista. Para las culturas de inspiración judeo-cristianas esto significa el proceso: creación-opresión del mal-éxodo-encarnación-redención-ascensión-plenificación en el Espíritu, Señor y Dador de Vida.

Las palabras y conceptos más usados por nosotros, como: aprendizaje, docencia, conocimientos, enseñanza, que en los encuentros, jornadas científicas, seminarios metodológicos, etc. de la Cuba de hoy, ocupan un lugar preeminente y abarcador, aquí no desaparecen, como es lógico, pero son abarcados, integrados y redimensionados por realidades y visiones, objetivos y metas mucho más trascendentes, en el sentido de «ir más allá, más arriba y más a la profundidad» en el proyecto educativo.

Una visión de la educación debe tender a ser el complejo de procesos formativos que posibilitan la liberación y crecimiento de la persona en todas sus dimensiones. Una educación que favorezca los procesos de personalización-socialización.

Formar a la persona provoca en algunos pensadores preguntas como esta: que si es necesario construir a la persona, pues aparentemente ya todos lo somos. Sin embargo, en la lógica que seguimos en esta visión educativa para el futuro de Cuba, la persona necesita ser reconstruida en su dimensión existencial, pues en efecto, todos somos personas desde un punto de vista ontológico. Pero debemos tener en cuenta el daño antropológico provocado por el totalitarismo por más de 50 años, que debe ser sanado y reconstruido. Este argumento nos plantea varios retos y tareas:

- Aprender a tomar conciencia de nuestra existencia.
- Pensar con cabeza propia.
- Tomar nuestras decisiones con libertad y responsabilidad.
- Vivir en disposición de apertura hacia los demás.
- Acceder a una educación moral y cívica que nos ayude a desarrollar cada uno de estos aspectos, que nos permita superar el daño antropológico y el analfabetismo cívico.
- Educar para la interioridad. La relación con la trascendencia.
- Un mayor desarrollo de la personalidad.
- Asumir un rol activo, autónomo, crítico, reflexivo y protagónico frente a sus procesos de aprendizaje.
- Desarrollar un pensamiento dialógico, sistémico, divergente, creativo y crítico que facilita la reflexión y el análisis.
- El desarrollo de las capacidades (personales y sociales) para abordar con creatividad y éxito los problemas de una sociedad que vive en constante cambio.
- La comprensión del mundo.
- El pleno ejercicio de los derechos democráticos y la cohesión social a través de la participación.
- Las competencias básicas para una ciudadanía informada y responsable.
- La construcción de una cultura ética y estética.
- Educar para la cultura de la vida, como base para la convivencia y la paz.
- Potenciar la vinculación con el contexto, para incidir en la transformación de la realidad.
- Educar en la conciencia crítica-reflexiva.
- Educación ambiental y favorecedora del equilibrio ecológico y la sanidad del hábitat natural y social.

La formación de sujetos de encuentro, transformadores sociales que sean:

- Capaces de colaborar en la construcción de una nueva ciudadanía, democrática, intercultural, incluyente y solidaria.
- Capaces de colaborar en la construcción de sociedades en las que se construya la cultura de paz, se respete la diversidad, se promueva la formación en valores, la defensa de la vida en todas sus manifestaciones y se construyan relaciones basadas en el diálogo, desde la igualdad y equidad, basadas en el reconocimiento de la dignidad de cada persona y de sus derechos.
- Capaces de colaborar en la construcción de sociedades en las que prevalezcan relaciones de respeto y equidad, y se sustituya todo tipo de discriminación.
- Capaces de colaborar en la construcción de sociedades en las que resolvamos conflictos, sanemos las heridas de la violencia y restablezcamos la justicia mediante el perdón y la reconciliación.

Si aceptamos la sentencia de José Ortega y Gasset: «No hay nación grande si su escuela no es buena». Y las palabras de Enrique José Varona: «Tenemos que vivir de otro modo, si queremos vivir; y para ello necesitamos aprender de otro modo». El estado de deterioro material y espiritual moral en que Cuba se encuentra, requiere una renovación de la escuela y de los métodos de enseñanza.

Potenciar un sistema educacional que sintetice lo mejor de la tradición pedagógica cubana para incorporarlo a la instrucción y formación cultural de los individuos (educación y cultura al servicio del sujeto y no el sujeto como instrumento de una política cultural con fines ideológicos de un grupo de Poder).

La misión más compleja a enfrentar será el rescate de los valores y la formación de ciudadanos virtuosos y eso implica el rescate de la escuela y el destierro de las exclusiones.

La cultura implica la forja de las virtudes. Enseñanza de valores sin forja de virtudes es sembrar sin arar el campo, sin abrir el surco. No por gusto dijo Varela que «No hay patria sin virtud». De ahí la primordial importancia de propugnar los valores de la libertad y la justicia sociales.

La visión de formar personas a la altura de su tiempo implica la plena autonomía de los poderes humanos. Eso es imposible sin el rescate del concepto de ciudadano.

Los procesos para fundar pueblos tienen como premisa la preparación de los sujetos históricos y de los cimientos morales básicos para que los cambios resulten positivos.

Para el progreso social, la gradualidad es preferible a los cambios bruscos, que siempre terminan mal. De ahí el peligro de las revoluciones.

5. Modelos y metodologías pedagógicas para Cuba

5.1. Inspiración para los diversos proyectos educativos

- ¿Qué raíces identitarias debemos rescatar o mantener?
- ¿Qué modelos personales o institucionales en la historia de Cuba (América Latina, resto del mundo) deben ser referencias, mantenerse o rescatarse)?
- ¿Qué contenidos humanísticos: éticos, cívicos, científicos y trascendentes deberían tener nuestros modelos pedagógicos?
- ¿Qué metodologías pedagógicas deben ser rasgos distintivos de una escuela pedagógica renovada para el futuro de Cuba?
- ¿En qué tipo de comunidad educativa?
- ¿Con qué perfil del educador?
- ¿Con qué diferentes tipos de instituciones y espacios educativos?

5.2. Modelos pedagógicos

Todo «modelo» unitario implica un esquema básico de mínimos, y una pluralidad de variantes. En consecuencia, siempre que se propone un modelo se corre el riesgo de sustituir una escolástica por otra, aunque sea de diferente signo. Luego, creo que debe existir una legislación que obligue a contemplar principios éticos y culturales esenciales de obligatorio cumplimiento para todos, y a partir de ahí podrían coexistir cuantos «modelos» se puedan proponer.

Aunque exista diversidad de modelos educativos proponemos a continuación una serie de exigencias mínimas que se corresponden con nuestros modelos educativos referenciales, con nuestras raíces éticas fundacionales. Por tanto, los nuevos modelos pedagógicos para Cuba deben tener en cuenta, por lo menos, lo siguiente:

- Estar en correspondencia con las enseñanzas del Padre Félix Varela, de José de la Luz y Caballero, y de José Martí, nuestro modelo pedagógico debe ser personalista, comunitario y abierto al mundo. Es decir debe basarse en procesos personalizadores-socializadores abiertos al mundo y trascendentes.
- Cimentar sus bases en las cinco dimensiones de un modelo pedagógico personalista y comunitario para aprender a ser personas libres, autónomas y responsables de su propia vida, a saber:

1. «Educar en y para pensar» (educar para la autonomía racional-lógica y ejercicio del criterio propio).

2. «Educar en y para sentir» (educar la inteligencia emocional de modo que los sentimientos se ordenen hacia opciones).

3. «Educar en y para decidir» (educar para fortalecer la voluntad, asumir proyectos de vida éticos y perseverar en ellos).

4. «Educar en y para convivir» (educar para una convivencia pacífica, educación cívica, democrática, inclusiva y plural).

5. «Educar en y para trascender» (educar para vivir la interioridad, la espiritualidad, la apertura a lo trascendente).

Estos cinco procesos deben estar indisolublemente unidos y complementados entre sí. Cualquier omisión de estos tres elementos educativos en nuestros modelos pedagógicos tendrá un grave impacto en la vida personal y social de los cubanos y cubanas.

Es preciso crear una pedagogía que recupere los valores y potencie el desarrollo individual y social, con acento en la cultura del derecho y en la formación cívica de los cubanos.

Cuba vive una delicadísima situación educativa y por tanto está llamada a hacer una reforma total para adaptarse a las nuevas exigencias creadas por el cambio global. Enumeraremos algunas:

1. No limitarse a la adquisición de conocimientos, hábitos, habilidades, capacidades y potencialidades de los alumnos, sino que se debe tener muy en cuenta su reduccionismo antropológico y el daño que en este sentido se le ha causado a la persona humana.

2. Incluir la visión universalista martiana de la patria: Patria es humanidad.

3. Agregar como eje central de la formación ciudadana, en la asignatura de educación cívica, el aprendizaje de los Derechos Humanos universalmente reconocidos, de las instituciones fundamentales y de las leyes fundamentales del país. Proponer que la disciplina de ética y cívica se enseñe en todos los niveles de educación, dosificada desde primaria, secundaria, preuniversitario, y Universidades.

4. Desarrollar la cultura de la no violencia y la convivencia pacífica y fraterna.

5. No educar únicamente para la producción, la competitividad económica y profesional. Es necesario pensar más en el papel de la familia, en una sana sexualidad, en los mejores valores, en el espíritu religioso, en los caminos para superar la violencia y lograr la auténtica felicidad del ser humano, en adquisición de actitudes, virtudes y costumbres que estabilizan

las familias en los hogares, para convertirlos en constructores de la solidaridad, la paz y el futuro de nuestra sociedad.

6. Incluir en el currículo pedagógico conocimientos básicos para la vida: internet, instrumentos financieros, conducir automotores, habilidades de comunicación, y lenguas extranjeras más usuales en el mundo.

7. Tener muy presentes los cinco pilares de la educación de hoy e insistir en el auténtico fin de toda escuela, desde la primaria hasta la universidad.

8. La escuela debe transformarse y convertirse en la institución cultural más importante de la comunidad (estamos lejos de lograr este objetivo).

9. La escuela debe educar no solo a los alumnos sino que debe influir e incidir en la familia, en el propio maestro y profesor y en la comunidad en general (con sus instituciones).

10. La escuela debe convertirse en un lugar privilegiado de formación y promoción integral de la persona, mediante la asimilación sistemática y crítica de la cultura que, solo se logra a partir de un encuentro vivo con la sociedad y el patrimonio cultural, confrontando e insertando los valores permanentes en el contexto actual.

11. Asumir los paradigmas educativos referenciales de la cultura cubana como el método inductivo y participativo del Padre Varela, de Luz y Caballero, de José Martí y de Enrique José Varona.

5.3. Otras propuestas inspiradoras

La construcción de nuevos modelos pedagógicos para el futuro de Cuba también debe tener en cuenta lo mejor de las propuestas siguientes, según las diferentes opciones filosóficas o religiosas que deseen:

- La educación liberadora de Paulo Freire.
- El modelo socio-constructivista de Piaget y Ausubel con una perspectiva humanizadora y transformadora de su entorno.
- El modelo socio-crítico (escuela de Frankfurt, Habermas), comunidades de aprendizaje (Freire, Vigotsky, Habermas, aportaciones realizadas por CREA Barcelona.
- El modelo de la Institución AdvancED (Asociación mundial para proporcionar mejora continua y servicios de acreditación a más de 32,000 instituciones que sirven a 20 millones de estudiantes en todo el mundo). Promueven la acreditación escolar: un protocolo internacional para colegios comprometidos con la mejora sistémica, sistemática y sostenible que fortalece la capacidad de la escuela para desarrollar y apoya el aprendizaje del estudiante.

- El Proyecto Educativo Teresiano (PET) que propone una educación humanizadora, liberadora y transformadora (V Encuentro Continental de América. Reflexiones y lineamientos para la educación teresiana en América) que tiene como centro a la persona de Jesús, se basa en la dignidad de toda persona humana como protagonista de su propia historia y educación, involucra a toda la comunidad educativa, responde a la realidad de cada contexto, educa para la vida, la justicia, el compromiso social y cristiano; empodera a personas críticas y autocríticas, que sean «sujetos de encuentro y transformadores sociales».

- La «Propuesta ética para un proyecto educativo de inspiración cristiana para Cuba» del extinto Centro de Formación Cívica y Religiosa (2005).

- El «Proyecto Educativo de la Iglesia Católica en Cuba» (2011) (Cf. Conferencia de Obispos Católicos de Cuba).

- Diversos modelos (dominicos, jesuitas, escolapios, evangélicos, etc.) que ponen el acento en el valor educativo del encuentro, favorecen las relaciones humanizadoras y liberadoras, y desde una mirada crítica, acogen la realidad para colaborar con otros y otras en su transformación. Que se fundamentan en el humanismo cristiano, como corriente filosófica que orienta las acciones y contenidos educativos, propiciando el desarrollo y la realización de las potencialidades de cada ser humano.

- Se propone la creación de una Comisión de Estudios para una nueva Pedagogía en Cuba. Teniendo en cuenta la necesidad de la reconstrucción integral de los modelos, metodologías, proyectos educativos y formación de educadores en que puedan participar especialistas de Isla, la Diáspora, y otras nacionalidades, así como padres y educadores de diversas formas de pensar y creer.

- Crear una academia virtual utilizando las nuevas tecnologías para incorporar el talento internacional.

- Subrayar la innovación y repensar el sistema educativo para hacerlo sustentable y eficiente, asumiendo los retos culturales que ello comporta.

- Establecer mecanismos de control de la calidad de la enseñanza.

- Otra propuesta presentada por un participante: Las Ciudades Escolares, cuyo establecimiento desde 1901 contribuyó a la formación de valores cívicos en los educandos. Esas ciudades formaban un cuerpo político con la representación de los tres poderes: ejecutivo, legislativo y judicial, en armonía con las leyes del «territorio» (edificio escolar) y sujeto la aprobación del jefe del establecimiento o director, responsable ante el «Gobierno» del orden y buen funcionamiento de la escuela, su cargo. La Ciudad Escolar tenía el derecho de postular a los «ciudadanos» (alumnos) que debían ejercer los cargos públicos y de elegirlos. La Carta de la República Escolar era su Constitución.

5.4. Metodologías pedagógicas para los modelos educativos cubanos

Las metodologías pedagógicas son especificidades que en última instancia dependen de los programas educativos de las diferentes instituciones de educación y de las diversas especialidades profesionales que se pretenden desarrollar.

Por tanto, de existir una «escuela pedagógica cubana», esta debería defender en primer lugar la innovación y el desarrollo global de la pedagogía con sus tendencias actuales, donde el pedagogo, en lugar de solo transmitir conocimientos y valores, se esfuerza en enseñar a aprender a los estudiantes, esto es, entrenar a los alumnos en el manejo de las herramientas que permiten el aprendizaje y ayudarlos a formarse en principios éticos esenciales, que compartimos con el resto de la humanidad.

En este sentido, cada vez se tiende más a la difuminación de las llamadas «escuelas pedagógicas» nacionales o regionales a favor de prácticas pedagógicas más eficientes e interactivas, menos dependientes de la figura del pedagogo clásico como sujeto activo frente a un aula de educandos pasivos a los que se les impone un paquete de conocimientos en interés de programas lectivos previamente establecidos.

Aunque exista diversidad de modelos educativos proponemos a continuación una serie mínima de metodologías que se corresponden con nuestros modelos educativos referenciales, con nuestras raíces éticas fundacionales:

1. Aprendizaje personalista-comunitario: Aprender el encuentro entre personas en un proyecto común: educa para el desarrollo de la persona pero no individualista. Educa para el desarrollo de la comunidad pero no del colectivismo. Aspectos esenciales: singularidad, apertura, autonomía, fraternidad, solidaridad.

2. Aprendizaje concientizador-crítico: Despertar y formar la conciencia crítica y el ejercicio del criterio.

3. Aprendizaje situado: insertado en lo económico, lo político, lo cultural, que vive la comunidad educativa, aprendizaje relevante, de interés y utilidad para la vida, encarnado en la sociedad y cultura en la que se desarrolla.

4. Aprendizaje holístico-globalizador: Parte de una visión situada en su contexto pero no se encierra en ella sino que se abre a una visión holística, global, de la realidad que plantea nuevas perspectivas y redimensiona las situaciones a las que se pretende dar respuestas con la educación, evitando una visión fragmentada de lo que se estudia o analiza.

5.   Aprendizaje dialógico: Con el objetivo de generar la participación de toda la comunidad, desarrollar nuevas maneras de aprendizaje para favorecer la inclusión y el cambio social.

6.   Aprendizaje colaborativo: Aprender en colaboración, interactuando con el contexto en el que se encuentra la escuela, poniendo los talentos individuales y comunitarios alrededor de objetivos para la búsqueda del bien común.

7.   Metodología acción-reflexión-acción: La acción primera se refiere al punto de partida que es la propia experiencia, la práctica educativa concreta y contextualizada. La reflexión está presente en todos los pasos, cuestionando los aspectos de la práctica que se desean potenciar o resolver. El paso siguiente es plantear una intervención fundamentada y realizarla. Esta es la acción que cierra un ciclo y lo recomienza.

Debemos promover modelos pedagógicos capaces de desarrollar la autonomía de la persona, la capacidad para analizar y tomar decisiones personales y consensuadas, no para forzar la creación de un hombre nuevo subordinado a la política, a la ideología y a los líderes mesiánicos. Las metodologías que promuevan el desarrollo del intelecto, aprender a aprender, enseñar a enseñar, la enseñanza problémica que prioriza el cuestionamiento por sobre la aceptación.

Las metodologías pedagógicas deben fundamentarse en el humanismo y en el desarrollo de competencias docentes desde un paradigma constructivista. El alumno debe ser protagonista consciente de su propio aprendizaje, solo se aprende cuando el alumno es capaz de investigar, descubrir, redescubrir el contenido de enseñanza por él mismo, lo cual implica la creación de estructuras de pensamiento integradas y coherentes. Debe educarse para el servicio a los demás. Ser competente es ser capaz de transformar para bien el entorno en que nos desarrollamos y eso conlleva una suficiente formación y desarrollo de la vocación.

6. Formación de comunidades educativas

6.1. Protagonistas de la visión, los modelos pedagógicos y los proyectos educativos en Cuba.
Interrelación entre Familia-Escuela-Sociedad Civil-Iglesias-Educandos-Estado y definir el orden de prioridad y libertad de elección educativa). Escuela de padres. Protagonismo primordial de la familia.

Para poder proponer las dinámicas de relación entre los diversos y diferentes protagonistas de los procesos educativos, es necesario que propongamos una conceptualización de esos actores, según los entendemos en este estudio. Proponemos, por tanto, este esfuerzo de conceptualización:

La Familia

La familia, es la comunidad de personas, una comunidad de vida y de amor, formada por los esposos, sean padres o no, los hijos y demás parientes interactuantes, que tiene como finalidad el desarrollo integral de cada uno de sus miembros como sujeto-persona y no como mero sujeto-función o partes contratantes.

Misión: la familia es la encargada de escoger la escuela pedagógica, el proyecto ético y la inspiración religiosa o no para sus hijos; y contribuir así al desarrollo del resto de la sociedad como «célula primera y vital, como «escuela del más rico humanismo».

Derecho: La familia goza de derecho propio y primordial con relación a la escuela, a las iglesias, a la sociedad civil y al Estado.

La Escuela

La escuela, es una comunidad educativa pluralista constituida por padres, alumnos y maestros con el fin de contribuir con la familia en la formación de sus hijos como personas libres y responsables.

Misión: la escuela, así concebida, tiene como objetivo organizar y sistematizar el proceso de empoderamiento-eticidad-inculturación, o dicho de otra manera, el proceso de personalización-socialización, según las opciones escogidas por la familia. La escuela debe complementar a la familia aportando los instrumentos necesarios para el discernimiento ético, el despertar de la conciencia crítica, el desarrollo de las capacidades creativas, el cultivo de las actitudes de relaciones interpersonales y el entrenamiento para promover una participación social responsable y democrática.

Derecho: La escuela goza de derecho delegado y secundario con relación a la familia.

La Sociedad Civil

La sociedad civil, es una comunidad social, una red o tejido de organizaciones, grupos informales, instituciones cívicas, asociaciones culturales, deportivas, sociales, que se convocan, organizan y financian con autonomía e independencia del Estado y que constituyen para la persona del ciudadano un entramado plural y abierto de espacios de libre expresión, participación, y aporte al resto de la sociedad.

Misión: La sociedad civil es la expresión pluralista de la nación que se organiza democráticamente y que brinda a sus ciudadanos la posibilidad de formar sus propias comunidades autogestionadas y corresponsables con todo el cuerpo social. La sociedad civil, al mismo tiempo, dota a los ciudadanos individuales de un respaldo-apoyo organizativo y de la necesaria defensa frente a los excesos y abusos del Estado, del mercado, o de otras organizaciones de la sociedad civil.

Derecho: Las organizaciones de la sociedad civil gozan de derecho propio, delegado por sus propios miembros, primario con relación al Estado y a la Iglesia que también forma parte de la sociedad civil, pero secundario con relación a la familia y a la escuela.

Las Iglesias

Las iglesias son parte de la sociedad civil y las consideramos como las comunidades de personas creyentes que se organizan para la convivencia fraterna de la fe, la comunión de la esperanza y la participación de la caridad. Sabemos que para los que creemos las Iglesias tiene también un origen y existencia trascendente, pero al estar fundada y convocada por Jesucristo, es al mismo tiempo una realidad a la vez humana y sobrenatural, como su Fundador.

Misión: Las iglesias tienen una vocación trascendente pero, mientras peregrinan por este mundo, deben construir aquí «el Reino de Dios y su justicia». «La Iglesia, o el Pueblo de Dios, introduciendo este reino, no disminuye el bien temporal de ningún pueblo, antes, al contrario, fomenta y asume, y al asumirlas, las purifica, fortalece y eleva todas las capacidades y riquezas y costumbres de los pueblos en lo que tienen de bueno» (Concilio Vaticano II. *Lumen Gentium*. No. 13). Desde el punto de vista sociológico, las iglesias, son consideradas como una organización-institución dentro del tejido autónomo de la sociedad civil, al no pertenecer ni al ámbito individual, ni al del Estado.

Derecho: Las iglesias tienen derecho propio y delegado por sus miembros, con relación al Estado y a las demás organizaciones de la sociedad civil. Las iglesias tienen derecho secundario y delegado en relación con la persona, la familia y la escuela elegida por los padres, con relación a la profesión o no, de una fe religiosa y con relación al derecho a escoger el tipo de educación y de escuela para sus hijos y alumnos.

El Estado

El Estado son las estructuras, organizativas, administrativas y legales que la nación, entendida como la comunidad de personas que tienen una historia y un proyecto común, se da a sí misma para confeccionar su Constitución y sus leyes (poder legislativo), para administrar sus bienes y procurar el desarrollo del país (poder ejecutivo), para aplicar las leyes y administrar justicia (poder judicial).

Misión: El Estado, en una sociedad pluralista, cuida porque la educación llegue a todos y porque los proyectos educativos de las escuelas alternativas públicas o estatales, laicas o religiosas, tengan el nivel de calidad y la orientación encaminada al bien común, evitando la promoción de actitudes segregantes como el racismo, el fanatismo, el sectarismo, etc.

Derecho: El Estado goza de derecho delegado y secundario con relación al pueblo-nación, por tanto con relación a la familia, la escuela, la iglesia y el resto de la sociedad civil.

6.2. Dinámicas de relación: Persona-familia-escuela-sociedad civil-Estado

La primera dinámica de relación:

1. La primacía de la persona humana: la persona al centro de las relaciones.

La dinámica de toda relación humana viene dado por el lugar que se le atribuya y se le respete a la persona:

- Esta relación puede ser *paternalista* por lo tanto sitúa al «alumno» en un plano inferior. Se puede establecer una relación de coacción y miedo, con métodos represivos y criterios impositivos. La propia familia, los maestros, el Estado o la Iglesia, ocupan el lugar de un padre autoritario y se presenta no como un acompañante en la búsqueda de la verdad, de la bondad y de la belleza, sino como aquel que posee la única verdad, el único proyecto ético para ser bueno y los únicos criterios estéticos para contemplar la belleza.

- Puede ser una relación *utilitaria* en la que el «alumno» es considerado como una pieza que debe pulirse para ser útil a la sociedad, a un proyecto político, o a la dinámica del mercado y la competencia. El Estado, un partido, una empresa, la familia, o la iglesia se convierten en un empleador que exige un tipo de «idoneidad». Sirves si eres útil a los propósitos de cada uno de ellos, sin respetar tu libertad.

- Puede ser una relación *manipuladora* en que se aparenta que la persona participa, se aparenta que sus padres, el educador, el catequista, lo quieren promover como persona libre, en que se quiere contribuir a su liberación personal, pero que, en realidad, no se desarrolla su conciencia crítica, la participación es en un marco restrictivo de apoyo a «lo permitido» y las dinámicas de participación están manipuladas y contribuyen a la simulación y la doble moral. Se le teme a que la persona haga su propio camino a través del bosque enmarañado de la pluralidad, no se intenta acompañarla sino «ahorrarle» el riesgo del bosque o desentrañarle, a nuestro modo, la maraña de la pluralidad que como con frecuencia decimos, «los puede confundir». Se simplifica y se oculta la diversidad. La persona se capacita para «ver», «entender», «pensar», en realidades simples y únicas. Es un empobrecimiento desgarrador.

- Puede ser una relación *alienante y neutralista* en que se intente separar a la persona del mundo que lo rodea, o ponerlo supuestamente por encima de esa realidad al estar «mejor preparado intelectualmente», adormeciendo su conciencia crítica, su capacidad de discernimiento y su responsabilidad personal para con la sociedad. La familia, la escuela, la iglesia, el mismo Estado liberal, prefiere que se capaciten a las personas para sus propios intereses y para permanecer en «la cerca», es decir, en un neutralismo sin compromisos familiares, ni eclesiales, ni cívicos.

- La relación debe ser *personalista*, es decir, que todo el proceso educativo esté encaminado a la formación respetuosa, liberadora y solidaria de la persona. Supone dos procesos complementarios entre sí: la personalización y la socialización. Para por un lado superar la colectivización o masificación y por el otro evitar el individualismo egoísta. Toca a los educadores acompañar el proceso de crecimiento humano. Ese acompañamiento debe significar: despertar y estimular su conciencia crítica; facilitarle los instrumentos para el discernimiento y las opciones; compartir el depósito, el acervo cultural para que la experiencia y la sabiduría de las anteriores generaciones le sirvan para su propia orientación ética y cívica. Ni la escuela, ni la iglesia, ni el Estado, ni la propia familia puede violentar el derecho primordial e inalienable de la persona humana a ser protagonista de su propia educación cuando ya tenga responsabilidad para serlo. Esta es la dirección y el sentido de la relación personalista que proponemos para un nuevo proyecto educativo.

2. El derecho prioritario de la familia: la familia, primer círculo de relaciones

La segunda dinámica de relación entre la familia, la escuela, la iglesia, el resto de la sociedad civil y el Estado se establece por el reconocimiento, el respeto y la promoción de la familia como primer sujeto-protagonista del proceso educativo. La relación debe tener presente:

- Primero que todo, que la familia asuma su responsabilidad y no haga dejación de ella por ninguna razón.
- Que el Estado respete, en la práctica cotidiana, y en las leyes, decretos ministeriales, reglamentos escolares, ubicación de las escuelas, formación de maestros y dirigentes de educación, el derecho primordial de la familia frente a la escuela, la iglesia, el Estado.
- Que la escuela, la Iglesia y el resto de la sociedad civil organicen sus propios espacios y actividades, así como los espacios comunes, medios y métodos, de modo que favorezcan el protagonismo prioritario de la familia, es decir, su participación activa y sistemática en la educación. Actualmente la escuela, los espacios de formación de las Iglesias, están organizados, en la práctica, para lo contrario.

6.3. El carácter subsidiario de la escuela, la Iglesia, la sociedad civil y el Estado

Otras de las dinámicas fundamentales de relación entre los agentes educativos es la subsidiaridad.

Este principio, que debe formar parte de toda la dinámica social y no solo de las relaciones entre la familia, la escuela, la iglesia y el Estado, tiene una importancia decisiva en dichas relaciones.

Se entiende por subsidiaridad aquel principio por el cual toda instancia igual o superior debe hacer solo y todo lo que no pueda hacer una instancia igual o inferior por sí misma.

Entonces, teniendo en cuenta que el proyecto educativo que proponemos desea respetar este orden de prioridades: persona, familia, escuela, iglesia, sociedad civil, Estado, las relaciones de subsidiaridad consistirían en:

- Que el Estado no debe asumir ningún papel, función o servicio que pudieran hacer por sí mismos la persona, la familia, la escuela, la iglesia y la sociedad civil.
- Que las organizaciones de la sociedad civil no deben asumir ningún papel o servicio educativo que la iglesia, la escuela, la familia y la propia persona no puedan asumir por sí mismos.
- Que la escuela y la iglesia no deben asumir ningún papel, función o servicio educativo que la familia no pueda asumir por sí misma.
- Que la propia familia no debe asumir ningún rol que la persona no sea capaz de asumir por sí misma.

6.4. El carácter complementario y solidario de la familia, la escuela, la Iglesia, la sociedad civil y el Estado

No obstante, pudiera parecer, y de hecho, puede ser que ese carácter subsidiario, que por un lado salvaguarda la libertad, la posibilidad de iniciativa y la autogestión de las distintas instancias, por otro lado, generase un individualismo en la persona y un sectarismo o cerrazón en los organismos de la sociedad civil. Incluso, pudiera generar también una especie de indiferencia de ellos y del Estado frente al desarrollo de los demás miembros del cuerpo social.

Es por ello que debemos agregar inseparablemente a la dinámica de la subsidiaridad el principio de solidaridad complementaria.

Este carácter de las relaciones favorecerá que cada uno de los agentes educativos, al mismo tiempo que dejan hacer lo que pueden hacer por sí mismos los demás, no lo abandonan a su suerte, no se cierran en sí mismos, ni se tornan indiferentes sino que se abren a la cooperación y la colaboración entre ellos; se interesan sistemáticamente por evaluar esa cooperación; y expresan concretamente ese interés comunitario con iniciativas de solidaridad que apoyen y complementen los servicios educativos propios de cada protagonista educativo.

En otras palabras:

- *Entre la persona y la familia* deben complementarse mutuamente los esfuerzos por una formación más plena e integral.
- *Entre la familia y la escuela* deben establecerse espacios reales, viables, evaluables de cooperación y complementariedad para ayudar al crecimiento y desarrollo pleno de la persona.
- *Entre la escuela, la iglesia y el resto de las organizaciones de la sociedad civil* deben establecerse canales estables y practicables de solidaridad y cooperación en el proyecto educativo y el desarrollo de toda la sociedad.
- *Entre la familia, la escuela, la iglesia, el resto de la sociedad civil y el Estado* debe crearse un marco legal e institucional que cree un clima favorable a la cooperación respetuosa y pluralista, que dote a la persona y su familia de los mecanismos judiciales de protección de sus derechos y de facilitación de sus deberes con relación a la educación.

6.5. El carácter mutuamente crítico y liberador de estos protagonistas

Otra de las dinámicas relacionales, es el carácter mutuamente crítico de las instancias entre sí y con el resto de la sociedad. En efecto, cada uno de los agentes educativos debe desarrollar, con relación al resto de las partes corresponsables, una conciencia crítica, es decir, el ejercicio de los criterios evaluativos que periódicamente valoran el funcionamiento y el servicio de los demás.

En este sentido la familia debe ejercer un control crítico sobre la escuela y esta debe, a su vez, exigir sin suplantar impositivamente, que la familia cumpla su rol. La Iglesia y el resto de la sociedad civil deben ejercer una misión crítico-profética sobre el rol educativo de la familia y la escuela y al mismo tiempo proponer una pedagogía liberadora, participativa y solidaria.

En algunos casos, como el nuestro, la familia, la escuela y la Iglesia, con la sociedad civil de la que forma parte, deben unirse en el empeño de criticar el papel totalizador y autoritario del Estado en la educación y proponer un modelo pluralista y democrático de educación en el que la persona y la familia tengan el marco legal y operativo que favorezca su derecho prioritario en la formación integral de las nuevas generaciones.

6.6. La formación de una verdadera comunidad educativa al servicio de la persona

Las anteriores dinámicas de relación deben encontrar su integración y plena dimensión cuando los diversos protagonistas implicados en la educación se decidan a formar una verdadera comunidad educativa.

Dejamos a su reflexión aquellas palabras del Papa Juan Pablo II en Santa Clara, el 22 de enero de 1998:

«La familia, la escuela y la Iglesia deben formar una comunidad educativa donde los hijos de Cuba puedan crecer en humanidad».

Esa comunidad educativa que soñamos debe tener un carácter personalista, una pedagogía liberadora, unos contenidos éticos y cívicos basados en los valores de la libertad, la solidaridad y la participación democrática. Esa comunidad educativa debe, además, estar abierta y en sistemática relación con las demás organizaciones e instituciones de la sociedad civil y del Estado. Su fin es que los cubanos crezcan en humanidad mediante un proyecto educativo integrador de todos los protagonistas y a la vez respetuoso del rol de cada uno.

6.7. La comunidad educativa debe ser el principal agente de realización de un nuevo proyecto educativo para Cuba

La comunidad educativa debe ser el principal agente de realización de un nuevo proyecto educativo para Cuba. No hay comunidad sin proyecto. Al mismo tiempo, un proyecto educativo, por muy bien diseñado que esté, queda en letra y reflexión muertas cuando no encuentra quienes lo lleven a la práctica. Según el pensamiento pedagógico contemporáneo este protagonismo no puede ser asumido solamente y de forma excluyente por ninguno de los agentes ya mencionados.

La historia nos recuerda que:

- Cuando la familia asumía ella sola, y de modo sectario, la educación de sus hijos, faltó en ellos la dimensión social y la conciencia solidaria que ha costado siglos formar.
- Cuando la Iglesia, asumió sola un proyecto educativo sin formar ese tipo de comunidad abierta y plural, y sustituyó el papel de la familia, la escuela y el resto de la sociedad civil, sus proyectos educativos no siempre dieron los frutos esperados.
- Cuando el Estado asumió solo esta labor formadora de forma totalitaria y excluyente, el hombre nuevo que se esperaba como fruto de esa «formación integral» resulta un verdadero fracaso antropológico.
- Cuando una comunidad educativa, integrada por alumnos, padres, educadores y sociedad civil, animó un proyecto educativo plural, liberador, personalizador y socializador, todos los miembros de esa comunidad educativa crecieron en humanidad.

Por tanto el principal desafío es transformar los centros educativos en comunidades educativas, comunidades que aprenden. Educamos educándonos. Aprender de la diversidad que aporta cada una de las comunidades conformadas por estudiantes, padres y madres de familia, educadores y otros miembros de la comunidad circundante. Cada integrante de la comunidad tiene una forma personal de percibir distinta de los(as) demás, y en algunos casos contradictoria. Es preciso acoger esa diversidad y crear, mediante el diálogo, una visión compartida, desde la cual se potencia el intercambio con el contexto. La transformación de la sociedad de nuestra educación es una opción para construir la visión compartida.

En la gestión institucional, es preciso procurar la participación de todas las personas implicadas en los procesos de reflexión y búsqueda conjunta; involucrar a la «Comunidad que Aprende» en el análisis de los grandes planteamientos institucionales, en la definición de la misión y visión de la escuela. Que la comunidad educativa pueda incidir en la selección de los maestros y directivos de las escuelas.

Establecen relaciones humanizantes de respeto, acogida, amistad y apertura, que son fundamento de una cultura solidaria. Propician un estilo de organización en el que se atiende a la dignidad de cada persona y se

447

ofrecen espacios reales de participación, innovación y aprendizaje, lo que hace fluir la energía creadora y el desarrollo de la inteligencia colectiva.

La familias, los equipo directivos y el personal docente, en cada comunidad educativa, se comprometen a mantener en sus programas educativos una cultura basada en valores y principios que promueva procesos de enseñanza–aprendizaje, apoyados en experiencias de aprendizaje desafiantes y equitativas para todos los estudiantes y que incluyan el desarrollo de habilidades de aprendizaje y de pensamiento para la vida (AdvancED).

En nuestra sociedad actual, tan compleja, los padres y otros miembros de las familias son imprescindibles en la tan necesaria formación de las conciencias y en la colaboración con las tareas escolares, por tal motivo la formación de los padres debe asumirse por la «Comunidad Educativa» (escuela-iglesia-familia) con total responsabilidad para cumplir con los objetivos de la educación.

Las escuelas de padres y las tan repudiadas reuniones de padres, orientadas por los educadores en nuestros centros educativos, ameritan una especial atención. Existen tres áreas en las que se debe trabajar con mayor fuerza:

1. En las reuniones con los administrativos, claustros y padres o tutores, debe explicarse muy bien la misión de la escuela y su historia, asumir la verdadera misión de la escuela y sus valores para que sirva de apoyo a la labor de la familia (calidad de la enseñanza, la preparación académica y la formación que reciben los alumnos para poder triunfar en el futuro). La escuela no debe ser juzgada solamente por los resultados cuantificables.

2. La escuela debe brindar posibilidades adicionales que faciliten la formación permanente de los padres a través de conferencias, temas morales de diferentes problemáticas actuales (sexualidad, paternidad, ecología, otros).

3. Organizar retiros en la fe y otras actividades fuera de la escuela, en contextos adecuados para hacer reflexiones, intercambios. La creación de asociaciones de padres y maestros y su participación en las ciudades escolares.

7. FORMACIÓN DE L@S EDUCADOR@S

Perfil humano y profesional del educad@r: eticidad, competencia, respeto por la primacía de la familia, responsabilidad social, libertad de cátedra, escuelas de maestros, etc.

Toda persona puede educar por su testimonio y ejemplo, pero, no es necesariamente un maestro o profesor que sí está formado para educar o formar en el proceso educativo en las escuelas. Todo maestro o profesor educa por lo que es y tiene y no por lo que le digan que haga, su testimonio de vida es el mayor ejemplo: «instruir puede cualquiera, educar solo quien sea un Evangelio vivo» (Luz y Caballero).

El mismo José de la Luz y Caballero profundiza: «Cuando se cultiva, moraliza e instruye a la vez, es cuando el maestro cumple con los fines de su ministerio, porque cultivar las facultades todas, moralizar al individuo y transmitirles conocimientos: tales son los fines de la verdadera enseñanza».

Consideramos que el perfil humano, ético y profesional del educador(a) debe integrar estas cualidades, valores, virtudes y capacidades:

- Es coherente con su práctica y vida, reconoce que desde el amor y la verdad la persona crece y llega a ser moral y espiritualmente íntegra.
- Cultiva su interioridad, desde donde nos podemos conectar con la humanidad y con el mundo.
- Investigador y crítico de la realidad.
- Es profesional de la educación e investigador de su práctica.
- Apertura a la formación de vínculos y redes para favorecer su propio proceso de actualización y profesionalización.
- Responde a los desafíos de la comunicación y la globalización.
- Integra los medios de comunicación y el mundo virtual para encarar otras formas de aprender y posibilitar nuevos aprendizajes.
- Favorece el diálogo y las relaciones humanizantes, a través de la escucha comprensiva y empática.
- Es mediador y acompañante, reconoce en cada persona la capacidad de transformar y transformarse.
- Su práctica está orientada a la construcción de una cultura solidaria y de paz, que genere relaciones igualitarias y recíprocas.
- Está formado en competencias comunicativas y técnicas que favorezcan la participación activa, fomenta el autoaprendizaje, el desarrollo del pensamiento crítico, creativo y el trabajo en equipo; de manera que las personas puedan implicarse de forma significativa en su aprendizaje.
- Formación de maestros en las nuevas corrientes pedagógicas y nuevos paradigmas educativos.
- Deben ser rescatadas y actualizadas las escuelas formadoras de maestros, llamadas Escuela Normal de Maestros, creadas desde la época colonial

y retomadas en la República. Así como las asociaciones de profesores independientes del Estado y las publicaciones pedagógicas que desempeñaron un rol tan importante en la educación, la investigación y en la formación profesional de los pedagogos.

El profesor no debe ser un mero instructor, sino un facilitador de la apropiación de la cultura por parte del alumno, por tanto debe formar en valores, intuir y estimular para el futuro, despertar las potencialidades de la persona humana, enmendar, curar, sanar. Debe priorizar la sabiduría que viene de la Doctrina Social de la Iglesia, sentirse amigo, colaborador, paciente, acompañante pues sabe que educar es un largo y complejo proceso, ser mediador de todo tipo de conflictos con retroalimentación positiva, ser dialogante, no sentirse cátedra, ser cercano a los estudiantes y a los problemas y no mostrar distancias, provocar discusiones, reflexiones y oír mucho, respetar y hacer que se respeten la ideas de los demás, pulir lo discutido hasta crear una buena imagen, que el alumno concientice que es él lo más importante y que su formación depende de él y hacer de toda el aula la verdadera cátedra. El profesor de vocación es ejemplo de buena conducta dentro y fuera de la institución, y debe ser, ante todo, humanista y empático.

En Cuba hoy los maestros y profesores son más personas *laborales* (vivir de la profesión, prima lo económico, lo salarial) y *profesionales* (se superan profesionalmente para ser eficientes pero no eficaces) que personas *de vocación*: (los que aman la profesión y son capaces de hacer múltiples sacrificios en aras de una correcta formación de sus estudiantes).

El primer paso es dignificar la labor del pedagogo, tradicionalmente muy discriminada con respecto a otras profesiones. Tal dignificación pasa por la elevación del nivel de los pedagogos, actualmente muy deprimido, y por implementar una formación pedagógica para cada nivel de enseñanza apegada a fuertes valores éticos y cívicos, así como al sentido de responsabilidad social que deberán observar todos los profesionales de la educación. El pedagogo es, después de la familia, el eslabón más importante en la formación de valores de los educandos.

Pero la formación pedagógica destinada a educar sujetos libres impone también la superación de esquemas rígidos. El pedagogo ha de ser también un librepensador que no impondrá doctrinas a sus discípulos, sino que les abrirá el camino para que sean capaces de elegir correctamente sus propios destinos como ciudadanos libres.

Deberán existir variedad de escuelas pedagógicas, para desarrollar todo tipo de enseñanza y responder adecuadamente a la demanda educativa de la sociedad siempre que sean coherentes con los valores y virtudes universalmente reconocidos.

Establecer exámenes por concurso para todas las plazas de educadores en todos los niveles de la enseñanza pública. Estructurar un sistema nacional de cualificaciones profesionales.

Establecer un programa de formación de profesores que responda a los objetivos del modelo de cultura y sociedad a los que aspiramos. Tanto en su vida personal como comunitaria, el profesor debe ser:

- Una persona íntegra, honesta, fuerte, exigente, coherente con su pensamiento y obra,
- Ser ejemplo con sus testimonios de vida, jugar un papel de liderazgo y desarrollar en sus alumnos esta característica,
- Una persona equilibrada en sus relaciones interpersonales y vivirlas con éxitos,
- Tener capacidad básica para el trabajo comunitario, capacidad académica y técnica de excelencia,
- Desarrollar la interdisciplinariedad, pensar críticamente y lograr que sus alumnos desarrollen el pensamiento crítico y autocrítico,
- Formar y hacer viable en sus alumnos el trabajo grupal y cooperativo,
- Ser competente y tener sentido de pertinencia,
- Transmitir el amor y compromiso con Cuba,
- Promover la justicia personal y social, identificar y solidarizarse con las personas que sufren injusticias,
- Identificar y trabajar por transformar las estructuras deshumanizantes del sistema,
- Ser una persona preparada para resolver conflictos personales o profesionales de una manera pacífica,
- Desarrollar las capacidades para leer «los signos de los tiempos» y evaluar críticamente los pasos que se deben dar para producir cambios positivos,
- Crear o fortalecer las Escuelas de Verano para la actualización del profesorado.

8. Leyes, estructuras, espacios y niveles educativos para Cuba

La educación como proceso siempre público y la gestión educativa privada, estatal, subvencionada, homologada, etc. Un proyecto educativo para el futuro de Cuba. Contenidos para la ley de educación (Cf. Informe II del CEC: Tránsito Constitucional y Marco Jurídico. Acceso, garantía y control de calidad, obligatoriedad, financiamiento).

8.1. Leyes y estructuras para la educación en Cuba

Hacer cambios en la Constitución o incluir en un nuevo texto constitucional todo lo referente a la educación tal cual lo acordado en el Pacto Internacional de Derechos Económicos, Sociales y Culturales:

«Los Estados partes en el presente Pacto se comprometen a respetar la libertad de los padres y, en su caso, de los tutores legales, de escoger para sus hijos o pupilos escuelas distintas de las creadas por las autoridades públicas, siempre que aquellas satisfagan las normas mínimas que el Estado prescriba o apruebe en materia de enseñanza, y de hacer que sus hijos o pupilos reciban la educación religiosa o moral que esté de acuerdo con sus propias convicciones» (Asamblea General de la ONU, 1966).

Esos preceptos de la nueva Constitución deben consagrar el carácter laico del Estado y el carácter plural de nuestra educación, esclareciendo y dejando definido el término *laico*, y la diferencia sustancial entre *laicidad* y *laicismo* del Estado y sus instituciones, porque el Estado cubano, como algunos otros modelos de mercado, conciben la religión confinada al ámbito privado de la familia, grupos creyentes y a lo cultual, privando a las Iglesias de sus derechos y deberes sociales como institución que forma parte de la sociedad civil. El accionar de las iglesias debe tener también un carácter público y un espacio legal que le permitan dialogar e interactuar con las personas y las demás instituciones que existen en la nación. Las iglesias pueden y deben tener centros educacionales administrados y dirigidos por una comunidad educativa en la que ella es un miembro.

Las Iglesias pueden y deben tener centros educativos que sean confesionales y también centros educativos no-confesionales, es decir, donde se admiten personas agnósticas, ateas y religiosas con los mismos derechos deberes y oportunidades. Parece ser que esta es la tendencia predominante en los centros educacionales que patrocina la Iglesia Católica en el mundo. Y debería ser un modelo para los centros educativos patrocinados por las iglesias en Cuba. Debemos cambiar la posición de «laicismo» que se nos impone por una «sana y verdadera laicidad», que abarque también la función social educativa, lo que no lesionada para nada la necesaria e indispensable separación jurídica Iglesia-Estado.

8.2. Espacios educativos plurales en Cuba

La educación debe ser asumida, de manera conjunta, por el trinomio familia-escuela-sociedad civil, pues en el seno de esta última existen espacios de confianza que son auténticas comunidades y que merecen ser valorados como verdaderos lugares de humanización, este es el caso —por citar un ejemplo— de las Iglesias.

En Cuba debemos comenzar por reconocerle a este trinomio fundamental el derecho a realizar dicha misión, y no solo reconocerlo, sino también promoverlo, cuidarlo y valorarlo como la verdadera fuente del futuro de paz, libertad y fraternidad con el que seguramente soñamos. El Estado nunca podrá suplantarlos en la acción educativa, pues él mismo es incapaz —por la propia dinámica de sus relaciones— de llevar a cabo, por sí solo, una verdadera educación.

Al respecto Ricardo Yepes afirma:

> *La pretensión de que sea el Estado el encargado de custodiar los valores mo-*
> *rales nace como consecuencia de la convicción de que la religión es innece-*
> *saria en la sociedad. Que el Estado tenga ese encargo es inviable, porque los*
> *valores morales solo se pueden enseñar cuando se realiza una tarea común,*
> *pues son los criterios de ella. Los dos tipos de instituciones más adecuados*
> *para enseñar la moral son la familia y las instituciones religiosas, porque son*
> *los únicos cuya tarea común abarca la vida entera. La religión habla de la*
> *vida humana como una tarea que nos es común a todos, y nos da criterios*
> *para orientarla hacia su destino. En la familia se nos enseña a vivir, en el*
> *sentido más profundo que se pueda dar a esta palabra (Stork, 1996, p. 256).*

8.3. Algunas acciones prioritarias

- Rescatar y plasmar legalmente el papel primario y esencial de la familia, incluyendo el derecho de elegir el tipo de educación que consideren para sus hijos. Reservar al Estado el papel subsidiario de la educación, donde la sociedad civil, los establecimientos privados y las instituciones religiosas tengan potestad de participar, proponer y tomar decisiones. La libertad de cátedra que promueva la creatividad del personal docente.
- Establecer un presupuesto nacional mínimo para la educación que garantice el libre acceso y la calidad de los niveles primario y secundario, y permita subsidiar de alguna forma otros niveles educacionales. Y poder sostener las universidades públicas.
- Debe ser rescatada y actualizada la escuela privada, de la cual hay grandiosos ejemplos en la Cuba colonial y en la Cuba republicana, en igualdad de derechos a la escuela estatal.

- Es necesario crear un sistema general de educación pública desideologizado. Se trata de formar ciudadanos, no soldados ni apóstoles.
- Defender la existencia de espacios públicos y privados en la educación, aunque todos sujetos a una Ley de educación que garantice derechos esenciales –el acceso a la instrucción, en primer término– para todos los cubanos.
- Se debe mantener la gratuidad y obligatoriedad de la enseñanza en los niveles primario y secundario e introducir la gestión privada en todos los tipos de enseñanza.
- Establecer la educación universal obligatoria para todos los menores de edad.
- Favorecer el acceso a la universidad mediante créditos, préstamos u otro tipo de reembolso.
- Fomentar las capacidades de acuerdo a la demanda social en los niveles de enseñanza media-superior, enseñanza técnica y enseñanza universitaria.
- Favorecer el desarrollo de proyectos de instrucción de todo tipo de enseñanza: de arte, de oficios, especialidades diversas.
- Fomentar la posibilidad de fundar escuelas tecnológicas, de oficios, e incluso de enseñanza general, con capitales privados, de fundaciones o de instituciones internacionales reconocidas, lo que significaría una valiosa contribución a la instrucción en Cuba y una vía para insertar a las jóvenes generaciones en los avances y conocimientos del desarrollo tecnológico global. No puede concebirse la instrucción en el siglo XXI sin el pleno acceso a las tecnologías de la informática y las comunicaciones.
- Desarrollar un sistema de guarderías infantiles acorde con los nuevos tiempos que facilite la conciliación entre la vida laboral y familiar.

8.4. Otras propuestas

- En Cuba los niveles educativos, sobre todo el secundario y preuniversitario no preparan a los alumnos para hacerle frente a las carreras universitarias. Las pruebas de ingreso no son tales sino de generalidades, por lo que estimamos que las mismas deben ser aplicadas por las propias universidades con total autonomía, para que respondan a sus intereses verdaderos, de lo contrario, es mejor eliminarlas y que el alumno opte libremente por la carrera de su preferencia independientemente de su promedio académico.

- La sociedad cubana debe contar con una diversidad de centros educativos. Todos son públicos, pero, deben existir estatales, privados, concertados, semiconcertados y confesionales. El país, a través de su Ministerio de Educación, debe marcar las líneas de acción generales, no obstante, cada escuela debe abogarse el derecho del cómo lograr los objetivos que le exige la sociedad: lo que es llamado en el mundo pedagógico «el encargo social». Los claustros deben ser contratados por las propias instituciones escolares y no por el Ministerio de Educación, para que en realidad respondan al estilo o modelo pedagógico que exige la institución educativa.
- Que el Ministerio de Educación tenga el papel de trazar la política educativa del país, que se encargue de monitorear y velar porque los diferentes espacios, o formas de educación, respeten y formen a individuos virtuosos y libres; garantice el desarrollo intelectual y vocacional de los ciudadanos y trace pautas, o normas elementales de educación para que bajo ningún concepto los educandos sean sometidos, o coartados en sus libertades u opciones, ya sean políticas, sexuales, religiosas, o culturales. El Ministerio de Educación (ME), a su vez podrá estar sub-dividido en los tres niveles de enseñanza:
  —Dependencias provinciales del ME.
  —Dependencias municipales del ME.
  —Cuerpo de metodólogos encargados de trazar programas de formación para el profesorado y los estudiantes en la nación; el cual estará representado a su vez, en todo el país.
- El Ministerio de Educación tendrá la responsabilidad de velar por la calidad de la educación que se brindará en los diferentes espacios, sin importar si son públicos, o no; velando siempre por el respeto a la autonomía de cada institución.
- Garantizar espacios de capacitación, formación y debate para los educadores.
- Garantizar la educación pública y de calidad, la cual le asegure a sus estudiantes la continuidad de sus estudios por el mérito de su esfuerzo.
- Permitir el acceso a la educación superior a personas de bajos ingresos con diferentes tipos de ayuda:
  —Por subvención.
  —Por préstamos bancarios, o créditos.
  —Por méritos propios (talento).
- Un sistema educacional básico (primaria-secundaria) obligatorio para todos los ciudadanos cubanos (público, privado, o religioso).

- Enseñanza media y superior opcional, es decir, sin carácter obligatorio, las cuales puedan de igual manera ser públicas, privadas, o religiosas.
- Defender la coexistencia de los diferentes tipos de educación como una riqueza de la nación y no condenarla como lastre para el desarrollo de la sociedad.
- Velar porque los diferentes tipos de enseñanza promuevan al hombre, lo enriquezcan como persona humana y lo eduquen en libertad y responsabilidad, formando hombres y mujeres capaces de coger las riendas de sus propias vidas, ser dueños de sus destinos y conductores de su nación.
- Garantizar el total respeto a la libertad de la familia para escoger el sistema educacional de sus hijos (religiosa, pública, privada, política).
- Crear, desarrollar y permitir diferentes centros de investigación, que enriquezcan la formación práctica de los estudiantes para su posterior desempeño profesional.
- Homologar los centros de altos estudios de nuestro país con otros del resto del mundo, lo cual elevará la competitividad de los mismos y de nuestros profesionales.
- Fomentar los proyectos de cooperación de las universidades cubanas con otras foráneas, las cuales pueden ir desde proyectos de investigación, hasta capacitación, foros, congresos, cursillos, etc., lo cual abrirá nuevas posibilidades para el desarrollo de la nación.
- Profundizar el estudio en primer lugar de la historia de Cuba, una historia real, no falseada por intereses del poder, o del partido gobernante; donde se estudie desde la comunidad aborigen hasta nuestros días, sin omisiones, ni excesos. Comenzar desde inicios de estudios, es decir, desde la primaria, a formar a los estudiantes en virtudes y valores, dándoles como una asignatura fundamental la de «Ética y Cívica», la cual les permitirá crecer como personas, elevará el apego a la nación y acrecentará el conocimiento político elemental.
- Fomentar el amor a la patria, el conocimiento de nuestra identidad, el rescate de las tradiciones y el verdadero sentido de la nacionalidad.
- Desarrollar el estudio de las ciencias, el conocimiento de la tecnología y el desarrollo intelectual y espiritual de las personas.
- Educar a los ciudadanos desde pequeños en el respeto a la diversidad de criterios, de creencias y de opciones.
- Crear un sistema educacional público y de calidad, donde pueda acceder todo ciudadano cubano, con la garantía de que los hijos serán formados

bajo patrones éticos y con una formación cívica capaz de hacer hombres de bien y responsables, capaces de discernir posturas ante la vida libremente.

- Permitir un espacio educacional privado, el cual promueva los valores humanos, encamine a los estudiantes a su formación personal y vocacional apegados a las virtudes y valores éticos y cívicos.
- Dar espacio a la educación religiosa, permitiendo así que los padres puedan escoger el tipo de educación que prefieran para sus hijos.
- Garantizar una formación superior, a la cual tengan acceso todos los ciudadanos sin restricción.
- Crear un sistema de transporte escolar público.

8.5. Algunos ejemplos

Ejemplos de que no hay que esperar a que ocurran los cambios a nivel constitucional ni que vengan las iniciativas del Estado, son los proyectos creados desde la sociedad civil cubana, dentro y fuera de la Isla, como por ejemplo:

Dentro de Cuba también existen otros centros educativos impulsados por grupos informales, logias masónicas, en Iglesias y congregaciones que están poniendo su grano de arena en este esfuerzo mancomunado por construir una Nación edificada sobre la virtud. En este sentido no puedo dejar de mencionar el caso de este Centro Cultural Padre Félix Varela; el Convento San Juan de Letrán, con sus disímiles y ansiados programas; el Centro Loyola de los Jesuitas, entre otros, como el trabajo realizado durante más de 20 años, primero por el extinto Centro de Formación Cívica y Religiosa (CFCR) de la diócesis de Pinar del Río (1993-2007) y continuado por el Centro de Estudios Convivencia (www.centroconvivencia.org) a partir de 2007.

El Proyecto Convivencia ha querido rescatar el trabajo comenzado por el (CFCR) para continuar la tradición educativa del Padre Varela, de Luz y de Martí, y para ello ha publicado el primer libro de texto «Ética y Cívica: Aprendiendo a ser persona y a vivir en sociedad» que se escribe en Cuba de forma independiente en los últimos 65 años. El libro cuenta con 14 cursos de formación ética para la ciudadanía y la sociedad civil en Cuba, los cuales ya se están estudiando de manera independiente en varias provincias de Cuba, por ejemplo en tertulias de formación de grupos de la sociedad civil, en Iglesias y en congregaciones religiosas. Asimismo existen otros ejemplos en el resto de las provincias de Cuba, y no solo pertenecientes a las Iglesias, sino que desde el seno de la sociedad civil se están entregando a esta tarea, desde la convicción de la fuerza de lo pequeño y el ejemplo de las «minorías guiadoras» como dijo Medardo Vitier.

En la Diáspora, constituyen una verdadera riqueza para Cuba en materia educativa un sinnúmero de organizaciones, asociaciones, universidades, centros de estudios, etc., alrededor del mundo, que forman parte de nuestro patrimonio, pues durante mucho tiempo han acompañado al pueblo cubano con sus estudios, investigaciones y programas, y continúan haciéndolo, una prueba más de que somos una única Nación (Isla + Diáspora).

8.6. En materia de instrucción para el deporte

- Los clubes deportivos pueden asumir de manera efectiva la creación de su cantera a partir de niños, adolescentes y jóvenes con talentos para el deporte a fin de sustituir la caducidad de estas instituciones en modernas instalaciones.
- Los juegos escolares y universitarios como una de las principales competiciones nacionales.
- No es necesario mantener un ejército tan numeroso en Cuba por lo que las academias militares reducirán sus matrículas y perfilarán sus instrucciones en la formación de bomberos, policías, criminalistas, personal antiterrorismo, defensa civil, rescate y salvamento, guardafronteras, entre otras sin desatender un ejército nacional no tan numeroso.
- Se deben renovar las escuelas de oficio (no las actuales donde no se enseña nada a estudiantes con retardo escolar).
- Es obligación del Estado cubano garantizar la instrucción a todos los niveles, desde los estudios primarios hasta los de nivel superior. Pero la responsabilidad por la educación corresponde en primera instancia a la familia. Es la familia la que determina el tipo de enseñanza que dará a sus hijos en correspondencia con sus ingresos y su forma de pensar.

8.7. En materia de financiamiento

En cuanto a la forma de gestión (financiamiento) de la educación en Cuba debe ser diversa:
- Pública o estatal, en la que el Estado financia totalmente.
- Privada, en la que el estudiante debe pagar por sus estudios.
- Mixta o combinada, en la que tanto el estudiante como el Estado financian parcial o totalmente los estudios.

La educación pública estatal será laica, no laicista, pero debe tener en su programa un módulo elemental sobre las asignaturas Filosofía y Religión de manera que se conozcan (que no quiere decir que se practiquen) de manera general todas las corrientes filosóficas y religiosas.

Cada institución educativa independientemente de su nivel escolar o forma de gestión debe cumplir con un programa que imparta:

- módulo de asignaturas y temas básicos, generales (obligatorios) y
- módulo de asignaturas y temas específicos, particulares (opcionales).

9. LA UNIVERSIDAD EN EL FUTURO DE CUBA

Autonomía universitaria, extensión universitaria, centros de investigación, libertad de cátedra, etc.

Rescatar y actualizar la autonomía universitaria para devolverle a la Universidad el papel que le corresponde en el desarrollo de la nación, de las ideas, del debate, y de participación cívica en los asuntos nacionales.

9.1. Conceptos

La palabra Universidad viene del latín *universitas* que significa: «la unidad de todas las cosas», o «la unidad de lo diverso».

La Universidad debe ser una institución de carácter educativo, que reúne en torno a sí, como en una gran familia, a los que de lleno se dedican a las tareas de la ciencia, es decir, una comunidad de investigadores, profesores, estudiantes y personal de oficios varios que sirve a esta común finalidad (Cf. Pastoral Universitaria, CELAM, p. 12).

«Es una comunidad académica, que, de modo riguroso y crítico, contribuye a la tutela y desarrollo de la dignidad humana y de la herencia cultural mediante la investigación, la enseñanza y los diversos servicios ofrecidos a las comunidades locales, nacionales e internacionales» (Juan Pablo II, encíclica *Ex corde ecclesiae*).

De ambas definiciones se puede ver que la universidad debe ser una institución de servicio a la sociedad, creadora de cultura, ella reúne en su seno a varias comunidades que a su vez prestan servicios específicos a la sociedad y a la misma universidad (cátedras, organizaciones intermedias, equipos de investigación, etc.). Por ello la universidad es llamada muchas veces «comunidad de comunidades» o «unidad viva de organismos dedicados a la investigación de la Verdad» (Juan Pablo II, encíclica *Ex corde ecclesiae*).

Esta comunidad debe permanecer unida por la común consagración de sus miembros a la búsqueda de la verdad y el servicio a la sociedad, así como por el respeto y la promoción de la dignidad humana. En ella debe primar el diálogo sincero, la libertad, la tolerancia, la inclusión y el respeto a los derechos de cada uno. La universidad debe tener un orden jurídico interno, es decir, un conjunto de leyes, que velen por el cumplimiento de estos criterios y que regulen el funcionamiento de la misma.

9.2. Breve reseña histórica de las universidades en Cuba

1728: Fundación de la Universidad de La Habana por los padres Dominicos del Convento de San Juan de Letrán, el día 5 de enero en La Habana.

1734: Se aprueban los estatutos y se declara: Real y Pontificia Universidad de San Jerónimo de La Habana, con 21 cátedras, un rector, un vice-rector y cuatro conciliarios.

1841: Es aprobado un plan de reconstrucción de la Universidad y se fija un nuevo plan de estudios.

1842: A 114 años de fundada se seculariza y comienza un rápido crecimiento bajo el influjo del pensamiento moderno.

1895: Gran actividad patriótica de círculos universitarios, conspiración, búsqueda de fondos y armas.

1900: Sustitución del hasta entonces vigente plan de estudios creado por el Dr. Enrique José Varona agrupándose cátedras y reduciéndose el número de profesores. Se fundan las escuelas de Pedagogía, Ingeniería Civil, Eléctrica y Agrónoma y la Escuela de Arquitectura.

1902: Con el advenimiento de la República se crea un cuerpo consultivo gubernamental que inspecciona la universidad, comenzando entonces la subvención estatal que relativiza la Autonomía.

1922: Fundación de la Federación Estudiantil Universitaria (FEU) por Julio A. Mella, en diciembre, con el objetivo de unificar las federaciones estudiantiles que ya venían trabajando en algunas facultades. Esta organización tenía como objetivos defender los intereses de los estudiantes frente a los de la Institución Universitaria y aunar esfuerzos estudiantiles en el servicio a la sociedad. La FEU surge esgrimiendo un pliego de demandas con las que pretendían el mejoramiento universitario y social.

1923: Se produce un fuerte intercambio universitario con instituciones docentes similares de otros países. La FEU lanza un manifiesto en el que exige reforma universitaria, autonomía y cambios políticos en el país. En estos años funcionó la «Universidad Popular José Martí», como un servicio de la FEU a la educación del pueblo.

1929: Intensa oposición universitaria al gobierno de Gerardo Machado. Solidaridad con el resto de los movimientos nacionales, demandas de reformas político-sociales profundas.

1930: Huelga del 30 de septiembre en protesta por el aplazamiento del inicio de las clases hasta noviembre (fecha de las elecciones), cierre de la universidad.

1931: Se crea el Directorio Estudiantil Universitario (DEU), por estudiantes de pensamiento liberal, auténticos, y una minoría comunista, con el objetivo de derrocar a Machado y lograr una serie de cambios de carácter nacionalista. Reapertura de la Universidad.

1931-33: Incremento de número de organizaciones políticas dentro de la Universidad, compulsadas por la inestabilidad política del país. Entre ellas el Ala Izquierda Estudiantil (AIE) y el Frente Único Revolucionario (FUR).

1932: El DEU pasó de una posición pacifista y un discurso legalista que le habían caracterizado a una radicalización y llamado a las armas. Irrupción de la policía en el recinto universitario. Cierre de la Universidad.

1933: Con la caída de Machado el DEU se vincula al gobierno de la Pentarquía, perdiendo popularidad entre los estudiantes, por no estar a la altura de sus postulados iniciales. Con la llegada al gobierno de Grau San Martín, con Guiteras como Primer Ministro se abre nuevamente la Universidad y se le reconoce su Autonomía, por primera vez en la República. No le es permitido al DEU su entrada a la Universidad como organización.

1934: Con la caída del Gobierno de los Cien Días, el presidente Mendieta instituye nuevamente las inspecciones estatales a la Universidad provocando gran repulsa entre los estudiantes.

Surge en este año la Agrupación Católica Universitaria (ACU), Organización Laical Cristiana dirigida por los padres jesuitas, con el objetivo de hacer presente el pensamiento y el testimonio católicos en la Universidad. Pretendía, mayormente, formar profesionales competentes y con un alto sentido del compromiso con la Iglesia y el pueblo, que fueran capaces de influir en las altas esferas del acontecer nacional. La constituían estudiantes y profesionales, tenía una junta directiva laica y un sacerdote asesor.

1935: Se redacta un decreto gubernamental que elimina la autonomía jurídica. Radicalización violenta del movimiento estudiantil protagonizado por la Joven Cuba y el AIE, en demanda de la autonomía y de cambios políticos, gran apoyo a otros movimientos nacionales. Cierre en agosto de la Universidad tras sangrienta huelga dirigida por un Comité de Huelga.

1937: Reapertura de la Universidad en marzo tras una fuerte polémica sobre las condiciones de reapertura, en la cual los profesores y las distintas organizaciones estudiantiles trataron de que sus intereses estuvieran representados en el nuevo *status* jurídico de la Universidad. Se creó la Ley Docente tras un proceso de consulta en el que participaron, además de estudiantes y profesores, algunas personalidades científicas y políticas del país. Esta ley definió el *status* jurídico de la Universidad hasta 1959. Vale destacar que en este proceso jugaron un papel muy importante las organizaciones estudiantiles, en especial el Comité de Huelga. Los estudiantes estaban claros que sin autonomía y sin profundas reformas en las que se tuvieran en cuenta, incluso, algunos aspectos de la educación media superior, era inútil la reapertura de la Universidad.

En abril de ese mismo año se celebró un pleno de la Segunda Enseñanza donde participaron alumnos y profesores, y organizaciones estudiantiles de la Universidad. Se trató el tema de una reforma de la Segunda Enseñanza, derogación de leyes obsoletas dictadas en gobiernos anteriores, creación de nuevos centros de estudio así como la reforma de los planes docentes.

En estos años se hicieron populares entre los estudiantes las propuestas de diálogo, y fue muy rica la polémica entre los estudiantes y la institución.

La Ley Docente ordena la reapertura de todos los centros cerrados y una reforma en la Segunda Enseñanza. Además devuelve la autonomía a la Universidad, prohíbe actos de política partidista dentro de la Universidad, se decreta un 20% de matrículas gratis, se fijan las cuotas de subsidio estatal y se da estructura al gobierno universitario. Este último queda compuesto por un rector, un grupo de cargos intermedios y profesores, la Federación Estudiantil está representada pero solo de forma consultiva.

1942: Reforma en los estatutos quedando constituida la Universidad en 13 escuelas. Comienza una década de «calma relativa» en cuanto a la actividad política de los estudiantes. Surge en esta etapa el «bonche» (pandillismo) como fenómeno de corrupción y violencia dentro de la Universidad, asociado con prácticas de soborno, chantaje, politiquería, etc.

1944: Surge la Juventud Universitaria Católica (JUC), como especialización de la ya existente Acción Católica, y tenía como principal objetivo hacer presente el pensamiento y el testimonio cristiano en la Universidad. Brindó múltiples servicios dentro y fuera de la Universidad, entre los que se encuentran:

- Orientación vocacional y escuelas nocturnas para obreros.
- Acogida a los estudiantes que llegaban nuevos, sobre todo a los del interior del país.
- Conferencias y cursos para complementar la formación recibida en la Universidad.

- Hogar Católico Universitario (Residencia estudiantil).
- Encuestas sobre la realidad del joven universitario.
- Presencia activa en las estructuras organizativas (estudiantiles e institucionales) de la Universidad.

1947: Creación de la Universidad Central de Las Villas.

1948: Creación de la Universidad de Oriente.

1950-52: Toma de conciencia de la FEU contra el «bonche» y comienzo de la lucha abierta contra el mismo. El 10 de marzo de 1952 se organiza una protesta contra el golpe de Batista. Comienzan otra vez las luchas nacionalistas.

1953: Surge la Universidad de Occidente «Rafael Morales», la cual solo funcionó un año, por razones de coyunturas económico-sociales.

1954: José A. Echevarría es elegido presidente de la FEU, comienza una campaña de concientización cívica y política del alumnado.

1955: Se crea un grupo de jóvenes de la dirección de la FEU, con el objetivo de luchar abiertamente contra Batista (quedando de esta forma la FEU más abierta al estudiantado menos radical políticamente). Este mismo año se firma la «Carta de México», alianza entre el Directorio y el Movimiento 26 de Julio para la lucha coordinada contra Batista. Se celebra el II Congreso Estudiantil Latinoamericano en Chile donde participa José Antonio y otros dirigentes de la FEU y el Directorio, ahí se firma el documento «Contra las dictaduras de América». Se coordina trabajo entre organizaciones. En septiembre se celebra en Ceilán el Congreso Mundial de Estudiantes, en el que José Antonio es elegido coordinador.

1956: Se funda la Universidad Católica de Santo Tomás de Villanueva en La Habana.

1959: Comienza el proceso de reformas en la Universidad al triunfo de la Revolución. La Universidad, en un principio, acoge de forma muy entusiasta el triunfo revolucionario y se inserta en el proceso.

1961: Comienza cambio institucional que eliminará totalmente la autonomía. Se inicia, además, el proceso de subordinación a la Unión de Jóvenes Comunistas (UJC). Una parte del estudiantado acoge el proceso, otra parte (menor) se opone y es «depurada» de la Universidad. La reforma del 1962 abre la Universidad a todas las capas sociales, declara la matrícula gratuita, renueva los planes de estudio, crea nuevas cátedras y combate fuertemente los estudiantes y profesores que se oponían al rumbo socialista-comunista que tomaba el proceso revolucionario.

9.3. Lecciones de la historia de la universidad

La historia de nuestras universidades y la experiencia del mundo, nos enseña las siguientes lecciones que deben servir de referentes para la fundación y reforma de toda universidad, no importa su confesionalidad o laicidad:

- *La autonomía* es una condición indispensable para el cumplimiento de la misión social de la universidad.
- *Nivel profesional y educativo:* Después de su autonomía lo que caracteriza a una universidad es el nivel profesional de sus docentes, la calidad del proceso docente-educativo y el nivel científico y humanístico de sus investigaciones.
- *Unir ciencia y conciencia:* La universalidad y calidad de las universidades tiene su fundamento y garantía en la capacidad de sus procesos educativos para unir ciencia y conciencia, pensamiento y compromiso, verdad, bondad y belleza.
- *El diálogo* ha sido un factor importante en el logro de un orden jurídico interno satisfactorio y en la conciliación de la diferencia de intereses institución-estudiantado.
- *Compromiso ético y cívico:* En los momentos en los que el estudiantado permaneció neutral proliferó la corrupción en la universidad (bonchismo) y no se combatió suficiente la misma fuera de la universidad.
- *La comunidad educativa universitaria:* En la medida que los estudiantes tuvieron más participación en el gobierno de la universidad mejor fue el orden interno y la universidad pudo cumplir mejor su cometido de servicio a la sociedad.
- *Impacto en la comunidad:* La universidad no puede dejar de un lado el mejoramiento moral de toda la comunidad, de forma tal que se infundan al hombre altos valores cívicos, humanos, morales para que a su vez contribuyan al mejoramiento moral y político de la sociedad.
- *Abierta al intercambio académico y científico* con universidades del mundo para elevar y sostener su calidad y nivel educativo.

La universidad debe ser:

- *No partidista:* Que no reine, dentro de la institución, la doctrina o la práctica de ninguna corriente política específica. Donde los estatutos sean libres de coacción política y solo respondan a las necesidades de la Universidad y a las necesidades concretas del país.

- *Propositiva o proactiva:* Formada por un alumnado y un claustro con postura crítica y comprometida ante los problemas sociales. Que sean capaces de proponer acciones concretas para el mejoramiento social.

9.4. Tipos de universidad

En el futuro de Cuba deberían existir diferentes tipos de universidades para que los estudiantes y sus familias puedan elegir a cuál asistir. Por sus objetivos específicos como institución y por su organización interna se pueden distinguir varios tipos de universidades:

Por su filosofía inspiradora:
- *Universidad Secular o Laica:* La institución no tiene vínculo explícito con ninguna religión o ideología, se rige por criterios éticos y morales generales y por los propios de la cultura de la nación (está claro que en toda cultura existe una mezcla de aportes de distintos credos e ideologías).
- *Universidad de Inspiración Cristiana:* No posee relación de pertenencia o vinculación jurídica con la Iglesia Católica ni con ninguna otra confesión cristiana, pero el modelo de persona que promueve la institución, su antropología, así como sus métodos de trabajo, sus normas internas, etc., están inspiradas en la doctrina de Cristo. Es muy popular en nuestros días y es una especie de híbrido entre la universidad Católica y entre la Universidad Laica.
- *Universidades Confesionales:* Se dice, en general, de aquellas universidades donde la institución es portadora de alguna religión o ideología determinada, de forma explícita y la promueve, haciendo presente la misma en sus métodos de trabajo, en su proyección al resto de la sociedad y en el modelo de hombre que pretende formar, en los criterios éticos y morales, que rigen la misma y en su orden jurídico interno. Por ejemplo la Católica, la Musulmana, la Masónica, la Marxista, las pertenecientes a otras confesiones cristianas, etc.
- *Universidad Católica:* Es un tipo de universidad confesional, su objetivo principal es: «garantizar de forma institucional la presencia cristiana en la universidad». Está estrechamente ligada a la Iglesia local y está tutelada por un obispo. Cumple determinados requisitos prefijados por el Papa y le puede ser otorgada esa condición por un obispo o Conferencia de Obispos. Puede ser elegida por el Papa para declararla Universidad Pontificia.

Una universidad católica debe tener, como institución, las siguientes características esenciales:

- Inspiración cristiana, no solo en cada miembro, sino en la comunidad como tal.
- Una reflexión continua a la luz de la fe católica, sobre el creciente tesoro del saber humano, al que trata de ofrecer una contribución con sus propias investigaciones.
- Fidelidad al mensaje de Cristo tal como lo presenta la Iglesia.
- Esfuerzo institucional al servicio del pueblo de Dios y de la comunidad humana.
- Apertura y diálogo respetuoso con otros credos y con ateísmo.

En algunas universidades católicas existen disciplinas obligatorias para todos los estudiantes, que tienen relación con la fe cristiana y la Iglesia (teología, Doctrina Social Cristiana, etc.) pero la inspiración cristiana que se pretende por parte de cada miembro, no pasa necesariamente por la profesión de la fe católica. Las universidades católicas forman parte de la intelectualidad de la Iglesia, que busca la verdad, procura la promoción del hombre, un diálogo entre la fe y la razón humana y un aporte cualificado al problema de la evangelización, tal como se presenta en nuestros días, que sepan dar respuesta eficaz a la realidad en que se inserta, respetando todos los credos y al agnosticismo y el ateísmo.

Por su financiamiento:

Las universidades pueden clasificarse también en *privadas* o *nacionales* en dependencia de las instituciones que la rigen y subsidian económicamente. Cualquiera sea la inspiración de una institución universitaria debe respetar la libertad de credo e ideología de cada uno de sus miembros.

9.5. Funciones de la universidad

Proponemos que en el futuro de Cuba se utilicen, entre otras, principalmente estas funciones para que el Ministerio de Educación y Cultura evalúe, sin intromisiones extrañas, el trabajo y el nivel de las universidades cubanas:

Educativa: En sentido integral, es decir:
- Debe formar profesionales competentes, a la altura de los avances científico-técnicos, con gran capacidad de asimilar lo nuevo, capaces de poner su conocimiento al servicio del desarrollo nacional.

466

- Debe formar hombres como personas maduras, con altos valores morales, éticos, con gran sentido de la responsabilidad y el respeto a la vida. Que vean su posición social como una posibilidad mayor de servir, no como facilidad para el lucro. Que tenga como primacía la verdad sobre la persona humana y la sociedad sobre la estrategia de los políticos, que tenga como primacía los valores éticos sobre lo que se puede lograr usando la técnica.

Investigativa: Que busca la respuesta a los problemas no resueltos en el saber y en la técnica. Que procura adaptar los adelantos de la ciencia a la realidad nacional, buscando soluciones nuevas que sirvan para mejorar las condiciones de vida del pueblo e incrementar el nivel educativo.

Creadora de cultura: Que busca y pone en práctica propuestas que ayuden a mejorar el modo de vida de las personas, «apuntar soluciones a complejos problemas no resueltos de la cultura emergente, de las nuevas estructuras sociales, como la dignidad de la persona, los derechos inviolables de todos, la solidaridad a los distintos niveles, el compromiso propio de una sociedad democrática, la velocidad del cambio cultural, etc.» La universidad debe procurar la conservación de lo más positivo de la herencia cultural de la nación y defenderla de los influjos externos que pretendan destruirla o minimizarla (invasión de la cultura de consumo, de grupos fundamentalistas, etc.). Debe procurar un auténtico diálogo de esta con lo nuevo.

Crítica y promoción social: Como vanguardia intelectual de la sociedad debe estar siempre a la expectativa para valorar, apoyar, rechazar, cuestionar las distintas estrategias y proyectos que, en los distintos niveles de la sociedad, pretenden transformar la misma. Debe ser promotora de procesos de socialización que puedan surgir: democratización, promoción de organizaciones autogestionadas, movimientos populares, es decir, cogestora de proyectos de participación social.

Centro de educación popular: En la universidad se forman profesionales, es decir, una parte de la élite de la sociedad. No todos pueden ser universitarios por razones obvias: pero la universidad debe tener una palabra para la educación de las grandes comunidades populares, ayudando a incrementar su nivel académico, su formación humana, cívica y política, ayudándolos a superar las condiciones sociales que viven y superar las dificultades más comunes con que el pueblo tienen que enfrentarse.

Centro de intercambio cultural y científico: La universidad debe fomentar todo tipo de intercambio a nivel nacional e internacional, para enriquecer al país y a ella misma de experiencias válidas y aplicables en una sociedad planetaria.

467

Institución de concientización cívica y política, en el sentido amplio, que ayude a eliminar la imagen de «algo sucio» que ha generado la práctica política en América Latina y en Cuba, y al mismo tiempo eduque (dentro y fuera de ella) en la participación activa y responsable en la política sin politiquerías, ni exclusiones ideológicas. Esta gestión toca tanto a la institución como a las organizaciones intermedias que funcionan dentro de la universidad.

9.6. Estructura interna de la universidad

Cada Universidad se dará su propia estructura de gobierno autónomo. Como un ejemplo presentamos la estructura que más o menos ha mantenido la Universidad desde la aprobación de la Ley Docente de 1937 hasta hoy, en que aparece con algunas modificaciones:

- *Junta de Gobierno:* Rector, Vicerrectores, autoridades administrativas, extensión universitaria, etc.
- *Junta de Gobierno por facultades:* Decano, Vicedecanos, Jefes de Departamentos (cátedras), etc.
- *Unidades de servicio docente:* Correspondientes a las distintas especialidades (cátedras, departamentos, etc.).

PONENCIAS PRESENTADAS EN EL III ENCUENTRO
DE PENSAMIENTO Y PROPUESTAS PARA CUBA, EN
LA ISLA Y EN LA DIÁSPORA

LA EDUCACIÓN LIBERADORA: DE VARELA A PAULO FREIRE

Por Karina Gálvez Chiú[1]

Para abordar el tema de la educación liberadora es necesario primeramente considerar que nos basaremos en las ideas pedagógicas de dos figuras que vivieron en diferentes épocas y contextos sociales, así como en diferentes países: el Padre Félix Varela, quien vivió en la Cuba del siglo XIX (1783-1853) y el pedagogo brasileño Paulo Freire, quien desarrolló sus ideas en el siglo XX (1921-1997). Nos daremos cuenta, sin embargo, de que sus conceptos de educación y de la persona humana tienen mucho en común.

También es importante tener en cuenta que, durante mucho tiempo hemos sido víctimas de una educación vertical y paternalista, de la cual podemos hablar con más elementos, pues es la que conocemos mejor y por lo tanto, es más fácil criticarla. Nuestra opinión sobre experiencias ya vividas con la educación no liberadora, nos hace más propensos a encontrarle defectos y a obviar sus virtudes. Por otra parte, las pocas vivencias de la educación liberadora y el hecho de conocerla más en su teoría, podría hacer que veamos solo sus virtudes.

Intentemos entonces, basados en las ideas y experiencias de estos dos grandes de la pedagogía americana, caracterizar la educación liberadora, en sus diferencias con la educación tradicional, de manera que pueda servir para el futuro de Cuba, el inicio de un debate, alrededor de un tema del que depende, en definitiva, la sanación del alma de la nación: la educación.

---

[1] Karina Gálvez Chiú (Pinar del Río, 1968). Licenciada en Economía. Fue responsable del Grupo de Economistas del Centro Cívico. Es miembro fundador del Consejo de Redacción de *Convivencia*. Es miembro del Consejo Académico del Centro de Estudios Convivencia. Reside en Pinar del Río.

La educación tradicional considera la sociedad como algo esencialmente armonioso y en sintonía con el ser humano. Tiene en cuenta sus transformaciones históricas, pero no considera la posibilidad de cambios esenciales perdurables en ella, provocados por la acción renovadora del hombre o la mujer, en contra de lo que está socialmente aceptado. Por tanto, según este tipo de educación, la persona debe ser educada para adaptarse a la sociedad, contribuir al sostenimiento de sus estructuras y leyes, mejorándolas, pero en el mismo sentido y orientación de las costumbres y la visión histórica.

En cambio, la educación liberadora, considera que la sociedad es reformable en su esencia y que la persona debe ser educada para insertarse en ella pero, críticamente, con instrumentos que le permitan evaluarla, criticarla y proponer cambios esenciales.

Paulo Freire dice al respecto: «*La educación es la praxis, reflexión y acción del hombre sobre el mundo para transformarlo*». «*La educación es un acto de amor, de coraje; es una práctica de la libertad dirigida hacia la realidad a la que no le teme; sino que busca transformarla; por solidaridad, por espíritu fraternal*».

Y Varela dice: «*Los fundamentos de la ideología, no pueden darse, sino cuando se ha hecho pensar bien al hombre…*»

En este sentido, si bien la persona debe ser la protagonista del cambio en la sociedad que la lleve a pasar de condiciones menos humanas a condiciones más humanas, es necesario también considerar que esos cambios no pueden ir en contra de la naturaleza humana o irrespetando el orden que haya funcionado hasta el momento. Fijémonos en que Freire dice que el cambio debe producirse por solidaridad, por espíritu fraternal. Por tanto la educación liberadora, debe tener en cuenta también la responsabilidad que implican los cambios esenciales. No pueden hacerse irresponsablemente, «experimentos sociales», que dañen la esencia de la persona humana.

La educación liberadora, con un concepto de sociedad en el que las personas protagonizan el desarrollo, debe liberarla de egoísmos y complejos, y promover su responsabilidad social, el respeto a los demás y la solidaridad.

Segunda diferencia: Objetivos que persiguen

La educación tradicional pretende lograr formar hombres y mujeres que se adapten y aprendan a vivir en la sociedad que ya existe y tal como existe. Pretende también transmitir conocimientos específicos, que ya han sido avances en la sociedad y experiencias y verdades aceptadas por la humanidad.

La educación liberadora se plantea como objetivos preparar seres humanos con espíritu crítico, capaces de analizar y transformar la realidad, pero no repitiendo o dando ideas o recetas para hacerlo, sino haciendo que despierten las conciencias de los hombres, y que comprendan, interpreten el mundo y se comprometan en su transformación. Al liberar la conciencia de las personas, la educación liberadora pretende satisfacer la vocación del hombre de ser más plenamente una persona humana.

Varela nos legó cómo desarrollar el pensamiento activo y divergente en los estudiantes, la creatividad. En 1811, anexó a la Cátedra de filosofía del Colegio de San Carlos y San Ambrosio, un curso de Física experimental y fue el primero que introdujo y montó un laboratorio de química combatiendo todas aquellas teorías que originaban superstición y atraso científico, a pesar de ser esas teorías las más reconocidas por las costumbres sociales.

Solo transmitiendo conocimientos, se enseña a aceptar y asentir. Es necesario, a través de la experiencia vivida, cultivar la conciencia. Pero es importante también, el estudio de lo que otros ya han protagonizado, de hechos, verdades reconocidas de manera que los conocimientos sirvan de base al espíritu crítico. El espíritu crítico sin una base cognitiva, produce meros rebeldes, la mayoría de las veces, sin causa alguna. La educación liberadora, como pedagogía que prioriza a la persona humana, no puede despreciar la enseñanza de las verdades ya aceptadas, aunque no sea su objetivo primordial.

Al respecto dice Varela: «*Se trata de formar hombres de conciencia y no farsantes de sociedad… hombres que no sean soberbios con los débiles, ni débiles con los poderosos*».

Tercera diferencia: Contenidos y métodos

La educación tradicional se esfuerza por transmitir la herencia cultural, y la mayor cantidad de verdades ya aceptadas por la humanidad. En muchas ocasiones no tiene en cuenta las características del entorno del educando y le impone contenidos ajenos a su realidad. El educador narra la realidad y el educando memoriza lo narrado. La memorización es su principal método de aprendizaje. Al respecto dice Varela: «*… el aprender de memoria es el mayor de los absurdos*».

En cambio, la educación liberadora, ofrece contenidos estrechamente relacionados con la realidad del educando, lo enseña a cuestionar verdades aceptadas y a ubicarse en su papel en relación con ella. En lugar de «recetas» para enfrentar la vida, provee herramientas e instrumentos para el análisis y el compromiso. El educador dialoga y estimula la investigación, de manera que los educandos vivan experiencias que sirvan de base a su aprendizaje.

Dice Varela: «... *dejando el método de enseñar por preceptos generales aislados, y pocas veces entendidos (...) por una enseñanza totalmente analítica, en que la memoria tenga muy poca parte, y el convencimiento lo haga todo*».

Esto no debe significar que el educando solo aprenda lo que tiene que ver con su entorno. Es importante también tener una visión del mundo en general, de las experiencias de otros, en otros contextos. La educación liberadora no encierra al educando en su entorno, sino que lo sitúa en él, con la libertad que da el conocimiento del mundo y su historia y actualidad.

Varela nos enseñó que la actualización en la esfera pedagógica es muy importante para la correcta formación de la personalidad ajustando los objetivos de la educación a los avances de la época. Pero también nos indicó que para estar actualizado y a la altura de la época, hace falta autonomía de institución y libertad de cátedra.

CUARTA DIFERENCIA: PAPEL DEL EDUCADOR, DEL EDUCANDO Y LA RELACIÓN ENTRE LOS DOS

Tradicionalmente el educador es el protagonista en el proceso de aprendizaje. Es quien enseña a los alumnos que se convierten en objetos de trabajo para él. Es quien transmite los conocimientos que adquirió anteriormente de la misma manera en que los transmite a sus alumnos, es él quien habla porque es el que sabe el contenido que, en el mejor de los casos, él ha escogido y clasificado como importante. En ocasiones, como sucede actualmente en Cuba, el partido político en el poder, es quien escoge el contenido, en función de sus intereses. El educador continúa siendo la autoridad en el proceso pero solo en representación de una autoridad mayor, el gobierno, por lo que, muchas veces, debe transmitir conocimientos que no domina a profundidad y conceptos, con los cuales puede no estar de acuerdo.

En este tipo de educación, el educando solo aprende. No emite criterios con el educador ni con sus compañeros. Se parte del supuesto de que no tiene conciencia del mundo que lo rodea porque no tiene conocimientos. Necesita los conocimientos para adaptarse a un mundo que funciona desde mucho antes de existir él.

Ambos, educador y educando, mantienen una relación vertical, en la que el educador es la autoridad a la que el educando se subordina.

En la educación liberadora, el educador es el guía, el animador, el facilitador, pero no es la autoridad. Él aprende igual que el educando en el proceso. La relación entre los dos es horizontal. Tanto uno como el otro protagonizan el proceso de aprendizaje, en tanto los dos aprenden.

El educando adquiere conocimientos partiendo de su propia realidad, pasando por un proceso de:

Sensibilización: «veo lo que pasa». El educando se da cuenta de cómo es la realidad que lo circunda y, con los instrumentos con que lo han provisto, puede entenderla y ver críticamente lo que sucede a su alrededor.

Mentalización: «lo que pasa está mal». Al analizar conscientemente la realidad, puede formarse un criterio sobre la misma y emitirlo.

Concienciación: «es necesario cambiarlo y se puede cambiar». Una vez formado un criterio, debe pasar a la conciencia de que lo malo no necesariamente tiene que permanecer así, que es posible y necesario cambiarlo.

Compromiso: «qué puedo hacer yo para cambiarlo» En este nivel de la enseñanza, el educando se da cuenta de que el cambio depende de la acción de las personas, de su propia acción. Y la educación liberadora lo lleva a comprometerse y buscar su lugar en la búsqueda de ese cambio.

Según Paulo Freire:

> ... *el enseñar y el aprender se van dando de manera tal que por un lado, quien enseña aprende porque reconoce un conocimiento antes aprendido y, por el otro, porque observando la manera como la curiosidad del alumno aprendiz trabaja para aprehender lo que se le está enseñando, sin lo cual no aprende, el educador se ayuda a descubrir dudas, aciertos y errores. (...) El aprendizaje del educador al educar se verifica en la medida en que el educador humilde y abierto se encuentre permanentemente disponible para repensar lo pensado, revisar sus posiciones.*

Y Varela dice: «*Estoy persuadido*» de que el gran arte de enseñar, consiste en saber fingir que no se enseña». «*Los que enseñan no son más que unos compañeros del que aprende...*».

La Educación en Cuba

Para el futuro de Cuba, es hora de pensar en un sistema educativo que sane el alma de esta nación que no solo ha sufrido una educación tradicional, sino que ha sido víctima de más de 50 años de una educación paternalista y despersonalizadora, enseñando solo lo que sirve a la ideología del partido en el poder desde el año 1959.

Un nuevo sistema de educación que, a largo plazo, forme hombres y mujeres, con integridad moral que defiendan su dignidad como personas libres y responsables, protagonistas de su propia historia personal y social, nos hará caminar hacia un futuro en el que Cuba sea la nación próspera y verdaderamente desarrollada que todos queremos.

LA EDUCACIÓN EN CUBA, HISTORIA Y PROPUESTAS

Por Miriam Celaya González[1]

ANTECEDENTES HISTÓRICOS

Los orígenes de la pedagogía cubana se remontan a los finales del siglo XVIII e inicios del XIX, estrechamente vinculados al proceso de inicio de la formación de la identidad cultural y del pensamiento cubanos, cuando las ideas de la Ilustración europea —reinterpretadas desde la realidad insular por los mejores pensadores criollos de entonces— transformaron definitivamente la instrucción y educación de la Isla y establecieron las bases de lo que llegaría a ser posteriormente una sólida cultura pedagógica, la cual jugaría una función decisiva en la consolidación de la cubanidad.

Instituciones como la Sociedad Económica de Amigos del País, la Sociedad Patriótica, la Real y Pontificia Universidad de San Gerónimo de La Habana y el Real y Pontificio Colegio Seminario de San Carlos y San Ambrosio; así como personalidades sobresalientes como los presbíteros José Agustín Caballero y Félix Varela, el pedagogo y filósofo José de la Luz y Caballero, entre otras destacadas figuras, fueron los pilares fundacionales de una tradición pedagógica que también alcanzaría alto vuelo en el siglo XX.

En fecha tan temprana como los finales del siglo XVIII, José Agustín Caballero impulsó una reforma educacional que, entre sus más destacados avances propugnaba la generalización de la enseñanza primaria gratuita y la impartición de la enseñanza a las mujeres. Su obra está recogida en numerosas publicaciones que se cuentan entre lo más avanzado

[1] Miriam Celaya González (La Habana, 1959). Antropóloga. Bloguera independiente. Miembro del Consejo Académico del Centro de Estudios Convivencia.

del pensamiento de su época. Félix Varela, por su parte, fue el primer cubano que habló de patria como sentimiento de arraigo y pertenencia, como comunidad de intereses y de espíritu nacional. Independentista y abolicionista, fue también el primero que eligió *la educación como camino de la liberación, le trazó un rumbo propio al pensamiento cubano y se empeñó en enseñarnos a pensar; y el que introdujo la ética en los estudios científicos, sociales y políticos.*[2]

José de la Luz y Caballero es considerado, con justicia, el padre de la pedagogía cubana, la cual puso a la altura del pensamiento humanista y universal más avanzado de su época. Concibió la educación como la tarea esencial para el logro de virtudes ciudadanas, de ahí la importancia que confirió al maestro, expresada en su más conocido aforismo «*Instruir puede cualquiera; educar solo quien sea un evangelio vivo*».

Ya durante los inicios del período republicano (1902-1958), el también pedagogo y político, Enrique José Varona, encabezó una importante reforma en la educación. Su gestión en la Secretaría de Instrucción Pública durante la primera intervención norteamericana se centró en implantar una reforma integral desde la enseñanza primaria hasta la universidad. Su doctrina pedagógica rechazaba la violencia revolucionaria como método para solucionar los males sociales, y consideraba a la universidad como un espacio cívico autónomo que debía ser fragua de la democracia nacional.

Fueron muchas las personalidades que enriquecieron la pedagogía cubana durante la República. La enseñanza pública se generalizó y se diversificó la instrucción. Surgieron numerosas escuelas de enseñanza general, escuelas pedagógicas (las Escuelas Normales graduaban maestros de enseñanza primaria que cursaban estudios de la especialidad durante cuatro años, en tanto los de enseñanza superior debían cursar estudios pedagógicos de nivel universitario), escuelas tecnológicas, de comercio, tanto laicas como religiosas, así como de diversos oficios, y se fundaron, además de la entonces ya centenaria Universidad de La Habana, otras dos universidades: la de Oriente, con sede en la ciudad de Santiago de Cuba, y la Universidad Central, en la ciudad de Santa Clara.

En poco más de 40 años surgieron numerosas instituciones de enseñanza tanto pública como privada en la Isla, aunque las zonas urbanas exhibían una gran ventaja tanto en el acceso a la instrucción y en el número de escuelas, como en la calidad de la enseñanza, en comparación con las zonas rurales.

---

[2] D. Castellanos Martí. *Desentrañando claves*. La Habana, p. 28 (inédito).

No obstante, hacia finales de la década de los 50' del siglo XX Cuba exhibía uno de los más bajos índices de analfabetismo, no solo de este Hemisferio, sino incluso por debajo de la que había sido su metrópoli, España, y de numerosos países que hoy se encuentran entre los más desarrollados del planeta. El censo de 1953 reflejaba un 23% de analfabetismo entre los cubanos mayores de 10 años, una cifra favorable para los estándares de la época.

Las zonas rurales, menos favorecidas, mostraban un 41,7% de analfabetismo, en franco contraste con las zonas urbanas, que tenían un índice de 11,6%. El 31% de la población de 6 años y más que sabían leer y escribir no tenían aprobado grado alguno de enseñanza, el 58% tenía aprobado de 1 a 6 grados y solo el 11% había cursado 7 grados o más[3]. En las aulas existía además un alto índice de retraso escolar, lo que significaba un elevado número de alumnos cuya edad rebasaba en dos años o más la correspondiente al grado que cursaban. Esto implicaba a su vez un alto índice de deserción escolar entre estos educandos, incluso al nivel de educación primaria, debido a su incorporación temprana al trabajo.

Sin embargo, la tendencia general era hacia un incremento gradual de la escolarización y de los niveles de instrucción, lo que suponía un avance considerable, tomando en cuenta que apenas medio siglo atrás Cuba había dejado de ser la última colonia española en América. En cincuenta años la Isla no solo se había colocado entre las naciones con mejores niveles de instrucción de Hispanoamérica, sino que superaba los estándares de alfabetización e instrucción de su exmetrópoli.

LA EDUCACIÓN EN EL PERÍODO REVOLUCIONARIO: EL VOLUNTARISMO INSTITUCIONALIZADO

La llegada de la revolución al poder en enero de 1959 trajo consigo una transformación radical del sistema de educación. Entre las medidas tomadas por el nuevo gobierno, la Ley de Nacionalización de la Enseñanza (6 de junio de 1961) estableció la enseñanza pública y gratuita y suprimió la educación privada. Todos los centros de enseñanza privada, así como sus bienes y acciones, pasaron al poder del Estado, encargado absoluto desde entonces de los programas docente-educativos.

En el propio año 1961, el gobierno revolucionario impulsó una campaña de alfabetización que se propuso erradicar el analfabetismo en Cuba. Para

---

[3]   Datos tomados del capítulo Economía, de Oscar Espinosa Chepe.

cumplir semejante meta fueron movilizados por todo el país, incluso hasta a los lugares más intrincados y humildes, cientos de miles de jóvenes de casi todos los niveles de enseñanza. Muchos de ellos, apenas adolescentes, marcharon de sus hogares por primera vez para enseñar a leer y a escribir a otras tantas familias, fundamentalmente campesinas, compartiendo sus duras condiciones de vida y sus jornadas de trabajo[4]. A la vez, el Manual que utilizaba el alfabetizador servía «para orientarlo técnica y políticamente»[5]; mientras la Cartilla de los educandos contenía «24 temas sobre cuestiones básicas de la revolución, con definiciones sobre las palabras usadas».[6] Es decir, que la campaña alfabetizadora, más allá del *altruismo de llevar la luz de la enseñanza a los rincones más apartados de Cuba*, tenía como objetivo esencial de adoctrinar políticamente a favor del gobierno a las grandes masas de origen obrero y campesino, así como a los maestros.

Fue esta la primera movilización masiva de larga duración promovida por el nuevo gobierno y una de sus campañas más populares, con un balance político sumamente favorable, aunque con un gran costo económico y social cuya envergadura aún no se ha calculado. También era el inicio de una fatídica experiencia que se repetiría más de una vez en períodos posteriores ante la insuficiente cantidad de educadores: los maestros improvisados mediante cursillos breves, sin una verdadera formación pedagógica.

En la década de los 60' comenzó a evidenciarse la impronta ideológica que marcaría la educación cubana en los años siguientes y hasta la actualidad. Pero el número de profesores era insuficiente para cubrir la demanda en correspondencia con los programas docentes de la revolución y, por otra parte, la urgencia de crear un nuevo tipo de maestro capaz de responder a los intereses del gobierno revolucionario y de fomentar el surgimiento de un Hombre Nuevo, a imagen y semejanza de los guerrilleros de la Sierra Maestra, imponía la creación de escuelas pedagógicas de nuevo tipo.

Entre los primeros experimentos pedagógicos del gobierno se liquidaron las Escuelas Normales[7] y se crearon los concentrados de estudiantes –

---

[4] Según Armando Hart, entonces Ministro de Educación, hubo alrededor de 300 mil alfabetizadores en aquella Campaña más de la mitad de los cuales eran mujeres. Alrededor de 100 mil de ese total eran adolescentes.

[5] G J. García Galló. «La Lucha Contra el Analfabetismo en Cuba». En *Cuba Socialista* No 2, Año I, Octubre de 1961, p. 69-81.

[6] Ibídem.

[7] Estas escuelas «tales y como estaban ubicadas y organizadas, no podían resolver (…) los problemas derivados de la extensión de los servicios educacionales; era necesario aplicar nuevos métodos para la formación de los maestros que el desarrollo del proceso revolucionario requería». Armando Hart. «El desarrollo de la educación en el período revolucionario». En *Cuba Socialista* No. 17, Año III, enero de 1963.

futuros maestros revolucionarios– en lugares montañosos. Asimismo se establecieron nuevas Escuelas para Maestros Primarios con planes y programas revolucionarios, alejadas de los centros urbanos y bajo régimen de internado: los estudiantes cursarían un año de estudios en Minas del Frío, en plena Sierra Maestra, y después cuatro años más en Topes de Collantes, en la Sierra del Escambray, en condiciones casi de guerrilla. Estos estudiantes se formaban «pedagógicamente» no solo en las aulas, sino entrenándose en las privaciones de las marchas por las elevaciones y los montes, conociendo los rigores de la intemperie, alejados de sus familias y viviendo muchas veces en situación de campaña. Un maestro debía ser tan tenaz y resistente como un guerrillero y en el mismo espíritu debería formar a sus educandos.

Paralelamente se crearon los primeros planes de formación de maestros emergentes (conocido como «Maestros Voluntarios»), mediante los cuales, en un plazo de solo cuatro meses, se formaban maestros primarios en campamentos establecidos también en las montañas de la Sierra Maestra. En las zonas urbanas se aplicó otro plan de maestros emergentes, conocido como «Maestros Populares», que formó educadores primarios entre jóvenes que apenas tenían cursado hasta el sexto grado. Más adelante se implementaron planes de perfeccionamiento y recalificación, lo que permitió elevar el nivel de los educadores que se habían formado bajo programas emergentes.

Pese a las deficiencias, en muy pocos años, entre 1960 y 1963, el gobierno revolucionario había logrado asegurar la escolaridad primaria de seis grados a la totalidad de los niños cubanos en edad escolar, una meta para la cual la UNESCO había trazado un plazo de diez años.

Ya en la década de 1970 surgieron otras escuelas pedagógicas más especializadas, concebidas siempre bajo el espíritu de «batallas» y «contingentes» que ha constituido el signo de los programas impulsados por el gobierno: el Contingente Pedagógico «Manuel Ascunce» y la Escuela Formadora de Maestros Primarios «Salvador Allende» se concibieron para la formación de maestros secundarios y primarios, respectivamente. A finales de esa década, surgió el Instituto Superior Pedagógico «Enrique José Varona», que llegó a graduar profesores de alto nivel pedagógico con una instrucción especializada en todas las ramas de la enseñanza.

A partir del surgimiento de los acuerdos de cooperación científico-técnica y educacional subsidiados por la Unión Soviética y los países del antiguo campo socialista, se formaron durante más de dos décadas miles de cubanos en especialidades de nivel universitario y tecnológico, graduados tanto dentro de la Isla como en esos propios países. También se contó con la llegada de técnicos y asesores extranjeros que elevaron la calificación de los profesionales de la Isla en todas las ramas de la enseñanza.

La renovación radical del sistema de educación tenía como objetivo esencial la creación del llamado Hombre Nuevo, un prospecto de aliento facistoide que presuponía la superioridad moral del hombre formado en el socialismo con relación al sujeto capitalista (intrínsecamente «desnaturalizado, deshumanizado»). Para tales fines, el principio de combinar el estudio con el trabajo trajo como consecuencia desde los años 60 la implementación del Plan la Escuela al Campo, en función del cual cada curso escolar se movilizaban los estudiantes de secundaria básica, de enseñanza tecnológica y de preuniversitario hacia campamentos agrícolas, en los que permanecían internados trabajando por un período que en sus inicios fue de dos meses y más tarde se fijó en 45 días. Inicialmente la incorporación de los estudiantes a este plan era voluntaria, pero a partir del curso 1971-72 se impuso con carácter obligatorio.

En los inicios de los años 70 se crearon las primeras Escuelas en el Campo como sistema de internado, que se fue generalizando para los niveles secundario, preuniversitario y para varias especialidades de enseñanza tecnológica. La primera escuela experimental de este sistema, «Vanguardias de La Habana», fue construida en la Isla de la Juventud (Isla de Pinos)[8], durante el curso 1971-72. Su matrícula se nutrió de alumnos de nivel secundario de la capital y fue la base de una experiencia propuesta por Fidel Castro, que se generalizó en pocos años a todo lo largo y ancho de Cuba. También en sus inicios este plan tuvo carácter voluntario para el ingreso de los educandos, pero hacia finales de la década de los años 80' fueron obligatorias para aquellos estudiantes que optaban por cursar estudios de preuniversitario con vistas a continuar más tarde estudios superiores.

Tales planes llevaban implícito un adoctrinamiento permanente y sistemático de las nuevas generaciones en torno a las ideas del marxismo-leninismo, bajo fuertes preceptos de ateísmo y negación de tradiciones y valores culturales y familiares considerados por el régimen como «rezagos burgueses heredados del capitalismo». El individuo en sí (rasgo típico de los caducos valores burgueses) debía fundirse en la masa proletaria (símbolo de la nueva sociedad y de futuros tiempos), de ahí la concentración de decenas

---

[8] En los años subsiguientes la Isla de la Juventud, como manifestación extrema del voluntarismo en la educación, fue designada por F. Castro como el primer territorio comunista de Cuba. A estos fines se crearon decenas de escuelas con estudiantes, tanto cubanos como procedentes de países del Tercer Mundo, lo que determinó el nuevo nombre de ese territorio.

de miles de adolescentes conviviendo en condiciones de promiscuidad, uniformados e igualados como un ejército de zombis al servicio de una ideología, de un partido y de un gobierno.

El Estado se convertía así en el nuevo tutor de las juventudes, con más autoridad que los padres para decidir su destino. Y en función de esto en los nuevos hogares-escuelas se reinventaba la historia nacional: todo el pasado se condenaba y solo el presente revolucionario legitimaba la justicia y los derechos para los cubanos. Por primera vez en Cuba, la política implantada por un gobierno sustituyó el papel de los padres por el del Estado, asestando un golpe demoledor a la familia como núcleo básico de la sociedad.

A tenor con estos principios, los adolescentes eran separados de sus familias y se (de)formaban alejados de la atención directa de los padres, lo que produjo en muchos casos la ruptura de los jóvenes con sus hogares, creando un cisma entre éstos y sus familias y originando la pérdida de valores tradicionalmente transmitidos de una generación a otra a través de la relación de padres e hijos.

Analizando este controvertido proceso de la educación en Cuba, vale recordar los presupuestos de un destacado pedagogo brasileño, «Enseñar exige el reconocimiento y la asunción de la identidad cultural»[9]. Así, habrá que entender que en Cuba, en los últimos 50 años, se ha asumido en el proceso docente-educativo una falsa identidad cultural altamente ideologizada y subordinada a los intereses del Estado, y se ha extendido la enseñanza de una historia nacional apócrifa, al servicio del poder totalitario. El resultado lo estamos confrontando en la realidad actual con la carencia de verdaderos ciudadanos y la imposición oficial de un falso concepto de cubanía.

El mismo pedagogo señala: «*El mundo de la cultura que se prolonga en el mundo de la historia es un mundo de libertad, de opción, de decisión, mundo de posibilidades donde la decencia puede ser negada, la libertad ofendida y rechazada*».[10] El ejemplo de la experiencia pedagógica cubana después de 1959, demuestra cómo la negación de libertades, de opciones y de decisiones lastra hasta hoy la cultura y erosiona los valores nacionales. Es precisamente por esa razón que la educación no puede prescindir de la libertad y de la formación ética de los individuos. De la misma manera, la ideologización extrema de la educación, el ingreso forzoso a centros internados y la obligada adhesión a las ideas comunistas como requisitos para cursar

---

[9] P. Freire. *Pedagogía de la autonomía y otros textos*. Editorial Caminos. La Habana 2010, p. 36.
[10] Ibidem, p. 47.

estudios de cualquier nivel, fundamentalmente en las universidades, ha ido fomentando una doble moral y un sentido del disimulo generalizado en toda la sociedad: la falsedad y la mentira forman parte actualmente del acervo cultural de varias generaciones de cubanos. Semejante pérdida de valores se contradice con los altos niveles de instrucción que reportan las estadísticas oficiales.

La educación —gratuita y obligatoria hasta el noveno grado— se extendió a cada municipio y rincón de la Isla y se alcanzaron elevadas cifras de graduados universitarios y de nivel tecnológico, pero a la vez también se comenzó a experimentar simultáneamente un sostenido retroceso en la calidad de la enseñanza. Fundamentalmente en la educación básica. La implementación de sucesivos cursos emergentes para improvisar maestros sin la debida aptitud y el afán de sacrificar la calidad de toda la educación a favor de la mayor cantidad de graduados, condujo, salvo excepciones, a la pérdida paulatina de la calificación de los profesionales y técnicos cubanos con relación a sus homólogos del mundo. Dicha tendencia se manifiesta más en la actualidad, cuando los avances de la tecnología de la informática, las comunicaciones y otros adelantos propios del desarrollo científico y técnico a nivel global están fuera del alcance de los cubanos.

No obstante, pese a sus limitaciones, el sistema de enseñanza cubano logró extender la instrucción a todas las capas de la población, por mucho tiempo aumentó los niveles de acceso de grupos sociales históricamente desfavorecidos y creó en la población la conciencia de la educación como un derecho.

En los años 80 se impulsó la creación de numerosos centros de educación superior en todas las provincias. Hasta la actualidad, además de las tres universidades que existían ya en 1959, se han inaugurado numerosas sedes universitarias, facultades y filiales de diversas especialidades en cada provincia, que forman parte del sistema de educación superior nacional.

Tan espectacular cuadro, sin embargo, no pasaba de ser un mero espejismo. Durante los años 90, después del colapso de la Unión Soviética y la desaparición del bloque socialista, se desvanecieron los generosos subsidios que permitían el sostenimiento de los planes educativos del gobierno cubano. Las condiciones de estudio y trabajo en las escuelas, fundamentalmente en los internados rurales, se deprimieron a niveles inimaginables. La economía entró en un estado de crisis tal que se produjeron la deserción de grandes masas de estudiantes y el éxodo de miles de maestros y profesores hacia otras ocupaciones más rentables. Decenas de escuelas en el campo que se habían construido al calor de los programas de formación del «Hombre Nuevo» fueron cerradas y actualmente sus instalaciones se encuentran en estado de total abandono.

El advenimiento del llamado «Período Especial», la más profunda y permanente crisis que haya conocido la historia de Cuba, sellaba así, con un fracaso estrepitoso, uno de los mayores experimentos que alguna vez, sin poseer la base económica imprescindible y siendo apenas un protectorado soviético, concibiera la megalomanía oficial: hacer de Cuba «el país más culto del planeta».

LA EDUCACIÓN EN CUBA EN EL PRESENTE. VALORACIONES PARA EL FUTURO A MEDIANO Y LARGO PLAZO

Ante el colapso de lo que fuera un sólido y desarrollado sistema educacional, en la actualidad el gobierno está enfrentando las consecuencias de la aplicación sistemática de políticas erradas promoviendo los mismos errores de base. Así, la implementación de nuevos cursos de maestros emergentes de rápida formación –popularmente conocidos como «maestros instantáneos»– ha sido la estrategia oficial para remontar la crisis general de la educación. Se trata de la vieja y socorrida maniobra de atacar las consecuencias sin eliminar las causas que originan los males, las cuales se inscriben en las deformaciones inherentes al sistema socio-económico y político impuesto hace más de medio siglo.

A las limitaciones propias del sistema y a las concepciones de asumir la educación de todo un pueblo como si de sucesivas campañas y batallas de guerra se tratase, se suman ahora otros males acumulados a lo largo del proceso. Uno de los factores que dificulta la recuperación de los antiguos niveles de calidad de la enseñanza en Cuba es la permanente emigración hacia el extranjero de miles de profesionales y técnicos que alguna vez fueron la base esencial de la formación de educandos. «Algunos estudiosos del tema calculan que en los últimos 30 años emigraron cerca de 15.000 médicos, más de 10.000 ingenieros y más de 25.000 licenciados en distintas especialidades, así como un sin número de técnicos medios y obreros calificados».[11] Semejante descapitalización afecta directamente la base docente, que en numerosas especialidades se nutre de dichos graduados. Muchos de esos emigrados son profesores de diferentes niveles de la enseñanza.

Por su parte, el propio gobierno ha desviado decenas de miles de maestros

---

[11] Ver inciso «Diáspora», del Capítulo 5, de Dimas Castellanos.

y otros profesionales cubanos de la enseñanza hacia los programas educativos concertados en el marco de la Alianza Bolivariana para América (ALBA). Dichos planes, resumidos en un programa denominado «Yo sí puedo» destinado a alfabetizar a millones de latinoamericanos, ha dejado sin los maestros más calificados a centenares de estudiantes cubanos. Las aulas abandonadas en Cuba han sido ocupadas entonces por los «maestros emergentes», apenas alfabetizados ellos mismos, con graves consecuencias para la calidad de la enseñanza.

En medio de la crisis estructural del sistema no han faltado propuestas que apuntan algunas opciones posibles para superar, al menos parcialmente, los profundos desafíos de la educación de las generaciones presentes y futuras a corto-mediano plazo. Algunas voces se han alzado desde espacios religiosos propugnando la reapertura de algunas escuelas de educación religiosa. Esa iniciativa, defendida por grupos de la Iglesia Católica y que no supone peligro alguno para la educación pública laica, ha sido fuertemente rechazada por el gobierno. De hecho, nunca ha sido divulgada ni sometida a debate público.

Otra alternativa bloqueada por las autoridades cubanas es la posibilidad de fundar escuelas tecnológicas, de oficios, e incluso de enseñanza general, con capitales privados, de fundaciones o de instituciones internacionales reconocidas, lo que significaría una valiosa contribución a la instrucción en Cuba y una vía para insertar a las jóvenes generaciones en los avances y conocimientos del desarrollo tecnológico global. No puede concebirse la instrucción en el siglo XXI sin el pleno acceso a las tecnologías de la informática y las comunicaciones.

Por otra parte, a contrapelo del gravamen que constituye sostener sin recursos el enorme sistema educativo del país, de los bajos salarios de los educadores y de la existencia de una gran red de profesores-repasadores privados, que se han dedicado desde hace varios años a impartir clases de diversas materias a alumnos cuyos padres pueden pagar por estos servicios, las autoridades se niegan a hacer alguna apertura a otras opciones. En los últimos años se ha reconocido oficialmente la existencia de estos profesionales —muchos de ellos profesores retirados ya del sistema nacional de educación— y se ha legalizado su condición de maestros «repasadores». En la actualidad, decenas de profesores se desempeñan como empleados por cuenta propia y tienen el derecho de ejercer su labor pagando un impuesto al Estado. Los superiores resultados docentes de aquellos estudiantes cuyos padres contratan los servicios de estos profesionales de la educación, demuestran no solo la preponderancia del esfuerzo privado sobre el programa educativo oficial, sino la irreversibilidad de la crisis y la incapacidad del gobierno para solucionar el déficit de maestros y el descalabro del sistema educacional.

Estas vías de educación «informal» marcan un punto de retorno al inicio del proceso: la coexistencia de una red semi-clandestina de instrucción-educación privada, junto a un deficiente sistema de educación pública al acceso de todos. La terca realidad ha quebrado la quimera del igualitarismo ramplón refrendado en el sistema educativo nacional, al crearse una situación en virtud de la cual solo los estudiantes favorecidos por mayores ingresos familiares se pueden permitir el acceso a estos profesores-repasadores privados.

Se crean así grupos de educandos elite que acuden con mayor ventaja a los exámenes de ingreso para alcanzar las mejores especialidades u opciones en los diferentes niveles de enseñanza. En consecuencia, los más altos niveles de instrucción vuelven a quedar al alcance de sectores elite de la sociedad, a los cuales solo les resta fingir la mayor adhesión al sistema socialista y al gobierno «revolucionario» para acceder con amplias prerrogativas a la enseñanza superior y, en consecuencia, a una mayor calificación técnica y profesional.

A la vez, la incapacidad del Estado-Partido-Gobierno para sostener el monopolio de la enseñanza e instrucción quedó refrendada en los lineamientos del VI Congreso del Partido Comunista de Cuba (abril de 2011). El contenido de los puntos 145 al 153, referidos a la educación, pone punto final al experimento oficial de los internados (Escuelas en el Campo), e igualmente quedó establecido el cierre de la formación de maestros emergentes, entre otros males congénitos del sistema educacional. Dichos lineamientos también hacen una crítica al menosprecio que ha sufrido la formación de técnicos medios y de obreros calificados, así como a la magnificación sistemática que ha existido en torno a «la formación humanística», que incide más en el aspecto ideológico que en las necesidades prácticas de la realidad del país. Es el reconocimiento del propio gobierno al fracaso del sistema educativo implantado por Fidel Castro.

En la actualidad los estudiantes de secundaria y preuniversitario han retornado a los espacios urbanos. Esto no responde, sin embargo, a una renuncia oficial al monopolio e ideologización del sistema educacional. Sencillamente, las precarias condiciones económicas no permitían sustentar por más tiempo el severo gravamen que impone el sostenimiento de la alimentación, hospedaje, transporte y mantenimiento del fondo escolar y los medios de enseñanza de decenas de decenas de miles de estudiantes.

Recientemente se ha retomado la formación pedagógica especializada para la educación primaria, implementándose nuevamente la carrera de cuatro cursos de estos estudios, a partir del ingreso en ellas de estudiantes con estudios secundarios aprobados. Ni más ni menos que el mismo sistema de estudios que cursaban los alumnos de las Escuelas Normales antes de 1959. De hecho, en el caso de la capital se ha rehabilitado para tales estudios la que fuera sede de los maestros normalistas.

Con todo, habrá de transcurrir un período considerable de tiempo antes que comiencen a reportarse señales de recuperación en el sistema educacional cubano. Para ello habrá que contar también con un repunte económico que permita la inversión de cuantiosos recursos en este empeño; un escenario poco probable dadas las circunstancias.

Hasta el momento actual, el colapso sufrido por el sistema nacional de educación concebido y artificialmente sostenido durante décadas, se presenta irreversible, en tanto la solución depende de la voluntad política del gobierno. Eventualmente se producirá una obligada apertura de formas alternativas de la enseñanza, incluyendo el retorno de la educación privada, laica y religiosa, lo cual no significa renunciar a un amplio programa de instrucción pública de calidad. Sería una solución posible en medio de la crisis estructural de un sistema político totalitario que, por obsoleto y caduco, no podrá ser «renovado». Toda Cuba debe cambiar, y con ella cambiará también el sistema educacional.

Honrar los mejores valores de la tradición pedagógica cubana sepultados bajo medio siglo de oscuridad nos impone promover desde el presente un nuevo concepto de educación, que tenga como culto esencial la libertad del individuo, y como pilares irrenunciables la cultura de los valores éticos y morales de los ciudadanos.

Bibliografía:

Castellanos Martí, Dimas C. *Desentrañando claves*. La Habana, p. 28 (inédito).

Ferrer, Raúl. «Avances de la educación obrera y campesina en Cuba». La Habana. *Cuba Socialista* No. 23, Año III, julio de 1963.

Freire, Paulo. *Pedagogía de la autonomía y otros textos*. Editorial Caminos. La Habana 2010.

García Galló, Gaspar J. «La Lucha Contra el Analfabetismo en Cuba». *Cuba Socialista* No. 2, Año I, octubre de 1961.

Hart, Armando. «El desarrollo de la educación en el período revolucionario». La Habana. *Cuba Socialista* No. 17, Año III, enero de 1963.

LA EDUCACIÓN ÉTICA Y CÍVICA: UNA SOLUCIÓN A LA CRISIS DE VALORES EN LA SOCIEDAD CUBANA ACTUAL[1]

Por Yoandy Izquierdo Toledo[2]

La formación ética y cívica es una de las necesidades más urgentes y uno de los desafíos más difíciles para Cuba en la hora presente y en el futuro.

Es una realidad, reconocida por todos, la existencia en Cuba de un analfabetismo cívico y político, así como de una crisis de los valores y las virtudes morales en la sociedad actual. Se hace necesario no solo reconocerlo y lamentarlo, sino ponerle remedio efectivo con el único medio adecuado: la educación. En efecto, ni la dejación de la responsabilidad familiar, ni la represión institucional, ni la queja inútil, resolverán estas dos deficiencias tanto en las personas como en la sociedad cubana. Precisamente, para que una nación sea civilizada, y se desarrolle como tal, el único método para alcanzar tal empoderamiento personal y tal grado de convivencia social es la educación.

Todos los ámbitos y protagonistas implicados en la educación moral y cívica deben cooperar y ayudar a salir de este tipo de ignorancia racional, emocional y volitiva, de manera que se forme una comunidad educativa, con pilares en la educación familiar, escolar, eclesial, comunitaria, informal, autodidacta y a través de los Medios de Comunicación Social (MCS), especialmente con el uso de las nuevas tecnologías.

---

[1] Resumen Trabajo Final Máster de Bioética Universidad Católica de Valencia «San Vicente Mártir».

[2] Yoandy Izquierdo Toledo (Pinar del Río, 1987). Licenciado en Microbiología. Máster en Bioética por la Universidad Católica de Valencia y el Centro de Bioética Juan Pablo II. Miembro del Consejo de Redacción de la revista *Convivencia*. Responsable de Ediciones Convivencia. Reside en Pinar del Río.

Es esencial refundar la educación cubana sobre las bases éticas de nuestros patricios fundadores. Es más importante que nunca antes en nuestra historia, un sistemático y coherente Programa de Educación Ética y Cívica. Con la Educación Ética y Cívica se forman las tres columnas de toda nación libre, próspera y feliz: el ciudadano, la sociedad civil y las instituciones democráticas. Un sistema educativo que nos sirva a todos para crecer como personas libres, responsables, justas y fraternas, buscadores de la verdad, hacedores de la justicia y artífices de la paz.

En Cuba la asignatura de Moral y Cívica fue eliminada de los programas de enseñanza, y hasta el momento no ha sido sustituida por otra que sea suficiente y no ideologizada. Además no se ha logrado edificar un nuevo ambiente favorable a la educación ética. Esta es la raíz de la crisis actual de los valores. Es por ello que, haciendo un análisis de la realidad de la Educación Ética y Cívica en Cuba, y en aras de proponer una alternativa para solucionar este grave problema, se plantea la siguiente hipótesis: *la Educación Ética y Cívica, mediante una pedagogía liberadora, es la verdadera solución para la crisis de valores en la sociedad cubana actual producida por el daño antropológico, el déficit de la asignatura de Moral y Cívica y la disfuncionalidad de la familia.*

Para ello este trabajo persigue los siguientes objetivos:

- Objetivo general: Demostrar que la Educación Ética y Cívica es la verdadera solución para la crisis de valores en la sociedad cubana actual.

Objetivos específicos:
1. Demostrar que los valores morales y cívicos están en crisis en Cuba hoy.
2. Describir las causas de la crisis de valores en Cuba hoy.
3. Describir las consecuencias del daño antropológico provocado por la crisis de valores y virtudes.
4. Proponer soluciones y medios para garantizar una Educación Ética y Cívica integral y sistemática.

Para responder a los objetivos propuestos se aplicó un sistema de 10 preguntas, recogidas en una encuesta. Se realizó un muestreo probabilístico, aleatorio estratificado al agrupar a la población en estudio a través de estratos o elementos parecidos entre sí. Luego de realizar la estratificación, dentro de estos grupos se realiza un muestreo aleatorio simple, donde cada miembro de esta población ya agrupada por estratos tiene la misma probabilidad de ser seleccionado. Este tipo de muestreo aplicado permitió reducir la variabilidad, aumentar la precisión y trabajar con un margen de error conocido por el investigador.

RESULTADOS

Características de la población de estudio

Los encuestados poseen, en su mayoría, más de 15 años de edad y la distribución etárea general osciló entre los rangos de 11-20 años y 71-80 años; con excepciones de las provincias de Santiago de Cuba que tuvo un máximo en el rango de 81-90 años y Camagüey con un máximo en el rango de 61-70 años. Los rangos con mayor representatividad fueron entre 11 y 20 y entre 21 y 30 años, lo que coincide exactamente con las aspiraciones y objetivos del estudio, que permite evaluar de esta forma, sin descartar el resto de los grupos etáreos, la mayor incidencia que tiene la formación ética y cívica en las nuevas generaciones.

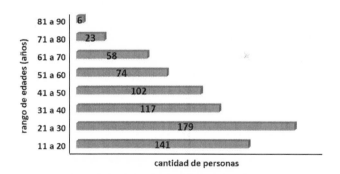

Gráfico 1. Distribución etárea general.
Se muestra la suma total de las personas encuestadas en las siete provincias de Cuba, organizadas por rangos de edades.

De acuerdo a la distribución por sexo, el comportamiento fue similar en las siete provincias. En este caso las mujeres representan 52,71% del total, mientras que los hombres representan 47,29%.

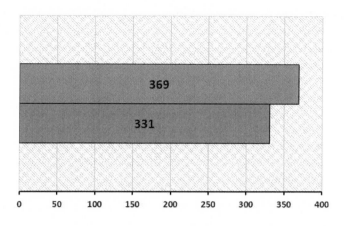

Gráfico 2. Distribución general por sexo.
Se muestra la suma total entendida como población general de estudio. En color naranja aparecen las mujeres y en color azul los hombres, como indican los iconos en el gráfico.

El promedio de edad por cada sexo en todas las provincias estuvo entre los 30 y los 40 años, con un solo valor-promedio superior a los 40 años (41,10), que representa a las mujeres en Camagüey, como se muestra en la Tabla 1. Las mujeres, de manera general, presentaron como promedio, en la mayoría de las provincias y en el promedio total, porcentajes inferiores a los de los hombres. Tanto el promedio de edad de las mujeres, como el de los hombres y el promedio general de edades del estudio, no superan los 35 años. Por tanto, la mayoría de los encuestados pertenecen a rangos de edades que comprenden importantes etapas de la formación humana.

Sexo/Provincia	Pinar del Río	Artemisa	La Habana	Matanzas	Villa Clara	Camagüey	Stgo de Cuba	PROMEDIO
Mujeres	30,36	33,86	29,38	32,88	28,54	41,10	35,77	33,13
Hombres	36,15	32,70	31,67	37,41	35,95	38,61	36,70	35,60
PROMEDIO	33,44	33,37	30,72	34,67	32,24	39,7	36,24	34,36

Tabla 1. Promedio de edades por sexo y promedio total en las siete provincias del estudio. *Igualmente se muestran los promedios generales para todas las provincias y de estas sumadas como población general de estudio.*

Ante la pregunta ¿crisis de valores en Cuba hoy? más de 80,00% de los encuestados en cada una de las provincias respondió afirmativamente; en cinco de ellas más de 90,00% en incluso en Villa Clara los resultados reflejan que hubo 100% de SÍ, como se muestra en la Tabla 2. De manera general, de las 700 personas encuestadas en toda Cuba 95,03% considera que nuestro país atraviesa una crisis de valores en la actualidad; mientras que 4,97% considera que no.

	Pinar del Río	Artemisa	La Habana	Matanzas	Villa Clara	Camagüey	Stgo de Cuba	TOTAL
SÍ	92 %	94 %	97 %	88 %	100 %	83 %	96 %	95,03 %
NO	8 %	6 %	3 %	12 %		17 %	4 %	4,97 %

Tabla 2. Consideraciones sobre la existencia de crisis de valores en las siete provincias del estudio. *Igualmente se muestra el valor total en porcentaje de todas las provincias sumadas como población general.*

Al coincidir un elevado número de los encuestados en que nuestro país sufre una crisis de valores, se planteó, además, la necesidad de conocer cuáles son los campos de afectación considerados por la población cubana. Si observamos el Gráfico 3 podemos decir que, en el resumen general que agrupa a todas las provincias como un todo, la familia es el primer y principal sector afectado, seguido por las relaciones interpersonales, el barrio y el mundo estudiantil. En todos estos casos los elevados porcentajes (por encima de 80,00%), no difieren entre sí en más de 3,00%. En último lugar se determinaron las afectaciones en el mundo del trabajo, pero que tampoco presenta un porcentaje muy distante del comportamiento casi regular de los sectores anteriores.

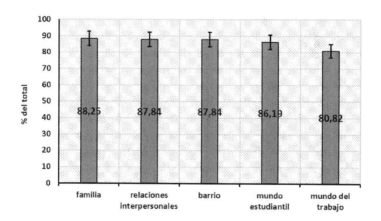

Gráfico 3. Campos de afectación de las virtudes y valores humanos. *Se muestra el porcentaje que representa cada una de las áreas afectadas por la actual crisis de valores en Cuba, en las siete provincias en general, con un error estándar de 5,00%.*

493

En Cuba existe un mal mayor, que supera la realidad del sistema educativo, y es la falta de educación para la libertad con responsabilidad en todos los ambientes de la vida social. Se debe educar para la libertad que se gesta en el corazón, la inteligencia y la voluntad de los hombres y mujeres. Sin este tipo de educación no habrá quienes exijan las libertades sociales y cumplan sus deberes cívicos, ni quienes una vez alcanzadas estas conquistas, sean sujetos, protagonistas conscientes para practicar, respetar y mantener las diversas expresiones de libertad. Es por ello que se realiza un análisis exhaustivo de las causas que provocan la crisis de virtudes y valores en Cuba, especificando las relativas a las tres principales escuelas de formación: persona, familia y sociedad en general.

Causas concernientes a la PERSONA

- La despersonalización que provoca el colectivismo o la masificación.
- El autoritarismo que convierte a las personas en seres inmaduros frente al paternalismo.
- La amenaza de perder la seguridad personal, el trabajo, los estudios, etc.
- La superficialidad y la inconstancia propias de nuestro carácter.
- La falta de libertad interior o espiritualidad.
- El acomodamiento del que no quiere buscarse problemas en su vida.
- La manipulación de la propaganda y la falta de información.
- El miedo a la «soledad moral» o aislamiento sociológico y psicológico.
- La vida en la mentira, la doble moral, las apariencias externas.
- El desorden moral con el que se paraliza y chantajea a las personas.
- La inclinación de la naturaleza humana hacia el error y el egoísmo.
- Falta de sentido de los actos y de un proyecto de vida autónomo y trascendente.
- La falta de espacios reales donde se aprenda a ejercitar la libertad y la responsabilidad.
- El fracaso antropológico del modelo de «hombre nuevo» ideologizado.
- El regreso a una cultura del «tener vale más que el ser».

Causas concernientes a la FAMILIA

- La omisión, la reducción y la cesión de sus derechos en su función educadora.
- La actitud permisivista que conduce al relativismo y a la superficialidad.

- La falta de vocación para el matrimonio.
- La violencia en el trato en las relaciones interpersonales e interfamiliares.
- El alto índice de alcoholismo.
- Los paternalismos y los autoritarismos.
- La posibilidad de optar, ni de escoger el estilo o modelo pedagógico en el cual quisieran educar a sus hijos.
- Los padres no tienen una idea definida de un perfil o proyecto ético de humanismo para sus hijos.
- Las familias más interesadas en la promoción académica de sus hijos que en los resultados instructivos, formación y desarrollo educativo en valores cívicos y humanos.
- La preferencia de algunos por las becas, internados, seminternados y escuelas al campo temporales y permanentes.

Causas concernientes al Sistema educativo *y por ende al* Estado *(en el caso de Cuba)*

- Pérdida de las raíces identitarias (concepción ideológica y filosófica reduccionista que mutila la creatividad del personal docente y anula la necesaria diversidad de estilos pedagógicos).
- Deficiencias en el Proceso de Enseñanza-Aprendizaje (PEA) (falta de preparación de educadores, falta de herramientas para ejercitar criterio propio, etc.).

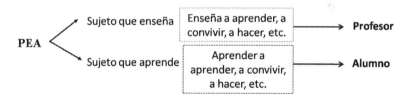

Figura 1. Proceso de Enseñanza-Aprendizaje como integración alumno-profesor.

- Indisciplinas sociales, corrupción del cuerpo y del espíritu y daño antropológico.
- El laicismo exacerbado o materialismo ateísta en la Educación Ética y Cívica.
- Uso indiscriminado de las tecnologías.
- Insuficiencias en materiales bibliográficos.

La asignatura de Ética y Cívica, antiguamente llamada en Cuba Moral y Cívica, si bien no es recibida en la actualidad por los educandos bajo ese nombre, es recibida en algunas enseñanzas con diferente nombre o mediante otras modalidades. En el presente estudio fueron realizadas varias preguntas a los encuestados relacionadas con este tema. En primer lugar se preguntó sobre la recepción de dichos contenidos, lo que permitió obtener como resultado que 81,03% de la población encuestada sí ha recibido contenidos relacionados con Ética y Cívica, mientras que 18,79% no los ha recibido, como se muestra en el Gráfico 4. El número de personas encuestadas que respondieron negativamente, a pesar de que representa aproximadamente la quinta parte del total, constituye un valor elevado, máxime si se tiene en cuenta que la mayoría de las personas que forman parte de la población de estudio se encuentran en un rango de edades que comprenden importantes etapas de formación de la persona humana (enseñanzas desde la primaria hasta la universitaria).

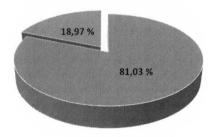

Gráfico 4. Recepción de la asignatura Ética y Cívica. *Se muestra el porcentaje que representan las personas que SÍ han recibido la asignatura (color azul) y el porcentaje que representan las personas que NO la han recibido (color naranja) en las siete provincias del estudio de forma general.*

Espacios que propician la Educación Ética y Cívica

La Educación Ética y Cívica, no ya como asignatura curricular de las diferentes enseñanzas, sino como contenido esencial de la formación personal y social puede ser recibida en diversos espacios de acuerdo a los intereses de las sociedades actuales. Se analizaron los diferentes escenarios donde los encuestados han recibido este tipo de formación. Como se observa en el Gráfico 5, que muestra los resultados para la población de estudio, los espacios que los encuestados consideran más influyentes en la formación cívica son la enseñanza primaria y secundaria. En tercer lugar se destaca el papel de la Iglesia en este proceso educativo. La Iglesia se ubica en este lugar con una mayor representatividad que las enseñanzas de niveles superior y medio superior, es decir, las enseñanzas preuniversitaria y universitaria, respectivamente.

Luego de los espacios fundamentalmente de educación, comprendidos en los diferentes niveles de enseñanza y el papel preponderante de la Iglesia sobre algunos de estos niveles, según los encuestados, aparecen las capacitaciones y temas de formación recibidos en los centros laborales. En último lugar se presentan otros escenarios entre los que se incluye a la familia. Estos presentan la menor representatividad en cuanto número; pero poseen una gran relevancia en cada una de las provincias por separado.

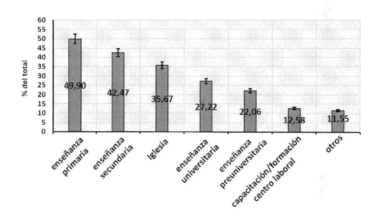

Gráfico 5. Espacios educativos o niveles donde se han recibido los contenidos de Ética y Cívica o alguna de sus modalidades. *Se muestra el porcentaje que representa cada uno de los niveles de enseñanza en las siete provincias en general, con un error estándar de 5,00%.*

Temáticas principales de Ética y Cívica y su nivel de relevancia para los encuestados

Una vez cuestionada la recepción de la asignatura Ética y Cívica o alguna de sus modalidades, y los diferentes espacios educativos que la han propiciado en cada una de las provincias, se analizó la relevancia de diferentes temáticas específicas como parte de dicha asignatura. Las temáticas que se propusieron para el análisis fueron desde temas más abarcadores y globales hasta temas más específicos; pero en general todos esenciales y que no deben faltar en una formación ciudadana básica e integral. En el Gráfico 6 aparecen los resultados globales obtenidos, donde se evidencia que los cuatro primeros temas son los más elementales en las etapas de formación, ya que se corresponden con la familia, la Patria y sus símbolos, la escuela y la Nación y la cultura. Precisamente estos temas se corresponden con el principal espacio educativo que es la enseñanza primaria, determinado por los encuestados, mayoritariamente, como el primer espacio educativo que promulga la Ética y Cívica. El gráfico-resumen general muestra que le suceden a estos cuatro primeros tópicos otros no menos importantes que van igualmente de lo general a lo particular; llama la atención que los últimos cinco temas son: proyectos de vida, la democracia y la participación cívica y política, el Estado y los poderes públicos, ética y política y ética y economía. Estos temas, que se corresponden con porcentajes inferiores a la mitad del porcentaje del más representado (la familia), son esenciales y competen a todo ciudadano, ya que van desde la opción fundamental que permite conformar un proyecto de vida, es decir su dimensión personal, hasta lo relacionado con su dimensión social al ubicar a la persona como protagonista-partícipe de la vida política y económica de su país.

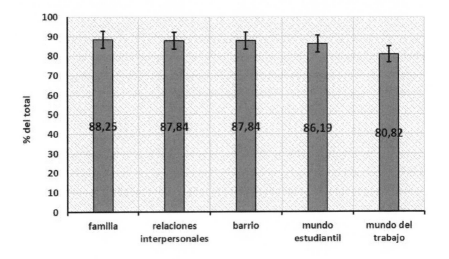

Gráfico 6. Temas de Ética y Cívica recibidos. *Se muestra el porcentaje que representa cada uno de los temas recibidos como parte de la asignatura Ética y Cívica en las siete provincias en general, con un error estándar de 5,00%.*

498

Los resultados para las siete provincias por separado presentan semejanzas entre sí de acuerdo a los temas más y menos representados y una ubicación variable en el tramo central de los gráficos, donde aparecen temas como: el matrimonio, las Constituciones de la República, los Derechos Humanos y los Deberes Cívicos, etc.).

Conocimiento de textos para la Educación Ética y Cívica

La hipótesis sostenida en esta tesis plantea que la Educación Ética y Cívica integral y sistemática constituye una solución a la crisis de valores en Cuba hoy. Al realizar esta pregunta, 85,00% del total está de acuerdo con esta sentencia, mientas que 15,00% no lo está. Del número de encuestados que comparten la hipótesis anteriormente expuesta, 92,74% cree que mucho podría influir la educación como método para resolver el problema mayor, 5,57% considera que en poca medida y solo 1,69% cree que nada influye. Por tales razones se hace necesario que en los diferentes espacios educativos que propician la Educación Ética y Cívica se impartan temas de formación a partir de manuales, compendios, libros de texto y otros materiales relacionados. Como parte del estudio se investigó sobre el conocimiento de fuentes bibliográficas de este tipo que se emplean para impartir la temática en las diferentes instituciones cubanas y con las que puede contar la población para consulta, análisis y aplicación en la familia, en el trabajo, en la Iglesia y en todas las demás instituciones. Los resultados muestran que 52,78% de la población total manifiesta conocer algún texto de Ética y Cívica, mientras que 47,22% desconoce este tipo de materiales (Gráfico 7). La distribución para las dos respuestas es muy cercana a 50,00%, es decir, prácticamente la mitad de la población encuestada responde negativamente a esta cuestión tan esencial.

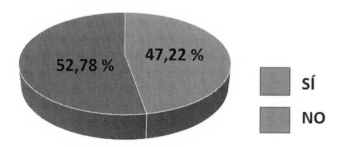

Gráfico 7. Conocimiento de textos de Ética y Cívica. *Se muestra el porcentaje que representan las personas que SÍ conocen al menos un libro de Ética y Cívica (color azul) y el porcentaje que representan las personas que NO conocen ningún libro de Ética y Cívica (color verde) en las siete provincias del estudio de forma general.*

499

Al realizar el análisis en cada una de las provincias por separado se pueden agrupar los resultados de acuerdo a tres comportamientos:

1. La provincia de Matanzas es la que presenta resultados más favorables, con el mayor número de personas (67,00%) que conocen materiales para la Educación Ética y Cívica.
2. Las provincias de Pinar del Río, Villa Clara, Camagüey y Santiago de Cuba presentan una distribución relativamente parecida al comportamiento global, que aparece en el Gráfico 6, casi de 50,00% para las dos variantes de respuesta. El orden de estas cuatro provincias de acuerdo al número de respuestas afirmativas es: Camagüey, Pinar del Río y Villa Clara (con porcentajes iguales) y Santiago de Cuba.
3. Las provincias de Artemisa y La Habana presentan los resultados más desfavorables, con porcentajes muy semejantes y que evidencian que más de la mitad de la población encuestada desconoce los materiales en cuestión. Los porcentajes son elevados para las respuestas de tipo negativo, de 64,00% y 62,00% en Artemisa y en La Habana, respectivamente.

Insuficiencias en materiales bibliográficos, como uno de los principales problemas en Cuba hoy

En una distribución casi equitativa, como se mostró en el Gráfico 7, existe un elevado número de personas encuestadas que no conocen ningún libro de texto o material para la Educación Ética y Cívica. Quienes se incluyen en el grupo que tiene conocimientos, refieren en su mayoría textos básicos o puntuales, lo que está relacionado con los diferentes espacios educativos en cada una de las provincias para propiciar este tipo de formación ciudadana.

De manera general, encontramos que los encuestados mencionan los materiales de las enseñanzas primaria y secundaria destinados a la Educación Cívica. Estos son textos que abordan cuestiones básicas como la Patria y sus símbolos, la familia y la comunidad, entre otros. En el caso de Secundaria Básica existe un material para los tres grados comprendidos en este nivel, con seis capítulos que incluyen los Derechos Humanos y la legalidad socialista y los retos de Cuba ante los problemas del mundo de hoy. También, la asignatura de Educación Cívica, cuenta con un libro de texto denominado «Defensa Civil». En el caso del nivel preuniversitario existen las asignaturas de Cultura Política e Instrucción Militar Elemental (IME), o como también se le llama, Preparación Militar Integral (PMI), que en sus planes de clases comprende algunas cuestiones como las Constituciones de la República, el proceso eleccionario, entre otros temas. Para IME no existe libro de texto.

Independientemente de los textos curriculares, que son pocos, no se fomenta la edición y publicación de materiales de este corte, de acuerdo a las necesidades de la población cubana. La ausencia de la asignatura de Moral y Cívica, para ser sustituida por Educación Cívica (con sus contenidos actuales) y las demás variantes que en ocasiones abordan temas de otra índole bastante distantes de la formación vocacional, ciudadana y de virtudes y valores, constituye un agravante a la situación actual de Cuba.

Propuestas de solución a la crisis de valores en Cuba hoy

Luego de haber realizado un análisis de las principales causas que provocan la crisis de valores en nuestro país, no debemos quedarnos en la queja inútil, sino que, basados en ellas, debemos proponer algunas soluciones a este medular problema del deterioro moral y cívico en Cuba. A continuación aparecen algunas propuestas generales y posteriormente se enuncian algunas propuestas específicas en el campo de la educación.

Propuestas generales:

1. La reconstrucción de la familia cubana y del ambiente del hogar.
2. La reconstrucción de la persona humana para que piense con su cabeza, eduque su corazón y su inteligencia emocional, fortalezca su voluntad, alimente su espiritualidad, de modo que aprendamos a vivir en la verdad, la libertad y la responsabilidad.
3. La reconstrucción del tejido de la sociedad civil, escuela y taller de socialización pacífica en la fraternidad, la justicia y la solidaridad, el civismo y la convivencia.
4. La reforma profunda del sistema educacional:
    a. libre
    b. plural
    c. profundamente ético y humanista
    d. no partidista
    e. no reproductor de una sola ideología excluyente
5. El reconocimiento y la promoción de la libertad de conciencia, origen y meollo de toda promoción de los derechos humanos. Y sus consecuentes derechos a la libertad de expresión, asociación y acción pacífica incluyente.

6.   El reconocimiento y la promoción de la libertad religiosa, verdadera y plena, respetuosa y plural.

7.   El reconocimiento de la libertad plena para el desarrollo de la iniciativa económica de cada cubano.

Propuestas generales en el plano educativo

1.   No más manipulaciones, ni cosificación de las personas, sino favorecer en ellas un proceso de autoestima y autogestión que los haga protagonistas de su propia historia personal y social.

2.   Educar la conciencia crítica de modo que se ejerza el criterio ante las alternativas que presenta la vida.

3.   Estimular una escala de valores que priorice el «ser» sobre el tener, el poder y el saber.

4.   Fomentar el discernimiento ético para hacer una opción fundamental que oriente un proyecto de vida personal que dé sentido a la existencia y pueda favorecer la entrega generosa y solidaria.

5.   Concretar la opción fundamental en actitudes coherentes para llevar a cabo el proyecto de vida en cada ámbito de la existencia cotidiana.

En resumen, es necesario que se establezcan las siguientes:

Dinámicas de relación

- La primacía de la persona humana: la persona como centro de las relaciones.
- El derecho prioritario de la familia: la familia, primer círculo de relaciones.
- El carácter subsidiario de la escuela, la Iglesia, la sociedad civil y el Estado.
- El carácter complementario y solidario de la familia, la escuela, la Iglesia, la sociedad civil y el Estado.

Propuestas específicas en el plano educativo

1.   Crear programas graduales y abarcadores de Educación Ética y Cívica en el Sistema Nacional de Educación que combinen métodos (clarificación de valores, discusión de dilemas, comprensión crítica, neutralidad activa, programa de filosofía para niños, habilidades comunicativas, resolución de conflictos, role-playing, juegos de simulación…).

2. Fomentar las escuelas de padres y las Comunidades Educativas (alumnos, padres y maestros) en nuestros centros de enseñanza, iglesias y grupos de la sociedad civil.
3. Expandir el Proyecto VIVA (Virtudes y Valores) para niños y adolescentes.
4. Introducir cursos de Ética y Cívica en la Pastoral Familiar.
5. Fomentar programas de Educación Ética y Cívica en el ámbito de las ONGs de la sociedad civil.
6. Incrementar el uso de los Medios de Comunicación Social para la promoción de virtudes y valores.
7. Elaborar y aplicar un proyecto educativo integrador (familia-escuela-Estado e iglesias).
8. Para suplir las insuficiencias de materiales bibliográficos, otra de las acciones concretas sería expandir el nuevo libro de texto, único redactado de forma independiente y no ideologizado, después del de la Dra. García-Tudurí y colaboradores en 1947 («Ética y Cívica: Aprendiendo a ser persona y a vivir en sociedad»).

CONCLUSIONES

1. El diagnóstico del problema comprobado es que Cuba atraviesa una crisis de valores y virtudes que provoca un daño antropológico, y una disfunción social, que son perceptibles y crecientes.
2. Las causas fundamentales de la crisis de valores y virtudes son, entre otras: las concernientes a la responsabilidad de la familia, las concernientes a la sociedad civil y las concernientes a la responsabilidad del Estado.
3. Las consecuencias de esta crisis de valores y virtudes son, entre otras: el daño antropológico, la descomposición y la corrupción social, el analfabetismo ético y cívico tanto vivencial como funcional, la anomia y desmovilización social, la emigración continua y el empobrecimiento espiritual.
4. La solución profunda de la crisis de valores y virtudes solo se alcanza con la Educación Ética y Cívica asumida por todos los actores sociales.
   - Se hacen unas propuestas generales, como la reconstrucción de la persona humana, la familia, la sociedad; la reforma profunda de un sistema educacional autoritario hacia un sistema educacional liberador y participativo que interrelacione

familia-escuela-sociedad civil y Estado; la formación de la conciencia crítica y la capacidad de discernimiento autónomo para empoderar a los ciudadanos y que estos puedan hacer su propio proyecto de vida y pasar de una moral formulada a una moral vivida, libre y responsablemente.

- Se hacen unas propuestas específicas, como la introducción de un nuevo Programa de Educación Ética y Cívica que sea sistemático, gradual y abarcador de todos los niveles de enseñanza; fomentar las Escuelas de Padres y las Comunidades Educativas, alumnos-padres-profesores; la introducción de nuevos textos no ideologizados como el Proyecto VIVA de la Comisión de Catequesis y Educación Católica de la Conferencia de Obispos Católicos de Cuba, el libro de texto de «Ética y Cívica: Aprendiendo a ser persona y a vivir en sociedad» del Centro de Estudios Convivencia y otros.

RECOMENDACIONES

1. Publicar los resultados obtenidos en este trabajo, de manera que puedan llegar así, al menos, a todas las provincias, específicamente a las instituciones y personas que colaboraron en el estudio.
2. Aplicar la encuesta en el resto de las provincias del país para poder referirnos a un análisis global de Cuba. De esta forma aumentaría el tamaño de la población de estudio y disminuirían los errores a la hora del procesamiento de datos.
3. Reunir en una base de datos todos los materiales bibliográficos mencionados por los encuestados, así como los propuestos en este trabajo, para compartir en los diferentes centros de enseñanza del país, comenzando en las provincias donde se realizó el estudio.

PRESENTE Y FUTURO DE LA EDUCACIÓN EN CUBA[1]

Por Carmelo Mesa-Lago[2]

I. LA EDUCACIÓN ACTUAL

La educación en Cuba avanzó de forma notable: acceso universal y gratuito con efectos positivos en los sectores de menor ingreso, afrocubanos, mujeres y el campo. Pero adolecía de ideologización, criterio único, exclusión al nivel superior de personas religiosas o contrarios a la ideología oficial, y confiscación de toda la educación privada.

Actualmente la educación está afectada por otros tres factores:

1. Rápido envejecimiento de la población, la mayor en la región (muy difícil de revertir);
2. Recorte en los gastos de educación bajo las reformas estructurales; y
3. Descenso en la calidad de la enseñanza.

Analicemos cada uno de estos tres factores por separado.

---

[1] Apuntes de la presentación realizada en el III Encuentro del Centro de Estudios Convivencia.

[2] Carmelo Mesa-Lago (La Habana, 1934). Licenciado en Derecho Universidad de La Habana (1956). Doctorado en Derecho Universidad Complutense de Madrid, Diplomado en Seguridad Social OISS (1958).Maestría en Economía Universidad de Miami (1965). PhD. en Relaciones Laborales y Seguridad Social Universidad de Cornell (1968). Catedrático Distinguido Emérito de Economía y Estudios Latinoamericanos Universidad de Pittsburgh. Autor o editor de 93 libros y 300 artículos académicos/capítulos en libros sobre la economía cubana, sistemas económicos comparados y economía de la seguridad social en América Latina.

1. Rápido Envejecimiento de la Población

Cuba tiene la población más envejecida en la región (pasó a Uruguay), lo cual ha resultado en:

- Caídas absolutas en la población, estancamiento o ligeros aumentos, y en el futuro habrá un declive sistemático.
- Reducción del grupo joven (1-14 años), inicio del descenso del grupo productivo (15-65 años) y aumento del grupo anciano (+ 65 años).
- En 2030 se prevé: joven (16%), productivo (54%), anciano (30%).

Efectos en la educación:

- La matrícula elemental creció hasta 2000 y desde entonces descendió 30% en 2014.
- La matrícula secundaria siguió la misma tendencia hasta 2005 y cayó 11% en 2014.
- En la educación superior, Fidel Castro en 2003, durante la «Batalla de Ideas», creó 3000 campos universitarios municipales, el programa de trabajadores sociales y jubilados en las universidades populares.

Cambios en la Matrícula Universitaria en Cuba, 1989-2014/15

Disciplinas	Cambio porcentual entre	
	2007/1989	2014/2007
Humanidades/Ciencias Sociales	3,943	-83
Medicina	403	-59
Educación	8	-82
Economía	396	-81
Educación Física	381	-83
Ciencias Técnicas	43	-23
Agronomía	38	-59
Ciencias Naturales/Matemáticas	-39	13
Artes	-38	-15
TOTAL	208	-72

2. Recorte en los Gastos Educativos por las Reformas Económicas

El gobierno aceptó en 2007 que el costo de los servicios sociales (incluyendo educación) es insostenible, y recortó el gasto en 8 puntos del presupuesto y 8,4 puntos del PIB.

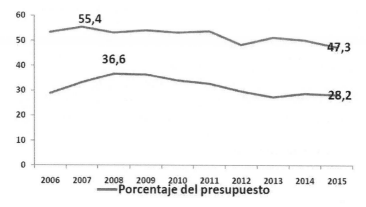

Los gastos de educación como porcentaje del PIB cayeron 4 puntos en 2008-2015.

Recorte en Gastos de Educación como Porcentaje del PIB, 2008-2013

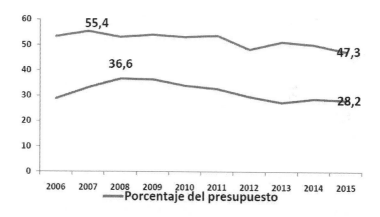

Se han cerrado varios programas creados por Fidel Castro:

- los 3,000 campos universitarios,
- la Escuela de Trabajadores Sociales,
- las universidades populares y programas para jubilados,
- las escuelas secundarias y pre-universitarias en el campo.

Otra situación agravante es que:

- La educación técnica y vocacional se redujo en 37% en 2007-2014/15.
- La matrícula total en todos los niveles mermó 36% entre 2007 y 2014/15.

3. Deterioro de la Calidad de la Enseñanza

A todos los niveles durante la crisis de los 90 y 2007-2016

- Escasez de maestros a pesar del alza en graduados, por el bajo salario (algún aumento);
- «maestros emergentes» traídos del interior y entrenados con rapidez;
- aumento de faltas de ortografía en exámenes de ingreso en universidades municipales;
- bajo nivel en matemáticas y ciencias, y
- altas tasas de deserción.

Autocrítica oficial

- Medidas: exámenes de ingreso universitario más fuertes, cuotas, no hay indicadores estadísticos de mejora en la calidad.
- Educación continúa ideologizada.
- Se pierde inversión alta en educación por bajos salarios y desincentivos que fuerzan la emigración de profesionales o su cambio a ocupaciones más lucrativas en el sector privado, pero con baja cualificación.

II. Futuro de la educación

Debería preservarse un sistema educativo público nacional, con cambios que lo hagan financieramente viable, mejoren su calidad, incrementen su eficiencia, permitan la educación privada y eliminen la ideologización.

La educación es gratuita para toda la población, sin tener en cuenta su ingreso, lo cual incrementa los costos, reduce su calidad y la hace insostenible financieramente.

Para enfrentar estos problemas y otros antes explicados se sugiere:

1. Focalizar los recursos en la población más necesitada, las provincias más pobres y los trabajos en más demanda.

2. Cobrar la matrícula en la educación superior a los que tengan altos ingresos.
3. Disminuir recursos en primaria y secundaria, porque la caída de la población y el envejecimiento poblacional reducen los cohortes en esos niveles.
4. Reasignar recursos ajustando la educación a la demanda del mercado interno y mundial competitivo.
5. Asignar más a las carreras universitarias que demanda el desarrollo (científicas y técnicas, administración de negocios, banca y seguro), así como a la educación técnica vocacional.
6. Autorizar la educación privada bajo normas generales establecidas por el Estado y bajo su supervisión.
7. Desideologizar la educación.
8. Pagar salarios adecuados a los maestros, lo que requiere reformas estructurales más profundas.
9. Reducir la tasa de deserción (especialmente a nivel superior) y evaluar los logros educacionales con normas de calidad más rigurosas.
10. Permitir a los maestros y profesores trabajar por cuenta propia, en cooperativas y en el sector privado.
11. Otorgar autonomía financiera a los institutos de investigación a fin de que puedan recibir ingresos por colaboración internacional.

PARTICIPANTES:

Miami, EE.UU.
28-29 de enero de 2017

DE LA ISLA:

Dagoberto Valdés Hernández
Pedro Campos Santos
Dimas Castellanos Martí
Miriam Celaya González
René Gómez Manzano
Yoandy Izquierdo Toledo
Javier Valdés Delgado
Reinaldo Escobar Casas
Olimpia González Núñez

DE LA DIÁSPORA:

Carmelo Mesa-Lago
Elías M. Amor Bravo
Gerardo Martínez-Solanas
Juan Antonio Blanco
Silvia Pedraza
Amaya Altuna
Rafael Sánchez
Helio González
Pedro Camacho
Alberto Muller
Arnoldo Muller
Oscar Visiedo
René Hernández
Siro del Castillo
Juan Manuel Salvat
Pedro Pablo Álvarez
Mario J. Pentón
Ibrahim González
Joan Martínez Evora
Humberto Estévez
Álvaro

Manny Ortega Prieto
Milva Lissabet de Ortega
María Emilia Monzón
Marlene Azor
Joel Sablón
Alejandro González

510

V INFORME

«LA AGRICULTURA EN EL FUTURO DE CUBA: VISIÓN Y PROPUESTAS»

S/T. Técnica mixta sobre cartulina. 15,5 x 15 cm. Obra de Wendy Ramos Cáceres. 2018.

El Centro de Estudios Convivencia realizó el IV Encuentro del Itinerario de Pensamiento y Propuestas para Cuba entre septiembre y diciembre de 2017 en la Isla y los días 17-18 de de febrero de 2018 en la Diáspora, en la Universidad Internacional de la Florida (FIU), Miami, EE.UU. Los temas escogidos para su estudio fueron: «La Agricultura en el futuro de Cuba» y «Medios de Comunicación Social-TICs en el futuro de Cuba».

1. Conceptos

1. *Sector primario de la economía:* Es el área que conforman las actividades económicas relacionadas con la transformación de los recursos naturales en productos primarios no elaborados. Las principales actividades del sector primario son: la agricultura, la ganadería, la silvicultura, la apicultura, la acuicultura, la caza, la pesca, la explotación forestal, embalses, manto freático, humedales y lecho marino con el objetivo de obtener alimentos, medicinas y otros recursos para ser consumidos por personas y animales. Usualmente, los productos primarios son utilizados como materia prima en las producciones industriales que conforman el sector secundario al que también se relacionan las actividades extractivas.

2. *Agricultura:* La agricultura, en su concepción más amplia, fue la primera actividad productiva de la humanidad junto con la caza y la pesca y, como indica su nombre, es la preparación, reparación, siembra y cultivo de la tierra con el fin de producir alimentos y otros renglones que contribuyen a elevar el nivel de vida de las personas. La agricultura forma parte del sector primario de la economía.

3. *Desarrollo agropecuario:* Son los esfuerzos por alcanzar un crecimiento, mejoramiento y expansión del sector conformado por la agricultura y la ganadería. Se relacionan y vinculan el cultivo de la tierra para producir alimentos vegetales, la explotación-repoblación forestal y

otros, con la producción animal: la ganadería, la silvicultura, la apicultura, la acuicultura, la caza, la pesca, los embalses, el manto freático, los humedales y el lecho marino con el objetivo de obtener alimentos, medicinas y otros recursos y conservar el medio ambiente y el equilibrio ecológico.

4. *Agronomía:* Es la ciencia que estudia, cuida y mejora todos los procesos relacionados con la agricultura.

5. *Veterinaria:* Es la ciencia que estudia, cuida y mejora todos los procesos relacionados con la vida animal.

6. *Agroecología:* Es la especialidad de la agronomía que estudia las formas más adecuadas de los procesos agrícolas con el propósito de conservar y mejorar el medio ambiente.

7. *Desarrollo rural:* Son aquellas acciones e iniciativas para mejorar la calidad de vida de las comunidades no urbanas. Estas comunidades humanas, que abarcan casi la mitad de la población mundial, tienen en común una densidad demográfica baja. Las actividades económicas más generalizadas son las agrícolas y ganaderas aunque en sociedades más desarrolladas pueden encontrarse también acciones diferentes a las del sector primario.

8. *Cultura y desarrollo rural:* Toda acción en el sector rural debe tener en cuenta la cultura tradicional local para promover al mismo tiempo el desarrollo social y el económico. Estos programas suelen realizarse por parte de comunidades autogestionadas, autoridades locales o regionales, grupos de desarrollo rural, programas a escala continental, ONGs, organizaciones internacionales, etc.

2. Visión de la agricultura en el futuro de Cuba

Proponemos esta visión para el futuro del sector agropecuario en Cuba:

Cuba avanza hacia una agricultura industrial o de mercado que tenga como centro y fin el desarrollo humano integral del campesino y su familia, con el fin de garantizar la seguridad alimentaria, el cuidado medioambiental, la eficiencia económica y el desarrollo de una sociedad civil rural con comunidades emprendedoras que sean protagonistas y beneficiarias de ese desarrollo agropecuario gestionado con políticas que garanticen los derechos de propiedad en sus diferentes formas, la libre asociación, el libre acceso a la información y al mercado, la formación cívica y el empoderamiento de las comunidades rurales.

Cuba debe avanzar hacia el desarrollo de un sector agropecuario principalmente privado, intensivo, mecanizado, tecnificado, sostenible, sustentable y ecológico, lo que equivale a incorporar la protección e higiene de los trabajadores agropecuarios, la ingeniería genética y la biotecnología, la agrometeorología, la sanidad vegetal y animal, las técnicas de riego y drenaje, la reparación y mejoramiento de los suelos y los fertilizantes, la eliminación o racionalización de los productos químicos, la producción de semillas, variedades y razas de ganado mejoradas, la mecanización y la informática para intercambiar conocimientos y difundir una cultura agropecuaria actualizada, optimizar el cultivo de la tierra, la producción de alimentos y otras producciones lúdicas, que contribuyen, en primer lugar, a la elevación de la calidad de vida del país, y también a aumentar sus renglones de exportación.

Cuba debe avanzar hacia un modelo agropecuario en que los campesinos sean auténticos propietarios, dueños de la tierra que cultivan, de la cosecha que logran, de los animales que crían, de los árboles que plantan, de sus medios de transporte, de sus maquinarias agrícolas, de los sistemas de riego, de las viviendas, plantas procesadoras y demás edificaciones realizadas en su territorio. Como empresarios podrán poseer comprar y vender todas sus propiedades muebles e inmuebles, decidir sobre los destinos de su cosecha, ser comercializadores directos y exportadores de sus cosechas, contratar empleados, realizar transacciones bancarias, importar tecnologías, fertilizantes, materias primas y demás recursos necesarios. Los productores campesinos también contribuirán al presupuesto nacional con el pago de sus impuestos y el cumplimiento de todas las regulaciones genéticas, sanitarias, comerciales y de exportación-importación.

Esta visión exige la formación de profesionales de las ciencias agronómicas, veterinarias y de otras especialidades, para que gestionen la modernización de las tecnologías de producción sin descuidar un sano equilibrio ecológico.

Se propone redactar, discutir y aprobar una «Ley para el Desarrollo Agropecuario y de la Sociedad Civil Rural», que garantice e implemente en la práctica esta renovadora visión dentro de un marco jurídico integrador, coherente y lo más simple posible que ofrezca seguridad, orden, derechos y deberes a personas, asociaciones e instituciones, relacionados con este sector.

3. Objetivos para alcanzar esta visión

Para alcanzar esta nueva visión sobre el desarrollo agropecuario y de la sociedad civil rural en el futuro de Cuba, proponemos los siguientes objetivos:

1. Avanzar hacia una agricultura industrial o de mercado con un marcado componente social que tenga como centro y fin el desarrollo humano integral del la persona del campesino y de su familia así como su seguridad alimentaria de todo el país.

2. Proponer una «Ley para el Desarrollo Agropecuario y de la Sociedad Civil Rural» que provea de un marco legal y ayude a poner en la práctica la visión recomendada, especialmente bajo el concepto de que «la tierra sea del que la trabaja» y la evitación de los latifundios y tierras ociosas.

3. Proponer que dicha reforma legal agropecuaria sea de forma gradual y ordenada para cuidar que el costo humano y social de las reformas sea el mínimo posible y poder garantizar una agricultura principalmente privada, intensiva, mecanizada, tecnificada, sostenible, sustentable y ecológica, y ofrecer la debida educación e información al respecto.

4. Poner en licitación las tierras que se encuentran en poder del Estado entregando títulos de propiedad. Esta debe priorizar a los ciudadanos cubanos que trabajan la tierra. Además que tenga en cuenta en la medida de lo posible la reparación de los daños causados por las políticas intervencionistas y monopolistas del Estado. Reformar la estructura actual de la propiedad.

5. Dejar como función del Estado, en todo ese nuevo contexto productivo, la de brindar información y asesoramiento a los productores, otorgarles créditos, así como ayudarlos en casos de catástrofes naturales, condiciones climatológicas adversas a un determinado cultivo o desastres medioambientales producidos por el hombre, salvando la responsabilidad jurídica y administrativa de los culpables debidamente juzgados por tribunales competentes.

6. Reconocerle también al Estado la posibilidad de iniciar un proceso para subastar las fincas cuando se compruebe que el propietario, sin justa causa para ello (y pese al pago de impuestos sobre tierras ociosas), mantiene su finca sin producir. Ese tipo de procesos tendrían que estar rodeados de todas las garantías procesales necesarias; realizarse solo en casos excepcionalísimos, y siempre previo un formal requerimiento al propietario, el cual deberá ser hecho con antelación suficiente para que él tenga la posibilidad real de subsanar su inacción. Además, en caso de llevarse a cabo un proceso de esta naturaleza, tendría que ser en una subasta pública y bien publicitada, y lo que se pague por la finca deberá serle entregado a dicho propietario.

7. Garantizar la debida y necesaria educación medioambiental con su correspondiente marco jurídico ecológico de forma que todos los ciudadanos contribuyan al cuidado de la naturaleza.

8. Introducir nuevas tecnologías y nuevas variedades para alcanzar la eficiencia económica mediante un uso más racional de la tierra, la población ganadera y los recursos.

9. Fomentar un rápido desarrollo de la sociedad civil rural que favorezca la integración voluntaria e independiente de las familias campesinas

mediante un marco jurídico que garantice la libertad, el respeto a la propiedad y las oportunidades comerciales. Desarrollar una clase media rural. Establecer salarios mínimos que estén en correspondencia con el costo de la vida y estimulen el interés de los trabajadores y los profesionales del sector.

10. Incorporar la protección e higiene de los trabajadores agrícolas poniendo la salud y el bienestar de las personas y comunidades en primer plano.

11. Desarrollar la ingeniería genética y la biotecnología agropecuaria, la agrometeorología, la sanidad vegetal, las técnicas de riego y drenaje, la reparación y mejoramiento de los suelos, el uso de biofertilizantes, la eliminación o racionalización de los productos químicos mediante una estrecha colaboración con Universidades y otros centros académicos e institutos de investigación, nacionales e internacionales.

12. Generalizar y fomentar la producción de semillas mejoradas y la introducción de nuevas variedades y razas pecuarias para elevar los niveles de rendimiento agropecuario a la par que la calidad de los productos

13. Generalizar la mecanización agrícola y de la industria relacionada con el sector pecuario para mejorar la vida y condiciones de trabajo del campesino y un cultivo intensivo de la tierra sin perjudicar los suelos y el medio ambiente.

14. Introducir y generalizar el uso de las Tecnológicas de la Informática y las Comunicaciones (TICs) por parte de la familia y sus organizaciones campesinas y para intercambiar conocimientos, difundir una cultura agrícola actualizada, optimizar el cultivo de la tierra, la producción de alimentos y otras producciones lúdicas, que contribuyen a la elevación de la calidad de vida del país, y también a aumentar los renglones de exportación.

15. Formar profesionales y técnicos en las ciencias agropecuarias, como la agronomía, la medicina veterinaria, la ingeniería forestal, y otras especialidades como informática, la biotecnología, la ingeniería genética, que puedan conocer, dominar y aplicar los conocimientos y habilidades necesarios para la modernización de las tecnologías de producción sin descuidar un sano equilibrio ecológico.

16. Trabajar para alcanzar una agricultura que llegue a ser uno de los diversos motores de la economía cubana, donde encuentren campo de aplicación otras ramas del saber y proyectos de inversión de otros sectores de la economía, promoviendo la diversidad productiva y de exportación, superando el monocultivo, el latifundio y las tierras ociosas.

17. Crear mercados mayoristas agropecuarios como complemento y necesidad de los productores, garantizando el equilibrio de la balanza

comercial y precios, la diversificación de variedades, razas animales, productos sanitarios, fertilizantes, equipamiento para la agroindustria, sistemas de riego.

18. Trabajar por alcanzar una agricultura interrelacionada directamente con el sector del comercio y los servicios para lograr, de manera inmediata y eficiente, la colocación y venta de los productos frescos en el mercado y el dinero en manos de los productores. Eliminar el sistema de acopio y monopolios mercantiles del Estado.

19. Trabajar por alcanzar una agricultura no solo de cultivo, sino también vinculada con la agroindustria: como puede ser envase y conservación de alimentos, elaboración y conserva de productos cárnicos y lácteos, procesamiento de pieles de animales, jabonería y perfumería, mieles, medicamentos, fabricación de paneles de madera y muchos otros productos.

20. Trabajar por alcanzar una agricultura sana y recicladora, en que no se empleen sustancias tóxicas y libre de plagas, productora de alimentos que no perjudiquen la salud de los consumidores, que no contamine el medio ambiente. Una agricultura donde sus desechos lejos de ser contaminadores, puedan ser reprocesados y utilizados para elaborar fertilizantes, alimento animal, reciclaje de aguas y otros líquidos aprovechables, y como materias primas para la obtención de otros productos.

4. Estrategias para alcanzar estos objetivos en el desarrollo agropecuario y de la sociedad civil rural

1. Abrir una consulta y debate lo más amplios posibles, especialmente entre campesinos, especialistas afines y ciudadanía en general, sobre la visión que se propone así como el alcance y contenido de la nueva «Ley para el Desarrollo Agropecuario y de la Sociedad Civil Rural» que debe aprobarse e implementarse con carácter urgente y progresivo.

2. Realizar un Censo Agropecuario moderno y actualizable que recoja la mayor información posible destinada a un Banco de Información Agropecuaria que refleje datos útiles sobre la situación del sector en Cuba: la distribución y uso actual de la tierra, las infraestructuras agropecuarias, la población ganadera, la situación de las vías de acceso, la situación de las familias campesinas, las industrias relacionadas con el sector agropecuario, el actual acceso a las TIC en las zonas rurales y otros aspectos de interés con vista a los cambios necesarios en la agricultura. Primero: Organizar los objetivos que se desean alcanzar con el Censo, la logística, la capacitación del personal, la

preparación para el procesamiento de los datos y demás asuntos relacionados con este. En un segundo momento: la realización del Censo, procesamiento de los datos y creación de un Banco de datos públicos, que serán debidamente difundidos para que puedan ser consultados por los diferentes actores sociales que intervienen en el sector, para trazar políticas, estrategias, proyectos u otros relacionados con el desarrollo del sector agropecuario. Actualizar el catastro como punto de partida de la reforma estructural.

3. Convocar a un proceso de licitación, venta o directamente entrega de la tierra en propiedad privada o cooperativa plena, tratando de evitar el latifundio, las tierras ociosas, el arrendamiento en condiciones injustas, el daño al medio ambiente y la precariedad tecnológica. Establecer las garantías y una renta razonable para la tierra en usufructo, de tal forma que desempeñe un estímulo similar el título de propiedad. Estimular en lo posible el paso de tierras en usufructo a tierras en propiedad.

4. Crear un Banco de Fomento Agropecuario (al estilo del Banco de Fomento Agrícola e Industrial de Cuba, BANFAIC) que ayude a desarrollar la visión que proponemos, con autonomía de gestión, en un principio respaldado financieramente por el Estado, buscando inversión, justicia social y equilibrio en el mercado financiero para el sector agroindustrial, que contribuya a crear otras vías de acceso a créditos, proyectos de desarrollo, microcréditos y otras formas de sostenibilidad para el sector agropecuario con el fin de ayudar a salir de la precariedad financiera, tecnológica y productiva.

5. Establecer las vías que posibiliten a las personas naturales y demás formas de propiedad el acceso al financiamiento para la compra de empresas estatales en licitación y desarrollar otros proyectos agroindustriales. Ofrecer formas de financiamiento con bajas tasas de intereses, plazos prolongados de devolución buscando estimular el crecimiento y desarrollo del sector. Disminuir la dependencia de la usura.

6. Garantizar la posibilidad de compra de empresas en licitación primero a los nacionales y permitir la entrada de la inversión extranjera directa en la agroindustria dando impulso económico, tecnológico y de mercado.

7. Crear cooperativas a partir de la voluntad de los poseedores de las tierras, ganados, instalaciones y aperos, en correspondencia con la Declaración de la Alianza Cooperativa Internacional, adoptada en 1995, que define las cooperativas como asociaciones autónomas de personas que se unen voluntariamente para hacer frente a sus necesidades y aspiraciones económicas, sociales y culturales comunes, por medio de una empresa de propiedad conjunta y democráticamente controlada.

8. Hacer un estudio académico independiente por parte de universidades y otros centros (tanques de pensamientos, ONGs, instituciones religiosas y otras) para identificar, y buscar modos de corregir deformaciones estructurales, educar y promover a las personas y grupos humanos más vulnerables frente a esta reforma, evitar en lo posible los impactos negativos que puedan tener los cambios hacia los que propone avanzar esta visión y la forma de subsidiar, paliar o resolver los impactos negativos o debilidades insoslayables del proceso. Estos estudios deberán responder académicamente a la pregunta de: ¿Podrá Cuba seguir siendo un país agrario en medio de un mundo globalizado? ¿Cómo implementar nuevas tecnificaciones en este contexto?

9. Descentralizar los centros de investigación en el sector agropecuario para acercarlos todo lo posible a los productores. Actualizar las universidades agrarias y sus vínculos efectivos con los productores agropecuarios.

10. Crear o generalizar vínculos efectivos y dinámicos entre los productores agropecuarios y los centros de ingeniería genética y biotecnología especializados en el sector para garantizar la rápida introducción de semillas mejoradas, nuevas variedades, nuevas razas de ganado, nuevas tecnologías que alcancen mejores calidades y altos rendimientos.

11. Importar o fabricar maquinaria agropecuaria moderna que garantice una agricultura y desarrollo pecuario mecanizados y eficientes, y que no provoquen daños significativos al medio ambiente. Crear una nueva industria para la agromecanización.

12. Modernizar y generalizar el servicio meteorológico agropecuario y establecer sólidos y modernos canales de comunicación con los productores para evitar o prevenir afectaciones climáticas o al medio ambiente. Asegurar la vigilancia epidemiológica en la producción agropecuaria.

13. Crear granjas-escuelas con cursos de formación ética y cívica rural para el mejor funcionamiento de cooperativas campesinas verdaderamente independientes, y para educar para la reconstrucción del tejido de la sociedad civil rural. Garantizar la posibilidad legal de que asociaciones, instituciones, cooperativas, localidades y ciudadanos puedan participar en el sector de la educación con la creación de escuelas rurales, politécnicas, centros de estudios, universidades agrarias.

14. Mejorar la calidad de la educación pública en el sector rural. Incentivar a las instituciones educativas públicas y privadas que interactúan con la comunidad para que incluyan en sus currículos de estudio objetivos que eduquen en los valores y virtudes morales y cívicas, la igualdad de género, la inclusión, el respeto a la diversidad y a la orientación sexual en el ámbito rural para ir superando tabúes y discriminaciones bastante arraigadas en este sector.

15. Crear consultorías jurídicas agropecuarias para educar y asesorar en los derechos y deberes del trabajador agrícola y pecuario así como en la gestión de la sociedad civil rural.

16. Mejorar y consolidar el uso, conservación y gestión de las fuentes de agua, los embalses, los ríos y los humedales para, que al mismo tiempo que se garantice un uso racional de los recursos hídricos se evite la contaminación o agotamiento de este vital recurso.

17. Mejorar y establecer políticas de uso racional, explotación y conservación-mejoramiento de los suelos cultivables, evitando los procesos degradantes como la salinización, la desertificación, las plantas indeseables como el marabú y otras. Definir los fertilizantes, pesticidas y otros productos químicos que le permitan a la agricultura lograr un sano equilibrio entre los fertilizantes y la biodiversidad.

18. El Ministerio de Agricultura debe desarrollar políticas que desalienten el monocultivo y estimulen los cultivos rotativos estacionales.

19. Establecer las estrategias necesarias y suficientes para evitar la reconcentración forzada de familias campesinas en poblados o la migración a las ciudades que ha provocado de forma general que se haya degradado la cultura rural. Rescatar en lo posible y cultivar lo que subsiste de la cultura campesina y pecuaria que se preciaba de tener una amplia sabiduría natural, con un gran conocimiento sobre técnicas y métodos de cultivo, crianza de ganado mayor y doméstico y en la preservación de los suelos de forma más sana, siendo poseedor y transmisor de tradiciones, costumbres, valores y virtudes que caracterizan su ámbito existencial y su idiosincrasia. Estimular por diversos métodos el regreso a las actividades agropecuarias y evitar en lo posible el éxodo excesivo de los campos cubanos.

20. Adoptar un régimen de comercio abierto y equitativo en el que los tratados comerciales tengan un efecto positivo para el desarrollo sostenible. Los ciudadanos cubanos, donde quiera que vivan, así como empresas y otras entidades nacionales tendrán preferencia frente a los ciudadanos, empresas y entidades extranjeras.

21. Favorecer los vínculos independientes entre asociaciones campesinas y productores cubanos con sus homólogos o correspondientes en el exterior para el intercambio libre de experiencias y para favorecer un comercio ágil y autónomo respetando las regulaciones sanitarias y aduanales que existen en cualquier lugar.

22. El subsuelo es propiedad del Estado cubano, pero para su explotación los propietarios de la tierra tendrán facilidades. Para la explotación del subsuelo en tierras de otras propiedades particulares será

necesario informar a los propietarios sobre el tipo de recurso a explotar y compensarlos teniendo en cuenta valor y magnitud del recurso a explotar. Se autoriza la perforación del subsuelo a los propietarios de la tierra para fines de riego.

23. Los antiguos dueños de tierras que presenten reclamaciones, deben garantizar el pleno aprovechamiento de las tierras que vuelvan a ser de su propiedad. Cuando la reclamación implique desalojo, el *Ombudsman* o Defensor del Pueblo en el Ministerio de Agricultura debe mediar en beneficio de ambas partes.

24. Para los ciudadanos, empresas y otras entidades extranjeras se establecerá un tiempo máximo de 20 años válidos para el disfrute de la propiedad sobre la tierra y el subsuelo. Caducado este tiempo será necesario evaluar los términos del contrato para ser aprobado por otros 20 años. Este contrato podrá renovarse muchas veces. Si la tierra o el subsuelo quedaran improductivos se dispondrá de dos años para decidir su destino en licitación.

25. Garantizar en las zonas rurales las infraestructuras necesarias en las comunicaciones para el acceso libre y eficaz a Internet y demás vías de información y comunicación. Facilitar las publicaciones especializadas campesinas independientes.

26. Favorecer los vínculos autónomos entre productores-transportación-comercialización interna-exportación, de forma que no se pierdan las cosechas y productos de origen animal y puedan llegar frescos y saludables a su destino final.

27. Legislar una participación del nivel local y de las autoridades locales en la promoción de la sostenibilidad y de los beneficios del sector agropecuario a través de los impuestos para el desarrollo local rural.

28. Crear un Servicio Informático Agrícola para estimular y sostener la producción de *software*, cursos *on line*, información especializada sistemática, así como la informatización del mundo rural.

29. Considerar las ventajas y desventajas de ayudas o asistencias internacionales para el desarrollo agropecuario y escoger aquellas variantes que favorezcan a los productores y a la diversificación y rentabilidad del sector.

30. Crear programas materno-infantiles que faciliten la labor de la mujer en las tareas agropecuarias, salvaguardando la convivencia y educación familiar insustituible.

31. Fomentar la organización y cooperación de los minifundios privados en cooperativas regionales.

32. Desarrollar cursos breves (no más de dos años o cuatro semestres) de organización y administración de cooperativas. Deben crearse escuelas

primarias rurales accesibles (por distancia o por transporte) a los hijos de todos los agricultores.

33. Promover un amplio programa de reforestación, incluyendo bosques de maderas preciosas como cedros y caobas.

Sugerencias específicas para mejorar el usufructo:

Aunque en otros objetivos y estrategias se propone como algo mejor cambiar el usufructo por plena propiedad de la tierra, mientras eso sea una realidad se sugieren estas[4] acciones que propone el Dr. Mesa-Lago en su ponencia motivadora que aparece íntegra al final de este Informe:

1. Publicar la cifra correcta de los usufructuarios y cuánto estos aportan a la economía, a fin de evaluar su eficiencia, diseñar políticas adecuadas y promover la producción.

2. Aumentar el tamaño de la parcela, y extender el período del contrato de usufructo de 20 a 50 años o por tiempo indefinido.

3. Crear mercados mayoristas en todo el país, que suministren a los usufructuarios y dueños de tierra, insumos esenciales a precios razonables; esto sería compensado por un aumento en la producción y precios más bajos.

4. Eliminar el monopolio del acopio y dejar a los usufructuarios que decidan qué producir, a quién vender y fijar los precios, sin intervención estatal.

5. Promover cooperativas voluntarias y autónomas que comercialicen los productos generados por los usufructuarios y dueños de tierra, a fin de reemplazar a los mediadores estatales o privados que pagan precios bajos a los productores y encarecen los precios a los consumidores.

6. Entrenar a los usufructuarios ya sea por el gobierno, ONGs u otras entidades.

7. No limitar la inversión del usufructuario en la parcela, garantizarla en caso de no renovación o extinción del contrato y permitir la inversión extranjera sujeta a la regulación legal adecuada.

8. Aumentar el microcrédito a la agricultura preferiblemente por un banco especializado en esta actividad.

9. Permitir la libre contratación de empleados como se hace a los cuentapropistas, regulando sus condiciones de trabajo.

10. Unificar los cinco impuestos existentes (venta, mano de obra, valor de la tierra, ingresos y tierras ociosas) preferiblemente en uno sobre la venta y con una tasa apropiada que no desincentive a la producción (sería aconsejable mantener el impuesto a la tierra ociosa).

---

[4] Varias de estas sugerencias fueron hechas por los 25 usufructuarios entrevistados en 2015, otras de economistas cubanos que residen en la Isla y expertos en el exterior.

11. Establecer procedimientos fáciles y rápidos para solicitar el usufructo, la inversión, etc.

Estas medidas harían a Cuba autosuficiente en la alimentación, terminarían la costosa importación de alimentos y generarían un excedente para la exportación, como ha ocurrido en China y Vietnam, a la par de que mejorarían el nivel de vida de los productores y de la población.

5. Leyes, estructuras y espacios para el desarrollo agropecuario y de la vida rural en Cuba

1. Redactar y aprobar una «Ley para el Desarrollo Agropecuario y de la Sociedad Civil Rural» que contenga los Derechos-Deberes de los agricultores, de las familias y las comunidades campesinas, de la sociedad civil rural.

2. Derogar las leyes vigentes que impiden la participación del sector privado en la agroindustria y el mercado, fundamentalmente las que hoy impiden la participación de campesinos y demás ciudadanos en el aprovechamiento del valor agregado en el sector del tabaco, café, cacao, caña de azúcar y derivados de la ganadería y otros.

3. El Ministerio de Agricultura debe contar con un *Ombudsman* o Defensor de los Derechos Campesinos y su equipo que analice, interprete y defienda las necesidades de los agricultores.

4. Crear el marco legal que garantice personalidad jurídica a las personas individuales, empresas familiares, cooperativas y otras formas de propiedad que intervienen en la agroindustria y el mercado.

5. Aprobar leyes que regulen y organicen la actividad agroindustrial y de mercado garantizando la igualdad de derechos y oportunidades. Estas leyes deben garantizar que la forma de intervención gubernamental sea facilitadora y no gerencial.

6. Creación de los mecanismos y el marco legal necesarios para que el sector privado intervenga en todos los procesos agropecuarios y agroindustriales, desde la producción en la base, la fase industrial hasta la comercialización interna y externa de los productos y los recursos necesarios. Eliminación total de la intervención estatal en la determinación de precios de los productos del campo.

7. Circunscribir la misión del gobierno central en el sector agropecuario a facilitar al máximo la producción agropecuaria del país según los intereses combinados de los productores y los consumidores (flexibilidad de oferta y demanda) para ello: Eliminación completa de los aparatos

de acopio e intermediación estatal monopolística. Concentrarse en la producción de «bienes y servicios públicos» de apoyo a productores y consumidores. Promover la seguridad contractual y jurídica en general a los niveles nacionales, estales y municipales. Defender los principios de libre competencia y prohibir el desarrollo de monopolios comerciales y de intermediación. Promover el desarrollo privado de las organizaciones de intermediación financiera (ahorro y crédito) para facilitar el financiamiento del sector. Estimular la generación de estadísticas que sirvan para guiar las decisiones de los productores agropecuarios.

8. Despenalizar el sacrificio de ganado mayor y de otros renglones de mar, aire y tierra por parte de los ciudadanos cubanos, teniendo en cuenta el cuidado, regulación y preservación de las especies con sus períodos de veda, reproducción y fomento. Este proceso debe realizarse paulatinamente a la par de aplicar políticas que incentiven el aumento de la masa ganadera y de las demás especies y producciones.

9. Creación de un sistema de impuestos que estimule el crecimiento y el desarrollo del sector agropecuario.

10. Reconocer los derechos de herencia de la tierra, los ganados, industrias relacionadas y las infraestructuras, así como el derecho de los propietarios de tierra a la compra-venta, donación u otra forma de traspaso de la propiedad.

11. Asegurar la garantía jurídica y política de los campesinos mediante la implementación ágil y adecuada de la nueva Ley: Reglamentos, Consultorías, Estructuras y políticas públicas que favorezcan la transformación y desarrollo de la vida rural en Cuba.

12. Reforma del actual Ministerio de la Agricultura en Ministerio de Desarrollo Agropecuario y fomentar organizaciones, cooperativas, y otras ONGs para la defensa, educación, promoción de la sociedad civil rural.

13. Promover la creación y fortalecimiento de instituciones democráticas en un Estado de derecho capaz de enfrentar retos como: el cambio climático, el agujero en la capa de ozono, la reducción en la variedad de especies, la degradación de tierras agrícolas y de las aguas pluviales, la contaminación tóxica y el consumo excesivo. Crear los espacios, estructuras y marco jurídico para la libertad de cultivo y de mercado interno y externo.

14. Incluir en la nueva Ley de Asociaciones las particularidades de las cooperativas, ONGs y otras instituciones del sector rural. Se garantiza la libre asociación y sindicalización.

15. Aprobar los Decretos y Reglamentos transitorios y cautelares necesarios para proteger a los actuales usufructuarios de posibles arbitrariedades que los despojen de las tierras que hoy trabajan durante

el periodo de redacción y aprobación de una Ley para el desarrollo agropecuario y ayude a su adaptación al nuevo marco legal.

16. Debe mantener un cuerpo de inspectores que vigilen el uso/abuso de pesticidas y fertilizantes que contaminen el ambiente.

17. Creación de Lonjas Agropecuarias regionales para comerciar los productos agropecuarios y de una Bolsa Nacional de Productos Básicos.

18. Conceder facilidades de exportación a los productores con excedentes.

19. Crear un marco legal que favorezca y garantice la integración comunitaria rural, la promoción de la mujer, la maternidad, la paternidad, la salud y educación de la niñez, la integración de la juventud campesina, la inclusión e igualdad de personas con orientación sexual diversa, color de la piel, opinión política, religión, entre otras, y la inclusión de las personas con capacidades especiales.

20. Crear el marco legal apropiado para garantizar la posibilidad de crear o financiar la fundación de centros científicos por parte de ciudadanos e instituciones de la sociedad civil, así como poder participar como dueños en centros científicos que ya existen.

21. Crear el marco legal para que los centros científicos puedan trabajar directamente con capital privado en favor de investigaciones y proyectos de interés para los que financian.

22. Garantizar legalmente la libertad de prensa para que los ciudadanos e instituciones del sector agropecuario (asociaciones, cooperativas, corporaciones o ciudadanos) puedan crear sus propias publicaciones, programas de televisión, periódicos, boletines u otras iniciativas para la difusión del quehacer en el campo.

23. Crear un marco legal para proteger y fomentar la biodiversidad, la sostenibilidad y la apertura de nuestra agricultura al mundo: entre la globalización, la ecología y la soberanía alimentaria en Cuba (Cf. II Informe del CEC. Tránsito Constitucional y Marco Jurídico: de la ley a la ley).

24. Crear un marco legal que proteja los derechos de autor en el sector agropecuario, así como los resultados alcanzados en el país en cuanto a genética, variedades, semillas y otros descubrimientos y creaciones.

25. Crear un marco legal antilatifundios y antimonopolios. Definir con claridad la cantidad máxima de tierra que puede llegar a poseer un ciudadano con vistas a evitar la formación de latifundios.

26. Las leyes aquí sugeridas para la agricultura es indispensable que tengan como base subyacente en la Constitución de la República el pleno y explícito reconocimiento de todas las disposiciones reconocidas internacionalmente en la Carta Internacional de Derechos Humanos, sin exclusión de ninguno de sus componentes, que son la Declaración

Universal de Derechos Humanos y los Pactos Internacionales de Derechos Económicos, Sociales y Culturales y de Derechos Civiles y Políticos, así como sus Protocolos Facultativos. Es indispensable también el explícito reconocimiento constitucional de la Carta Internacional Americana de Garantías Sociales, aprobada en la IX Conferencia de la Organización de Estados Americanos. Estos derechos, libertades y garantías reconocidos internacionalmente son la base fundamental de cualesquiera leyes y disposiciones que elabore la legislatura sobre estos temas dentro de los parámetros de la Constitución de la República.

27. Integrar todos los anteriores marcos legales en una nueva «Ley para el Desarrollo Agropecuario y de la Sociedad Civil Rural» que implemente y garantice, de forma coherente y sencilla, la visión, los objetivos y las estrategias propuestas en este informe.

PONENCIAS PRESENTADAS EN EL IV ENCUENTRO
DE PENSAMIENTO Y PROPUESTAS PARA CUBA, EN
LA ISLA Y EN LA DIÁSPORA

LA REFORMA AGRARIA BAJO RAÚL: EVALUACIÓN DEL USUFRUCTO[1]

Por Carmelo Mesa-Lago[2]

La principal reforma estructural de Raúl Castro en la agricultura es la entrega de terrenos en usufructo: una forma de cultivar la tierra en la cual el dueño (el Estado en Cuba) mantiene la propiedad y cede la tierra al usufructuario para su uso y apropiación de frutos, mediante contratos. El usufructo se inició en 1995, durante la severa crisis del decenio del 90, pero se mantuvo estático hasta 2009 cuando el gobierno comenzó a distribuir tierras estatales «ociosas» (no cultivadas) principalmente a las personas naturales pero también a personas jurídicas como las cooperativas y las entidades estatales. Regulan el usufructo dos leyes de 2008 y 2012, la segunda más flexible que la primera (Decretos-leyes 2008 y 2012); otra modificación legal ocurrió en 2017 (Martínez, 2017). De acuerdo con Nova (2013), las cuestiones esenciales que deben resolverse en la agricultura son: propiedad real de la tierra (derecho a decidir qué cultivar, a quién vender los productos y a fijar su precio); reconocimiento del papel clave del

[1] Esta ponencia ha sido preparada expresamente para el IV Encuentro del Centro de Estudios Convivencia y está basada en Mesa-Lago, Veiga, González, Rojas y Pérez-Liñán, 2016, con una estructura distinta, actualizado a diciembre 2017, con nuevas estadísticas, legislación y artículos de prensa, a más de agregar una sección de conclusiones y sugerencias.

[2] Carmelo Mesa-Lago (La Habana, 1934). Licenciado en Derecho Universidad de La Habana (1956). Doctorado en Derecho Universidad Complutense de Madrid, Diplomado en Seguridad Social OISS (1958).Maestría en Economía Universidad de Miami (1965). PhD. en Relaciones Laborales y Seguridad Social Universidad de Cornell (1968). Catedrático Distinguido Emérito de Economía y Estudios Latinoamericanos Universidad de Pittsburgh. Autor o editor de 93 libros y 300 artículos académicos/capítulos en libros sobre la economía cubana, sistemas económicos comparados y economía de la seguridad social en América Latina.

mercado; eliminación de monopolios y diversificación de la comercialización con cooperativas autónomas; y libertad en la contratación de la mano de obra. Este artículo estudia: I) el tamaño, tendencias y características del usufructo, II) los avances y obstáculos o problemas, III) los efectos económicos; y IV) conclusiones y sugerencias para mejorar el usufructo. También se informa de algunas respuestas de 25 usufructuarios que fueron entrevistados en las provincias de La Habana, Artemisa y Mayabeque, en abril-junio de 2015 (Mesa-Lago, Veiga, González, Rojas y Pérez Liñán, 2016).

I. Tamaño, tendencias y características

A fines de 2012 se habían distribuido 1,5 millones de hectáreas de tierras estatales ociosas a 174.271 usufructuarios (personas naturales) y a 2.700 personas jurídicas (Juventud Rebelde, 10-11-2013). En 2015 Marino Murillo informó al Congreso de la ANAP, que había más de 200.000 usufructuarios a los cuales se les habían entregado 1,7 millones de hectáreas desde 2008 (Martín, 2015; «Cuba entrega…», 2015). Pero la ONEI dio un total de 300.810 usufructuarios en 2012, 157.948 de los cuales eran regidos por la ley de usufructo de 2008 (menos que las cifras reportadas de 174.271 y «más de 200.000») y 142.862 recibieron su autorización en 1995-2000 y estaban bajo el régimen de la ley de 2012. El número total de usufructuarios alcanzó una cima de 312.752 en 2013, pero disminuyó a 279.021 en 2015 con un repunte a 287.107 en 2016 (8% menos que en 2013). Información fragmentada indica que aunque se entregaron tierras a 222.000 usufructuarios, solo había 151.000 operando activamente (Cuadro 1).

Cuadro 1. Número de Usufructuarios y Tierra Entregada, 2012-2016

Usufructuarios	2012	2013	2014	2015	2016
Total	300.810	312.752	312.296	279.021	287.107
1995-2000	142.682	n.d.	n.d.	n.d.	136.107
Desde 2009	157.948	n.d.	n.d.	n.d.	151.000
Total % ocupación total	6,1	6,4	6,3	5,7	6,2
Tierras entregadas[a]	1,5	1,6	1,7	n.d.	1,9

[a]Millones de hectáreas entregadas en usufructo.
Fuente: Elaboración del autor basada en ONEI, 2013, 2014, 2015, 2016, 2017a; Martín, 2015; Martínez, 2017; Doimeadiós, 2017.

La información anterior no solo tiene vacíos y es contradictoria respecto al número de usufructuarios y su desglose, sino también sobre las tierras entregadas. Así, en 2017 se dijo que había 1,9, 1,7 y 1,2 millones de tierras entregadas (Martínez, 2017; Doimediós, 2017). Según Marino Murillo, «la falta de crecimiento» en la entrega de tierras se debe a que se han reducido las solicitudes porque los terrenos ahora disponibles son menos productivos, están infestados de marabú, se encuentran alejados de asentamientos poblaciones y servicios básicos o tienen dificultades para acceder a las fuentes de agua (Martínez, 2017).

El Cuadro 2 muestra los cambios entre 2007 (antes de la promulgación de la primera ley de usufructo) y 2016 (la última cifra disponible), en miles de hectáreas, respecto a las tierras agrícolas, cultivadas y no cultivadas por tipo de tenencia: Estado, cooperativas UBPC/CPA y cooperativas CCS/ sector privado.[3]

Cuadro 2. Distribución de Tierras Agrícolas, Cultivadas y no Cultivadas, Según el Tipo de Tenencia, 2007 y 2016

Años y categorías	Total	Estatal	No estatal	
			UBPC/CPA	CSS/Privado
Área	(1,000 h.)			
2007				
Agrícola	6.619	2.371	3.034	1.214
Cultivada	2.988	694	1.495	799
No cultivada	3.631	1.677	1.539	415
2016				
Agrícola	6.227	1.912	2.031	2.284
Cultivada	2.734	522	1.108	1.104
No cultivada	3.493	1.390	923	1.180
Cambio 2007/2016				
Agrícola	-392	-459	-1.003	1.070
Cultivada	-254	-172	-387	305
No cultivada	-138	-287	-616	765
Distribución (%)				
2007				
Agrícola	100,0	35,8	45,9	18,3

---

[3] UBPC: Unidades Básicas de Producción Cooperativa; CPA: Cooperativas de Producción Agropecuaria; CCS: Cooperativas de Crédito y Servicios.

Años y categorías	Total	Estatal		No estatal
Cultivada	100,0	23,2	50,0	26,7
No cultivada	100,0	46,3	42,4	11,4
2016				
Agrícola	100,0	30,7	32,6	36,7
Cultivada	100,0	19,1	40,5	40,4
No cultivada	100,0	39,8	26,4	33,8

Fuente: Elaboración del autor basada en datos de la ONEI, 2012, 2017a.

Se aprecia una disminución en el total de las tierras agrícolas, especialmente las cultivadas, con las mayores caídas en las UBPC/CPA seguidas por el Estado, mientras que las CCS/privado muestran una fuerte expansión. La ONEI no publica estadísticas desglosadas de los usufructuarios, los cuales no tienen propiedad privada de la tierra ni son necesariamente socios de las CCS, aunque deben estar en el CCS/sector privado dado que fueron los principales receptores de terrenos ociosos estatales. Entre 2007 y 2016, la participación del Estado en el total de las tierras agrícolas disminuyó en 5,1 puntos porcentuales y en las tierras cultivadas en 4,1 puntos; la caída de las UBPC/CPA fue aún mayor, 13,3 y 9,5 puntos respectivamente. Por el contrario, la participación de las CCS/sector privado aumentó 18,4 puntos porcentuales en tierras agrícolas y 13,7 puntos en tierras cultivadas; de nuevo, esta expansión fue probablemente debida al usufructo. Pero el Cuadro 2 muestra que la tierra agrícola en CCS/sector privado creció 1,469.000 hectáreas entre 2007 y 2016, lo cual no concuerda con los 1,9 o 1,7 millones de hectáreas que se dice se entregaron a los usufructuarios en ese período.

Las tierras no cultivadas comprenden pastos naturales y tierras ociosas.[4] El Cuadro 3, estima los porcentajes de las tierras ociosas respecto al total de tierras agrícolas y de las no cultivadas en 2007, y 2013-2016. No se publicaron estadísticas entre 2008 y 2011 y las cifras de 2012 eran erróneas.[5] Entre 2007 y 2016, la tierra ociosa respecto la agrícola total descendió de 18,6% a 14,2%, mientras que respecto a la no cultivada bajó de 34% a 25,3%, lo cual es positivo; sin embargo la tierra agrícola total se redujo en 6%, la cultivada en 8,5% y la no cultivada en 3,8%. No hay explicación oficial de estas tendencias.

---

[4] En 2007 los terrenos ociosos eran: 51% estatales, 44% UBPC/CPA y sólo 5% CCS/privado, esta distribución no se ha publicado después.

[5] Correspondencia con Armando Nova, 8 noviembre 2014.

Cuadro 3. Tierras Ociosas, 2007 y 2013-2016

Años	Tierras (1.000 hectáreas)				Porcentajes	
	1) Agrícolas	2) Cultivadas	3) No cultivadas	4) Ociosas	4/1	4/3
2007	6.620	2.988	3.631	1.233	18,6	34,0
2013	6.342	2.646	3.697	1.046	16,5	28,2
2014	6.279	2.668	3.610	962	15,3	26,6
2015	6.240	2.734	3.506	924	4,8	26,3
2016	6.226	2.734	3.493	884[a]	14,2	25,3

[a] A fines de 2016 se reportaron 894.000 hectáreas de tierras ociosas.
Fuente: ONEI, 2011, 2014, 2015, 2016, 2017a, porcentajes del autor.

No existe información oficial sobre las características de los usufructuarios, como edad, género, raza, educación, etc. Las entrevistas hechas a 25 usufructuarios en 2015 no son necesariamente representativas del universo, pero llenan un vacío, dando las características siguientes: alta edad (entre 26 y 75 años, 28% mayores de 60 años) a pesar de que el trabajo es muy fuerte; todos eran hombres (posiblemente por la rudeza de la labor) y todos blancos; y el nivel escolar era bajo en relación al promedio de la población (la mitad solo tenía entre sexto y noveno grado). Alrededor de 77% de los usufructuarios carece de experiencia agrícola (Juventud Rebelde, 10 noviembre, 2013); el gobierno puede ofrecer capacitación, pero no ha divulgado la cantidad de usufructuarios entrenados.

II. Evaluación de avances y obstáculos/problemas

En esta sección se evalúa el desempeño del usufructo, identificando sus avances y obstáculos o problemas, en doce aspectos clave: 1) propiedad, 2) tamaño de la parcela, 3) contrato, 4) causas de extinción del contrato, 5) inversión en bienhechurías, 6) Impuestos, 7) microcrédito estatal, 8) venta obligatoria al acopio, 9) vinculación/integración al Estado o cooperativas, 10) mercado mayorista e insumos, 11) contratación de empleados, y 12) trámites burocráticos.

1. Propiedad. El usufructo es una forma mixta de tenencia, ya que el Estado continúa siendo propietarios de la tierra mientras que cede al beneficiario la explotación de la misma y la apropiación de los frutos. Estos derechos sin embargo están muy restringidos (ver sección II), mucho más que en América Latina así como China y Vietnam (Mesa-Lago, 2003). Las disposiciones de

2017 ratificaron que la tierra dada en usufructo es propiedad intransferible del Estado; y añadieron que solo pueden otorgarse a aquellos que realmente quieren y pueden hacerlas producir, trabajándolas y administrándolas de manera personal y directa.

2. Tamaño de la parcela. La ley de usufructo de 2012 trajo mejoras importantes respecto a la de 2008, que era muy restrictiva y no generó resultados tangibles. El tamaño de la parcela mínima fue de 13,42 hectáreas (1 caballería) pero era posible entregar hasta 67,10 Ha. (cinco caballerías), siempre que el usufructuario estuviese vinculado a una cooperativa o granja estatal. En los entrevistados en 2015, un 68% tenía una parcela de 13,42 Ha. o menos, lo cual es una barrera para mayor producción. En 2017 se extendió la parcela mínima a 26,84 Ha. (dos caballerías, el doble que en 2012); también se autorizó a las personas naturales la entrega de tierras ociosas de ganadería, para cría y ceba, con la obligación de sembrar alimento animal para el ganado mayor, a fin de evitar casos de desnutrición en el pasado (Martínez, 2017).

3. Período del contrato. El plazo de duración del contrato en 2008 era de 10 años para personas naturales y 20 para las cooperativas y entidades estales. La ley de 2012 mantuvo dicho período para las personas naturales pero lo extendió a 25 años a las cooperativas y entidades estatales. En 2017 se amplió el período del contrato a 20 años (prorrogables a otros 20) para las personas naturales (siempre que se cumplan las obligaciones) y de manera indefinida para las cooperativas y entes estatales.[6] Se argumenta oficialmente que la extensión del contrato y la parcela son incentivos para los usufructuarios, ya que ellos tienen más tiempo para recuperar la inversión.[7]

Pero en las reformas agrícolas sino-vietnamitas, los contratos son por 50 años o por tiempo indefinido (como ahora gozan en Cuba las cooperativas y entes estatales); además, los granjeros deciden que sembrar, a quien vender y fijar precios de mercado —no hay acopio—, cumpliendo así las recomendaciones ya citadas de Nova.

4. Extinción del contrato. El contrato de usufructo puede extinguirse o no renovarse por incumplimiento de las obligaciones del usufructuario: a) «utilizar la tierra de manera racional», según lo interprete el gobierno; b) vender obligatoriamente al Estado aproximadamente el 70% de la cosecha a precios fijados oficialmente por debajo del precio de mercado (acopio, con modificación posterior); c) contratar un número mayor de trabajadores que el

---

[6] A pesar de las ventajas otorgadas a las personas jurídicas, el 98% de los terrenos en usufructo se ha asignado a personas naturales.

[7] Por un decenio, el autor y muchos conocidos economistas cubanos habíamos abogado por una extensión, algunos de nosotros mucho mayor que la concedida en 2017.

permitido; d) vender la inversión en la parcela o realizar inversiones sin permiso estatal; y e) por necesidad pública o interés social.[8] En 2015, Marino Murillo informó que los contratos de 43.000 usufructuarios habían sido cancelados por no utilizar la tierra correctamente (Martín, 2015). En el VII Congreso del PCC en abril de 2016, Raúl pidió imponer restricciones al sector no estatal y Murillo puso como ejemplo, «el establecimiento de los límites de la cantidad de hectáreas que pueda tener alguien» (Castro, 2016; Murillo, 2016a).

Desde 2017, se agregaron tres prohibiciones: usar financiamiento ilícito (el lícito se obstaculiza por la falta de recursos, las restricciones a la inversión extranjera, y el escaso microcrédito); no mantener las tierras en explotación, evitando el mal uso del suelo y la pérdida de productividad; y fallar en sembrar forraje en las tierras ganaderas para alimentar a los animales que poseen. En 2017, el director de Suelos y Control de la Tierra del Ministerio de Agricultura, Eddy Soca Baldoquín advirtió que en los nueve años del usufructo habían ocurrido desviaciones de la política y violaciones de las regulaciones legales, como traspasos y compraventas de las tierras en usufructo, abandono de dichas tierras, e inversiones no autorizadas en bienhechurías, lo cual instigó las nuevas restricciones (citado por Doimeadiós, 2017).

5. *Inversión en bienhechurías.* La ley de 2008 prohibía al usufructuario construir viviendas y establos en la parcela, además de plantar huertos; en 2012 se autorizaron ambas, incluso más de una vivienda si hay parientes que trabajan la tierra. En 2008 se dispuso que solo 1% de la extensión de la tierra podría dedicarse a las bienhechurías, dicha proporción se aumentó a 3% en 2017; pero aun es absurdo pues no debería haber limitación a la inversión. No se permite la inversión extranjera en el usufructo y 68% de los usufructuarios entrevistados en 2015 no recibía remesas del exterior. Ninguno de dichos entrevistados había construido una casa o establo. La razón oficial de estas restricciones es evitar la concentración de la riqueza y la propiedad. Como en China y Vietnam la duración del contrato es por 50 años o por tiempo indefinido, el usufructuario tiene mayores garantías para invertir. Si no se renueva el contrato, el gobierno ha de tasar la inversión (bienhechurías) realizada y abonar el correspondiente reembolso al usufructuario. En caso de muerte o incapacidad del usufructuario, los parientes que trabajen la tierra pueden heredar el usufructo y la inversión.

6. *Impuestos.* La reforma tributaria de 2013 le otorgó al usufructuario una exención de dos años en el pago del impuesto al ingreso personal (5%), al valor de la tierra y a la contratación de mano de obra. La exención al

---

[8] Respecto a esto último, se informa que usufructuarios que llevaban siete años trabajando la tierra en Holguín, les dieron un plazo de seis meses para dejar la tierra pues el gobierno decidió volver a sembrar caña en ellas (*Diario de Cuba*, 7 abril, 2017).

impuesto sobre ingresos podía prorrogarse a cuatro años si se limpiaba el terreno de marabú. La Asamblea Nacional ratificó esta última exención a fines de 2015, además no se aplicó ese año la declaración jurada e impuesto anual sobre ingresos a los usufructuarios no cañeros. Tampoco se aplicó el impuesto sobre ventas (5%) a productos agrícolas en las provincias de Artemisa, Mayabeque y La Habana. El impuesto a las tierras inactivas en usufructo también se suspendió por un año (Ley 113 de 2012; Bohemia, 3 enero, 2014; Pedraza, 2015). Un 88% de los 25 usufructuarios entrevistados en 2015, dijo que pagaban los impuestos a los ingresos y a las ventas.

En 2017 se anunció que en 2018 se iniciaría el cobro de los impuestos establecidos en la ley tributaria, de manera gradual y diferenciada por la productividad de la tierra, por ejemplo, 30 CUP y 120 CUP por cada Ha.; si las tierras están ociosas se aumenta el impuesto a 180 CUP por Ha. (EFE, 26 septiembre, 2017).

7. Microcrédito estatal. A partir de 2011 los bancos estatales comenzaron a ofrecer microcréditos a quienes poseían terrenos en usufructo y se les permitió abrir cuentas bancarias. En 2015 los directores de los bancos Ahorro Popular, Metropolitano y Crédito y Comercio informaron sobre la disponibilidad de pequeños préstamos al sector agropecuario incluyendo a los usufructuarios a los cuales se ofrece una tasa de interés preferencial por dos años (Granma, 30 noviembre, 2015). Estos microcréditos confrontaban el problema que el préstamo debía de resarcirse en 20 años pero el contrato era solo por diez. Al extenderse en 2017 el período a 20 años, se dice que se ha resuelto dicho problema (Doimeadiós, 2017). El acceso de los usufructuarios al microcrédito estatal y cuentas bancarias es mínimo, en 2015 se hizo referencia a 4.000 usufructuarios potenciales que serían 1,3% del total (Granma, 30 noviembre, 2015). El marabú cubre el 50% de la totalidad de los terrenos en usufructo y debe desbrozarse a efectos de dar inicio a la producción, pero no se pueden utilizar a tal efecto los microcréditos estatales; no se otorgan exenciones tributarias si el marabú no se ha erradicado. El usufructuario no tiene derecho a contratar un tractor estatal con cuchilla y le es muy difícil hacerlo con la cooperativa; aún después de «limpiado» el terreno, hay brotes que deben controlarse con herbicidas muy costosos o imposibles de adquirir (14ymedio, 6 junio, 2016). En 2015, ninguno de los 25 entrevistado había solicitado o recibido un microcrédito estatal, ya sea debido a que es muy complicado el proceso de solicitarlos o porque no los necesita.

8. Venta obligatoria al acopio. Todo productor agrícola, incluidos los usufructuarios, puede vender más en el mercado y desde 2013 directamente a entidades turísticas sin intermediación de las cooperativas (Murillo, 2013;

Reuters, 30 junio, 2013). El Decreto 318 de 2013 reformó el sistema de acopio, puso fin al monopolio en la comercialización en tres provincias, permitió la competencia y los precios a valor de mercado de pollo, cerdo, hortalizas, huevos y frutas no cítricas. Se informó que esto resultó en «un discreto aumento en el abastecimiento y diversificación de la oferta pero una producción aún insuficiente que mantiene elevados los precios» (*Granma*, 23 junio, 2014).

Pero el Decreto 318 prohíbe la venta de carne vacuna, subproductos lácteos, café, cacao y miel, además de mantener dentro del sistema de acopio al arroz, los frijoles, el maíz, las papas, los boniatos, la malanga, las cebollas, los ajos, las naranjas y las toronjas, con lo cual los productos agrícolas de mayor importancia son excluidos del mercado libre. El 57% de la producción agrícola se pudre en los campos debido a la falta de transporte, incumplimiento de contratos de compra por el gobierno, y falta de embases (*OnCuba*, 23 mayo, 2017).

El Estado fija precios de acopio inferiores al precio de mercado, aunque aumentó el precio del primero en 2014-2015 y anunció que el acopio desaparecería. Sin embargo, en enero de 2016 el gobierno recurrió al acopio y a precios topados en los mercados estatales y las shoppings en un intento infructuoso de controlar los precios.[9] El semanario del PCC en Las Tunas, manifestó su escepticismo sobre la posibilidad de intervenir por decreto los precios de mercado: «La tentadora idea vende muy bien en las encuestas de opinión [pero] tratar de imponer precios a ´dedo´... solo oxigenaría al mercado negro y la corrupción que le rodea» (Ojeda, 2016). Efectivamente, en el primer trimestre de 2016, la producción agrícola en dicho municipio cayó un 24% (Cubanet, 26 mayo, 2016). Dos economistas cubanos criticaron las medidas porque se ha probado por cuatro decenios que son ineficaces (Pérez Villanueva, 2016; Pavel Vidal, 2016). El autor pronosticó que esa política de precios subsidiados no podría mantenerse a largo plazo porque no son factibles económicamente (citado por Gámez, 2016). Murillo informó que la rebaja de precios en los mercados estatales había generado un fuerte aumento de las ventas, lo cual ha forzado «importar capacidades adicionales [para] poder respaldar las medidas» (Murillo, 2016b: 7-8).

Un debate en la Asamblea Nacional en julio de 2016, concluyó que las medidas citadas tenían el apoyo de los ciudadanos, especialmente de los más

---

[9] A los entrevistados en 2015 se les preguntó si podían reducir sus precios de venta y virtualmente todos respondieron que no era posible, debido a los precios altos de los insumos, los bajos precios pagados por el acopio, o el bajo ingreso que perciben; la mitad dijo que para rebajarlos sería esencial aumentar los precios pagados por el acopio y bajar los del transporte.

humildes, pero que habían causado varios efectos adversos y cuestionó cómo lograr la sustentabilidad de las medidas a mediano y largo plazo sin que haya fluctuaciones en los precios ni desabastecimientos (Granma, 9 y 10 julio, 2016).

9. *Vinculación/Integración al Estado o cooperativas*. A los efectos de obtener insumos y servicios y comercializar sus productos, el usufructuario debe estar vinculado a una granja estatal o a una cooperativa (preferentemente UBPC o CPA), las cuales tienen el menor nivel de autonomía y son notoriamente ineficientes.[10] Debido a su producción relativamente alta y el costo de vender directamente, en 2015 el 52% de los entrevistados vendía todo al Estado, 24% a las UBPC y CPA y 21% a las CCS; el 52% de ellos identificó como el problema más serio que enfrentaban el bajo acceso y altos precios de los insumos, mientras que 11% indicó la comercialización de sus productos. En 2017 se agregó la integración a empresas estatales agropecuarias, azucareras o forestales; lo cual obliga a traspasar las tierras del usufructuario al Estado y que aquel se convierta en obrero estatal o en cooperativista (Martínez, 2017).

10. *Mercado mayorista*. Se reportó en la prensa que el primer mercado mayorista de venta de insumos agrícolas se creó en Pinar del Río en 2014 (Reuters, 1-6-2014). En 2015 se anunció que los precios de insumos como insecticidas, semillas, equipos y medicamentos veterinarios serían reducidos entre 40% y 60% («Cuba entrega...», 2015).

No se ha podido confirmar el funcionamiento del mercado de insumos agrícolas y el único mercado de venta mayorista, El Trigal, era muy insuficiente y se cerró el 19 de mayo de 2016 («Cierran...», 2016). Las respuestas de los 25 usufructuarios a la pregunta de dónde obtienen sus insumos no mencionaron el mercado mayorista e identificaron los insumos como el problema más importante que enfrentaban. En 2016 se promulgaron regulaciones sobre el mercado mayorista (Resolución 62, 2016) y en 2017 se reabrieron el Trigal y Berroa en la Ciudad de La Habana. Pero estos mercados abastecen fundamentalmente a los cuentapropistas y solo en la capital. En 2017, el gobierno asignó 50 millones de CUP (dos millones de dólares) para suministrar a los productores semillas, tecnología, productos biológicos y químicos; una suma exigua en vista al promedio de 174 CUP o 7 dólares por usufructuario basado en el total de 2016.

11. *Contratación de empleados*. Frente a la libertad de contratación sugerida por Nova, los usufructuarios sólo pueden contratar a familiares o trabajadores

---

[10] En la Asamblea Nacional a mediados de 2015, se informó que 73% de las empresas estatales que tuvieron pérdidas en 2014 eran agrícolas; un diputado comentó los graves problemas de la agricultura: su organización, la descapitalización de sus empresas, el entrenamiento insuficiente del personal y la pobre aplicación de la investigación hecha en el país (*Havana Times*, 14 julio, 2015; ver también sección III-1).

estacionales siempre que sean cuentapropistas o socios de cooperativas. El 56% de los usufructuarios entrevistado en 2015 no contrataba empleados.

12. Trámites burocráticos. Los trámites para solicitar usufructo, firmar y prorrogar el contrato y aprobar o modificar la inversión (incluso la construcción de una casa) son engorrosos. La medición de la parcela puede tomar hasta dos meses por deficiencias en los registros públicos, y miles de solicitudes sufren demoras por negligencia o falta de personal cualificado. La Contralora General Gladys Bejarano dijo que las auditorías hechas en 2013, focalizadas en la entrega y uso de la tierra en usufructo, mostraron que no se ha logrado el cambio de mentalidad necesario para aumentar la producción alimentaria y el nivel de vida del pueblo; se encontraron irregularidades y violaciones: el 63% de la entidades auditadas fue calificada como mal o regular por incumplir plazos para entregar las tierras, demoras en trámites y descontrol de tierras ociosas (*Granma*, 3 marzo, 2014; Fonticoba, 2014; «Presentan Informe…», 2014).

III. Efectos

Es muy difícil estimar el impacto del usufructo en la producción agropecuaria, porque no se desglosa. Las personas naturales eran 419.973 en 2016, estas no pertenecen al sector estatal ni al cooperativo. Dichas personas se desagregan como sigue: 63,4% usufructuarios, 23,5% propietarios, 7,4% campesinos dispersos y 0,7% arrendatarios (ONEI, 2017a). De manera que la oficina de estadística excluye a los usufructuarios del sector estatal/cooperativo y, además, lo coloca junto a los propietarios de tierras. La participación de los sectores estatal, cooperativo y propietarios ha descendido desde 2007, de ahí que el único grupo que ha crecido es el de los usufructuarios. Sin embargo, en su cima en 2013, el total de usufructuarios equivalía al 6,4% de la fuerza laboral ocupada, mermaron a 5,7% en 2015 y repuntaron a 6,2% en 2016 (Cuadro 1). Es probable que los obstáculos explicados contribuyeran a la caída, pero no explicaría el repunte en 2016, antes de que se dictaran las medidas con nuevos incentivos en 2017.

Por otra parte, las cifras de producción se dan por sector estatal y privado, el último incluye a los pequeños campesinos dueños de la tierra; los usufructuarios no son granjas estatales y aunque tampoco son propietarios hemos visto que se colocan junto a estos. En 2016, las CCS y el sector privado con 26,7% de la tierra cultivable, produjeron 62% del arroz, 70% de los tubérculos, 72% de los frijoles, 76% de las hortalizas, 79% de los plátanos, 83% de los cítricos, 84% de la leche de vaca, 85% de otras frutas, 87% del maíz y 98% de la producción cañera (basado en Cuadro 2 y ONEI, 2017a).

El PIB generado por el sector agropecuario descendió de 5,7% en 2007 a 3,9% en 2009, 3,7% en 2014 y se estancó en 2015, aun no hay información para 2016 (ONEI, 2008, 2010, 2016). El Ministerio de Agricultura asevera que desde que se introdujo el usufructo, aumentaron «los ritmos de incrementos anuales [en la producción]: 5% en viandas y hortalizas, 6% en maíz, 6% en frutales y 8% en arroz» (Martínez, 2017, p. 3). A los efectos de constatar esta afirmación, el Cuadro 4, compara la producción total agropecuaria en ocho años, entre 2009 (el año en que comenzó el usufructo) y 2016 (el último año disponible).[11] En cinco productos ocurrió un aumento notable, pero en cinco hubo una disminución y en tres un estancamiento. Ninguno de los ritmos anuales de producción dados por el Ministerio de Agricultura es correcto, pues fueron: 2,5% en tubérculos, -1,4% en hortalizas, 3,4% en maíz, -3,7% en otras frutas y 1,3% en arroz; además no dijo que hubo caídas anuales de 10,1% en cítricos y 3,4% en tabaco. En realidad lo que sucedió es que la producción alcanzó una cima (destacada en negrita en el Cuadro) y después mermó en nueve productos y solo aumentó en tres (tubérculos, plátanos y frijoles). Más aún, la producción en 2016 estaba por debajo de 1989 en siete de los doce productos.

Cuadro 4. Producción Agropecuaria en Cuba, 2009-2016 (miles de toneladas métricas).

Productos	2009	2010	2011	2012	2013	2014	2015	2016	2016	
									como % de	
									2008	Cima
Tubérculos	1.565	1.515	1.445	1.452	1.580	1.671	1.743	1.843	18	100
Plátanos	670	735	835	885	658	836	890	1.016	51	100
Hortalizas	2.540	2.141	2.200	2.112	2.406	2.499	2.424	2.285	-10	-10
Arroz	564	454	566	644	673	585	418	514[a]	-9	-23
Maíz	327	324	354	360	426	429	363	404[a]	24	-6
Frijoles	111	80	133	127	129	135	117	136	22	100
Cítricos	418	345	264	204	167	97	115	119[a]	-71	-72
Otras frutas	748	762	817	964	925	884	943	944	26	-2
Tabaco	25	20	20	19	24	19	24	19[a]	-24	-24
Leche de vaca	600	630	600	604	589	588	495	613[a]	2	-3

[11] Entre 2008 y 2016, la producción estatal cayó en seis de nueve productos, mientras que la producción privada aumentó en seis de los nueve (ONEI, 2012, 2017a).

Productos	2009	2010	2011	2012	2013	2014	2015	2016	2016	
Huevos[b]	2.427	2.430	2.620	2.512	2.656	2.572	2.321	2.419[a]	-0,3	-8
Ganado vacuno[c]	3.893	3.992	4.059	4.084	4.092	4.134	4.045	4.014[a]	3	-3

Nota: Las cifras en negrita indican la cima en la producción. [a]La producción en 2016 estaba por debajo de la de 1989 (CEE, 1991). [b]Millones de unidades. [c]Miles de cabezas.
Fuentes: Elaboración del autor basado en ONEI, 2012, 2017a, 2017b.

Las cifras para todo el año 2017 no estaban disponibles cuando se terminó este trabajo, pero una comparación del primer semestre de ese año con el de 2016, muestra que las viandas y hortalizas, arroz, maíz, frijol y cítricos habían disminuido, y sólo otras frutas estaban por encima. Esto antes de que el huracán Irma azotara a Cuba, por lo que es muy probable que hubiese una mengua generalizada en la producción. Esto obligó en 2016 a importar 1.900 millones de dólares en alimentos, equivalente al 19% del total importado por Cuba, para satisfacer 80% del consumo nacional, 60% de lo cual podría producirse en el país («Cuba entrega…», 2015; ONEI, 2017a). A medida que la producción interna merma, aumentan las importaciones de alimentos.

11 Entre 2008 y 2016, la producción estatal cayó en seis de nueve productos, mientras que la producción privada aumentó en seis de los nueve (ONEI, 2012, 2017a).

IV. Conclusiones y sugerencias

4.1. Conclusiones

No hay estadísticas completas del desglose de usufructuarios aprobados entre 1995 y 2000, y de aquellos que se agregaron desde 2008; además hay contradicciones en cifras; en todo caso el número total descendió después de 2013 y era 8% menor en 2016; mientras que los agregados por la reforma de 2008 parecen ser 151.000.

No hay información oficial de las características de los usufructuarios, pero las entrevistas con 25 de ellos en 2015 indican que su edad promedio era 51 años (28% mayores de 60 años), todos eran hombres blancos y tenían un nivel educativo inferior al de la población general y 77% no tienen experiencia en la agricultura. La alta edad, baja educación y falta de experiencia son factores que conspiran contra elevar la producción.

Tampoco hay certeza de la tierra dada en usufructo, en 2017 se dieron cifras entre 1,2 y 1,9 millones de hectáreas, pero la entregada a CCS/sector privado (donde debería estar el usufructo) es de 1,4 millones de hectáreas, todo lo cual acrecienta las dudas sobre las estadísticas oficiales.

Entre 2007 y 2016, la tierra agrícola y la cultivada mermaron en las UBPC/CPA mientras que acrecentaron notablemente en las CCS/sector privado; la relativa a los usufructuarios no se identifica pero se asume que la referida extensión es debida al traspaso de tierras estatales ociosas a los usufructuarios desde 2009. En el mismo período, las tierras agrícolas y cultivadas mermaron 6% y 8,5% respectivamente, mientras que las ociosas disminuyeron 28%, estas menguaron como porcentaje tanto de las tierras agrícolas como de las no cultivadas.

A pesar de sucesivas disposiciones legales en 2008, 2012 y 2017 sobre el usufructo que han generado avances, continúan sus obstáculos y problemas que impiden un mayor progreso: extensión corta del contrato y múltiples causas para extinguirlo; falta de un mercado mayorista de insumos (estos son escasos y caros); vinculación o integración a una granja o empresa estatal o a cooperativas las cuales se ha probado son formas ineficaces de producción; obligación de vender la mayoría de la cosecha al acopio a precios fijados por el gobierno por debajo del precio de mercado; imposición de cinco tipos de impuestos desde 2018; restricciones a la contratación de mano de obra; escaso y difícil acceso al microcrédito; y excesivos trámites burocráticos para solicitar el usufructo, firmar y prorrogar el contrato y pedir autorización para las inversiones que están limitadas al 3% de la tierra entregada. Todo esto puede haber contribuido a la disminución del número de usufructuarios en 2014 y 2015, pero no explica el repunte de 2016 (aunque aún inferior al nivel de 2013).

Aunque no hay cifras específicas sobre la producción agropecuaria de los usufructuarios, entre 2009 y 2016 el total producido en las doce líneas principales disminuyó o se estancó en siete de ellas y aumentó en cinco. Pero si se contrastan las cimas de producción dentro de ese período en las doce líneas con el nivel en 2016, hubo una merma en ocho y sólo tres crecieron. Por último una comparación de los ritmos de crecimiento promedio anual de la producción entre los doce productos indica caídas en seis entre 1,4% y 10%, estancamientos en dos entre 0,3% y 0,4%, y crecimientos en cuatro entre 2,6 y 3,7%; todas estas cifras son inferiores a las oficiales. Las estadísticas del primer semestre de 2017 sugieren nuevos descensos productivos aún antes de la devastación provocada por el huracán Irma. Se concluye que el usufructo no ha tenido un impacto tangible en la producción agropecuaria debido a las restricciones que enfrenta.

En 2016, las CCS y el sector privado con 27% de la tierra cultivable, generaron entre 62% y 98% de la producción agropecuaria, mientras que el

Estado y las UBPC/CPA con 73% de la tierra (la mejor y la más productiva) originaron solo entre 2% y 38%, evidencia de la alta eficiencia de las primeras y la pobre de las segundas.

4.2. Sugerencias para mejorar el usufructo12

- Publicar la cifra correcta de los usufructuarios y cuánto estos aportan a la economía, a fin de evaluar su eficiencia, diseñar políticas adecuadas y promover la producción.
- Aumentar el tamaño de la parcela, y extender el período del contrato de usufructo de 20 a 50 años o por tiempo indefinido.
- Crear mercados mayoristas en todo el país, que suministren a los usufructuarios y dueños de tierra, insumos esenciales a precios razonables; esto sería compensado por un aumento en la producción y precios más bajos.
- Eliminar el monopolio del acopio y dejar a los usufructuarios que decidan que producir, a quien vender y fijar los precios, sin intervención estatal.
- Promover cooperativas voluntarias y autónomas que comercialicen los productos generados por los usufructuarios y dueños de tierra, a fin de reemplazar a los mediadores estatales o privados que pagan precios bajos a los productores y encarecen los precios a los consumidores.
- Entrenar a los usufructuarios ya sea por el gobierno, ONGs u otras entidades.
- No limitar la inversión del usufructuario en la parcela, garantizarla en caso de no renovación o extinción del contrato y permitir la inversión extranjera sujeta a la regulación legal adecuada.
- Aumentar el microcrédito a la agricultura preferiblemente por un banco especializado en esta actividad.
- Permitir la libre contratación de empleados como se hace a los cuentapropistas, regulando sus condiciones de trabajo.
- Unificar los cinco impuestos existentes (venta, mano de obra, valor de la tierra, ingresos y tierra ociosas) preferiblemente en uno sobre la venta y con una tasa apropiada que no desincentive a la producción (sería aconsejable mantener el impuesto a la tierra ociosa).
- Establecer procedimientos fáciles y rápidos para solicitar el usufructo, la inversión, etc.

---

[12] Varias de estas sugerencias fueron hechas por los 25 usufructuarios entrevistados en 2015, otras de economistas cubanos que residen en la Isla y expertos en el exterior.

Estas medidas harían a Cuba autosuficiente en la alimentación, terminarían la costosa importación de alimentos y generarían un excedente para la exportación, como ha ocurrido en China y Vietnam, a par de que mejorarían el nivel de vida de los productores y de la población.

BIBLIOGRAFÍA:

Castro, Raúl (2016), «Informe Central al 7mo Congreso del PCC», *Granma*, 17 abril.

Comité Central de Estadísticas - CCE (1991), *Anuario Estadístico de Cuba 1989*, La Habana.

«Cuba entrega más de 1,7 millones de tierras en usufructo desde 2008» (2015), La Habana, EFE, 16 mayo.

Decreto No 318 (2013), 20 octubre.

Decretos-Leyes No 259, No 300 y No 304 (2008, 2012), Reglamento del usufructo, 10 julio y 22 octubre.

Doimediós, Dianet (2017), «Estado cubano modifica política para entrega de tierras en usufructo», *Cuba Debate*, 16 agosto.

Fonticoba, Onaisys (2014), «Agricultura: aciertos y dificultades», *Granma*, 4 julio.

Gámez, Nora (2016), «¿Qué puede comprar un trabajador cubano con su salario mensual?», *El Nuevo Herald*, 3 mayo.

Ley No 113 (2012), Reforma tributaria, *Gaceta Oficial*, 21 de noviembre.

Martín González, Marianela (2015), «Sin crecimiento en la producción agrícola no habrá riqueza en el país» [Informe de Marino Murillo al XI Congreso de la ANAP], *Juventud Rebelde*, 16 mayo.

Martínez, Leticia (2017), «Con los pies en la tierra», *Granma*, 16 agosto, p. 3.

Mesa-Lago, Carmelo (2013), «Los cambios de propiedad en las reformas estructurales en Cuba», *Espacio Laical*, No. 223, febrero.

Mesa-Lago, Carmelo, Roberto Veiga González, Lenier González Mederos, Sofía Vera Rojas y Aníbal Pérez-Liñán, Voces del Cambio en el Emergente Sector no Estatal de Cuba (La Habana: *Cuba Posible, 2016*), Tomo I, Capítulo 3.

Murillo, Marino (2013), «Informe a la Asamblea Nacional», *Granma*, 5 y 8 julio.

_____ (2014), «Reunión del Consejo de Ministros», 11 mayo.

_____ (2016a), «Actualizar sin alejarse de la esencia de nuestro sistema social», Granma, 17 abril.

_____ (2016b), «Intervención en el VII Período Ordinario de la Asamblea Nacional», *Granma*, 9 julio.

Nova González, Armando (2013), El modelo agrícola y los lineamientos de la política económica y social en Cuba, La Habana, Editorial Ciencias Sociales.

Oficina Nacional de Estadísticas e Información—ONEI (2010, 2011, 2012, 2013, 2014, 2015, 2016, 2017a), Anuario Estadístico de Cuba 2009, 2010, 2011, 2012, 2013, 2014, 2015, 2017, La Habana.

_____ (2017b), Sector Agropecuario Indicadores Seleccionados Enero-Junio de 2017, La Habana.

Ojeda, István (2016), «Precios; no bastan los buenos deseos», *Periódico26.cu*, Las Tunas, 30 enero.

Pedraza, Lina (2015), «Proyecto de Ley de Presupuesto del Estado para 2016», *Granma*, 30 diciembre.

Pérez Villanueva, Omar Everleny (2016), «El cubano espera una economía reflejada en su bienestar», *Palabra Nueva*, 8 marzo.

«Presentan Informe del Ministerio de Agricultura en Parlamento Cubano» (2014), *Cuba Debate*, 2 julio.

Resolución 62, regulaciones del mercado mayorista, 2016.

Vidal, Pavel (2016), «Un peligroso repliegue de las reformas en la agricultura cubana. Una propuesta para que continúe el experimento», *Cuba Posible*, 16 mayo.

PRESENTACIÓN DEL PROYECTO RURAL «LA ISLEÑA»

El Proyecto Rural Independiente «La Isleña» surgió en el año 2009, por iniciativa de nuestra familia, la familia Pérez, que vivimos y trabajamos en nuestra finca que se nombra desde antaño La Isleña, de ahí el nombre de nuestro proyecto. Se encuentra en la localidad de La Ceiba, Km 5 de la Carretera a Punta de Cartas en San Juan y Martínez, Pinar del Río, Cuba.

El nacimiento de nuestro proyecto fue motivado esencialmente por la formación cívica que en una u otra medida recibimos los miembros de esta familia, que nos ha servido a su vez como principal herramienta a la hora de trabajar en equipo y de procurar la convivencia entre nosotros y de nosotros con el resto de la sociedad.

El objetivo general de nuestro proyecto es: Promover el desarrollo de la sociedad civil desde nuestros resultados como microempresa campesina y nuestro trabajo cívico en la comunidad rural.

Nuestros objetivos específicos son:

1. Crecer como microempresa familiar.
2. Fortalecer la Integración cooperativa y los servicios de beneficio común.
3. Promover la formación humana, cívica y el empoderamiento ciudadano.

Siempre fuimos y somos esencialmente campesinos y campesinas que trabajamos la tierra en Vueltabajo, es nuestra identidad. Esto que somos y hacemos como personas y como familia campesina lo hemos organizado y canalizado de una manera diferente mediante un Proyecto que articula nuestros objetivos de producir mejor nuestras tierras y humanizar el trabajo, de prosperar económicamente y ele-

var la calidad de vida de nuestras familias gestionando nuestro trabajo como una microempresa familiar y de contribuir responsablemente con la integración entre campesinos desde nuestro quehacer diario así como con el bienestar y desarrollo de la comunidad rural como base fundamental para el desarrollo del campo cubano.

Nuestro proyecto, en sí mismo, forma parte de la sociedad civil cubana. Nuestro proyecto es autónomo, no confesional aunque inspirados en los valores del humanismo cristiano. No pertenecemos a ninguna institución, organización o partido político, aunque siempre procuramos mantenernos abiertos a toda persona e institución que quiera conocer nuestro quehacer, nuestra realidad o nuestros criterios, siempre basados en el respeto a la vida, a la persona humana, y a la diversidad de pensamiento, credos y opiniones. Desde nuestro surgimiento mantenemos una relación de comunión e interdependencia con el Proyecto Convivencia, del que hemos recibido gran parte de nuestra formación como personas y ciudadanos. Contamos actualmente con nueve miembros en el equipo de trabajo.

Todo nuestro trabajo se desarrolla dentro de la legalidad. Gestionamos las producciones de tabaco a través de cuatro contratos legales con la Cooperativa de Créditos y Servicios (CCS) a la que pertenecemos y con la empresa comercializadora de tabaco del municipio San Juan y Martínez, de la provincia de Pinar del Río. Recibimos los créditos respectivos del Banco de Crédito y Comercio (BANDEC) para las actividades agrícolas contratadas así como para algunas inversiones como la construcción de casas de curar tabaco y sistemas de riego para semilleros de tabaco.

Ante el banco, la cooperativa y la empresa tabacalera contamos con buena credibilidad como productores debido a nuestros resultados productivos y el cumplimiento de nuestras obligaciones. Dentro de la legalidad que está establecida intentamos siempre como campesinos cumplir nuestros deberes contractuales y de asociados, ejercer nuestros derechos ciudadanos y exigir el cumplimiento de lo establecido por las propias instituciones oficiales con las que tenemos relación en cuanto a sus obligaciones para con nosotros los campesinos y nuestras producciones.

A continuación exponemos algunos indicadores de la producción y gestión de nuestra finca que han crecido en el transcurso de ocho años de trabajo, fundamentalmente en la producción tabacalera e infraestructuras:

Indicadores	Zafra 2008-2009	Zafra 2016-2017	Zafra 2017-2018 (en proceso)
Diversificación dentro de la producción tabacalera	Tabaco de sol (100 mil posturas)	Tabaco de sol (300 mil posturas) Tabaco tapado para capa de exportación (50 mil posturas) Semilleros de tabaco tradicional (0,25 ha)	Tabaco de sol (300 mil posturas) Tabaco tapado para apa de exportación (50 mil posturas) Semilleros de tabaco tradicional (3 ha)
Capacidad de curar tabaco en aposentos	3 aposentos	9 aposentos	20 aposentos (Sumando una casa de tabaco en fase de terminación)
Capacidad de curar tabaco en miles de cujes verdes	2000 cujes	5500 cujes	15 500 cujes
Quintales de tabaco acopiados por campaña	Tabaco sol: 70 qq	Tabaco sol: 200 qq Tabaco tapado: 50 qq	Tabaco sol: 300 qq (producción en proceso) Tabaco tapado: 50 qq
Miles de cujes ensartados por zafra	5000	18 000	22 000 (estimado)
% general de capa de exportación obtenido en el tabaco tapado	0	11 %	30 % (estimado)
Ingresos Brutos en MN	≈ $ 50 000	≈ $ 800 000	≈ $ 1 000 000 (aproximación)
Millones de posturas de tabaco producidas	0	500 mil	Más de 2 millones
Productores a los que se le vendieron posturas de semillero	0	15 productores	Más de 75 productores
Salario medio por día de obreros contratados (MN)	$ 60,00	$ 70,00	$ 80,00
Mejoramiento del suelo / ha (relleno y aplicación de materia orgánica)	0	4 ha	5 ha
Familias que se sustentan de nuestra microempresa	4	6	8

VI INFORME

«LOS MEDIOS DE COMUNICACIÓN SOCIAL-TICS EN EL FUTURO DE CUBA: VISIÓN Y PROPUESTAS»

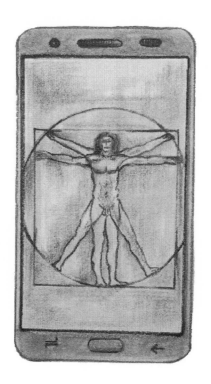

S/T. Técnica mixta sobre cartulina. 15,5 x 15 cm. Obra de Wendy Ramos Cáceres. 2018.

El Centro de Estudios Convivencia realizó el IV Encuentro del Itinerario de Pensamiento y Propuestas para Cuba entre septiembre y diciembre de 2017 en la Isla y los días 17-18 de de febrero de 2018 en la Diáspora, en la Universidad Internacional de la Florida (FIU), Miami, EE.UU. Los temas escogidos para su estudio fueron: «La Agricultura en el futuro de Cuba» y «Los Medios de Comunicación Social-TICs en el futuro de Cuba».

1. Conceptos

1. Sector terciario de la economía: es el sector económico que engloba las actividades relacionadas con los servicios no productores de bienes. Componen este sector, servicios tales como los medios de comunicación, especialmente los medios de comunicación de masas o sociales (periodismo escrito —prensa—, radio y televisión); las telecomunicaciones, especialmente los medios personales (telefonía); otras aplicaciones de las tecnologías de la información y la comunicación (TIC), especialmente la informática e Internet; el comercio (mayorista, minorista, franquicias); actividades financieras (banca, seguros, bolsa y otros mercados de valores); servicios personales, los más importantes de los cuales son los que se identifican con el estado de bienestar (especialmente educación, sanidad y atención a la dependencia —servicios públicos, se presten por el Estado o por la iniciativa privada), pero también otros (como las peluquerías); servicios a empresas de cualquier sector, como la gestión y administración de empresas (incluyendo el nivel ejecutivo); la publicidad y las consultorías y asesoramientos económico, jurídico, tecnológico, de inversiones; función pública, administración pública, actividades de representación política y de servicios a la comunidad, como las actividades en torno a la seguridad y defensa (ejército, policía, protección civil, bomberos, etc.); las actividades en torno a la justicia (jueces, abogados, notarios, etc.); hotelería y las actividades en torno al turismo; actividades en torno al ocio, la cultura, el deporte y los

espectáculos, que incluyen las llamadas industrias audiovisuales o de imagen y sonido (industria musical, industria cinematográfica y similares, como los videojuegos), transporte y comunicación (según se trasladen mercancías o información).

2. Sector cuaternario de la economía: algunos autores separan del sector terciario una parte de la economía que está basada en el conocimiento e incluye servicios tales como la generación e intercambio de información, los medios de comunicación, especialmente los medios de comunicación de masas o sociales (periodismo escrito —prensa—, radio y televisión), las telecomunicaciones, especialmente los medios personales (telefonía), otras aplicaciones de las tecnologías de la información y la comunicación (TIC), especialmente la informática e Internet. Incluyen también en este cuarto sector las consultorías, investigación y desarrollo, planificación financiera y otros servicios. Como no existe acuerdo entre los economistas sobre la división de estos sectores, su uso, sus definiciones y contenidos varían según el autor y de hecho, algunos incluyen al ocio y entretenimiento.

3. Medios de Comunicación de Masas (MCM) (*Mass Media*): son los instrumentos, o forma de contenido por la cual se realiza el proceso comunicacional o comunicación. Se diferencia de los medios de comunicación social (MCS) por los contenidos y el destinatario que en estos son despersonalizados y muchas veces manipuladores y acríticos. Se consideran «Medios masivos de comunicación o de masas» a aquellos medios de comunicación recibidos simultáneamente por una gran audiencia, equivalente al concepto sociológico de masas o al concepto comunicativo de público. En este sentido del término «masa», se considera un receptor despersonalizado, con poca o ninguna conciencia crítica, con pocos recursos para evaluar y escoger. La finalidad de estos medios de comunicación podría ser, según la fórmula acuñada específicamente para la televisión, formar, informar y entretener al público que tiene acceso a ellos. Atendiendo a los intereses que defienden, buscan el beneficio económico del empresario o grupo empresarial que los dirige, habitualmente concentrado en grandes grupos de comunicación multimedia, e influir en su público ideológicamente y mediante la publicidad. Se dirigen a un grupo numeroso de personas que cumpla simultáneamente con tres condiciones: ser grande, ser heterogéneo y ser anónimo. Su constante evolución y desarrollo va desde la primera forma de comunicarse entre humanos que fue la de los signos y señales empleados en la prehistoria, cuyo reflejo en la cultura material son las distintas manifestaciones del arte prehistórico. La aparición de la escritura se toma como hito de inicio de la historia. Desde los vinculados a la escritura y su

mecanización (imprenta –siglo XV–) hasta los medios audiovisuales ligados a la era de la electricidad (primera mitad del siglo XX) y a la revolución de la informática y las telecomunicaciones (revolución científico-técnica o tercera revolución industrial –desde la segunda mitad del siglo XX–), cada uno de ellos esenciales para las distintas fases del denominado proceso de globalización. Los medios de comunicación de masas son solo instrumentos de la comunicación de masas y no el acto comunicativo en sí. Se basa en un tipo de influencia sobre grupos anónimos. La idea de influencia implica la utilización, por parte del influenciador, de recursos suficientes para imponer su criterio y voluntad propia sobre el destinatario o influenciado. Se trata de un mecanismo, bien de refuerzo de actitudes, o bien de posibilidad de cambio de actitudes y comportamientos, lo que incluso puede afectar a los valores y creencias colectivas, de grupos reducidos o amplios (naciones). Aunque los procesos de influencia social y cultural tienen estrechas relaciones con el ejercicio efectivo del poder, se caracterizan por la ausencia de coacción e incluso de amenaza. El poder siempre se caracterizó por su capacidad y recursos para influir socialmente; que en la sociedad de masas se intensifican.

4.   Medios de Comunicación Social (MCS) (*Social Media*): para algunos autores, los MCS son aquellos mismos instrumentos, o formas de contenido por los cuales se realiza el proceso comunicacional o la comunicación entre personas y comunidades, pero que se diferencian de los MCM en la creciente conciencia crítica y personalización que esos Medios han alcanzado y pueden alcanzar tanto en la calidad de sus contenidos como en la educación de sus receptores y la personalización de los mensajes, la voluntad creciente de disminuir la manipulación, la independencia y pluralidad de opciones, y sobre todo, la no consideración de los receptores como una «masa» anónima sino como una comunidad cada vez más consciente, intercomunicada con esos Medios y entre sí. Desde esta concepción una posible visión futura podría ser la transición desde unos Medios de Comunicación Masivos (MCM) hacia unos Medios de Comunicación Social (MCS) trabajando por una transformación profunda de los emisores hacia un mayor respeto y personalización del mensaje y una mayor calidad de sus servicios informativos, la objetividad, la transparencia, la inmediatez, la intercomunicación en vivo con los receptores, la no manipulación ni del mensaje, ni de los receptores, y la adopción voluntaria, efectiva y consciente de un código de ética. También debe tener lugar una transición de los receptores desde una condición de masa a una condición de comunidad de personas libres, conscientes, críticas, intercomunicadas y educadas que no se dejen manipular. Debería existir un código de ética personal que les permita elegir y discriminar a los medios por su ética, calidad y objetividad.

5.	Mensaje: es el contenido de la comunicación. Formas simbólicas que se han creado generalmente para representar intenciones particulares del emisor, pero que están abiertas a muchas interpretaciones posibles.

6.	Polisemia o multisemia: es la idea de que todas las formas simbólicas no solo tienen varios sentidos posibles para muchas personas diferentes, sino que además tienen múltiples sentidos para un mismo individuo. Concepto procedente de la semiótica que afirma que los signos (los símbolos, las imágenes) tienen muchos sentidos posibles y por lo tanto están sujetos a muchas interpretaciones.

7.	Tecnologías de la Información y las Comunicaciones (TICs): se entiende en esta propuesta como los *hardware* y *software*, o medios relacionados con la computación, la informática, la Internet, las redes sociales y los teléfonos móviles, *tablets*, etc. Como en los MCS, las TICs conforman un sistema instrumental que contribuye a la generación, transmisión e intercambio de información, de valores, de formación de estados de opinión, de publicidad, de debate público y de entretenimiento a grandes sectores de la sociedad y a nivel global. En algunas investigaciones contemporáneas los MCS incluyen a las TICs y viceversa.

8.	Redes sociales: son aquellas intercomunicaciones múltiples y libres entre personas y grupos fruto de la globalización de la Red de redes o Internet y de las Tecnologías de la Información y las Comunicaciones como los ordenadores y los teléfonos inteligentes. Gracias a estas redes, que se van tejiendo espontáneamente según los intereses de sus miembros y del resto de los internautas, las personas, organizaciones, movimientos sociales, e incluso instituciones gubernamentales, y hasta presidentes y el Papa han podido entrar en comunicación directa e inmediata con sus seguidores y con los medios de comunicación social sin necesidad de presencia física o lugar determinado de la geografía y del tiempo. El fenómeno de las redes sociales es uno de los factores que han ayudado a la creación de la llamada «aldea global». Su uso es libre, pero se comprueba cada vez con más urgencia la necesidad de la responsabilidad ciudadana para su uso. En algunos países y grupos se están exigiendo leyes que sancionen el mal uso de las redes sociales, su utilización criminal, violenta, pornográfica, racista, discriminatoria, etc. Algunas de estas redes más populares son: *Facebook, Instagram, Linkedin, Youtube, Twitter,* etc.

9.	Informatización de la sociedad: es el proceso ordenado y creciente que conduce a todos los sectores de la sociedad a utilizar la información, la informática, los Medios y las tecnologías de las comunicaciones como un recurso económico que contribuya al avance de la sociedad y las naciones hacia la eficacia, la competitividad, la estimulación de la innovación y la mejora de la producción, la distribución, la comercialización y la calidad de bienes y servicios, con el fin último de hacerle la vida cotidiana más fácil a los ciudadanos y mejorar el nivel y la calidad de vida de las personas, las naciones y la entera comunidad internacional.

10. Sociedad de la Información y las Comunicaciones: «es una sociedad en la que la información se utiliza intensivamente como elemento de la vida económica, social, cultural y política.» (Informe Mundial sobre la Información UNESCO/CINDOC. 1997-98. p. 290). Además, para que una nación pueda considerarse como «Sociedad de la Información» debe tener estos tres sectores desarrollados o, por lo menos, en vías de desarrollo:

- *Sector de la industria de los contenidos de la información:* bienes de propiedad intelectual: escritores, compositores, artistas plásticos y fotógrafos, editores, cineastas, productores de televisión, etc. Otra zona de este sector es la compilación de información: obras de referencia, bases de datos, estadísticas, servicios informáticos en tiempo real; y otro dentro de este es el de la gestión y comercialización de los derechos de propiedad intelectual. Este es el de mayor expansión en términos de valor e importancia económica.
- *Sector de la industria de la difusión de la información:* creación y gestión de redes de comunicación, Internet, y de difusión para transmitir información: redes de TV digital por cable, transmisión por satélite, telecomunicación celular, librerías y bibliotecas virtuales.
- *Sector de la industria del tratamiento de la información:* fabricantes de material electrónico (*hardware*) y productores de programas informáticos (*software*).

11. Cuarto Poder: se llama comúnmente «Cuarto Poder» a los MCS y las TICs por su importancia e impacto en las decisiones políticas, económicas y sociales y en la generación de políticas públicas. Se le dice el «Cuarto» en relación con el Estado de Derecho y los sistemas democráticos que desde Montesquieu consideran que, para el equilibrio y el mutuo control del poder, el Estado moderno debe estar formado por tres poderes independientes y mutuamente controlados entre sí: poder legislativo, ejecutivo y judicial. Los MCS y las TICs son consideradas popularmente como el cuarto poder en las democracias por su independencia y control sobre el poder.

12. Informática: la informática, es una ciencia que estudia métodos, técnicas, procesos, con el fin de almacenar, procesar y transmitir información y datos en formato digital. La informática se ha desarrollado rápidamente a partir de la segunda mitad del siglo XX, con la aparición de tecnologías tales como el circuito integrado, la Internet, y el teléfono móvil. En la informática convergen los

557

fundamentos de las ciencias de la computación, la programación y metodologías para el desarrollo de *software*, la arquitectura de computadores, las redes de computadores, la inteligencia artificial y ciertas cuestiones relacionadas con la electrónica. Se puede entender por informática a la unión sinérgica de todo este conjunto de disciplinas. Se aplica a numerosas y variadas áreas del conocimiento o la actividad humana, como por ejemplo: gestión de negocios, almacenamiento y consulta de información, monitorización y control de procesos, industria, robótica, comunicaciones, control de transportes, investigación, desarrollo de juegos, diseño computarizado, aplicaciones/herramientas multimedia, medicina, biología, física, química, meteorología, ingeniería, arte, etc. Puede tanto facilitar la toma de decisiones a nivel gerencial (en una empresa) como permitir el control de procesos críticos. Entre las funciones principales de la informática se cuentan las siguientes: Creación de nuevas especificaciones de trabajo, desarrollo e implementación de sistemas informáticos, sistematización de procesos, optimización de los métodos y sistemas informáticos existentes, automatización de datos.

13. ASODA: es la sigla que identifica el proceso que ocurre en una Sociedad de la Información y las Comunicaciones cuando se agregan, como un valor añadido a la información, estos cinco procesos interrelacionados entre sí: **A**dquisición, **S**elección, **O**rganización, **D**ifusión y **A**lmacenamiento, sea cual sea el formato en que se procese dicha información. Para alcanzar un verdadero desarrollo de una sociedad de la Información y las Comunicaciones (o dicho de otro modo, para lograr la informatización de la sociedad) cada uno de estos cinco valores añadidos (ASODA) deben estar presentes en todos los ámbitos de la sociedad y alcanzar niveles de eficacia, fácil acceso y sencilla utilización.

14. Aldea global: término ideado por el investigador Marshall McLuhan para designar el nuevo modelo de sociedad surgido a partir del avance de las nuevas tecnologías de la comunicación.

15. Mediación tecnológica o informática: intervención de la tecnología de las comunicaciones en la interacción social, particularmente la influencia que ejercen los medios masivos en la difusión de ideologías o culturas.

16. Estudios de la comunicación: disciplina académica originada en los Estados Unidos que pone el acento en el estudio del discurso público, el lenguaje y el habla, así como en la interacción interpersonal, organizacional e intercultural. Es también conocida como Ciencias de la Comunicación o Comunicación Social y constituyen currículos o carreras académicas.

17. Periodismo: es una actividad que consiste en recolectar, sintetizar, jerarquizar y publicar información relativa a hechos del presente o el pasado. Como disciplina el periodismo se ubica en algunos países dentro de la sociología

y en otros entre las Ciencias de la comunicación. El periodismo persigue crear una metodología adecuada para poder presentar cualquier tipo de información valiosa, buscar fuentes seguras y verificables. Dada la evidente influencia del periodismo en la sociedad, se ha desarrollado una deontología profesional constituida por una serie de normas y deberes éticos —ética periodística—, que guían la actividad del periodista. Dichos códigos deontológicos son emitidos generalmente por los colegios profesionales en los países en que estos existen. En general, estos códigos postulan la independencia de los medios respecto a los poderes políticos y económicos. El periodista queda sujeto a su obligación de actuar con la mayor diligencia posible en el acceso a las fuentes y en el contraste de opiniones confrontadas.

18. Periodismo digital: también llamado *ciberperiodismo*, designa la modalidad del periodismo que tiene a Internet como entorno principal de desarrollo, así como a las redes y dispositivos digitales en general. Según palabras de Ramón Salaverría, «es la especialidad del periodismo que emplea el ciberespacio para investigar, producir y, sobre todo, difundir contenidos periodísticos». Esta modalidad del periodismo es fruto del desarrollo de las nuevas tecnologías, ocurrida muy especialmente desde finales del siglo XX. Los medios de comunicación social como la radio, la televisión, la prensa, el cine y otros, con sus diferentes géneros y modos de expresión, han ido incursionando en el nuevo medio de comunicación social del siglo XX. En la actualidad es posible sintonizar emisoras, ver canales de televisión, películas, música, leer periódicos y demás en el Internet. En consecuencia, se habla de radio digital, televisión digital y prensa digital para referirse a los medios que se transmiten utilizando la tecnología digital, más versátil y con más prestaciones que la antigua analógica o que se emiten por el llamado ciberespacio.

19. Periodismo ciudadano o periodismo 2.0: es cuando cualquier ciudadano asume el servicio de comunicador social de forma independiente o asociado. También llamado periodismo participativo o periodismo público o periodismo democrático o periodismo de la calle, es un movimiento en el que son los propios ciudadanos quienes se convierten en informadores. El ejercicio de este derecho está amparado en la Declaración Universal de los Derechos Humanos aprobada por la ONU el 10 de diciembre de 1948, en su artículo 19 que establece que «todo individuo tiene derecho a la libertad de opinión y de expresión; este derecho incluye no ser molestado a causa de sus opiniones, el de investigar y recibir informaciones y opiniones, y el de difundirlas sin limitación de fronteras, por cualquier medio de expresión». El término periodismo ciudadano se comenzó a popularizar gracias a Internet a finales de los 90 y principios de los 2000. En el siglo XXI, fue el norteamericano Dan

Gillmor quien acuñó el nombre de Periodismo Ciudadano o Periodismo 2.0 por Internet, a través de la plataforma de Youtube. El inicio de este tipo de periodismo está ligado con el de los medios de comunicación comunitarios, que son aquellos que pertenecen a una asociación sin ánimo de lucro (no hay reparto de beneficios), que gestiona y dirige el proyecto, que no realizan proselitismo religioso ni partidista, y cuyos objetivos son profundizar en la democracia con más participación ciudadana, dar voz a quienes no la tienen, y hablar de lo que no se habla en los medios. Cualquier ciudadano que quiera puede participar de estos medios haciéndose socio.

20. Periodismo de propuesta: surge en el año 2000, como un tipo de periodismo, por medio de un proyecto creado por Guillermo Molina Villarroel, con el fin de corregir y cambiar las intenciones a la hora de comunicar, debido a las propuestas rutinarias de los años ochenta y noventa del periodismo cívico y de servicio. El «periodismo de propuesta» parte del hecho de informar, resaltando que desde el periodismo sí sería posible dar soluciones si se mirara más allá de lo que se quiere informar y de los intereses mediáticos, y para esto el periodista debe hacerse valer y exigir que su información no se vea afectada por lo comercial, señalando que si su información no lo lleva a la búsqueda de soluciones no sirve de nada. Además de que el periodista debe entender que su servicio no es solo el de informar sino que su ética debe impulsarlo a buscar, cambiar, y dar su libre opinión así sea de inconformidad; partiendo de este hecho y de que todos entiendan que la información que se debe emitir como periodista debe ser para un aporte positivo. La sociedad de masas tiene derecho a estar informada con la verdad y con algo que le aporte. De esta manera, la violencia simbólica acabará y dejará de ser un inconveniente más en la realidad a la que nos vemos enfrentados (Cf. basado en el texto de Javier Darío Restrepo «Periodismo más necesario que el pan»). Tomás Eloy Martínez, escritor y periodista argentino, afirma en «El lenguaje del periodismo futuro»: «El periodista no es un agente pasivo que observa la verdad», explicando que en el gran periodismo se deben descubrir los modelos de realidad que se avecinan.

21. El secreto profesional periodístico: una garantía que da a la fuente el derecho a no ser revelada su identidad. Sin embargo, hay que considerar que según varios Códigos Deontológicos, si la información que ha revelado dicha fuente pone en peligro la vida de las personas o se demuestra que esta ha falseado su contenido de forma consciente, el periodista está en la obligación de no reservar la confidencialidad de la fuente.

22. El plagio o «refrito»: Mario Alfredo Cantarero define el plagio como el acto de copiar en lo sustancial obras ajenas, dándolas como propias. Para la Federación Internacional de Periodistas (FIP), en su declaración de principios,

adoptada en el Congreso de Helsingor (Dinamarca), en junio de 1986, «el plagio comparte rango de gravedad con otros comportamientos reprobables: la distorsión malintencionada; la calumnia, la maledicencia, la difamación, las acusaciones sin fundamento, la aceptación de alguna gratificación como consecuencia de la publicación de una información o su supresión».

23. *Fake news* o noticias falsas: Se le llama a las noticias falsas producidas para el sensacionalismo, impactar o modificar malintencionadamente la opinión pública, desacreditar a personas o grupos, incitar actitudes violentas, entre otros propósitos que contradicen la ética personal y periodística.

24. Diferencia entre la libertad de expresión y la libertad de información: en ocasiones se hace complicado distinguir ambas libertades, puesto que el objeto es el mismo: comunicar «algo»; y es precisamente ese «algo» lo que las distingue. El derecho a expresarse libremente es uno de los más fundamentales, ya que es esencial para luchar por el respeto y promoción de todos los demás derechos humanos. Por tanto, la libertad de expresión se refiere a materias opinables, mientras que la libertad de información son hechos noticiables. El mayor contenido institucional que tendría el derecho a la información también es una característica que las distingue, si bien es cierto que las dos son indispensables para la formación de una opinión pública libre. La libertad de información es, por tanto, el derecho a recibir información y la potestad que tiene todo el mundo para poder difundir información. Y la libertad de expresión, por su parte, es el derecho a manifestar opiniones.

25. El Derecho al honor, la intimidad y la propia imagen: el derecho al honor, a la intimidad y a la propia imagen se reconocen como Derechos Fundamentales y como fundamento del orden y de la paz social. Se trata de derechos inalienables, irrenunciables e imprescriptibles, por lo que en caso de colisión con el derecho a la libertad de expresión y de información, prevalecerán los primeros por tratarse de Derechos Fundamentales. Una mención aparte merece la protección de la juventud y la infancia en su relación con los medios de comunicación.

26. Derecho al Honor: es «aquel derecho que tiene toda persona a su buena imagen, nombre y reputación, de tal forma que todos tengan derecho a que se les respete, dentro de una esfera personal cualquiera que sea su trayectoria vital, siendo un derecho único e irrenunciable propio de todo ser humano». Dimensiones que nos aproximan al honor: *Dimensión subjetiva*: sería el sometimiento de estimación que una persona tiene de sí misma en relación con la conciencia de su propia dignidad moral. Desde este punto de vista, toda persona tiene honor por el solo hecho de ser persona, y este honor es igual para todos. Se atenta contra dicho honor cuando de alguna manera se le niega su

dignidad de persona. Una de las formas más extendidas de atentar contra el honor universal es la discriminación. *Dimensión objetiva:* la reputación, el buen nombre o la fama que goza una persona ante los demás. La sociedad que rodea al individuo realiza una valoración de las conductas personales. La adecuada valoración social de los méritos de una persona es lo que normalmente se denomina «honra». Por su carácter de adecuada, solo puede ser una, y a ella tiene derecho todo hombre. Por otro lado, la opinión que la gente se forma de una persona es lo que se conoce como «fama o reputación».

27. Derecho a la intimidad personal y familiar: Por «intimidad personal» se entiende el derecho de cualquier persona para reservarse una esfera de la vida propia como secreta e intangible frente a los demás. Además comprendería la capacidad para evitar la manipulación e instrumentalización: derecho a no ser molestado, derecho a participar y controlar las manifestaciones que afecten a esa dimensión propia. *Intromisiones ilegítimas en la intimidad:* Queda prohibido el uso de cualquier aparato de grabación con la intención de invadir la vida íntima de las personas. Así, queda prohibido publicar fotografías tomadas a hurtadillas en la casa de alguien sin su consentimiento. Igualmente ilegal es publicar correspondencia, las cartas privadas son inviolables. La divulgación de hechos de la vida privada de una persona o su familia así como la difusión de contenidos de cartas, memorias y otros textos de carácter íntimo, también son consideradas intromisiones ilegítimas. No se pueden revelar datos privados de una persona o familiar conocidos a través de la actividad profesional (esto es, mi compañero de redacción no puede revelar a los medios lo que yo gané al mes porque pertenece a mi vida privada). Tampoco pueden revelarse datos sobre la información de una persona, ni siquiera los médicos, salvo que cuenten con una autorización de la persona afectada. La utilización del nombre, la voz o la imagen de una persona con fines publicitarios o comerciales tampoco está autorizada sin su permiso considerándose una intromisión ilegítima. Por último, se considera también intromisión ilegítima, la imputación de hechos o la manifestación de juicios de valor a través de acciones o expresiones que de cualquier modo lesionen la dignidad de otra persona, menoscabando su fama o atentando contra su propia estimación.

28. Derecho a la propia imagen: Alude a la reproducción de la imagen que, afectando a la esfera personal del titular, no lesionan ni el buen nombre ni la difusión de la vida íntima. Lo fundamental es que en la reproducción de la imagen la persona titular del derecho sea reconocible. Se establecen tres excepciones en las que el derecho a la propia imagen no se protege: a. Su captación, reproducción o publicación cuando se trate de personas que ejerzan un cargo público o una profesión de notoriedad y la imagen se capte durante un

acto público o en lugares abiertos a la gente (esto atañe a la gente famosa, a los VIP...). **b.** La utilización de la caricatura de dichas personas, de acuerdo con el uso social. **c.** La información gráfica de un suceso o acontecimiento público cuando la imagen de una persona determinada aparezca como meramente accesoria (esto es, que esa persona no sea la protagonista del hecho noticioso). Por ejemplo, últimamente en las fotos en las que aparecen coches que se ve perfectamente la matrícula y no tienen nada que ver con la noticia se suele difuminar esta. En las personas deben taparse las caras de la gente que aparece por casualidad en la foto o en la grabación para proteger su intimidad. Los casos propuestos en los apartados a y b no serán de aplicación respecto a autoridades o personas que desempeñan funciones que por su naturaleza necesiten el anonimato de la persona que las ejerza, como por ejemplo, un guarda espaldas.

29. La protección de la infancia y la juventud: La protección de los menores constituye un derecho fundamental. Frente a la libertad de información se pueden dar dos situaciones: cuando el niño en concreto es objeto de información, que puede aparecer un conflicto de derechos, o cuando la información es dirigida al niño, donde puede aparecer un conflicto entre el derecho fundamental y un interés común. Cuando el menor concreto es objeto de información. Puede surgir un conflicto entre el libre desarrollo de la persona y el derecho a la información. Se exige, como mínimo, que el menor no sea identificado. En este caso suele prevalecer la protección a la infancia sobre la libertad de expresión. Cuando el menor es destinatario de las informaciones, desde publicaciones generales hasta anuncios de tabaco o alcohol. Se considera que se vulneran los derechos del menor cuando se hace un uso «de su imagen o su nombre en los medios de comunicación que pueda implicar menoscabo de su honra o reputación». Asimismo, se velará «porque los medios de comunicación en sus mensajes dirigidos a menores promuevan los valores de igualdad, solidaridad y respeto a los demás, eviten imágenes de violencia, explotación en las relaciones interpersonales o que reflejen un trato degradante o sexista». (Citas de la Constitución española).

30. Opinión pública o estados de opinión: «Por opinión pública se entiende la valoración realizada o expresada —un pronunciamiento sobre un posicionamiento— por determinada comunidad social, acerca de un evento, oportunidad, problema, reto o expectativa que llega a su conocimiento». El estatus social y, por lo tanto, el contexto social en el que se desenvuelve la persona, realizan una influencia explícita en la tendencia o rumbo de dicha opinión compartida por un grupo. La Opinión Pública, se considera dividida o diversificada cuando existan distintas posiciones confrontadas ante determinada cuestión, por razones distintas o al margen de las divisiones de

opinión que se puedan esperar por causas de estratificación socio-política. El origen del término viene desde la antigüedad pero ha ido desarrollándose y modificándose: Desde la *doxa* griega, la *vox populi* medieval, la «*reputación*» o la «*apariencia*» de Maquiavelo o de Baltasar Gracián, las «*murmuraciones varias del pueblo*» de Diego Saavedra Fajardo hay toda una serie de precedentes que muestran cómo los gobernantes han tenido, desde siempre, interés por conocer qué piensan de ellos sus súbditos o ciudadanos. Sin embargo, el término «*opinión pública*» aparece por vez primera en 1750 en la obra de Jean Jacques Rousseau «Discurso sobre las artes y las ciencias». Walter Lippman, en su libro Opinión Pública (1922) cuestiona que sea posible una auténtica democracia en la sociedad moderna. Esta crítica se fundamenta en su noción de estereotipo, de la cual es inventor: los esquemas de pensamiento que sirven de base a los juicios individuales convierten en ilusoria la democracia directa. El filósofo alemán Jürgen Habermas desarrolló una teoría de gran influencia sobre el surgimiento de la opinión pública. Habermas concibe esta como un debate público en el que se delibera sobre las críticas y propuestas de diferentes personas, grupos y clases sociales. Para Habermas, después de su desarrollo en el siglo XVIII, el espacio público donde es posible la opinión pública y que es «controlado por la razón» entra en declive, puesto que la publicidad crítica dará poco a poco lugar a una publicidad «de demostración y manipulación», al servicio de intereses privados. Las tesis de Habermas han sido contrastadas críticamente, en lo que se refiere a la evolución de la opinión pública, por la historiadora francesa Arlette Farge en el libro *Dire et mal dire* (editorial Seuil, París, 1992) donde la autora pone de manifiesto que la opinión pública no emerge solamente de la burguesía o de las élites sociales cultivadas, sino también de la gran masa de la población. Esta, que Farge estudia a partir de los informadores colocados en todo París por el Inspector General de Policía, fragua por sí misma los conceptos de «libertad de opinión» y «soberanía popular». El sociólogo francés Pierre Bourdieu ha afirmado, de manera célebre, que «la opinión pública no existe», tomando en cuenta que la estadística no es garantía de imparcialidad, pues al ser un análisis social no hay neutralidad valorativa en la formulación de los protocolos y cuestionarios. Los medios de comunicación, además de tomar postura, difunden las opiniones que desean. Otras críticas residen en temas técnicos tal como el grado de error muestral, tamaño de la muestra, representatividad de la población, etc. Sin embargo, existe en la opinión pública contemporánea un grado alto de confianza a los sondeos debido en gran parte a la influencia de los medios de comunicación. Noelle Neumann desarrolla con notable repercusión su teoría sobre «La Espiral del Silencio» (1995). Según esta autora, el individuo, para no encontrarse aislado, puede renunciar a su propio juicio o evitar exponerlo públicamente si considera que no responde a la opinión dominante o a los criterios que socialmente están considerados como «normales». Ese temor al aislamiento formaría parte de todos los procesos de conformación de la opinión pública, concepto que mantendría vínculos estrechos con los de sanción y castigo. El Padre Félix Varela, fundador de nuestra nacionalidad, otorgaba gran importancia al «estado de opinión», pues cuando le preguntaban cómo alcanzar la independencia de Cuba expresaba: «Me preguntan que quién le pone el cascabel al gato. Yo le respondo: Créese el estado de opinión y gato escaldado del agua fría huy».

2. Visión de los Medios de Comunicación Social y las Nuevas Tecnologías de la Información y las Comunicaciones en el futuro de Cuba

Proponemos esta visión para el futuro de los MCS y las TICs en Cuba:

Cuba avanza hacia el desarrollo de los Medios de Comunicación Social (MCS) y las Tecnologías de la Información y las Comunicaciones (TICs) se desarrollan teniendo como prioridad fundamental el respeto por la dignidad de toda persona humana, su integridad espiritual y moral, sus derechos y deberes cívicos y políticos. El uso de los MCS y las TICs se basa en los principios de libertad y responsabilidad personal. El libre acceso a todos los medios será universal. Los Medios y las TICs se usan de forma ética y responsable de manera que contribuyan a la difusión de la cultura, la siembra de valores y virtudes, la educación, la información, la formación de la opinión pública y el Desarrollo Humano Integral. Los Medios y las TICs no son usados para difundir cualquier forma de terrorismo, violencia, fanatismo, discriminación, fobia, difamación o descalificación de toda persona, sin distinción y cualquier ataque contra personas, grupos, el orden y la convivencia ciudadana y la moral pública. Estas son las únicas limitaciones a la libertad de expresión, información, comunicación y al debate público. Se rescata la tradición liberal de los medios de comunicación cubanos, los valores del periodismo, inspirados en el Padre Félix Varela, especialmente en «El Habanero» y sus «Cartas a Elpidio», entre otros; y en José Martí, especialmente con «Patria» y el «Manifiesto de Montecristi», entre otros, como ejemplos del periodismo ético, cultural y político.

Es necesario consensuar un Código de Ética de los MCS y las TICs según los reconocidos estándares internacionales que se mencionan en este informe y otros.

Esta visión exige la renovación de la formación de profesionales de las ciencias de las comunicaciones sociales, la informática y las telecomunicaciones, y de otras especialidades, para que gestionen la modernización de los MCS y las TICs cultivando un sano equilibrio entre la libertad de expresión, la búsqueda y defensa de la verdad y una ética de la informática y las comunicaciones.

Es necesario redactar, discutir y aprobar una «Ley para la Libertad de Expresión, la Prensa y el Desarrollo de la Sociedad de la Información y las Comunicaciones», que garantice a implemente en la práctica esta renovadora visión dentro de un marco jurídico integrador, coherente y lo más simple posible que ofrezca seguridad, orden, derechos y deberes a personas, asociaciones e instituciones, relacionados con este sector y contribuya a que la Nación cubana avance hacia una sociedad de la información y las comunicaciones.

3. Objetivos para alcanzar esta visión

Para alcanzar esta nueva visión sobre el desarrollo de los MCS y las TICs en el futuro de Cuba, proponemos los siguientes objetivos:

1. Educar y legislar para que la dignidad plena y todos los Derechos de la persona humana sean el centro, la norma y el fin del desarrollo de una Sociedad de la Información y las Comunicaciones en Cuba, así como del uso de los MCS y las TICs. Que el acceso a internet sea considerado un derecho humano, y su uso sea libre y universal, siempre y cuando sea utilizado conforme a la ética pública.

2. Contribuir con el uso libre y responsable de los Medios y las TICs a sanar el daño antropológico del pueblo cubano y a motivar en los ciudadanos el conocimiento del uso los Medios y de las TICs en todas sus aplicaciones, promoviendo el uso ético de estos recursos. Mantener una permanente actualización de los recursos tecnológicos.

3. Garantizar el derecho de propiedad privada, cooperativa o comunitaria, pública o estatal. Establecer también las regulaciones legales para los Medios extranjeros que tengan sus corresponsalías en Cuba. En ese marco jurídico debe establecerse las normas de compra-venta de la propiedad, el uso y disfrute de locales, equipamientos e insumos, necesarios para el ejercicio eficiente de la profesión.

4. Desarrollar los MCS y las TICs sobre dos principios básicos e igualmente necesarios: libertad y responsabilidad.

5. Garantizar por Ley el libre y universal acceso de todos los ciudadanos a la mayor información posible, así como a la diversidad y pluralidad de los MCS y las TICs.

6. Proponer que los MCS y las TICs, sean usados de forma ética y responsable de manera que contribuyan a la difusión de la cultura local y universal, a la educación multifacética de los ciudadanos, a la información veraz,

a la formación de una opinión pública lo más objetiva posible, al Desarrollo Humano Integral y trabajen en la siembra de valores y virtudes.

7. Propiciar espacios para el debate público y el diálogo nacional a través de los Medios de Comunicación Social y utilizando la potencia modernizadora de las TICs, entendiendo la naturaleza interpretativa del ser humano en cuanto al diálogo y la palabra y resaltando las potencialidades de los Medios, el debate público y el diálogo nacional en la misma democratización de los medios, el desarrollo de la sociedad civil y el desarrollo integral democrático de la Nación.

8. Prohibir y penar la difusión por cualquier medio, de cualquier forma de terrorismo, violencia, fanatismo, discriminación, fobia, difamación o descalificación, así como de las llamadas «*fake news*» o noticias falsas, que produzca toda persona sin distinción, y cualquier forma de ataque personal o a la moral pública.

9. Fomentar la formación integral de los comunicadores sociales profesionales, renovando los programas de las carreras universitarias afines a los Medios, para que sean apegados a la verdad, competentes, libres, objetivos y respetuosos de los derechos ajenos, no partidarizados, con capacidad crítica y responsabilidad ciudadana. Garantizar los derechos de los estudiantes de periodismo en la Universidad, y luego en el ejercicio de su profesión.

10. Promover y educar para el ejercicio libre y responsable del periodismo ciudadano teniendo en cuenta que este tipo de servicio cívico es uno de los resultados y logros de la democratización de la información y del papel protagónico que debe desarrollar el ciudadano en la sociedad:

11. Buscar la mejor relación, mutuamente beneficiosa, entre Información y la soberanía ciudadana, con el fin de que el acceso a la mayor y más veraz información posible y el uso libre y responsable de los MCS y las TICs, eduque, empodere e interrelaciones a los ciudadanos y cultive una amistad cívica que edifique una convivencia pacífica y fraterna.

12. Buscar la mejor relación, mutuamente beneficiosa, entre Información y Política, basados en la consecución del bien común y la transparencia en las estructuras y en la administración de los servidores públicos.

13. Buscar la mejor relación, mutuamente beneficiosa, entre Información y Economía basado en el principio fundamental de que los intereses económicos no deben manipular, condicionar, ni ocultar la noticia objetiva, la opinión crítica, la denuncia justa ni la propuesta constructiva.

14. Buscar la mejor relación, mutuamente beneficiosa, entre Información y Cultura, de modo que los MCS y las TICs contribuyan a promover las raíces culturales, la identidad de la nación cubana, al mismo tiempo que ayuden a la apertura de Cuba a otras culturas y al tejido global.

15. Proponer una «Ley para la Libertad de Expresión, la Prensa y el Desarrollo de la Sociedad de la Información y las Comunicaciones» que provea de un marco legal y ayude a poner en la práctica la visión recomendada hacia la informatización de la sociedad y una adecuada ética de las comunicaciones.

4. ESTRATEGIAS PARA ALCANZAR ESTOS OBJETIVOS EN EL DESARROLLO DE LOS MCS Y LAS TICs

1. Favorecer la difusión y aceptación libre y consciente de los criterios éticos sobre la información y las comunicaciones mediante estrategias familiares, educativas, jurídicas, administrativas y laborales (especialmente en el ámbito de los mismos Medios y TICs). Para que en una sociedad en que se garantice el derecho a la información por la ley, también se eduque y garantice la posibilidad real de ejercer este derecho manteniendo continuamente un sano dinamismo dialógico entre estos cuatro pares dialécticos:

a. libertad-responsabilidad;
b. transparencia-seguridad;
c. veracidad-respeto a la dignidad de las personas;
d. denuncia-propuesta.

2. Educar para que las líneas de trabajo técnico-organizativos estén regidas por criterios éticos y en el caso particular de Cuba considerar no solo nuestros problemas de «bloqueo informativo», sino aprendamos también, con honestidad y espíritu crítico, de los serios problemas que se presentan en ese tipo de sociedades de «desenfreno informativo» en que la falta de escrúpulos en la utilización de la información produce serias violaciones a la intimidad, la dignidad y los derechos de otras personas. Uno de los grandes desafíos de los países que ya están en una fase avanzada del proceso de información-comunicación-conocimiento-desarrollo es la eticidad con que se usa la información, tanto en sus contenidos, como en su difusión y tratamiento. Por eso, desde ahora, en que nuestra situación es, pudiéramos decir, primitiva con relación a esas sociedades de la información y sin una ética de mínimos para su uso, es de suma importancia que utilicemos parte de nuestro tiempo de pensamiento y creación para reflexionar en lo que son considerados y aceptados universalmente como criterios éticos para la búsqueda, el uso y la divulgación de la información.

3. Asumir y legislar como límites válidos de la Sociedad de la Información y la Comunicaciones aquellos «contenes» que tiene toda libertad cuando se

encuentra con la libertad y los derechos de los demás. La vida en sociedad exige el conocimiento y el buen uso de esos límites que no deben ser nunca para manipular sino para respetar la soberanía ajena. Por ello, surgen conflictos naturales entre el derecho de información, la libertad de expresión y los otros derechos humanos y deberes cívicos. Para la inmensa mayoría de las naciones y organismos relacionados con los medios, estos límites válidos son:

a. Derecho a la intimidad, a la fama y a la imagen;
b. Secretos de Estado;
c. Solicitud de información;
d. Derechos de la bioética, ética médica, privacidad del paciente, consentimiento informado.
e. Derechos de autor;
f. Derecho de rectificación;
g. Derecho a la crítica y censura previa cuando se violen estos límites u otros criterios éticos;
h. Derecho de los presos y migrantes a la información;
i. Derecho de fama e imagen en los debates electorales y derecho de igual acceso a la información;
j. Derecho de libertad de educación y libertad de información;
k. Requisitos para publicar anuncios;
l. Requisitos para los medios de comunicación social.

4.   Buscar la mejor relación mutuamente beneficiosa entre la libertad, acceso a la información y el ejercicio de la soberanía ciudadana en todo proceso que se considere democrático y democratizador.

5.   Evaluar la mutua relación entre información y ciudadanía aplicando a Cuba, entre otras fuentes y declaraciones universales de la ONU, el estudio «El derecho de acceso de los ciudadanos a la información pública», de Alejandro Fuenmayor Espina, Consejero de Comunicación de la UNESCO para América Latina, publicado en 2004. En dicha obra el autor nos presenta algunos criterios de juicio para:

• Garantizar tres condiciones necesarias para el funcionamiento óptimo de una sociedad democrática: la eliminación gradual de diferencias económicas marcadas; el sentido de comunidad y un sistema efectivo de comunicación capaz de involucrar y atraer a los ciudadanos hacia la participación pública (Cf. p. 97).

• Cultivar este principio: «Una sociedad funciona mejor si todos los ciudadanos están bien informados» (p. 298).

- Aún más, no somos plenamente ciudadanos si no tenemos libre y plural acceso a la información necesaria para ejercer la ciudadanía, para ejercer la soberanía desde abajo.

6. Educar integralmente a los ciudadanos y a los comunicadores en los derechos y responsabilidades que deben ejercer en una Sociedad de la Información y las Comunicaciones, teniendo como ejes educativos: la primacía de la dignidad y los derechos de la persona humana, el servicio a la verdad y el aporte constructivo de los comunicadores y el periodismo ciudadano en la búsqueda del bien común y la convivencia fraterna y pacífica.

7. Instaurar en nuestras legislaciones el Derecho de *habeas data,* lo que hace referencia al viejo recurso del *habeas corpus.* Es decir, la obligación de las autoridades y de toda institución de presentar y facilitar la información necesaria y que pudiera afectar o beneficiar a cualquier ciudadano, con el debido respeto a los demás derechos, pero con diligencia y transparencia (Cf. p. 35 y 40).

8. Reconocer y legislar muy bien para Cuba el derecho llamado «*Accountability social*», es decir, el «Deber de rendir cuentas», que surge de la «responsabilidad» de «responder» ante el resto de la sociedad por los «cargos y encargos públicos» recibidos. La transparencia de los Estados y la sociedad civil sobre la información de su gestión y su deber de «rendir cuentas» ante los que le han otorgado parte de su soberanía personal y social. (Cf. p. 22).

9. Buscar, utilizar y brindar la información necesaria para conocer y ejercitar los derechos humanos y deberes o responsabilidades cívicas.

10. Elaborar, difundir y educar acerca de una definición particular del concepto de periodismo ciudadano y del delito de intrusismo profesional, para no coartar el aporte cívico de los ciudadanos que ejercen el servicio de comunicadores, pues la democratización de la información ha generado la participación de muchos no profesionales que desempeñan una función útil a la sociedad. El control del periodismo ciudadano debe observarse esencialmente desde la ética y la responsabilidad, en lo cual las asociaciones de profesionales o no profesionales deben desempeñar un papel rector.

11. Fomentar la formación de una «sociedad civil virtual» universal, efectiva y dinámica. Para ello fortalecer el entramado social con la creación de espacios sociales virtuales para el intercambio libre de información. El proceso hacia una nueva dimensión de la democracia directa: la democracia digital o el areópago virtual.

12. Valorar y promover «Consultorías de Información y Comunicaciones» que faciliten y eduquen una de las dimensiones más importantes del proceso del empoderamiento de los ciudadanos: Los ciudadanos mal informados ven frecuentemente denegados sus derechos, por falta de medios necesarios para

hacerlos valer, razón por la cual algunos autores estiman que se puede distinguir otro tipo de derecho: el derecho a la información y el asesoramiento. Disfrutar de este derecho es estar «armado» para hacer valer todos los demás derechos.

13. Ofrecer a todos los cubanos y cubanas una formación ética y cívica sistemática, participativa y permanente, en la familia, y como una asignatura en el sistema nacional y privado de educación, en las iglesias y otras organizaciones de la sociedad civil, especialmente en la búsqueda, utilización y difusión de la información y los MCS-TICs, específicamente del uso de Internet, ya que es decisivo para el futuro de la Nación que hace más de medio siglo que no recibe ni experimenta este servicio de educación para la libertad y la responsabilidad.

14. Modernizar la infraestructura del país para un desarrollo óptimo de los MCS y de las TICs y actualizar sistemáticamente para, junto con las reformas políticas y legales, avanzar ágilmente en el proceso de transformación de una sociedad cerrada y opaca a una sociedad abierta y transparente. En esta estrategia los medios de comunicación social (prensa escrita, radio, televisión, internet, etc.) constituyen un factor decisivo.

15. Promover estas diez funciones de los medios de comunicación social para contribuir a mayores grados de democratización, según el «Informe de la UNESCO sobre la información»:

a. Concientización;
b. Personalización;
c. Socialización;
d. Representación;
e. Educación;
f. Integración;
g. Coordinación;
h. Protección;
i. Movilización o empoderamiento cívico.

16. Buscar la mejor relación, mutuamente beneficiosa, entre Información y Política basada en estos principios:

- El servicio al bien común, base y fundamento de toda gestión política, se realiza más eficazmente si se crea un marco legal y un hábitat político que favorezca la creación y el desarrollo de las sociedades de la información.
- Legislar la Transparencia de la gestión de los asuntos públicos: «Regulada por la ley, la libertad de información da al ciudadano el

derecho al acceso a la información sobre los asuntos públicos, a fin de que pueda hacerse una idea más precisa de aquellos que le gobiernan», sobre todo del contenido y efecto de su gestión. (Informe UNESCO, p. 297). Esto sería un antídoto formidable contra la corrupción, el tráfico de influencias, el burocratismo y la delincuencia organizada.

17. Promover y educar en las relaciones existentes o que deben existir entre Información y política.

18. Garantizar la libertad de conciencia, pensamiento y expresión, en los que se inscribe indisolublemente el derecho a la información y la comunicación. No basta con el «empoderamiento» de los ciudadanos. Este empoderamiento se vería limitado si, al mismo tiempo, y gradualmente, las estructuras políticas no fueran respondiendo a las demandas y necesidades de unos ciudadanos bien informados y educados para la participación consciente y democrática.

19. Colocar a Cuba a la altura de las exigencias de la sociedad de la información y a los cubanos como fin prioritario de ese proceso. Lograr que los MCS y las TICs desempeñen un papel rector en el ritmo del progreso y generen un cambio en la redistribución de la riqueza social, pues la economía global requiere del progreso global, sin lo cual no puede haber desarrollo humano integral.

20. Legislar sobre las restricciones legítimas a las libertades y abolir aquellas limitaciones que se contradicen con la socialización y la aprehensión de la cultura, sin lo cual no puede lograrse el desarrollo integral del hombre. En condiciones de precariedad económica y ausencia de libertades no se puede cultivar lo humano en el hombre ni progresar. Por tanto, es necesario propiciar el acceso a la información, la adquisición de la tecnología y de capacidades, para lo cual hay que democratizar la esfera del saber. Las libertades fundamentales y la separación de poderes son componentes esenciales de la sociedad de la información y cimientos de la participación social y de la dignidad humana.

21. Garantizar el carácter universal de la informatización, lo que supone trabajar por alcanzar la universalización del conocimiento y la igualdad de oportunidades en la redistribución de la educación, la tecnología y el desarrollo de capacidades. Todo ello implica la conversión del cubano en sujeto activo de los cambios.

22. Educar, garantizar legalmente y llevar a la práctica «El derecho de acceso…» o «buen gobierno de Internet» o «gobernanza de la Informatización y las Comunicaciones» que, según el Programa de las Naciones Unidas para el Desarrollo (PNUD. p. 102), reconoce quince características esenciales de una gobernabilidad o «buen gobierno», descentralizado y genuinamente democrático, también, pero no solo, con relación a la Informatización y las Comunicaciones. Estas quince características son:

a.   *Participación:* Dar voz y voto en política, y acceso y uso en los Medios, donde corresponda, a todas las personas en las decisiones importantes.

b.   *Imperio de la ley:* Un sistema de leyes justas aplicadas imparcialmente por Tribunales independientes y competentes.

c.   Transparencia: Información directamente accesible, libre flujo de información.

d.   *Sensibilidad:* De las instituciones, funcionarios, Medios y procesos al servicio de todos los interesados.

e.   *Orientación al consenso:* Políticos y Medios mediarán intereses en busca de los más amplios consensos y no a la confrontación, la crispación de la sociedad o la lucha de clases.

f.   *Equidad:* Oportunidad de todos para mantener y mejorar su bienestar, el acceso y utilización de la Información y las Comunicaciones, no igualitarismo descendente e injusto.

g.   *Efectividad y eficiencia:* Lograr los mejores resultados con el mejor uso de recursos.

h.   *Responsabilidad:* Quienes deciden la información se hacen responsables ante el público.

i.   *Visión estratégica:* Buscar las proyecciones a mediano y largo plazo para alcanzar acuerdos consensuados entre líderes, Medios y público, sobre el bien de la sociedad.

j.   *Legitimidad:* Las autoridades políticas y los responsables de los Medios son, legal e institucionalmente, legítimos cuando son elegidos y evaluados por el voto libre, directo y secreto y por la rendición de cuentas periódica.

k.   *Prudencia en el uso de recursos:* Políticos y Comunicadores deben explotar los recursos racionalmente y administrarlos prudentemente, es decir, con la debida racionalidad.

l.   *Responsabilidad ecológica:* Todas las autoridades, los Medios y TICs deben trabajar por la protección del ambiente y el desarrollo sostenible.

m.   *Empoderador y habilitador:* Todos los actores sociales están empoderados y se crean condiciones habilitadoras; los Medios y las TICs contribuyen a estos procesos de crecimiento humano integral.

n.   *Asociación:* El gobierno no es autónomo y autosuficiente si no que asocia a ciudadanos, medios de comunicación y grupos cívicos y sociales para fines de colaboración, evaluación, crítica y propuestas.

o.   *Enraizado en comunidades:* El gobierno y los Medios reconocen y fomentan la práctica del principio de subsidiaridad en todos los niveles múltiples de la sociedad, y respetan cada nivel entendido como comunidades autónomas y autogestionadas.

23. Fomentar intercambios entre comunicadores y actores públicos. Fomentar el capital social en el ámbito de los medios y la informatización de la sociedad. Facilitar la asociación o el intercambio, en espacios públicos y privados, de personas que ejerzan el periodismo ciudadano desde distintos campos: que sean pensadores, médicos, abogados, o de cualquier otra profesión. Así como promover debates entre políticos de diversas ideologías y programas y que estos debates sean organizados y moderados por periodistas profesionales.

24. En la relación entre Medios y política debe también regir el principio general: la mayor participación ciudadana y protagonismo de la sociedad civil como sea posible y tanto Estado y legislación como sea necesario, igualmente válido para toda la sociedad.

25. Buscar la organicidad y coherencia, también en el plano político, a estos procesos de apertura a una Sociedad de la Información y las Comunicaciones. Ese marco legal debe ser generado, institucionalizado y protegido por los poderes legislativo y judicial de cada país según sus propias características pero en observancia del Derecho Internacional reconocido. Como un ejemplo de la investigación realizada por el Dr. Fuenmayor Espina, remitimos a una «Propuesta de ley modelo sobre el derecho de acceso de los ciudadanos a la información pública» (p. 63-85 de Acceso. Caracas, 4 febrero de 2004). No se trata, lógicamente, de copiar mecánicamente, ni mucho menos, sino de tener referentes basados en fundamentos democráticos válidos para todos. Sería quizá muy interesante un estudio comparativo entre este modelo de Ley de acceso a la información y la Ley 88 vigente en Cuba, aunque solo sea por el interés académico y con vistas a la abolición de ésta última y la propuesta de una nueva.

26. Proponer que se establezca la obligatoriedad de la transparencia informativa en todos los niveles de gestión pública en la propuesta de Reforma Constitucional en Cuba, teniendo en cuenta el impacto social de lo que se llama «el silencio administrativo o denegación tácita de información» por parte de organismos e instituciones del Estado, especialmente contra la corrupción y la mala gestión administrativa. En la actual Constitución está establecida claramente la obligación de estos organismos de responder a las solicitudes ciudadanas. No solo a la correspondencia personal o quejas puntuales, sino también a otras iniciativas cívicas, incluso legislativas, que establece también nuestra Constitución vigente (Cf. art. 63 y 88), pero esto no se cumple en todos los casos y no es obligatorio y punible.

27. Estudiar las experiencias en otros países y regiones, para evitar caer en errores y excesos de políticas informáticas, equilibrar y sopesar mejor nuestra evaluación crítica y nuestras propuestas. Hay países que se colocan en uno de estos dos extremos con relación a la información. Por ejemplo, el caso de Singapur en que

todo «se inscribe en el marco rígido de una política de información que prevé todos los extremos, mientras que Hong Kong no ha definido prácticamente una política como tal, sino que esta evoluciona en función de las fuerzas del mercado» (Nick Moore, Instituto de Estudios Políticos de Gran Bretaña, «La Sociedad de la Información», p. 299 del citado Informe UNESCO). Entre estos dos extremos se han logrado situar en una posición más equilibrada, la Unión Europea, Grupo de los 8, Australia, Japón, Canadá, con el criterio de «la explotación de las fuerzas del mercado, pero dentro del marco de una política de información definida. De hecho «la Unión Europea es la primera comunidad de Estados que ha adoptado la inteligencia económica como uno de los vectores importantes de su política de competitividad industrial» (Philippe Clero, Universidad de París II, «Inteligencia económica: retos actuales y perspectivas», p. 332 del citado Informe UNESCO; la Unión Europea ha asumido un programa cuyo contenido se puede encontrar en el Informe «Hacia la Europa basada en el conocimiento. La UE y la sociedad de la Información.» (Dirección General de Prensa y Comunicación de la Comisión Europea).

28.   Buscar la mejor relación, mutuamente beneficiosa, entre Información y Economía basada en el principio fundamental de que los intereses económicos no deben manipular, condicionar, ni ocultar la noticia objetiva, la opinión crítica, la denuncia justa ni la propuesta constructiva. La verdad y la ética deben estar por encima de los intereses económicos y, tanto los Medios como la Economía ponerse al servicio del desarrollo humano de toda persona y de la sociedad.

29.   Favorecer la evolución tecnológica en el sector de la información que tiene un fuerte contenido económico: primero, porque proporciona medios aplicables a toda clase de situaciones; segundo, por su capacidad de proceso ha aumentado exponencialmente; y tercero: porque su bajo costo en muchos países lo hace de fácil acceso para muchos.

30.   Proponer y legislar los derechos de propiedad, privada, cooperativa y pública de los MCS en Cuba, reconociendo también su personalidad jurídica con todos los derechos y deberes inherentes a los Medios, teniendo en cuenta que el no reconocimiento legal de la propiedad de los Medios es una de las serias limitaciones a la Sociedad de la Información y podría ser un factor de cambio para un mayor acceso a la misma.

31.   Contribuir a transitar, con el uso de la cantidad de información y comunicaciones disponibles, hoy y mañana, hacia un desarrollo económico del País. Sabiendo que se ha recorrido este camino de forma inequitativa e injusta en las distintas regiones del mundo en dependencia de la etapa de desarrollo en que hace el tránsito hacia la Sociedad de la Información y las Comunicaciones: del sector primario (agricultura, silvicultura, industria minera) al sector secundario (industria manufacturera); del sector secundario al terciario (comercio y los

servicios) y en él y después de él se ubicaría el sector de la información (o cuarta ola de crecimiento económico).

32. Promover los apoyos económicos a los medios independientes de comunicación, por todas las avenidas posibles, con el objetivo de que sean sustentables y la sociedad civil tenga el mayor acceso posible, para así potenciar un debate público libre, responsable y sistemático.

33. Buscar la mejor relación, mutuamente beneficiosa, entre Información y cultura. Proponer y educar en estos temas interrelacionados:

a. *Tener en cuenta que la cultura es un resultado material y espiritual de la labor humana;* que la educación es un proceso de socialización y aprehensión de esa cultura; que la comunicación es transmisión de ideas, conocimientos e información, es decir de cultura; y que las nuevas tecnologías (TICs) permiten el acceso, producción, tratamiento y comunicación de información. Entonces es imprescindible el desarrollo humano integral.

b. *Educar en el principio de que la primacía de la persona humana implica su desarrollo integral.* Cualquier proyecto social que se proponga ese objetivo tiene que colocar al ser humano como fin, sosteniendo como principio la primacía de la persona, de su dignidad plena, sus DD.HH y sus deberes cívicos. De esa tesis emerge el concepto de Desarrollo Humano Integral (DHI), que incluye sus aspectos internos y externos: hábitos saludables, virtudes y trascendencia, con un sentido de la vida que se desenvuelve en el trabajo, la familia y la sociedad.

c. *Fomentar las mutuas relaciones entre los MCS y las TICs con la cultura, la educación y el humanismo* de matriz y valores cristianos, como perfil que identifica a nuestra identidad nacional desde sus tiempos fundacionales y también respetando todas las demás creencias, así como el agnosticismo y el ateísmo que se dan en una sociedad pluralista.

d. *Promover el respeto de los medios de información hacia la diversidad cultural;* es decir, la búsqueda, la difusión, la cobertura informativa, la promoción en los medios y el acceso a ellos en igualdad de condiciones por parte de todas las manifestaciones culturales, la diversidad en todos los ámbitos y el sano pluralismo.

e. *Promover el aporte que deben dar los Medios y las TICs a la cultura y la educación:* debemos tener en cuenta la educación para la salud, la tolerancia, la convivencia, el respeto hacia la diversidad, la libre educación artística, la promoción de valores y virtudes, la protección de la niñez, la juventud y la familia, en todos los canales y medios. Conservar y renovar los canales dedicados a tiempo completo a la educación, el deporte, la cultura, la religión, el debate parlamentario, las tertulias ciudadanas y otros.

34. Proponer que las escuelas primarias, secundarias, universidades y otros centros educativos, culturales y sociales garanticen una mayor transparencia informativa publicando sus programas, disciplinas, rendimientos y su filosofía para que los padres puedan escoger la escuela para sus hijos según datos confiables y comprobables de calidad académica y según sus creencias religiosas o filosóficas.

35. *Proponer que las escuelas primarias, secundarias, universidades y otros centros educativos, culturales y sociales garanticen,* al mismo tiempo, adecuar y actualizar todos los contenidos y metodologías a todos los niveles de enseñanza y especialidades de modo que el Sistema de Educación de Cuba, sea en el sector público o en el sector privado, incluya y garantice una Educación Informatizada e Intercomunicada del proceso docente-educativo, para desarrollar esta dimensión en la educación integral de los ciudadanos, así como la orgánica utilización de la Informática y los MCS-TICs en la investigación científica y humanística, la extensión universitaria y su inserción en todos los ámbitos de la sociedad.

36. Establecer un nuevo currículo de estudios para la formación del perfil humano y profesional del comunicad@r que tenga como objetivos cultivar su eticidad personal, su competencia profesional, ambos rasgos basados en el irrestricto respeto a la primacía y dignidad de la persona humana y todos sus derechos, la responsabilidad personal y social, la libertad de expresión, el respeto a la moral pública y personal. Estos espacios de formación de comunicadores deben promover un perfil del periodista cercano a este: El periodista debe ser audaz y a la vez cortés, intenso y a la vez templado. Debe formarse en la excelencia académica y a la vez mantenerse inmerso en la realidad en la que vive sin perderse en una torre de marfil; debe ser libre y al mismo tiempo responsable, veraz y decente, crítico pero no destructivo; distinguir la noticia de su opinión, aunque la brinde; debe ser honrado sin ser santurrón, ético sin imponer moralinas, patriota sin ser patriotero, universal sin perder las raíces, abierto al diálogo sin relativismos morales; respetar la privacidad e integridad de las fuentes de información, sin manipularlas ni inventarlas.

37. Las escuelas de periodismo fomentarán también la capacitación y formación de periodistas ciudadanos, blogueros, youtubers, etc. Se garantiza la libertad de cátedra de periodismo, como en todas las demás especialidades universitarias, solo con la observancia de los principios contenidos en la visión aquí propuesta y lo que establezca la nueva Constitución.

38. Promover asociaciones de comunicadores, libres y responsables, según una nueva Ley de Asociaciones (Cf. II Informe del CEC: Tránsito Constitucional y Marco Jurídico). Estas asociaciones no podrán fomentar la violencia de ningún tipo, los ataques a la moral personal o pública, ni nada que

atente contra la convivencia pacífica. Estas asociaciones o sindicatos defenderán libre y responsablemente los derechos y deberes de los comunicadores frente a todo intento de coartar la libertad de expresión e información que no sean los mencionados explícitamente en estas propuestas.

39. Proponer que en la Ley de Medios se garantice que el financiamiento de los MCS y las TICs podrá ser privado, cooperativo y estatal. Todos tendrán acceso a la propiedad de estos medios con tal que respeten la visión que se propone. El Estado fijará por Ley el respeto a los principios reflejados en la visión propuesta, el ejercicio libre y responsable de los MCS y TICs, así como las obligaciones tributarias y los Tribunales donde se resuelvan justamente los litigios referidos a la manipulación mediática, el respeto a la moral pública, a la fama de las personas sin distinción, al uso de violencia verbal o física, y cualquier acto que viole el marco jurídico fijado por esa Ley en la que se logre un sano equilibrio entre la más plena libertad de expresión y de prensa y el respeto a la moral pública, la privacidad personal, el derecho a la fama, a la imagen y a la integridad física y moral de todos los ciudadanos.

5. LEYES, ESTRUCTURAS Y ESPACIOS PARA EL DESARROLLO DE LOS MCS Y LAS TICs EN CUBA

1. Debatir y aprobar una nueva Ley de MCS y TICs (Cf. II Informe del CEC: Tránsito Constitucional y Marco Jurídico) que tenga como fundamento la visión que se propone, reconozca y garantice el libre acceso a los MCS y las TICS, a la libertad de expresión y el desarrollo de calidad de las comunicaciones. Que preserve y defienda los derechos ciudadanos en los MCS y el uso de las TICs. Que promueva y garantice los Derechos y Deberes de los comunicadores, los Medios de prensa, los gestores y usuarios de Internet y una regulación ética del uso de los MCS y las TICs para cuidar la integridad física, moral y espiritual de los ciudadanos, la convivencia pacífica y la moral pública. En esta ley se debe excluir y penar el uso de toda violencia, el terrorismo, los ataques difamatorios y las llamadas «ejecuciones» mediáticas. Exclusión de todo rasgo de «ley mordaza».

2. Proponemos que esta Ley integre, orgánica y coherentemente, la visión, los objetivos y las estrategias sugeridas en este VI Informe del CEC para la redacción y debate de una nueva Ley de MCS y TICs, así como estos documentos del Derecho Universal. A continuación mencionamos una relación de documentos de carácter universal o regional que tratan, refrendan y algunos vinculan a los Estados firmantes, para que garanticen el ejercicio de la libertad de expresión, de información y de comunicación. Estos son, entre otros, los más importantes:

a. Declaración Universal de los Derechos Humanos, ONU, 1948. Art. 19;
b. Pacto Internacional de Derechos Civiles y Políticos, ONU, 1966. Art. 19;
c. Carta Democrática Interamericana. Art. 4;
d. Convención Americana de DD.HH. Pacto de San José. 1966. Art. 13;
e. Convención Europea de Salvaguardia de los Derechos del Hombre y las Libertades Fundamentales. 4 de noviembre de 1950 en el seno del Consejo de Europa;
f. Hacia una Europa basada en el conocimiento. La UE y la sociedad de la información. Comisión Europea. Dirección General de Prensa y Comunicación. Texto original terminado en octubre de 2002;
g. Declaración de principios. Cumbre Mundial de la Sociedad de la Información. ONU, Resolución 56/183.

3. Eliminar las leyes que garantizan el control totalitario sobre la sociedad, lo que implica un proceso de recuperación del concepto de ciudadano y su empoderamiento. Para ello es necesario una reforma constitucional y la ratificación de los pactos de derechos humanos firmados desde el año 2008. Desterrar el falso concepto constitucional de permitir las libertades siempre que no atenten contra el orden establecido.

4. Restituir en la nueva Constitución las libertades fundamentales, entre ellas la libertad de expresión y de prensa, las que permiten la realización de otros derechos y libertades, a la par que constituyen la más desarrollada forma de libertad y una valiosa herramienta para promover la participación. La libertad de prensa asume con el periodismo ciudadano su más alta cota conocida en el desarrollo humano; mientras su ejercicio constituye una expresión de dignidad y de libertad de opinión en el ciberespacio.

5. Crear el marco legal que garantice el derecho de propiedad privada, cooperativa o comunitaria, pública o estatal. Así como la regulación legal para los Medios extranjeros que tengan sus corresponsalías en Cuba, la propiedad, el uso y disfrute de locales, equipamientos e insumos, necesarios para el ejercicio eficiente de la profesión.

6. Delimitar por ley cuáles serían los casos en que la propiedad sobre MCS o TICs puede ser expropiada o confiscada y la compensación correspondiente en cada caso. Evitar el uso monopólico de los Medios.

7. Despojar a los medios legales de injerencias, decisiones e intereses políticos e ideológicos acerca del derecho a la propiedad y de la protección de las fuentes.

8. Instituir legalmente el derecho de asociación que permita la creación de asociaciones de profesionales y no profesionales que ejerzan el periodismo sin más permiso que el que emane de la Ley.

9. Instituir legalmente que el Desarrollo Humano Integral y el principio de la subsidiariedad entre las diversas instituciones civiles y estatales para ese fin, sean tenidos en cuenta como las primeras de las prioridades.

10. Garantizar legalmente a los poseedores de medios de comunicación y de tecnologías, el derecho de adquirir todos los medios y capacitación necesarios para el mejor desempeño de su trabajo, fuera o dentro del país.

11. Garantizar legalmente la integridad física, moral y espiritual de los comunicadores y otros trabajadores de la información y establecer penas proporcionadas para quienes coarten, amenacen, persigan o violen de cualquier forma esa integridad personal.

12. Legalizar la exclusión del empleo de la violencia física o verbal y las violaciones a la privacidad en el ejercicio de la profesión de comunicadores, sea en los MCS como en las TICs.

13. Crear el marco jurídico necesario para la protección de las fuentes: Ante la investigación policial, ante los tribunales, ante las presiones de la opinión pública y los mismos medios, y ante los lectores.

6. NECESIDAD DE CÓDIGOS ÉTICOS DE LOS COMUNICADORES Y LOS MCS Y TICs EN DIVERSOS PAÍSES Y ORGANISMOS INTERNACIONALES: HISTORIA, CONTENIDOS Y FORMULACIONES

1. Deontología profesional periodística.

a. Este Informe de visión y propuestas acerca de los MCS y las TICs en el futuro de Cuba ha recibido múltiples y variadas sugerencias acerca de la necesidad de educar para que comunicadores y medios puedan tener la formación necesaria para redactar, discutir y aprobar sus propios Códigos de Ética o Códigos Deontológicos de sus gremios, medios o asociaciones.

b. Se propone la redacción y la aprobación por parte del gremio, y tras un amplio debate público, de un Código de Ética o Declaración de Principios de los Comunicadores de Cuba.

2. La moral, como orden regulador del periodismo: El objeto (de lo que se ocupa) la moral son acciones humanas y libres. Se refiere a que detrás de cada acción calificada como moral existe una voluntad o finalidad. La idea de libertad se relaciona con el concepto de responsabilidad moral. Supone que quien realizó una acción, lo hizo voluntaria y conscientemente (voluntariedad y conciencia son los requisitos de una acción para luego atribuir al sujeto de la misma, sus consecuencias). En el ámbito del periodismo la moral debe ser entendida a este respecto desde dos dimensiones. Existe una moral social vigente o positiva que

impone unos parámetros a la actividad periodística, pero, acompañada de esta –y en buen número de ocasiones enfrentada— está la moral crítica, un concepto con diferentes dimensiones semánticas. En su primera acepción, la moral crítica se equipara a la moral autónoma o individual, opuesta a la moral heterónoma que nos es dada por imposición social.

El ejercicio de la profesión periodística, desde el prístino proceso de búsqueda del hecho noticioso y de la relación con las fuentes, hasta la impresión del enfoque de la noticia y la decisión última de la publicación, pasando por todo el proceso del tratamiento de la información, requiere de una constante reflexión moral interna o individual, autónoma de los preceptos de los tres grandes órdenes normativos que regulan la profesión periodística. La moral social vigente guía el ejercicio periodístico, pero no lo condiciona hasta el punto contraproducente y degenerativo de la tiranía. La existencia de una moral crítica no solo es necesaria a nivel corporativo en la profesión, como un proceso necesario de continua revisión y de progresión del periodismo en su función social, sino que también debe ser inherente, a nivel individual, al ejercicio de cada profesional.

La moral crítica también debe entenderse en este sentido como la reflexión crítica de los contenidos de una moral correcta, en oposición a la moral heterónoma. El revisionismo moral es una necesidad inherente a la profesión periodística, sobre todo por la función fundamental que desempeña de información de la sociedad en la articulación instrumental del Estado de Derecho. Puede concebirse conceptualmente la existencia de una moral crítica desde el corporativismo del colectivo de los periodistas en general, y desde la reflexión y el revisionismo activo a nivel individual del profesional, autónoma sobre la moral heterónoma, en aras del progreso y de la funcionalidad social de la profesión, y, en un segundo estadio, a favor de la evolución de la propia moralidad. El periodismo no puede obviar la moral positiva o vigente en la sociedad, pero tiene la responsabilidad de trascenderla para contribuir activamente en su proyecto de mejora.

3.   La Declaración de Principios de Conducta de los Periodistas: Considera como grave ofensa profesional varios comportamientos ilícitos como son el plagio, la distorsión maliciosa, la calumnia, injuria, libelo, acusaciones infundadas y la aceptación de sobornos en cualquier forma por publicar o suprimir determinada información, la práctica del robo de informaciones por parte del periodista, o cuando la información difundida se basa en datos que han sido ofrecidos por la fuente con la condición de que no se hagan públicos. Es decir, cuando se viola lo que se conoce como un *off the record*. Los códigos deontológicos suelen referirse expresamente a estas informaciones y piden

siempre que se respete la confidencialidad, aunque algunos matizan que el *off the record* queda sin validez si otra fuente da la misma información sin imponer restricción alguna. Lo que la fuente no puede hacer nunca es secuestrar la información por la vía de darla *off the record* a los periodistas.

4. Los Colegios Profesionales de Comunicadores: Son corporaciones de Derecho Público compuestas por personas con intereses comunes a las que se encomiendan funciones de provecho social. Por tanto, la existencia de intereses privados de profesionales no legitima el uso de esta figura. Solo la protección de intereses públicos relevantes pueden ser objeto de la actividad de los Colegios Profesionales. Por tanto solo las profesiones que requieren titulación y que cumplen funciones de trascendencia social pueden crear un Colegio Profesional. En el caso del periodismo, la colegiación no resulta obligatoria para el ejercicio de la profesión. De este modo, las normas deontológicas recogidas en los diversos códigos ordenan el ejercicio de la profesión en términos admonitorios, pero sin posibilidad de sanción institucionalizada en caso de incumplimiento. No son normas con carácter coercitivo (entendido desde el Derecho). Las sanciones a las que puede enfrentarse un periodista que incumpla con las normas deontológicas de la profesión son de tipo social: desprestigio, pérdida de credibilidad, exclusión del grupo. La falta de colegiación y adopción de un código deontológico común provoca el ejercicio libre de los periodistas, que actúan bajo los dictados de su propia moral. La regularización de la profesión implicaría eliminar situaciones de conflicto social, como es el caso de las faltas cometidas ante la incorrecta utilización del derecho a la «libertad de expresión», «secreto en relación a las fuentes utilizadas». Tampoco parece suscitar controversias la creación de colegios profesionales en el ámbito de la actividad periodística, que velen por la ética y la dignidad profesional y por el respeto debido a los derechos de los particulares y que ejerza la facultad disciplinaria en el orden profesional y colegial (Ley de Colegios Profesionales). Ahora bien, tema bien distinto es el de la colegiación obligatoria. La colegiación, por lo demás, es fuertemente cuestionada por los sindicatos del sector, que prefieren hablar de «trabajadores de prensa» antes que de «periodistas». No se trata de una cuestión semántica sino de algo de fondo, ya que las organizaciones sindicales ponen énfasis en que son, ante todo, trabajadores y por eso mismo no aceptan la colegiación sino que defienden la sindicalización.

5. Principios Fundamentales que debe incluir un Código Deontológico: Todo país, medio, o asociación relacionada con las comunicaciones debería asumir libre y responsablemente un Código de Ética. Para su redacción se deben tener en cuenta las diversas experiencias en este campo. Se han identificado algunos principios, valores y virtudes que no debían faltar en ningún código de ética de los comunicadores, los medios y las asociaciones. He aquí algunos de esos principios:

a. *La verdad periodística.* Es deber de los comunicadores la búsqueda honesta de la verdad.

b. *Los derechos y deberes profesionales de los comunicadores.* Que deben ser garantizados por ley y educar para que sean conocidos y respetados.

c. *Información objetiva y rigurosa.* Debe informarse con honradez, imparcialidad, rigor y responsabilidad, para que la ciudadanía pueda formarse su propia opinión.

d. *Respeto a la vida privada.* Nos habla sobre el respeto a la intimidad en el trabajo periodístico, así como la identificación de los protagonistas de la información que se publica en el caso de que se puedan causar daños morales tanto en la esfera personal como en el entorno familiar y social.

e. *Prohibir y proteger de la calumnia y la injuria.* Ambas son incompatibles con el ejercicio de la profesión y constituyen el peor delito en el que podría incurrir el periodista. En todo momento el principio de presunción de inocencia debe respetarse mientras no haya sentencia en contra.

f. *Trato respetuoso y no descalificaciones.* El insulto quedaría prohibido por la ética periodística y es imprescindible el trato respetuoso a los protagonistas de la información, sin dejarse influir con opiniones personales. El periodista debería evitar todo lenguaje discriminatorio ya sea por razón de raza, sexo, religión, opinión o cualquier otra condición y circunstancia.

g. *El periodista debe explicar la verdad.* La labor convencional de los periodistas suele encontrarse limitada cuando se trata de ejercer su profesión de una forma correcta. Contrastar y ampliar información, otorgar derecho de réplica o acudir a varias fuentes son recomendaciones periodísticas que, habitualmente, se encuentran con limitaciones de espacio y tiempo en las redacciones de los medios. El periodismo electrónico de por sí no puede asegurar más tiempo al periodista para elaborar sus informaciones, pero sí le permite disponer de todo el espacio que requiera para documentarlas además de un factor temporal más flexible a la hora de añadir contenidos tales como ampliación de información, comentarios de lectores, réplica de fuentes, etc.

h. *El periodista debe respetar a las fuentes y a los sujetos de la información.* La libertad de información del periodismo tradicional se ve ampliada con respecto al resto de la ciudadanía en determinados casos en los que esta entra en conflicto con otros derechos fundamentales (derecho del honor, de la intimidad, de la propia imagen, así como derechos específicos para la infancia y la juventud). Otro aspecto es el trato especial en la relación entre periodistas y fuentes como el derecho al secreto profesional. La esencia de estos derechos no varía por el hecho de estar trabajando en un medio digital, pero la difusión internacional de los contenidos informativos pone en juego multitud de apreciaciones éticas y legislaciones sobre el honor, la intimidad y el carácter público de las personas.

i. *El periodista no debe mezclar información y opinión.* Los periodistas representan uno de los cauces de información más importantes hacia la ciudadanía. La gran mayoría de los libros de estilo de los medios marcan una clara distinción entre información y opinión, incluso la legislación deja claro que la libertad de información y la libertad de expresión no deben confundirse. Si los medios mezclan información objetiva con información subjetiva están condicionando la veracidad de la misma y, por tanto, limitando la libertad de los ciudadanos.

Pero en un contexto de abundancia de información, uno de los papeles del periodista digital es precisamente el de seleccionar y priorizar información. Por lo que la opinión del informador pasa de ser un elemento secundario al motivo principal por el cual los lectores acuden a él.

j. *El periodista no debe mezclar información y publicidad.* Partiendo de la raíz de las Ciencias de la Comunicación, se considera que la información y la publicidad son elementos diferentes. Los profesionales del sector perciben a la publicidad como el factor que hace rentable el negocio de la comunicación. En la red esta distinción es mucho más complicada.

k. *Los periodistas deben respetar los derechos de autor.* La facilidad para copiar informaciones de otro usuario y la dificultad para pedir responsabilidades ha provocado la aparición de asociaciones como *Creative Commons*, una organización sin ánimo de lucro que ofrece un sistema flexible para proteger las obras intelectuales de los internautas, desde «todos los derechos reservados» a «sin ningún derecho reservado».

l. *Los periodistas deben aceptar explícitamente el código deontológico.* Para que este apartado sea efectivo es imprescindible disponer de una identidad certificada, una garantía para el receptor de la información que quien firma estos contenidos es un sujeto real, identificado y avalado por una tercera parte. En el periodismo tradicional esta identidad y existencia real viene avalada por el medio que contrata el periodista y/o por una asociación profesional. En la red son necesarias más garantías. De la misma forma que el comercio electrónico requiere de servidores seguros, posiblemente la comunicación digital requerirá de informadores seguros y organizaciones de certificación periodística.

6. Información histórica y códigos de otros países, medios, organismos y regiones.

La deontología profesional periodística es un orden normativo que afecta a la actividad periodística. Está formado por un conjunto de normas o principios generales que, en determinadas circunstancias, se sienten como obligatorias. También desarrollan esta función reguladora, entre otros, el derecho y la moral.

Con el fin de informarnos, debatir y adoptar nuestros propios códigos o declaraciones de principios un significativo número de participantes en este estudio han aportado sugerencias, información histórica y códigos de otros países, medios, organismos y regiones:

6.1. Código deontológico: Es un conjunto de normas específicas de la profesión que regulan la conciencia profesional de un informador. Están basadas en dos principios básicos: la responsabilidad social y la veracidad informativa. Además, exigen del profesional un continuo reciclaje y auto-perfeccionamiento profesional. Es un conjunto sistemático de normas mínimas que un grupo profesional determinado establece y que refleja una concepción ética común mayoritaria de sus miembros. Debe tenerse presente que la actividad periodística está regulada, principalmente, por tres grandes órdenes normativos, que son *el derecho*, la normativa de *la deontología profesional* y *la moral*. Por tanto, la deontología profesional y los códigos éticos se nutren de diversas fuentes: de la ética para la justificación teórica, de la moral y del derecho. La deontología, por tanto, es un puente entre la ética y el derecho. Es preciso que el periodista sienta la necesidad moral de realizar el trabajo de acuerdo a unos requisitos de honestidad intelectual fuera de toda razonable sospecha; es aquí cuando surge la necesidad personal de acudir a los principios éticos más unánimes de los códigos deontológicos de la profesión. El código deontológico de la profesión se define como «normas voluntarias de conducta» que señalan «cuál debe ser el camino correcto en la profesión» (Villanueva, Ernesto). Uno de los valores es el ya mencionado de «honestidad profesional en cuanto a la objetividad. Empezando a enumerar principios éticos generales, insistimos también en el grupo derivado de la demanda de libertad de opinión contra la misión del Estado de proteger tanto a la privacidad como a lo público —estos son los principios menos morales y más interesados—. Y por último los que se centran en la talla moral y la responsabilidad social de la figura del periodista. Sobre esto tenemos las palabras del reconocido periodista polaco Kapuscinski: «Un periodista debe ser un hombre abierto a otros hombres, a otras razones y a otras culturas, tolerante y humanitario. No debería haber sitio en los medios para las personas que los utilizan para sembrar el odio y la hostilidad y para hacer propaganda. El problema de nuestra profesión es más bien ético».

6.2. Declaración de Principios Básicos de la Federación Internacional de Periodistas: En ella se destaca el «respeto a la verdad» y a la libertad de prensa, la condena de la información oculta y la falsificación de documentos, el uso de métodos justos para conseguir noticias, la obligación de rectificar y desmentir la información que resultase falsa y el secreto profesional. Es más, el periodista tendría que renunciar, por la imposibilidad de la lucha, a su ética personal primero, y participar en el doble juego de aceptar la autoridad del libro de estilo para defenderse y luego ignorarla cuando la agresividad para escribir la noticia es necesaria, pero no justa. O también se convertiría en un profesional sin escrúpulos y es consciente de su mezquindad moral a la que se enfrenta con cierto sarcasmo y resentimiento.

7. Origen y evolución histórica de los Códigos de Ética del Comunicador y de los Medios: Como base para hablar de la existencia de un código deontológico a lo largo de la historia se parte de dos supuestos: La capacidad cultural de codificar normas de conducta que se remonta al surgimiento de las grandes civilizaciones de la Antigüedad, aunque la existencia del periodismo como tal aun está muy lejos. Y la existencia de una actividad profesional que se plantee las normas morales propias de esa actividad. El *Juramento Hipocrático* se considera el primer ejemplo de un código deontológico. En este código se recogen una serie de obligaciones que debían cumplir los médicos, como la conservación de la vida del paciente o la salvaguardia de su intimidad. Mencionamos algunos códigos de ética en la historia:

a. *La Declaración de Principios de Benjamin Harris* publicada en 1690, *Publick Occurrences Both Forreign and Domestick(en),* se considera el primer antecedente de un código deontológico del periodismo y el primer periódico americano. Su primer —y único— número, con lo que la categoría de «periódico» perdería sentido, lo abría Harris con una declaración de los compromisos que iban a guiar su actividad editora y periodística: recoger y difundir las noticias con veracidad y exactitud, acudir a las fuentes, corregir los errores y evitar la difusión de falsos rumores.

b. *La Escuela de Periodismo de la Universidad de Columbia en Nueva York* creada en el año 1902 por Joseph Pulitzer, motivado por los malos derroteros que estaba siguiendo el periodismo. El objetivo de esta escuela era el siguiente: a) elevar la calidad periodística; b) establecer parámetros de comportamiento; c) dignificar la profesión; d) mejorar las relaciones con la sociedad. En cierto modo era elevar la profesión periodística al rango universitario y lograr así un enfoque más profesional.

c. *El primer Código del Periodismo fue el de la Asociación de Editores de Kansas* en 1910.

d.   El «*Credo de la Prensa Industrial*» en 1913 adoptado por la Federación de Asociaciones del Gremio de la Prensa de EE.UU. estaba orientado a mejorar los estándares éticos de la prensa americana, a partir de la colaboración de propietarios, anunciantes y directores.

e.   La «*Charte des devoirs professionnels des journalistes français*» de 1918. Carta de Deberes Profesionales de los Periodistas Franceses en julio de 1918, adoptada por el Sindicato Nacional de Periodistas de Francia y revisado en 1923, 1938 y en 1964, cuando sirvió de base a un nuevo código más completo y en la actualidad sigue en vigor. Se firmó en París y en ella se adjudica al periodista la total responsabilidad de sus escritos, incluso si estos son anónimos. La calumnia, las acusaciones sin pruebas o la alteración de documentos, son contrarias a lo dictado en esta carta por el Sindicato de Periodistas Franceses al igual que advierte de la obligación de poner a disposición judicial si se observase un hecho de tal magnitud. En las primeras décadas del siglo se aprobaron también una serie de códigos en los países escandinavos.

f.   La «*Declaración de principios y Código de práctica de Missouri*», adoptado en 1921.

g.   El «*Código de ética del periodismo de Oregón*», en 1922.

h.   «*Cánones del Periodismo*», en 1923, la recién creada ASNE (Sociedad Americana de Editores de Periódicos) adoptó su famoso código, uno de los más conocidos e influyentes, y vigente hasta 1975 cuando pasó a ser la «Declaración de Principios de la ASNE».

i.   *Código de Ética* de 1926. Primer código norteamericano promovido por un colectivo de periodistas y que continúa siendo hoy en día el más reconocido entre los profesionales de EE.UU. y que ha sido revisado varias veces.

j.   *El primer código ético de la radio* es de 1928 y fue adoptado por la Asociación Nacional de Radiodifusores de EE.UU.

k.   «*Código Internacional de Práctica Publicitaria*», en 1937 vio la luz el primer código de la publicidad, promovido por la Cámara de Comercio Internacional y que influiría posteriormente en la legislación publicitaria de diferentes países. Hasta el fin de la Segunda Guerra Mundial en 1945 el fenómeno de los códigos fue minoritario, desconocido para la opinión pública occidental e incluso para los mismos periodistas.

l.   *El Informe Hutchins:* Una prensa libre y responsable (1947). En el año 1942, el responsable de la revista *Time*, Henry Luce, consciente de la desviación que había sufrido el periodismo, reflexiona sobre la realización de un estudio y un informe centrado en la situación de los medios de comunicación en ese momento. Para la elaboración de este trabajo pidió la colaboración del rector de la Universidad de Chicago, Robert Hutchins, quien, rodeado de expertos en Ciencias Sociales, plasmó sus conclusiones en este trabajo donde expone la situación de la prensa en los EE.UU. y propone soluciones para aquellos puntos criticables. Uno de los puntos más destacados se centraba en la necesaria intervención gubernamental para solucionar los problemas que se enumeraban en el trabajo. El informe Hutchins dio lugar a una teoría, a una doctrina: Teoría de la Responsabilidad Social de la Prensa. Configuración teórica de una primera doctrina donde se reflejaba la enorme influencia de la prensa para dirigir la opinión pública a favor de los dirigentes del medio. De esta teoría surgirá con posterioridad el concepto de Responsabilidad Social de los Medios.

m. *Declaración de Deberes y Derechos de los Periodistas, conocida como la «Carta de Munich»* en 1971: los sindicatos de periodistas de la Comunidad Económica Europea —formada entonces por 6 miembros—, junto con los de Suiza y Austria, aprueban una declaración, que recibiría el visto bueno tanto de la Federación Internacional de Periodistas (FIP) como de la Organización Internacional de Periodistas (OIP). La novedad de este documento radicaba en que recogía no solo los deberes sino también los derechos de los profesionales del periodismo.

n. *Código de Ética del periodista venezolano* (1972): Acordado por el colegio Nacional de Periodistas de Venezuela que lo aplica a sus miembros conforme a lo prevenido en el artículo 29 de la Ley de Ejercicio del Periodismo de 1972.

o. *Códigos deontológicos del periodista latinoamericano* en junio de 1976: En el seno de las Naciones Unidas se ha trabajado en la preparación de un proyecto de Código de Ética Periodística de alcance universal. El primer Congreso Latinoamericano de Periodistas, celebrado en México D.F., en junio de 1976, acordó adoptar como suyo el proyecto anterior, con algunas modificaciones que le parecieron convenientes.

p. *El Informe McBride:* «Un solo mundo, voces múltiples» fue realizado en 1980 por el irlandés Sean McBride quien, al igual que Hutchins, se rodeó de una serie de expertos en el mundo de la comunicación para elaborar su trabajo. En 1979, la Unesco, consciente de esta situación desigual en la que la información estaba controlada por las grandes empresas de comunicación, en la que siempre se hablaba de los mismos asuntos y de los mismos países, encarga otro informe conocido habitualmente como Informe McBride. En él se recogen todos los delitos del poder que atentan contra el periodismo e incluye un aspecto novedoso: los derechos y deberes del periodista. Distintos países participaron en el desarrollo de este informe que supuso una radiografía de la comunicación mundial en los años 70. Entre los deberes de los comunicadores, hay tres puntos que coinciden en los dos informes (Hutchins-McBride): a) responsabilidad social de los profesionales que implica una serie de obligaciones hacia la opinión pública. Ya el informe Hutchins establecía que había que diferenciar lo que es información de lo que es opinión; es aquí donde se instaura esa responsabilidad social; b) el periodismo ha de respetar las leyes para no vulnerar los derechos de los ciudadanos; c) necesidad de asumir la responsabilidad contractual con nuestra empresa. Ambos informes marcan así un antes y un después en la labor periodística desde el punto de vista deontológico, y se trataba de imponer un nuevo orden en el mundo de la comunicación internacional. Desde la perspectiva del Informe McBride, la libertad de expresión carente de responsabilidad es un paso a la distorsión de la realidad, pero es también inconcebible un periodismo ausente de libertad. Para el Informe, la «libertad con responsabilidad incluye relación con la ética profesional, acercamiento a los hechos, situaciones o procesos con la debida atención a sus aspectos diversos».

q. *«Principios Internacionales de Ética Profesional del Periodismo».* Aprobado por la Unesco en 1983: Es el documento más importante, hasta ahora el intento más consistente de crear un código mundial de ética periodística. Los antiguos códigos fueron actualizados, pero lo más llamativo fue la aparición de códigos internos en los propios medios y agencias y grupos multimedia.

r. *En los noventa se ha producido una auténtica eclosión de nuevos códigos.* Hay varias razones, políticas y mediáticas: el cambio político en los antiguos países del Este ha hecho necesario introducir cambios en sus códigos para tratar de hacer frente a sus deficiencias en libertad de expresión, pluralidad y ética periodística; la eclosión de nuevas tecnologías ha planteado nuevas cuestiones relacionadas con la intimidad, la manipulación y la propiedad intelectual.

s. *Código de conducta profesional para los informadores británicos:* En 1990, el Consejo de la Prensa (PC) británico, un organismo de afiliación voluntaria que vela por el mantenimiento de los estándares de la información periodística, formuló un código de conducta profesional para los informadores. La prensa británica está autorregulada a través de un código ético que intenta equilibrar la obligación de proteger los derechos del individuo y el derecho del público a ser informado. La Comisión de Quejas de la Prensa (PCC) se encarga de la supervisión de su cumplimiento y posee la facultad de imponer sanciones. Los periódicos no deben publicar deliberada o imprudentemente inexactitudes destinadas a engañar o crear falsas impresiones, dice el primero de los 16 puntos del código.

t. *Código Europeo de Deontología del Periodismo:* En 1993, ante la ineficacia de la mayoría de los códigos de deontología, el Consejo de Europa, como institución europea a quien compete la salvaguarda de los derechos fundamentales de la persona, aprobó el denominado Código Europeo de Deontología del Periodismo como marco de referencia de autocontrol ético del periodismo para toda la Europa democrática.

u. *Código Deontológico de la profesión periodística de la Federación de Asociaciones de Periodistas Españoles (FAPE),* aprobado por su Asamblea Extraordinaria de Sevilla en 1993: es el documento de deontología periodística más importante de España. En su preámbulo se señala que en el marco de las libertades civiles de la Constitución, la actividad periodística es clave en el desarrollo de los derechos fundamentales sobre la libre información y expresión de ideas. Sin embargo, también se expresa que se ha de tener en cuenta que esta actividad está sometida a límites, aquellos que impiden la vulneración de otros derechos fundamentales. Por su modo de aprobación, el Código responde plenamente a rasgos propios de la llamada autorregulación.

v. *Código de Ética de los periodistas de Chile,* aprobado por el Congreso Nacional Extraordinario del 26 de enero de 1994: El Colegio de Periodistas de Chile ha creado un Código Deontológico basado en tres partes principales: el periodista, el periodista con respecto a los ciudadanos y el periodista en el medio de comunicación.

w. *Código Ético de Protección de Datos en Internet de la Asociación Española de Comercio Electrónico (AECE)* en 1998: impulsada por treinta empresas españolas como *El País, El Mundo, Círculo de Lectores, Grupo Recoletos, Planeta, Retevisión* o la *Sociedad General de Autores de España* (SGAE), promovido para solventar problemas como la propiedad intelectual de las marcas o la protección de derechos de autor entre otros aspectos por diversas entidades españolas coma la Asociación de Autocontrol de la Publicidad (AAP) o la Agencia de Protección de Datos (APD).

x. *Código Ético de la Publicidad en Internet de la AAP* aprobado el 14 de abril de 1999.

y. *Código Ético de Comercio Electrónico y Publicidad Interactiva* presentado en 2002: En este se engloban los dos códigos anteriores, el de AECE de 1998 y el de AAP de 1999.

z. *Códigos de medios de Internet:* En la actualidad la opinión pública se muestra más sensible hacia la existencia de los códigos deontológicos, que han dejado de ser una preocupación exclusiva de periodistas y editores. En un futuro cercano, es previsible que se produzcan novedades en lo que se refiere a poscódigos de los medios audiovisuales y la aparición de nuevos códigos de medios de Internet.

BIBLIOGRAFÍA:

Las definiciones de conceptos y las informaciones sobre los códigos de ética y declaraciones de principios de los comunicadores que hemos incluido en este informe han sido recopiladas por la dirección del CEC con información de:

Informe Mundial sobre la Información UNESCO/CINDOC. 1997-98. p. 290.

Código internacional de ética periodística de la UNESCO.

Directorio de Códigos Deontológicos periodísticos de países de todo el mundo. Lull James. *«Media, Communication, Culture. A Global Approach»,* © Polity Press, 1995.Traducción, Alcira Bixio. Única edición en castellano autorizada por Polity Press, Cambridge, Inglaterra. Amorrortu Editores S. A., Paraguay.

Medios, comunicación, cultura. Aproximación global. Brajnovic, Luka (1978). *Deontología periodística.* EUNSA.

Ramos Fernández, Fernando (1998). *La profesión periodística en España: estatuto jurídico y deontología profesional.* Diputación Provincial de Pontevedra. Código Deontológico de la FAPE. Comisión de Quejas y Deontología de la FAPE.

Código Europeo de Deontología del Periodismo.

Declaración de principios de la FIP sobre la conducta de los periodistas.

Códigos Éticos del Periodismo y los Medios de Comunicación en el mundo.

Estatuto del periodista profesional Wikimedio.

Declaración Universal de Derechos Humanos.

Pacto Internacional de Derechos Civiles y Políticos, ONU, 1966. Art. 19.

Carta Democrática Interamericana. Art. 4.

Convención Americana de DDHH. Pacto de San José. 1966. Art. 13.

Convención Europea de Salvaguardia de los Derechos del Hombre y las Libertades Fundamentales. 4 de noviembre de 1950 en el seno del Consejo de Europa.

Hacia una Europa basada en el conocimiento. La UE y la sociedad de la información. Comisión Europea. Dirección General de Prensa y Comunicación. Texto original terminado en octubre de 2002.

Declaración de principios. Cumbre Mundial de la Sociedad de la Información. ONU, Resolución 56/183.

Declaración de Santiago de Chile. 1994.

Dictamen de la Corte Interamericana de Derechos Humanos del año 1985.

Artículo de César Coca (profesor de la Universidad del País Vasco): «Códigos éticos y deontológicos en el periodismo español».

Artículo de Miguel Ángel Quintana Paz (profesor de la Universidad Europea Miguel de Cervantes) sobre la ética periodística y el uso de las cámaras ocultas.

Conferencia de Dagoberto Valdés sobre «Cuba y la sociedad de la Información y las Comunicaciones», en el Encuentro convocado por la presidencia rotativa de la UE. Residencia del Embajador de los Países Bajos en La Habana. 27 de mayo de 2005.

Manual de estilo y código deontológico de Periodismo Independiente.

PARTICIPANTES:

Pinar del Río, Cuba.
septiembre-diciembre de 2018

DE LA ISLA:

Dagoberto Valdés Hernández
Karina Gálvez Chiú
René Gómez Manzano
Dimas Castellanos Martí
Yoandy Izquierdo Toledo
Livia Gálvez Chiú
Rosalia Viñas Lazo
Jorge L. Guillén García
Jorge I. Guillén Martínez
María de la Caridad Martínez
Ariel Pérez González
Néstor Pérez González
Alfredo Pérez González
Juan Pablo Pérez González
Nora M. Mesa García
Eusebio Alfredo Pérez
Ángel Mesa Rodríguez
María del Carmen Gort
Olimpia González Núñez y
Comunidad Teresiana en Cuba
Reinaldo Escobar Casas
Yoani Sánchez Cordero

FIU, Miami.
17-18 febrero de 2018

DE LA ISLA:

Dagoberto Valdés Hernández
Dimas Castellanos
René Gómez Manzano
Yoandy Izquierdo Toledo

Reinaldo Escobar Casas
Jorge I. Guillén Martínez
Ariel Pérez
Alfredo Pérez

DE LA DIÁSPORA:

Gerardo Martínez Solanas
Juan Antonio Blanco
Pedro Campos Santos
Amaya Altuna
Pedro Pablo Álvarez
Pedro Camacho
Santiago Cárdenas, hijo
Oilda del Castillo
Siro del Castillo
Helio González
René Hernández Bequet
Arnoldo Muller
María Emilia Monzón
Mario José Pentón
Francisco Porto
Sissi Rodríguez
Juan Manuel Salvat
Rafael Sánchez
María de la Caridad Campistrous
Ondina Menocal
Silvia Rodríguez
Oscar Visiedo
Daniel Avilés
Aymée Guerra
Gilbert Cepero
Kenia Mármol
Jorge A. Sanguinetty
Eduardo Álvarez

¿QUÉ ES EL CENTRO DE ESTUDIOS CONVIVENCIA?

El Centro de Estudios Convivencia (CEC) es un *think tank* cubano independiente, fundado el 15 de octubre de 2007 en Pinar del Río, Cuba, heredero del Centro de Formación Cívica y Religiosa y su revista Vitral (1993-2007), que se define como un espacio plural e incluyente, no partidista y no lucrativo, de la sociedad civil cubana, que trata de inspirar, crear y difundir ideas a través de sus estudios e iniciativas de formación ética y cívica.

Es un centro de pensamiento y propuestas, conformado por ciudadanos de muy diversas opciones filosóficas, políticas y religiosas, que están interesados en debatir ideas, hacer estudios y proponer soluciones sobre aspectos de la vida de nuestro país.

El CEC intenta contribuir a la unidad de la nación cubana tendiendo puentes de convivencia entre la Isla y su Diáspora. Para ello realiza sus estudios con participación de pensadores y académicos de los «dos pulmones».

El CEC difunde sus ideas y propuestas constructivas por medio de su revista digital Convivencia, en su sitio web: www.centroconvivencia.org

LÍNEAS DE TRABAJO

1. Un programa de Educación Ética y Cívica a través de 14 cursos de formación ciudadana con nuestro propio libro de texto (*Ética y Cívica: Aprendiendo a ser persona y a vivir en sociedad. Ediciones Convivencia. 2014*).

2. Un Itinerario de Pensamiento y Propuestas para Cuba (de los cuales han surgido los seis Informes de Estudios que hoy se compilan en este libro).

3. La publicación de una revista sociocultural llamada *Convivencia* para la divulgación de pensamiento plural, la educación cívica y el debate público (cuenta con 66 números hasta la fecha).
4. La construcción de consensos y la promoción de microproyectos que se correspondan con nuestro objetivo.

CONSEJO DIRECTIVO

1. Dagoberto Valdés Hernández *(Director)*
2. Karina Gálvez Chiú
3. Livia Gálvez Chiú
4. Rosalia Viñas Lazo
5. Yoandy Izquierdo Toledo

CONSEJO ACADÉMICO

1. Carmelo Mesa-Lago
2. Cristian Larroulet
3. Dimas Castellanos
4. Elías Amor
5. Gerardo Martínez-Solanas
6. Juan Antonio Blanco
7. Marifeli Pérez-Stable
8. Miriam Celaya
9. Karina Gálvez Chiú
10. Pedro Campos
11. René Gómez Manzano
12. Armando Chaguaceda
13. Rafael Rojas
14. Silvia Pedraza

ÍNDICE

Made in United States
Orlando, FL
08 February 2022

14587675R00359